Coleção Astrologia Contemporânea

A Astrologia, como linguagem simbólica que é, deve sempre ser recriada e adaptada aos fatos atuais que pretende refletir.

A coleção ASTROLOGIA CONTEMPORÂNEA pretende trazer, na medida do possível, os autores que mais têm se destacado na busca de uma leitura clara e atual dos mapas astrológicos.

Dados Internacionais de Catalogação na Publicação (CIP)
(Câmara Brasileira do Livro, SP, Brasil)

Sakoian, Frances
O manual do astrólogo / Frances Sakoian, Louis S. Acker ; [tradução de Denise Bolanho]. - São Paulo: Ágora, 1993 - (Coleção astrologia contemporânea)

Título original: The astrologer's handbook.

ISBN 978-85-7183-403-3

1. Astrologia I. Acker, Louis S. II. Título

93-1677 CDD-133.5

Índice para catálogo sistemático:

1. Astrologia 133.5

O Manual do Astrólogo

Frances Sakoian
e Louis S. Acker

Do original em língua inglesa
THE ASTROLOGER'S HANDBOOK

Tradução: **Denise Bolanho**
Capa: **Ettore Bottini**

Editora Ágora
Departamento editorial
Rua Itapicuru, 613, 7º andar
05006-000 – São Paulo – SP
Fone: (11) 3872-3322
http://www.editoraagora.com.br
e-mail: agora@editoraagora.com.br

Atendimento ao consumidor
Summus Editorial
Fone: (11) 3865-9890

Vendas por atacado
Fone: (11) 3873-8638
e-mail: vendas@summus.com.br

Impresso no Brasil

SUMÁRIO

PARTE II: INTERPRETANDO OS ASPECTOS

INTRODUÇÃO

A ansiedade com que um número cada vez maior de pessoas está se dedicando à astrologia é um sinal saudável do enorme anseio por um modo de vida mais significativo. Mas podemos perguntar: será que a astrologia, da maneira como tem sido praticada, é um instrumento valioso para saciar essa ansiedade? Há pessoas sérias e humanitárias que não pensam assim. De muitas maneiras, os recursos da astrologia ocidental se enfraqueceram, pois ela está sujeita à deturpação comercial, reduzida a mera tagarelice, restrita aos signos, planetas e casas.

Felizmente, astrólogos perspicazes, que a princípio se surpreenderam e depois se encantaram com o crescimento vertiginoso do interesse público por sua arte, começaram a responder a esse interesse renovado com tentativas de renovar a própria astrologia. Este livro, *O manual do astrólogo*, representa um esforço significativo de dois astrólogos experientes para esclarecer e reconstruir a estrutura potencialmente grandiosa, porém ameaçada, da correlação entre o homem e a "consciência cósmica".

De que maneira a astrologia chegou à situação em que atualmente a encontramos? Os motivos datam de meados do século XVII, quando o homem começou a pensar que era mais importante que Deus, e com o início da supremacia do desenvolvimento científico. Um dos principais resultados do novo pensamento foi que a natureza, antes em harmonia com todo o tipo de fenômeno no universo, foi dessacralizada, e, com o abandono da dimensão da Intenção Divina, o mundo se tornou metafisicamente bidimensional, em vez de tridimensional. A astrologia, que não tinha dúvidas a respeito de quem era mais elevado, Deus ou o homem, naturalmente se tornou alvo de crescente oposição. Logo, astronomia e astrologia se dividiram, e os novos "cientistas" começaram a atacar a astrologia por intermédio de uma Igreja corrupta e politicamente orientada.

As tentativas de destruir a profunda compreensão dos motivos da existência do homem na terra não puderam eliminar a astrologia, porém conseguiram levá-la ao esquecimento. Durante séculos, ela constou apenas dos velhos almanaques, subsistindo mais como uma curiosidade do que como uma arte importante. Assim, a astrologia sobreviveu, mas o desastre foi que durante centenas de anos ela perdeu o contato com outras disciplinas intelectuais. Foi um isolamento muito caro, e, na realidade, mesmo atualmente, o astrólogo cético é uma raridade. Privados do rigoroso equilíbrio, proporcionado por uma sólida metafísica, astrólogos e videntes talentosos não tiveram ajuda para distinguir entre fantasia e revelação. Os brilhantes *insights* que ocorreram nos séculos intermediários não foram avaliados; os erros se perpetuaram cegamente, como se fossem a expressão da verdade.

Os tempos mudaram desde que a astrologia foi rejeitada, tanto pela ciência quanto pela Igreja. Em seu livro *New religions* (Doubleday, 1970), Jacob Needleman diz: "Hoje as coisas são diferentes, e o atual interesse pela astrologia pode ser um sinal da recente busca espiritual, como foi, por exemplo, sua rejeição por Santo Agostinho, em sua época". Porém, mesmo hoje em dia, a astronomia permanece em desacordo com a astrologia, ou, mais exatamente, a ignora. O pai de um jovem e bem-sucedido astrólogo que conheço é um astrônomo famoso. Sei que entre eles esse assunto simplesmente jamais é discutido. Mas é interessante notar que, quando a ciência se preocupa com a astrologia, exige, antes de qualquer outra coisa, uma prova estatística das correlações entre os indivíduos e a configuração de determinados planetas no dia de seu nascimento. Isso certamente é adequado, porque o que a ciência realmente oferece aos astrólogos contemporâneos são precisamente seus métodos estatísticos. Aplicadas à astrologia, estas técnicas poderiam ser uma ajuda real na distinção entre fantasia e revelação divina. Os cientistas em geral talvez jamais sejam capazes de ingressar na esfera intuitiva dos astrólogos, mas, na busca comum pela verdade, talvez cheguem a reconhecê-la em vez de ignorar sua existência.

Hoje em dia, com tantos testemunhos vindos de todos os lugares, todos elogiando a astrologia pelos motivos errados, os verdadeiros valores dessa arte são ofuscados. Certamente não pretendo afirmar que sei distinguir absolutamente o certo do errado ou do exagero; o que me faz apreciar a astrologia é que durante meus estudos encontrei indulgência, e mesmo compaixão, pelas pessoas que não conseguiam deixar de fazer aquilo que faziam. Para mim, a astrologia é valiosa porque equilibra a indicação de fatalismo com a realidade de sermos capazes de enxergar os avisos existentes em um mapa, para depois tentar superá-los através das ações "corretas" sugeridas no mapa. Essa importante dimensão do pensamento astrológico é semelhante à sabedoria do *I Ching*.

O manual do astrólogo possui dados valiosos para principiantes e especialistas. O Capítulo I, "Para o astrólogo principiante", mostra ao iniciante as informações que pode obter a seu respeito apenas sabendo o dia em que nasceu, e a hora e o minuto exatos de seu nascimento. O leitor mais experiente ficará especialmente interessado nos dados sobre os principais aspectos. Neste livro, pela primeira vez, as características das quadraturas e oposições não são consideradas "desfavoráveis", mas descritas especificamente como dois tipos de oportunidades de ação e aprendizado. Além disso, as características das quadraturas são diferenciadas daquelas das oposições, e ambas diferenciadas das conjunções, e assim por diante, para todos os principais aspectos. A maior parte do *Manual* descreve a combinação de cada aspecto, quadratura Sol-Lua, quadratura Sol-Marte, e as quadraturas do Sol com o restante dos planetas, trígono Sol-Lua, trígono Marte, e assim por diante.

Ao elaborarem estes novos dados sobre os principais aspectos, os autores se basearam estritamente nas regras clássicas da astrologia, num esforço para permanecerem próximos dos conceitos que formam os princípios desta arte. Assim, podemos com certeza reconhecer este livro ambicioso como uma genuína contribuição à astrologia clássica, preparado por dois modernos astrólogos que acreditam nas antigas leis.

É desnecessário mencionar que as novas descrições de Sakoian e Acker ainda devem ser testadas, por eles próprios e por outros competentes astrólogos praticantes. A distinção entre as mensagens imaginárias e as verdadeiras mensagens "lá de cima" exige que os melhores intelectos no campo as experimentem durante muito tempo. Essa distinção não pode ser tentada com segurança por apenas uma ou duas pessoas. Portanto, devemos lembrar que estes novos e estimulantes dados do *Manual do astrólogo* têm mais a natureza de revelação do que de declaração.

Durante os últimos anos, o ensino tornou-se uma importante atividade na movimentada vida de Frances Sakoian, primeiramente em pequenos grupos e, depois, em uma escola particular de astrologia, com a competente assistência de Louis Acker. No verão de 1970, a sra. Sakoian aceitou o convite do dr. Harry L. Morrison, presidente da Universidade John F. Kennedy em Martinez, Califórnia, para dar um curso de astrologia. Esperamos que esta seja a primeira de muitas oportunidades para que a astrologia volte ao mundo acadêmico. Atualmente estão ocorrendo muitas mudanças, e, entre os promissores sinais numa era de transformações, está a excitante possibilidade de uma renovação real da astrologia em sua verdadeira essência.

Minor White

PREFÁCIO

A súbita abundância de livros sobre astrologia reflete o crescente interesse atual pelo assunto. Mas a maioria desses livros, desde os mais recentes até as reedições dos mais antigos, se concentra em grande parte na história da própria astrologia e/ou nas interpretações dos signos solares, dos signos ascendentes (Ascendentes), talvez dos signos planetários (Lua em Virgem, Mercúrio em Gêmeos etc.), e na explicação do significado das casas. Nenhum deles trata estas interpretações ou os aspectos de maneira abrangente. Nenhum descreve em detalhes o significado de cada aspecto e como ele pode ser utilizado para a compreensão do horóscopo.

O principal requisito para a interpretação do horóscopo é saber interpretar corretamente os aspectos. Pela primeira vez, este livro torna essa informação acessível e compreensível para o estudante e/ou praticante de astrologia.

Além de tratar dos signos do Sol, dos signos ascendentes, dos signos planetários e das casas, *O manual do astrólogo* descreve métodos lógicos e gradativos para a interpretação do significado dos diversos aspectos através das regras fundamentais da astrologia, proporcionando ao estudante um exercício valioso na interpretação de horóscopos. A prática habitual de reunir os aspectos em categorias gerais, favoráveis ou desfavoráveis, foi evitada; em vez disso, conjunções, sextis, trígonos, quadraturas e oposições são considerados separadamente*. Assim, mostra-se como cada aspecto confere suas próprias características a qualquer combinação de aspectos, planetas, nódulos ou ângulos. Por exemplo, a quadratura e a oposição são considerados aspectos tensos; no entanto, não provocam o

* Embora os aspectos paralelos e inconjuntos também sejam importantes, serão considerados em um trabalho à parte.

mesmo tipo de tensão. A quadratura lida com obstáculos às ambições do nativo, enquanto a oposição se refere a problemas de relacionamento.

Um outro assunto abordado é a maneira como os movimentos dos planetas envolvidos no aspecto afetam o seu significado. Quer um aspecto esteja agindo ou desligado, aproximando ou afastando, quer seu orbe seja exato ou mais amplo, ele é um fator importante na determinação da força e significado de um aspecto.

Este livro não inclui uma bibliografia, pois foi escrito a partir de conhecimentos e experiências pessoais. Ele não pretende ser infalível, mas é o produto da combinação de recursos que, esperamos, irão se revelar de valor duradouro.

Não existe área de experiência humana que não seja tocada de alguma maneira pela astrologia. Este livro destina-se a proporcionar *insights* sobre as leis da consciência, para que o leitor compreenda que é uma entidade integrada à estrutura mais ampla de consciência na qual todos vivemos.

Anos de experiência provaram que a astrologia é uma disciplina válida, com um vasto potencial para enriquecer e tornar compreensíveis todas as fases da vida. Por essa razão, acreditamos que o presente trabalho possa servir como texto básico para o ensino de astrologia em faculdades e universidades.

COMO UTILIZAR ESTE LIVRO

Este livro pretende oferecer ao leigo, ao estudante e ao praticante de astrologia as informações necessárias para a interpretação de horóscopos.

Tendo feito o seu horóscopo, você está pronto para continuar sua interpretação. Leia a seção "Potenciais do signo solar", no Capítulo 2, que se refere ao seu horóscopo. A seguir, estude o capítulo sobre as casas, que representam os setores de nossa vida. Então, leia o Capítulo 3, "Padrões de sobreposição do signo ascendente", que explica como o nativo se projeta em cada setor da vida. Depois leia seus planetas nos signos e casas (Capítulo 5).

Como um primeiro passo para interpretar os aspectos, leia os Capítulos 8 a 10. Tenha em mente o orbe reservado a cada um dos aspectos principais e a possibilidade de um aspecto estar "oculto" (isso acontece quando um planeta se encontra nos últimos graus de um signo e o outro planeta está nos primeiros graus de outro signo).

Finalmente, você estará pronto para interpretar os aspectos individuais de seu horóscopo. Primeiramente, descubra com qual dos cinco principais aspectos está lidando — conjunção, sextil, quadratura, trígono ou oposição. Determine os planetas ou pontos no horóscopo envolvidos e anote os que vêm em primeiro lugar, na seguinte disposição: Sol, Lua, Mercúrio, Vênus, Marte, Júpiter, Saturno, Urano, Netuno, Plutão, Nódulo Norte, Nódulo Sul, Ascendente, Meio do Céu, Descendente, Nadir. Então, volte ao capítulo sobre o aspecto envolvido e consulte o planeta ou ponto adequado. Por exemplo, se você tem um sextil formado por Vênus e Netuno, procure em "Sextil Vênus-Netuno", na seção "Sextis de Vênus", no Capítulo 12.

Para auxiliar a interpretação do horóscopo, os capítulos sobre as exaltações dos planetas e os dispositores podem ser utilizados como recursos adicionais.

Os métodos de análise e interpretação astrológica descritos neste livro são os ensinados na New England School of Astrology em Arlington, Massachusetts. Frances Sakoian é a diretora da escola, e Louis Acker, um de seus instrutores.

Parte I

ASTROLOGIA BÁSICA

CAPÍTULO 1

Para o Astrólogo Principiante

Signos solares

Horóscopo é o mapa da posição dos planetas no firmamento na hora e no lugar exatos de seu nascimento. Esse mapa representa um círculo de 360°, o caminho que o Sol parece seguir através do céu (na verdade, o plano da órbita da Terra ao redor do Sol), que os astrônomos denominam de eclíptica. Os astrólogos dividem este caminho em doze setores de 30°, que são os doze "signos do Zodíaco", ou "signos solares". Eles indicam em que setor o Sol se encontrava na hora de seu nascimento. Por exemplo, se você nasceu no princípio de outubro, então o Sol se encontrava no sétimo signo, Libra. Seu "signo solar", portanto, seria Libra.

O Zodíaco mais comumente utilizado na astrologia ocidental é determinado pelo equinócio da primavera. Essa é a posição do Sol (mais ou menos em 20 de março de cada ano)* em que dias e noites têm a mesma duração. O equinócio da primavera é definido na astronomia como aquele ponto no espaço em que o plano da órbita da Terra ao redor do Sol, a eclíptica, cruza o plano do equador terrestre, que se estende no espaço. Ele ocorre quando o Sol se movimenta do sul do equador para o norte do equador em seu aparente movimento ao longo da eclíptica, como se observa da Terra (que na verdade está girando ao redor do Sol). Na astrologia, este momento é conhecido como 0° de Áries. Ele determina o que conhecemos como "Zodíaco tropical", mais comumente utilizado na astrologia ocidental e no qual este livro se baseia.

---

* No hemisfério norte. (N.E.)

MAPA 1

OS INGRESSOS CARDINAIS

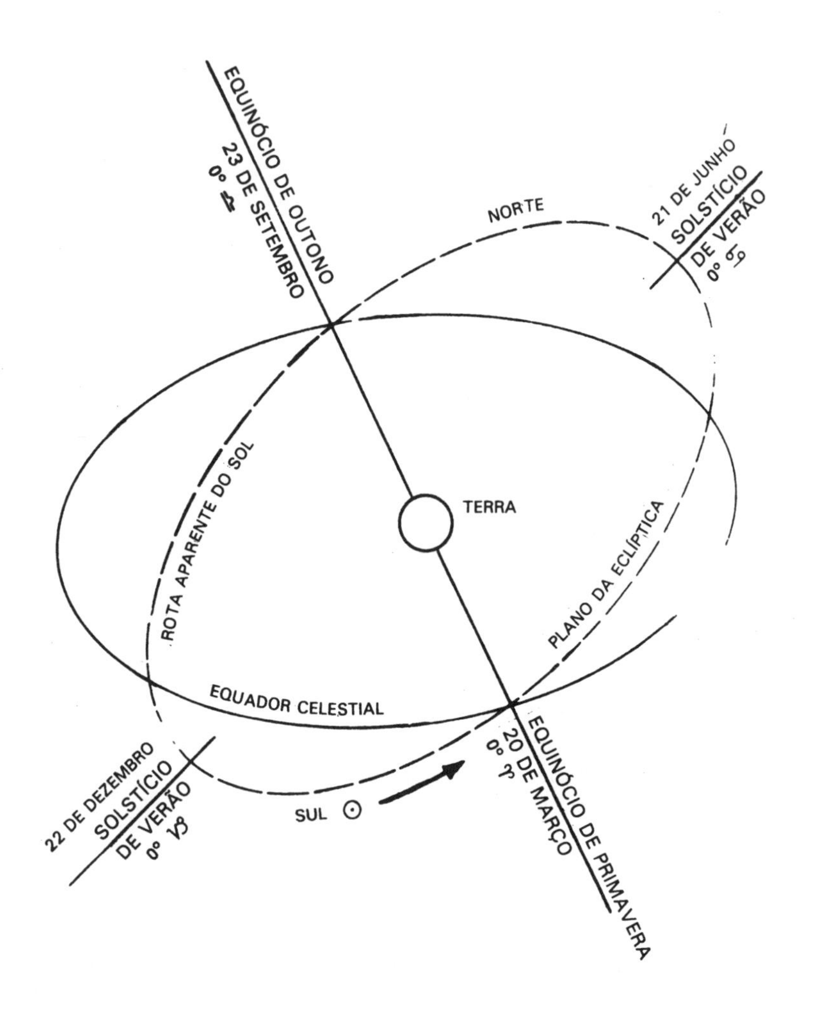

Um ingresso cardinal é a entrada do Sol em um dos signos do grupo cardinal ou quadruplicidades. Os signos são Áries, Câncer, Libra, Capricórnio, que indicam o início das quatro estações, delimitadas pelo equinócio da primavera, o solstício do verão, o equinócio do outono e o solstício do inverno.

MAPA 2

O ZODÍACO NATURAL

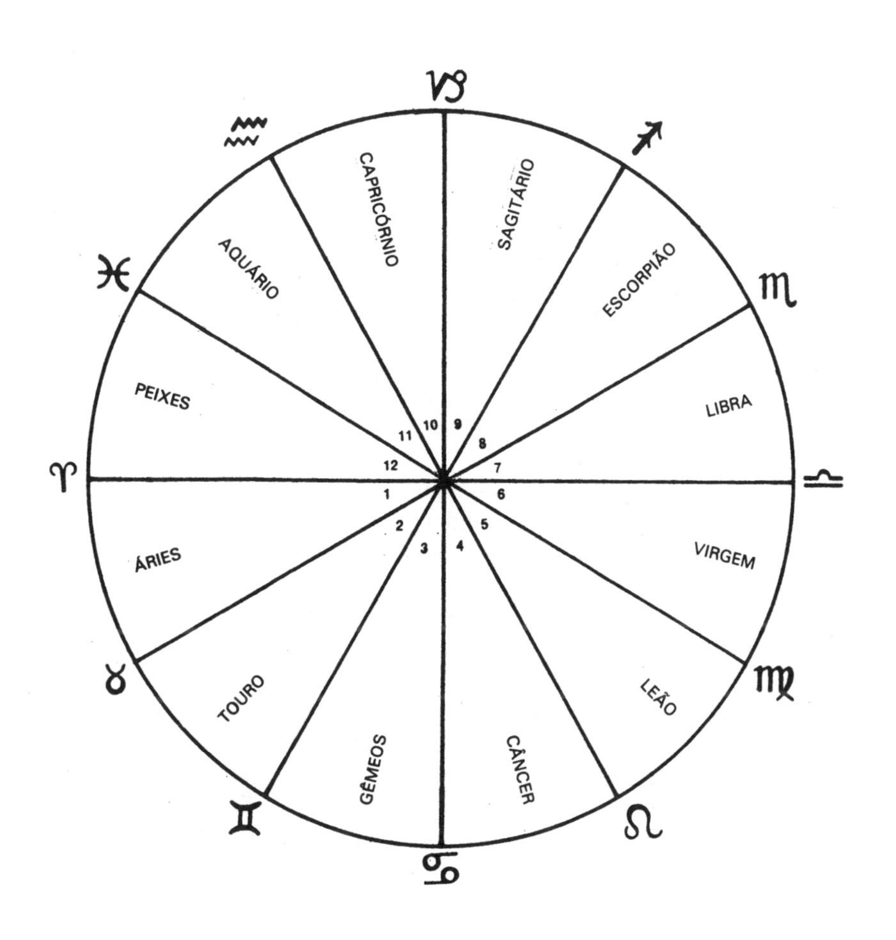

Na terminologia astrológica, um horóscopo é chamado por diversos nomes: natividade, mapa natal, *natus*, mapa, carta, círculo etc. Contudo, os signos do Zodíaco sempre seguem um padrão constante: Áries, Touro, Gêmeos, Câncer, Leão, Virgem, Libra, Escorpião, Sagitário, Capricórnio, Aquário e Peixes.

DATAS APROXIMADAS DOS SIGNOS SOLARES*

Áries	21 de março — 19 de abril
Touro	20 de abril — 20 de maio
Gêmeos	21 de maio — 21 de junho
Câncer	22 de junho — 22 de julho
Leão	23 de julho — 22 de agosto
Virgem	23 de agosto — 22 de setembro
Libra	23 de setembro — 22 de outubro
Escorpião	23 de outubro — 21 de novembro
Sagitário	22 de novembro — 21 de dezembro
Capricórnio	22 de dezembro — 19 de janeiro
Aquário	20 de janeiro — 18 de fevereiro
Peixes	19 de fevereiro — 20 de março

* Nota: Devido aos anos bissextos, fusos horários e outros fatores, o dia e a hora exatos em que o Sol entra em determinado signo do Zodíaco variam ligeiramente de ano para ano. A hora exata em que o Sol entra em um signo do Zodíaco num local e ano específicos deve ser determinada nas Efemérides.

O Sol só pode estar em um signo, nunca em dois signos. A linha divisória entre dois signos é denominada cúspide — daí a afirmação que tantas vezes ouvimos: "Eu nasci numa cúspide". No caso de pessoas nascidas numa cúspide ou próximo a ela, é preciso calcular o horóscopo matematicamente para se determinar o signo solar. Para que os cálculos sejam precisos, precisamos saber o mês, o dia, o ano, a hora (se possível os minutos) e o local do nascimento.

Cada um dos doze signos do Zodíaco representa determinadas características positivas únicas, bem como características negativas do comportamento e desenvolvimento humanos. Todos temos os doze signos incluídos em nosso horóscopo. Seu efeito sobre os diversos setores de nossa vida é determinado pela posição dos planetas nestes signos e pela interação entre os signos do Zodíaco e as casas do horóscopo.

Casas

Como os signos do Zodíaco, as casas dividem o horóscopo em doze segmentos. Cada casa está fundamentalmente relacionada a um signo do Zodíaco. Entretanto, as casas são definidas pela rotação de 24 horas que a

Terra faz sobre seu eixo, enquanto os signos do Zodíaco são definidos pela revolução anual da Terra ao redor do Sol. Como os signos solares, as casas também são divididas por linhas chamadas cúspides. A cúspide da Primeira Casa, ou Ascendente, é encontrada determinando-se o ponto no espaço onde o horizonte oriental, na hora e no local de nascimento, intercepta a eclíptica. Assim, qualquer um dos doze signos que se encontram ao longo da eclíptica pode ser encontrado no horizonte oriental. Portanto, a hora e o local de nosso nascimento determinam qual dos doze signos estará ascendendo.

O signo que está ascendendo também é conhecido como Ascendente. Ele indica nossa forma de auto-expressão, nosso caráter, nossas habilidades, nossa aparência, e descreve nosso meio ambiente inicial.

Depois da cúspide da Primeira Casa, vem a Segunda, num total de doze casas, que representam os diferentes setores de questões práticas: dinheiro, casamento, profissão, cenário doméstico, amizades etc.

As casas mais importantes são denominadas cardinais ou angulares. Elas se compõem do Ascendente (Primeira Casa ou signo ascendente), a cúspide da Quarta Casa (ou Nadir, onde o plano do meridiano passa sob a Terra e cruza a eclíptica), a cúspide da Sétima Casa (ou Descendente, definida como o ponto onde o horizonte ocidental cruza a eclíptica), e a cúspide da Décima Casa (ou Meio do Céu). O Meio do Céu, que também se escreve M.C., é o ponto onde o meridiano — a linha que passa de norte a sul até um ponto diretamente acima, chamado zênite — cruza o plano da eclíptica. As outras oito cúspides estão espaçadas a intervalos aproximadamente iguais entre estas quatro cúspides das casas angulares.

A cúspide de cada uma das casas refere-se a um signo do Zodíaco (veja o mapa 4). O signo determinará como o setor da vida regido por essa casa será expresso.

Se você faz aniversário em 8 de outubro, e nasceu às 16 h, seu signo solar está na Oitava Casa. Assim, Libra está na Oitava Casa, Escorpião na Nona, Sagitário na Décima, Capricórnio na Décima Primeira, Aquário na Décima Segunda, Peixes na Primeira (comumente chamado de Ascendente), Áries na Segunda, Touro na Terceira, Gêmeos na Quarta, Câncer na Quinta, Leão na Sexta e Virgem na Sétima. Essa combinação faria com que Peixes estivesse ascendendo. Estes cálculos não são uma forma precisa de se determinar o horóscopo, mas um meio para verificar erros no cálculo original.

MAPA 3

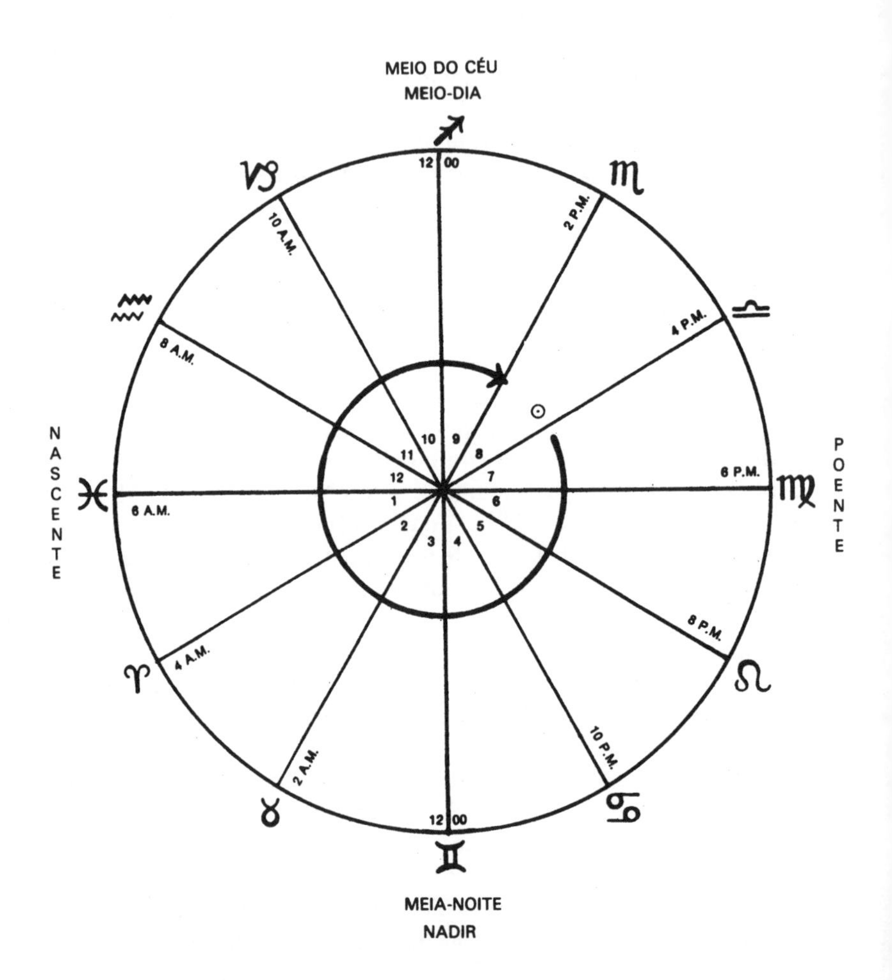
MEIO DO CÉU
MEIO-DIA
12
00
10 A.M.
2 P.M.
8 A.M.
4 P.M.
NASCENTE
6 A.M.
6 P.M.
POENTE
10
9
11
8
12
7
1
6
2
5
3
4
4 A.M.
8 P.M.
2 A.M.
10 P.M.
12
00
MEIA-NOITE
NADIR

MAPA 4

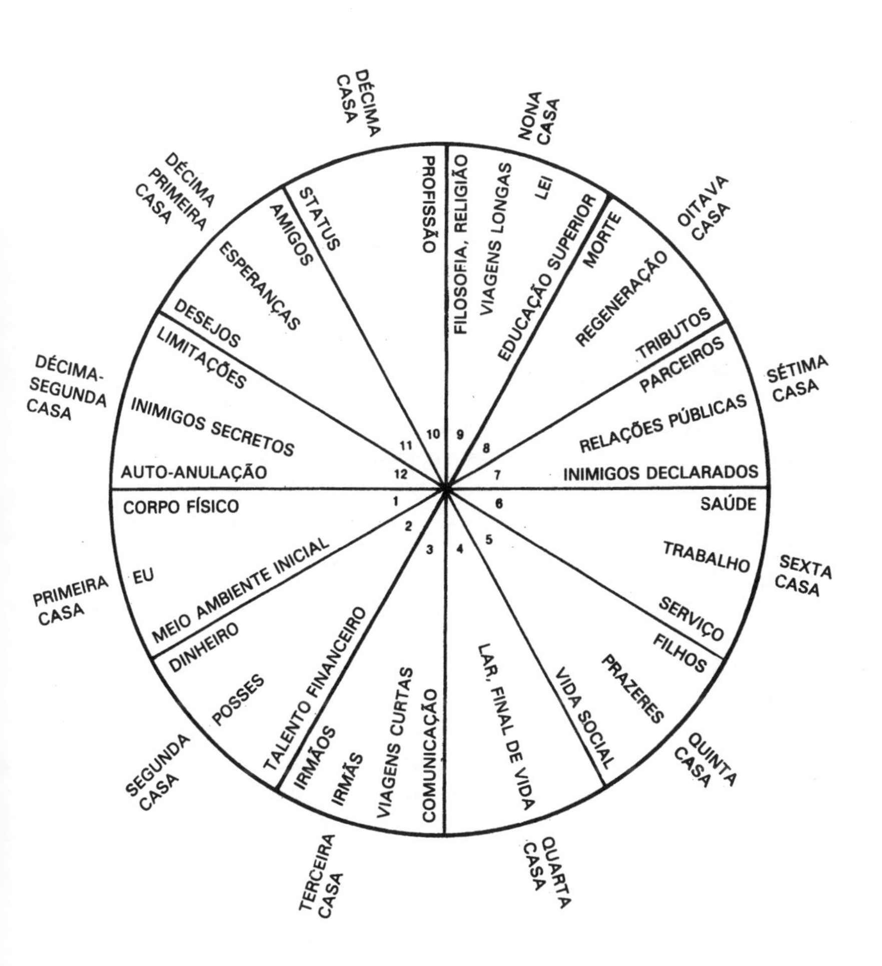
DÉCIMA CASA
NONA CASA
OITAVA CASA
SÉTIMA CASA
SEXTA CASA
QUINTA CASA
QUARTA CASA
TERCEIRA CASA
SEGUNDA CASA
PRIMEIRA CASA
DÉCIMA-SEGUNDA CASA
DÉCIMA PRIMEIRA CASA
PROFISSÃO
STATUS
AMIGOS
ESPERANÇAS
DESEJOS
LIMITAÇÕES
INIMIGOS SECRETOS
AUTO-ANULAÇÃO
CORPO FÍSICO
EU
MEIO AMBIENTE INICIAL
DINHEIRO
POSSES
TALENTO FINANCEIRO
IRMÃOS
IRMÃS
VIAGENS CURTAS
COMUNICAÇÃO
LAR, FINAL DE VIDA
VIDA SOCIAL
PRAZERES
FILHOS
SERVIÇO
TRABALHO
SAÚDE
INIMIGOS DECLARADOS
RELAÇÕES PÚBLICAS
PARCEIROS
TRIBUTOS
REGENERAÇÃO
MORTE
EDUCAÇÃO SUPERIOR
LEI
VIAGENS LONGAS
FILOSOFIA, RELIGIÃO
1
2
3
4
5
6
7
8
9
10
11
12

Após determinar e compreender seu signo solar e as casas, leia o Capítulo 3, que trata dos padrões de sobreposição e descreve as características do Sol e como elas se relacionam e são modificadas pelo resto do Zodíaco. Por exemplo, se você é de Libra, verifique o padrão de Libra.

Triplicidades e Quadruplicidades

Os signos também estão agrupados em duas outras disposições fundamentais, determinadas pelo traçado geométrico do Zodíaco. Existem as triplicidades, que lidam com as tendências de temperamento, e as quadruplicidades, que se referem aos tipos básicos de atividade. Existem quatro triplicidades, uma para cada um dos quatro elementos: fogo, terra, ar e água, e cada uma abrange três signos. Inversamente, existem três quadruplicidades, divididas nas áreas cardinal, fixa e mutável, e cada uma abrange quatro signos. Um predomínio de planetas nos signos pertencentes a um desses grupos se torna um fator importante na qualidade de expressão da pessoa, em alguma fase de sua vida.

Primeiramente, vamos falar dos elementos: fogo, terra, ar e água. Áries, Leão, e Sagitário pertencem à triplicidade de fogo. Os indivíduos nascidos nesses signos procuram, de alguma maneira, demonstrar liderança. Em Áries, esse desejo se manifesta como uma determinação para liderar novos empreendimentos e realizações. Leão possui a capacidade administrativa para agir como a figura dramática central, ao redor da qual se reúne um grupo de pessoas ou uma organização. Os sagitarianos possuem habilidade para agir como líderes espirituais ou filosóficos nas áreas da religião, da filosofia, das leis, ou da educação superior; eles se preocupam com as idéias que constroem a sociedade humana.

Os indivíduos dos signos de fogo são positivos, agressivos, ardentes, criativos e masculinos em sua expressão. Essas qualidades irão se manifestar nas casas ou setores que possuem signos de fogo na cúspide.

Nos signos de terra, Touro, Virgem e Capricórnio, a principal característica é uma natureza prática. Esses signos indicam habilidade no uso e na administração dos recursos materiais e financeiros que possibilitam outras funções da vida humana. Qualquer que seja a casa em que se encontrem os signos de terra, a pessoa irá demonstrar uma natureza prática.

A natureza prática de Touro surge como a habilidade para acumular e administrar dinheiro e outros recursos materiais. Em Virgem, ela se revela na inteligência e na habilidade para construir e elaborar os objetos materiais essenciais ao homem. Relaciona-se também à preservação adequada de nosso bem material mais valioso, o corpo físico. Em Capricórnio, existe a capacidade prática para organizar e administrar grandes negócios e empreendimentos governamentais. Ou, num nível mais mundano, a habilidade para estruturar e organizar assuntos comerciais.

MAPA 5

TRIPLICIDADE DE FOGO (120° △ Aspecto do trígono)

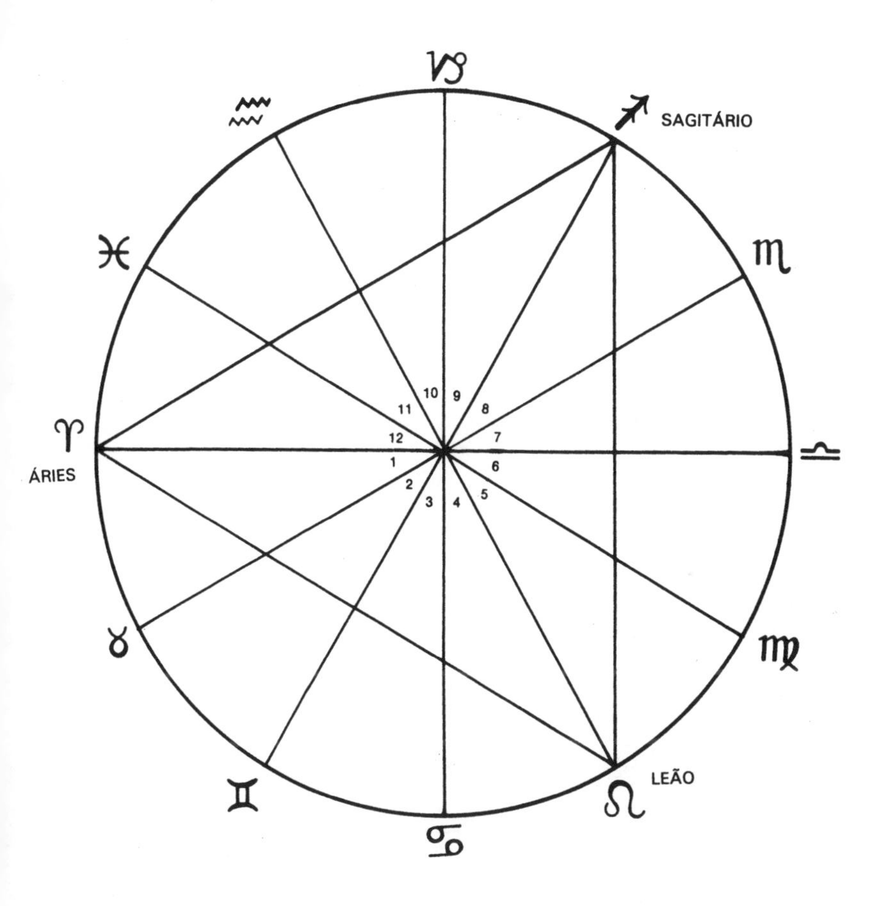

Sempre conte 30° de um signo para o outro.

MAPA 6

TRIPLICIDADE DE TERRA (120° △ Aspecto do trígono)

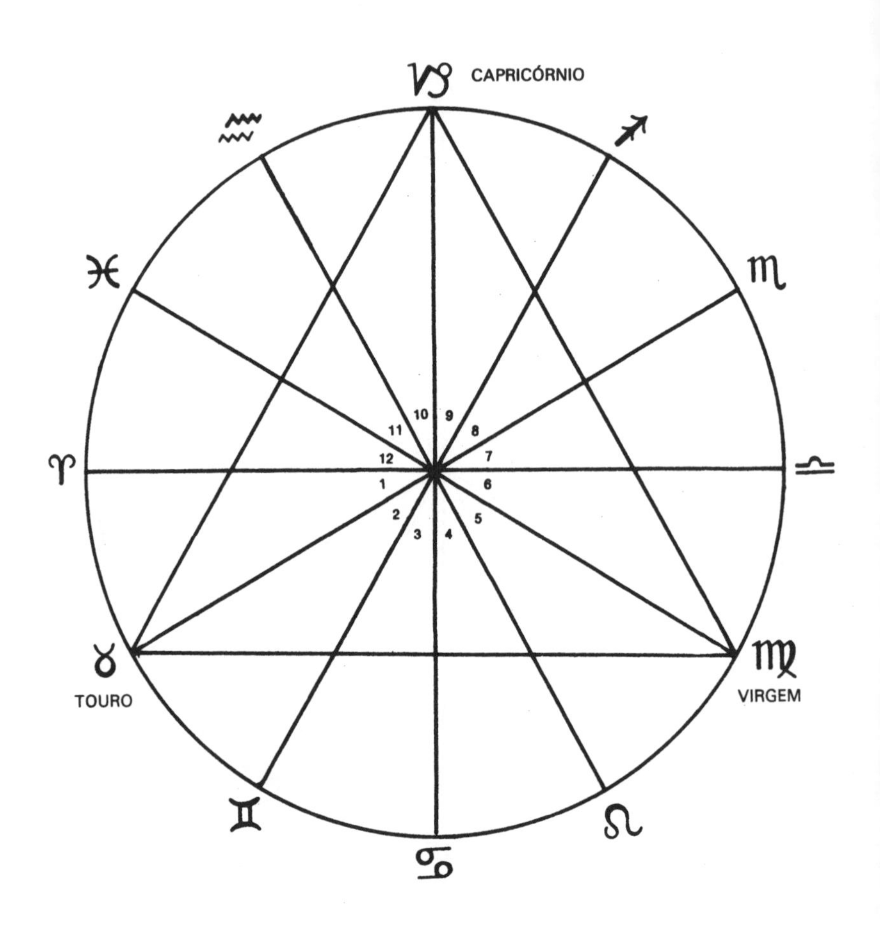

Sempre conte 30° de um signo para o outro.

MAPA 7

TRIPLICIDADE DE AR (120° △ Aspecto do trígono)

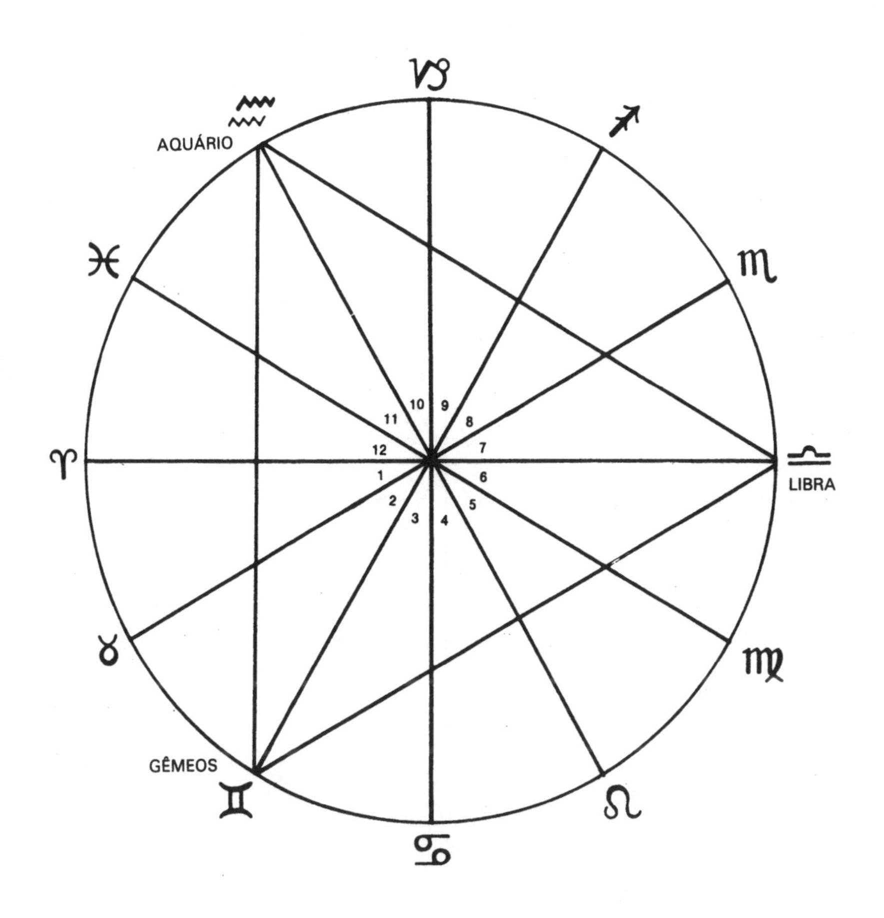

Sempre conte 30° de um signo para o outro.

MAPA 8

TRIPLICIDADE DE ÁGUA (120° △ Aspecto do trígono)

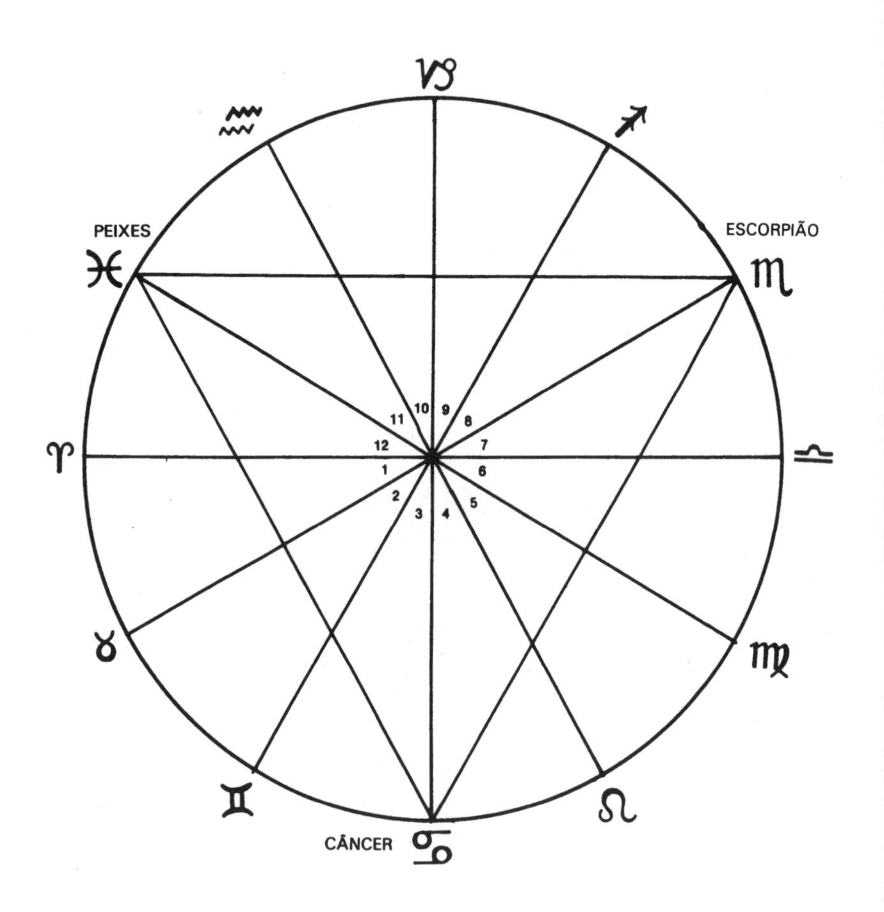

Sempre conte 30° de um signo para o outro.

O elemento ar, ou triplicidade de ar, abrange os signos de Gêmeos, Libra e Aquário. Eles lidam com a capacidade intelectual do homem, incluindo a comunicação e os inter-relacionamentos sociais. Os nativos nos signos de ar manifestam fortes aptidões mentais e intelectuais, de uma forma ou de outra. Em qualquer setor do seu horóscopo em que se encontrem os signos de ar, você irá manifestar qualidades sociais e intelectuais.

Em gêmeos, este intelectualismo se revela na habilidade para adquirir, utilizar e comunicar informações exatas. Muitas vezes encontramos uma certa originalidade surgida da reformulação de idéias. Em Libra, estas qualidades se manifestam na habilidade para examinar e equilibrar, apenas através de comparações. Há também uma forte consciência social que conduz a habilidades naturais em psicologia e disciplinas relacionadas. Em Aquário, a intelectualidade se expressa na compreensão intuitiva dos princípios universais, juntamente com a preocupação pelo bem-estar universal da humanidade.

Os signos de água, ou triplicidade de água, são Câncer, Escorpião e Peixes. Relacionados à esfera da emoção e dos sentimentos, eles lidam com a sensibilidade, a intuição e os profundos aspectos psíquicos da vida. Seja qual for a casa em que se encontrem os signos de água, emoções profundas irão se manifestar.

Esta emoção surge em Câncer como fortes sentimentos relacionados ao lar e à família. Em Escorpião, como fortes sentimentos relacionados à morte, recursos conjuntos, e aos mais profundos mistérios ocultos da vida. Em Peixes, ela se apresenta como um forte sentimento místico com relação ao infinito e uma comunicação telepática inconsciente com outras pessoas (inclusive uma percepção complacente do meio ambiente). Esta sensibilidade torna os piscianos extremamente impressionáveis e muito influenciados pelo inconsciente.

As quadruplicidades são agrupamentos de quatro signos. Elas lidam com tipos de atividade e a capacidade de adaptação às circunstâncias. São conhecidas como signos cardinais, fixos e mutáveis.

Os signos cardinais são Áries, Câncer, Libra e Capricórnio. As pessoas nascidas sob esses signos são capazes de agir direta e decisivamente frente às circunstâncias do momento. Elas têm uma compreensão realista da situação imediata e de seu potencial de ação. Seja qual for a casa ou o setor da vida em que se encontrem os signos cardinais, a pessoa gosta de atividade e é capaz de iniciar e organizar novos empreendimentos. Numa expressão positiva, esses signos revelam iniciativa construtiva, mas, no lado negativo, podem surgir tendências à intromissão e ações irrefletidas.

MAPA 9

QUADRUPLICIDADE CARDINAL (90° □ Aspecto da quadratura)

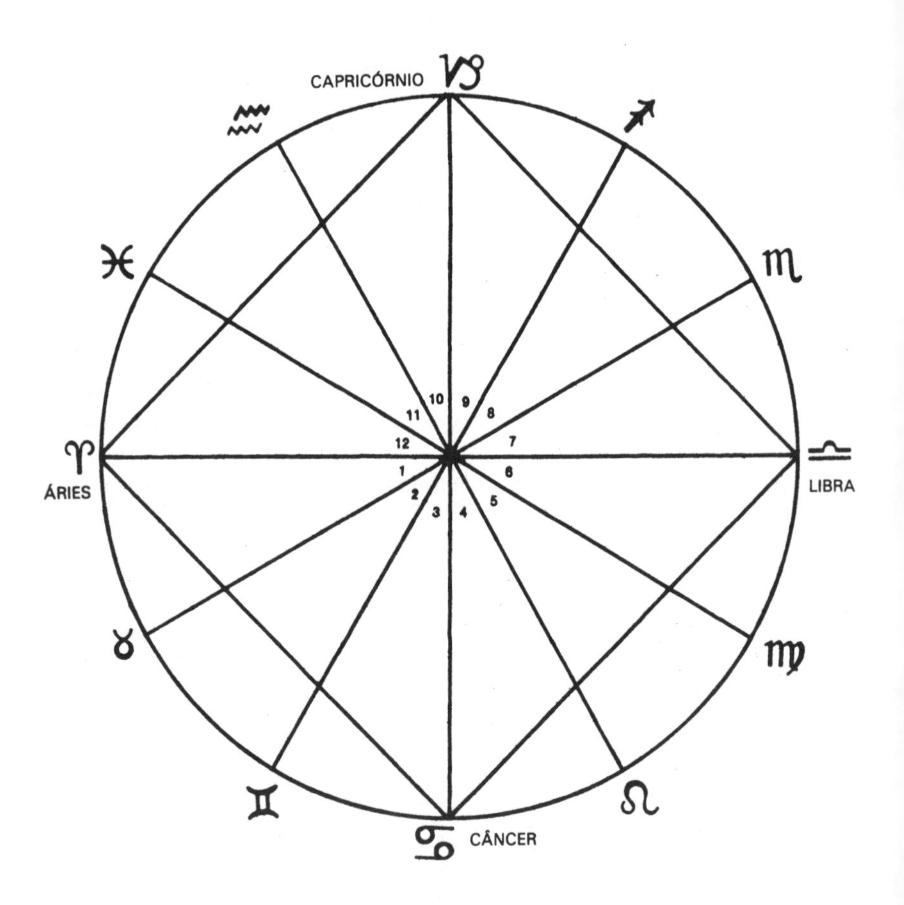

Sempre conte 30° de um signo para o outro.

MAPA 10

QUADRUPLICIDADE FIXA (90° □ Aspecto da quadratura)

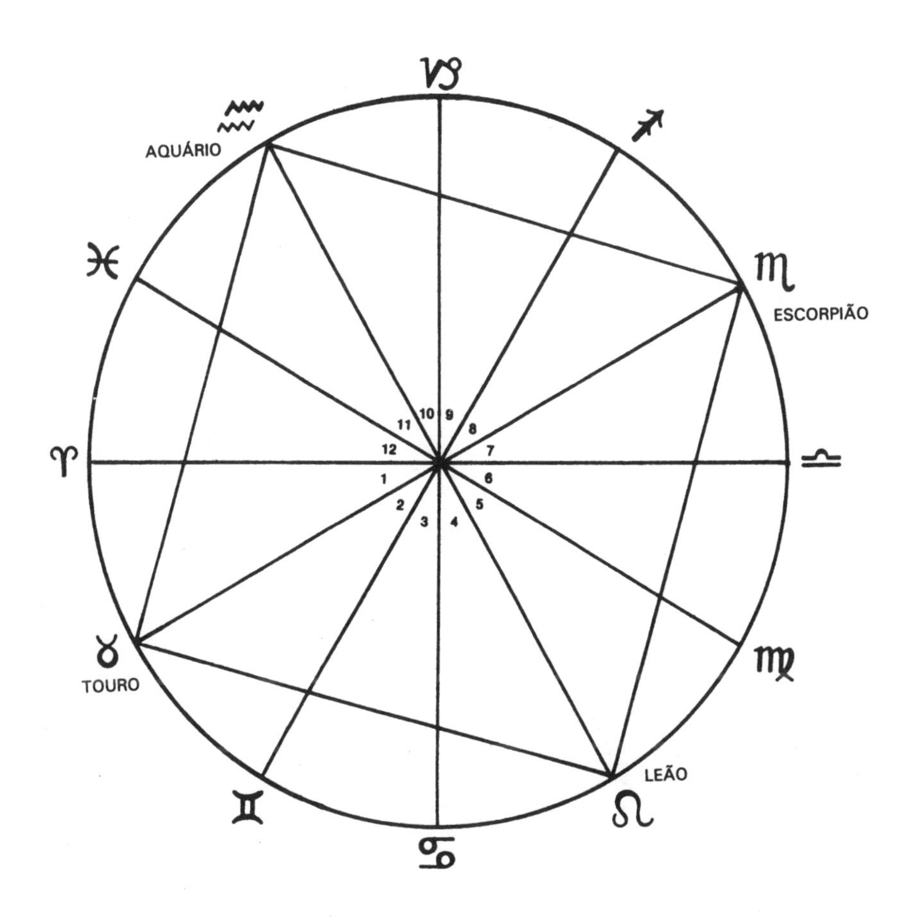

Sempre conte 30° de um signo para o outro.

MAPA 11

QUADRUPLICIDADE MUTÁVEL (90° □ Áspecto da quadratura)

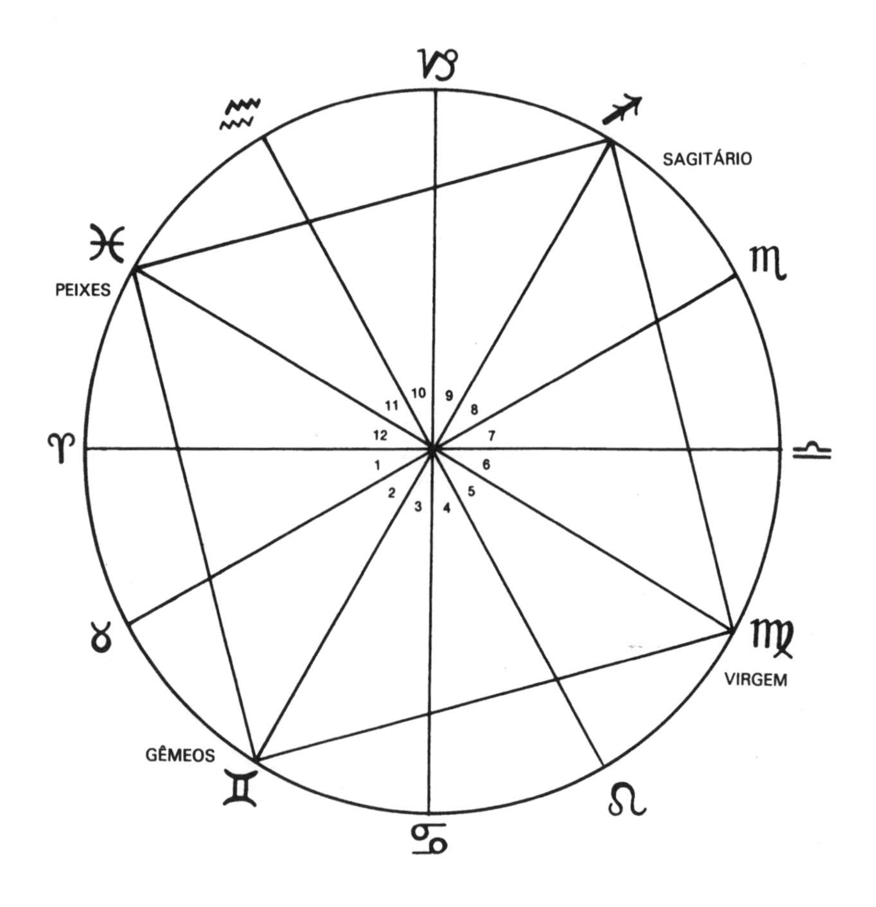

Sempre conte 30° de um signo para o outro.

A quadruplicidade fixa é formada por Touro, Leão, Escorpião e Aquário. As pessoas nascidas sob esses signos alcançam resultados por meio da persistência e da determinação; seu sucesso vem da firme perseverança durante um período de tempo prolongado. Elas são orientadas por um objetivo e, nesse sentido, preocupam-se com o futuro. As qualidades positivas da fixidez são a perseverança e a confiabilidade; as negativas são a teimosia e a inflexibilidade; não é fácil fazer com que essas pessoas mudem de opinião quando já se decidiram a respeito de alguma coisa. Seja qual for a casa ou o setor onde se encontrem os signos fixos, o indivíduo expressa um esforço constante.

A quadruplicidade mutável é composta por Gêmeos, Virgem, Sagitário e Peixes. Esses signos indicam riqueza de experiências em todos os tipos de circunstâncias, bem como habilidade mental. Os nascidos sob esses signos se adaptam às exigências da vida e, como camaleões, são capazes de se adaptar às situações e ao ambiente. Em situações de emergência, podem ser flexíveis e generosos. Esta habilidade se origina de experiências anteriores em situações semelhantes. As pessoas de signos mutáveis tendem a se preocupar mais com o passado do que com o presente ou o futuro. Elas deveriam ter cuidado para não se prenderem às suas lembranças.

Positivamente expressas, estas qualidades se manifestam na engenhosidade; negativamente na preocupação, neurose, nervosismo e incapacidade para viver no presente. Seja qual for a casa ou o setor onde se encontrem os signos mutáveis, a pessoa demonstrará capacidade de adaptação.

Grupos masculinos e femininos

Os signos também se dividem em masculinos (ou positivos) e femininos (ou negativos).

Os signos masculinos/positivos são os de fogo e de ar. Incluem os signos ímpares do Zodíaco (Áries, Gêmeos, Leão, Libra, Sagitário, Aquário) e correspondem à Primeira, Terceira, Quinta, Sétima, Nona e Décima Primeira casas. As pessoas nascidas sob signos masculinos/positivos são agressivas e impulsivas, agindo para obter resultados em lugar de esperar que as coisas venham até elas. Onde quer que esses signos se encontrem em seu horóscopo, você provavelmente irá tomar a iniciativa ou irá atrás do que deseja.

Um forte predomínio de planetas em signos masculinos indica uma pessoa impulsiva com tendências agressivas positivas. No mapa de um homem, esse predomínio é favorável. Mas, no mapa de uma mulher, pode indicar uma inclinação a uma agressividade maior do que a tradicionalmente considerada adequada para o sexo feminino.

MAPA 12

Signos Masculinos ♈ ♊ ♌ ♎ ♐ ♒
Signos Negativos ♉ ♋ ♍ ♏ ♑ ♓

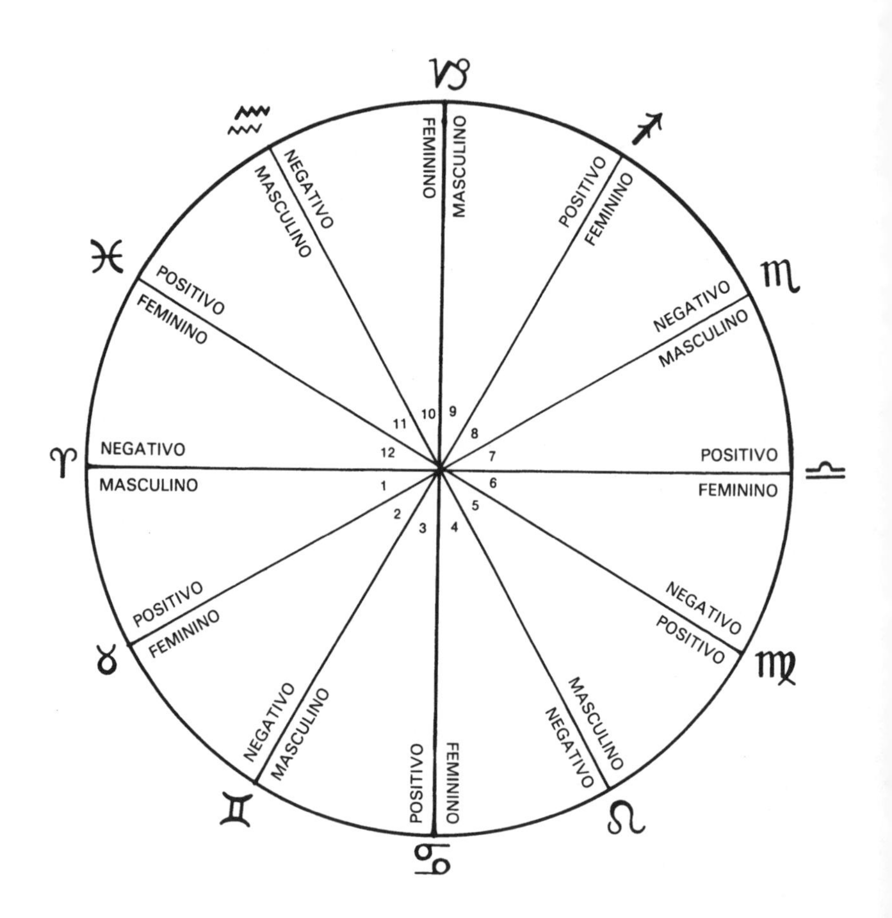

Os signos negativos/femininos incluem todos os signos de terra e água. São os signos pares do Zodíaco (Touro, Câncer, Virgem, Escorpião, Capricórnio e Peixes) e correspondem à Segunda, Quarta, Sexta, Oitava, Décima e Décima Segunda casas.

Estes tipos negativos/femininos indicam passividade. Às vezes, contudo, as pessoas nascidas sob eles são capazes de agir eficazmente, embora geralmente esperem que as coisas venham até elas antes de agir. Neste sentido, são passivas e interagem com o que possa surgir em seu caminho. Elas trabalham baseadas no princípio de atrair aquilo que desejam, em vez de tentarem sair para conquistá-lo.

Se houver um forte predomínio de planetas em signos passivos negativos, a pessoa provavelmente não se manifestará agressivamente, mas pode possuir grande força na resistência passiva. Um agrupamento de signos negativos no horóscopo de uma mulher a torna mais feminina e é considerado adequado a seu sexo. No mapa de um homem, pode encorajar modos femininos e ausência de agressividade.

Aspectos

Os oito planetas considerados na astrologia, da maneira como são observados da Terra, giram em diferentes velocidades ao redor do Sol, aproximadamente no mesmo plano no espaço. Em conseqüência desses movimentos planetários, formam-se diversos ângulos entre os planetas, medidos em graus, minutos e segundos. Um ângulo é definido como a fração de um círculo formada entre duas linhas que se cruzam. O número de graus entre duas linhas imaginárias que unem dois planetas com a Terra forma a relação angular entre estes planetas e a Terra.

Estas relações angulares são denominadas aspectos. Na geometria, um ângulo é a porção de um círculo entre duas linhas retas que se cruzam no centro do círculo. Imagine que duas linhas retas, unindo dois planetas quaisquer à Terra, se cruzam no local do nascimento. A porção entre as duas linhas é a relação angular entre os dois planetas, da maneira como são observados da Terra. Determinados graus de angularidade são muito importantes para a astrologia; 0°, 60°, 90°, 120°, 180°, por exemplo, são os principais aspectos, conhecidos como conjunção, sextil, quadratura, trígono e oposição, respectivamente. (Também existem diversos aspectos menos importantes, que não serão abordados neste livro.)

Principais Aspectos

Um aspecto é o ângulo entre dois pontos no horóscopo e pode ser formado por dois planetas entre si ou por um planeta e outro ponto no horóscopo.

Aspecto	Distância em graus	Símbolos	Influência
Conjunção	0 (no mesmo grau)	☌	variável (expressão, ação)
Sextil	60	⚹	boa (oportunidades, idéias)
Quadratura	90	□	desfavorável, conflitante (metas e ambições)
Trígono	120	△	favorável, harmoniosa (criatividade, expansão)
Oposição	180	☍	conflitante (relacionamentos)

A conjunção é o alinhamento direto de dois planetas, na forma como são observados da Terra. Em uma conjunção ideal, 0° separa os dois planetas. Contudo, um aspecto possui um orbe, ou orbe de influência — a quantidade de graus que permite que dois planetas envolvidos se desviem do número exato de graus do aspecto sem deixarem de ser considerados uma influência.

No caso dos cinco principais aspectos, é permitido um desvio de mais ou menos 6° (conhecido como um orbe de 6). Se o Sol ou a Lua estiverem envolvidos no aspecto, permite-se uma orbe de 10°.

A conjunção ☌ é um aspecto muito dinâmico, pois indica um forte potencial de expressão, além de uma tendência à ação direta e à autodramatização. Dois planetas em conjunção indicam uma característica psicológica específica (que pode ser verificada, em primeiro lugar, no capítulo sobre conjunções e, a seguir, na seção sobre planetas específicos em conjunção; veja, por exemplo, "Conjunção Marte-Urano", à pág. 289). Se você deseja se aprofundar no aspecto, estude o Capítulo 9, sobre interpretação e integração de aspectos.

O sextil ⚹ se compõe de 60°, ou um sexto de um círculo. A posição de um planeta em um signo é determinada pelos graus e minutos medidos a partir do início de um signo. Esta distância não pode ter mais de 30°, pois nunca há mais de 30° em um signo. Quando em sextil, os planetas estão à distância de dois signos e ocupam aproximadamente o mesmo número de graus nestes signos, dentro de uma diferença aceitável de mais ou menos 6°. Entretanto, se um dos planetas estiver logo no início de um signo e o outro nos últimos graus de outro signo, os dois planetas ainda podem estar dentro de uma orbe de 6° ou a 60° de distância, formando o que é conhecido como aspecto oculto. Neste caso, os signos ocupados pelos planetas são vizinhos, embora na maioria dos sextis pelo menos um signo se interpõe entre os dois signos ocupados pelos dois planetas que formam o sextil. O sextil representa um fluxo natural de oportunidades ou idéias que, trabalhadas, ajudarão a realizar as metas individuais.

A quadratura □ é uma relação angular de 90°. Os planetas que formam uma quadratura geralmente ocupam o mesmo número de graus em signos que se encontram à distância de três signos (ou têm dois signos entre os signos ocupados pelos planetas). Se houver um ou três signos intermediários, o aspecto é denominado aspecto oculto. Uma quadratura indica as áreas da vida do indivíduo que precisam de ajustes e onde ele deve se esforçar muito para fazer progressos.

O trígono △ é uma relação angular de 120°, ou um terço de um círculo. Os planetas que formam um trígono geralmente ocupam o mesmo número de graus em signos que estão à distância de quatro signos (ou têm três signos entre eles). Em um aspecto oculto, haverá dois ou quatro signos intermediários. O trígono é um aspecto de criatividade e expansão; é o mais favorável de todos os aspectos.

A oposição ☍ é uma relação angular de 180° entre dois planetas. Os planetas em oposição geralmente ocupam aproximadamente o mesmo número de graus em dois signos diretamente opostos no Zodíaco; estão automaticamente à distância de seis signos, separados por cinco signos intermediários. Se houver um aspecto oculto, apenas quatro signos separam os signos ocupados pelos dois planetas. Uma oposição indica uma situação na qual a pessoa precisa cooperar com os outros ou romper com eles.

É importante lembrar que são os signos, e não as casas, que contam neste processo para determinar os aspectos presentes em um mapa, pois uma casa pode conter consideravelmente mais ou menos graus do que um signo. No sistema de casas normalmente utilizado, o placidiano, é possível que, em latitudes extremas ao norte, uma casa contenha dois signos ou que um único signo esteja simultaneamente nas cúspides de três casas.

CAPÍTULO 2

Potenciais do Signo Solar

O signo solar é o fator isolado mais importante na interpretação do horóscopo. Ele indica como uma pessoa expressa seu potencial básico de energia e seu impulso criativo para crescer e se desenvolver como indivíduo. O signo solar também indica o estágio de desenvolvimento representado pela atual encarnação do nativo, e as lições que precisa aprender.

O signo solar determina a expressão dinâmica da vontade, que se manifesta por meio da atividade dos outros planetas no horóscopo. A vontade, modificada pela influência do Sol, é o componente fundamental da consciência, afetando todos os outros tipos de atividade.

ÁRIES

21 de março — 19 de abril

Cardinal, Fogo
Regentes: Marte, Plutão

Palavras-chaves: iniciativa, atividade, empreendimento

Áries, o primeiro signo do Zodíaco, é o signo de novos inícios. A atual vida do ariano indica um novo ciclo em seu desenvolvimento evolucionário pessoal. Os arianos são agressivos e diretos em sua expressão. A frase-chave para os arianos é "Eu sou".

Os arianos possuem muita energia criativa e entusiasmo (porque Áries é um signo de fogo regido por Marte e Plutão); e, como Áries é um signo cardinal, os arianos iniciam novas atividades, que os mantêm ocupados até que a novidade passe.

Essas pessoas possuem um tremendo impulso psicológico de se testarem através da ação. Os arianos não se satisfazem simplesmente intelectualizando seus problemas; sentem-se impacientes para fazer algo a respeito deles.

Se os arianos pudessem aprender a pensar antes de agir, sua natureza vigorosa lhes permitiria realizar muitas coisas. Entretanto, sua impulsividade e a incapacidade para ouvir conselhos tendem a envolvê-los em dificuldades. É provável também que sejam impacientes e nem sempre terminem aquilo que começaram, deixando a continuação das tarefas para os nascidos sob signos fixos e mutáveis.

Sendo muito competitivos, os arianos procuram ser os primeiros e os melhores em tudo o que fazem. São bons líderes, buscando fama e reconhecimento, mais do que riqueza e conforto. Contudo, devido ao desejo de autoridade e superioridade, algumas vezes são abertamente agressivos e inclinados a usar a força, em lugar da razão e da diplomacia, em seu relacionamento com outras pessoas. Se não possuírem a sabedoria e a experiência necessárias para apoiar seu desejo de liderança, podem parecer tolos. Os arianos precisam ser os primeiros! Porém, grande parte de sua força surge da recusa em admitir a derrota. Eles jamais se intimidam diante do fracasso e sempre procurarão novos caminhos de expressão.

Os arianos precisam aprender a lição do amor, para que possam se relacionar com os outros e aproximar-se deles com consideração. Essa lição pode ser aprendida mediante uma reflexão sobre as conseqüências globais de suas ações. Os arianos mais evoluídos possuem grande força de vontade, autoconfiança espiritual e capacidade regenerativa, devido à exaltação do sol nesse signo.

TOURO

20 de abril — 20 de maio

Fixo, Terra
Regente: Vênus

Palavras-chaves: bens, determinação, natureza prática.

Touro é o signo da determinação premeditada e do poder. E, como também é um signo de terra, os taurinos nasceram para atingir o controle sobre a matéria física. O elemento terra os ensina e os leva a serem eficientes nas questões práticas. Eles buscam a verdade espiritual atuando nos aspectos práticos da vida.

Os taurinos gostam das boas coisas da vida e com freqüência concentram sua atenção em bens materiais. A frase-chave para Touro é "Eu tenho". O amor ao conforto, à satisfação e ao prazer também é uma característica das pessoas nascidas sob este signo. Qualquer coisa que satisfaça essas necessidades tem grande valor para os taurinos, e eles se esforçam para possuí-las. Quando conseguem, não há força terrestre que possa persuadi-los a canalizar seu interesse para outra coisa. Os taurinos providenciam para que nada interfira naquilo que desejam. Eles querem dinheiro, não para seu próprio bem, mas para que possam aproveitar as coisas que o dinheiro lhes permite adquirir.

Como Vênus rege os taurinos, eles valorizam muito a forma e as coisas bonitas, especialmente as que apelam para o sentido do tato; gostam de boas roupas e se impressionam com a aparência dos outros, tendendo a utilizar a beleza como um meio para atingir seus fins.

O eixo do universo taurino é a segurança, emocional e material. Os taurinos se afastam de envolvimentos até que tenham determinado se a pessoa, situação ou relacionamento lhes será útil. Contudo, devido ao forte senso de lealdade, com freqüência se sobrecarregam com os sofrimentos e problemas de seus amigos. São intensamente ciumentos, a ponto de serem ridículos. Consideram o afeto do outro como propriedade sua. Essa possessividade é o resultado de sua profunda necessidade interior por segurança emocional e mental.

Possuindo uma natureza emocional poderosa e sensível, associada à capacidade intelectual, muitas vezes são infelizes quando se casam com alguém de posição social inferior.

Como regra, não têm consciência de motivações interiores. Para eles, a auto-análise não é importante. Eles são dotados de muita força de vontade, que lhes permite fazer planos de longo prazo, até com anos de antecedência. Assim, lutam aplicadamente por seus objetivos, firmes em seus instintos ambiciosos. Geralmente, seus esforços têm sucesso.

Os taurinos possuem seus próprios métodos para fazer as coisas, e, se desejarmos um bom relacionamento com eles, é sábio não interferir ou tentar tirar seu domínio.

GÊMEOS

21 de maio — 21 de junho

Mutável, Ar
Regente: Mercúrio

Palavras-chaves: intelectualidade, versatilidade, inconformismo

Os indivíduos nascidos sob o intelectual signo de ar Gêmeos são regidos por Mercúrio e pensam e agem com rapidez. A frase-chave para Gêmeos é "Eu penso".

Como Mercúrio está relacionado à comunicação, os geminianos precisam identificar e classificar; precisam criar palavras e modelos para que seus contatos sejam significativos. Para eles, o discurso é especialmente importante, servindo como estrutura para suas atividades. As palavras são instrumentos de apoio ou segurança, pois a mente salta de uma coisa para outra. A facilidade de expressão dos geminianos é uma qualidade positiva, mas eles não devem esquecer o dano que podem causar com sua tagarelice.

Eles têm sede de conhecimento e desejam estudar. Geralmente, possuem uma capacidade de aprendizado muito desenvolvida. Sua imaginação inventiva os qualifica para profissões literárias, para a experimentação e a crítica. Assim, para eles, a educação é necessária desde o nascimento. Se seu treinamento for medíocre, geralmente tornam a vida insuportável para os outros. Se receberem uma boa educação, entretanto, tendem a ser indivíduos encantadores e requintados.

As reações dos geminianos são determinadas pelo humor do momento; daí a qualidade dual de sua personalidade. Para eles, a variedade é o tempero da vida, filosofia que os torna muito sensíveis. A não ser que as coisas aconteçam à sua maneira, provavelmente se sentirão deprimidos. Os geminianos são mais felizes quando têm mais de um interesse dominante.

Seu estado de percepção agitada não lhes permite tranqüilidade intelectual ou física. Mas, nas emergências, raramente perdem o controle, e sua engenhosidade oferece soluções insuspeitadas.

Como Gêmeos rege as mãos, os braços, e os nervos, estas pessoas sentem muito prazer quando têm as mãos ocupadas, dando forma às suas idéias, que são abundantes!

Os geminianos precisam trabalhar para alcançar a tranqüilidade da mente e do corpo. Poderiam começar tentando manter mãos e pés imóveis e se alimentar devagar. Esta disciplina lhes permitirá manter o controle até nos momentos de raiva ou de extrema tensão nervosa.

Os geminianos desfrutam de muita popularidade, em grande parte devido à sua conversa espirituosa, agilidade mental, sociabilidade, gentileza e intuição. Entretanto, não gostam de se sentir presos a nenhuma pessoa ou lugar. Assim, sua vida no lar deixa muito a desejar. Eles são bastante curiosos e estão sempre procurando segurança intelectual em suas experiências, que mudam constantemente. Gosta de viajar com freqüência e mudar de ambiente.

Embora não possuam nenhuma ligação especial com os bens materiais, os geminianos consideram o dinheiro como sinônimo de poder e liberdade, e sentem-se atraídos por ele; podem ser parcimoniosos com seu próprio dinheiro, mas perdulários com o dos outros.

Quando crianças, são tão encantadores e engenhosos que pais e educadores muitas vezes não enxergam seus defeitos. Precisam ser educados desde cedo, pois suas características desagradáveis são extremamente difíceis de se corrigir mais tarde. Quando adultos, a educação ou disciplina deve vir por sua própria vontade. Quando esse processo acontece, a paixão se transforma em energia criativa e originalidade, que podem se manifestar nos negócios e nas artes.

Os geminianos são os inconformistas do Zodíaco. Assim, precisam manter sua individualidade e ser diferentes daqueles que os cercam. Sentem que, para realizar totalmente seu potencial, precisam escapar a qualquer tipo de cativeiro. Eles se revoltam contra o *status quo*, com freqüência violando regras e resistindo à autoridade, jamais entregando sua individualidade a um lugar ou a uma pessoa. Jamais agirão porque alguma pessoa ou costume social lhes ordena; entretanto, quando ficam mais velhos, percebem que a colaboração é necessária à auto-realização. Como diz Dane Rudhyar, o próprio ar que respiramos foi exalado pelos pulmões de outra pessoa. Os signos de ar fazem o indivíduo perceber este relacionamento com o destino comum da humanidade.

Se os geminianos controlarem suas deficiências e tendências negativas, suas excelentes potencialidades, que possuem desde o nascimento, lhes permitirão alcançar objetivos elevados.

CÂNCER

22 de junho — 22 de julho

Cardinal, Água
Regente: Lua

Palavras-chaves: domesticidade, sensibilidade, tenacidade

Os cancerianos nasceram sob o signo da sensibilidade emocional. A frase-chave para Câncer é "Eu sinto". Esse é o mais forte dos signos de água, favorecendo mais as mulheres do que os homens, pois Câncer, de todos os signos do Zodíaco, é o que está mais fortemente ligado à domesticidade e ao lar.

Os cancerianos possuem instintos protetores e defensivos muito desenvolvidos, que visam a segurança doméstica e material. São extraordinariamente sensíveis e temem o ridículo. O caranguejo, símbolo de Câncer, representa a crosta ou couraça que oculta extrema sensibilidade e timidez, bem como vulnerabilidade física e psicológica. Os cancerianos se protegem da possibilidade de mágoa emocional, afastando-se e encontrando segurança na solidão. Essa tendência é lamentável, devido à sua poderosa necessidade de um lar e filhos. Só se sentem completos quando podem colocar a família sob sua proteção.

Em razão da forte necessidade de segurança, farão tudo o que for necessário para estabelecer e lhes oferecer esta segurança. Raramente jogam, a não ser que tenham reservado “dinheiro para os dias difíceis”. Mesmo então, o jogo raramente é um meio de vida, pois relutam em arriscar sua segurança. Entretanto, se a futura estabilidade depender da aceitação de riscos, eles o assumirão — se possível, com o dinheiro de outra pessoa. Mas, nesse caso, tomarão muito cuidado com o investimento, porque possuem um profundo senso de responsabilidade para com os outros. Assim, pagam suas dívidas e esperam que os outros façam o mesmo.

São pessoas complexas; às vezes, parecem possuir a força de um gigante, e outras, exibem a fraqueza de uma criança. Esta variabilidade deve-se à inversão da direção do Sol neste signo: ele pára no norte do firmamento e inicia sua jornada para o sul. (Como o caranguejo, os corpos celestiais permanecem imóveis antes de inverter sua direção.) Nessa ocasião, temos os dias mais longos do ano.

Geralmente, os cancerianos são bem-intencionados, mas, devido à sua Lua inconstante, num momento são delicados e encantadoramente expansivos (especialmente quando têm algum objetivo em mente) e no próximo são melancólicos, introvertidos e distantes.

São famosos por sua diplomacia e raramente deixam de atingir suas metas. Mas, quando magoados, podem se comportar de modo absurdo, sendo incapazes de colaborar com os outros. Às vezes se comportam de maneira infantil e teimosa — e este é um dos principais defeitos que precisam superar.

Embora pareçam gentis e tranqüilos, é difícil penetrar em seus pensamentos, e poucas pessoas realmente compreendem como eles se sentem.

As crianças de Câncer são por natureza muito suaves, delicadas, amorosas e prestativas. As mães e os pais de Câncer são calorosos com aqueles que têm a sorte de se encontrarem próximos. Um aviso: todos os cancerianos deveriam tomar cuidado para não amar de maneira sufocante.

Os cancerianos desejam a posse absoluta daqueles que amam. Podemos dizer que o amor das pessoas desse signo jamais acaba. O ressentimento pode torná-los inimigos cruéis, mas eles jamais deixam de amar. Possuem o amor maternal que revela algumas das complexidades desse signo zodiacal. É o amor de uma mãe que continua a amar seus filhos mesmo que eles a maltratem, tão grande é o instinto maternal e paternal desse signo. Os cancerianos tendem a ser muito conscientes de sua árvore genealógica; são patriotas e possuem boa memória para acontecimentos históricos.

Eles procuram evitar a todo custo qualquer desconforto mental ou físico. Como o asseio e a ordem são evidentes nesse signo, eles também não gostam de atividades que impeçam uma ordem absoluta, preferindo um ambiente requintado.

Devido à sua poderosa imaginação, é imperativo que evitem todos os pensamentos sobre doenças. Também precisam desenvolver coragem para dizer sim ou não no momento adequado e controlar suas tendências à melancolia, à intolerância, à timidez e à emotividade excessiva.

Os cancerianos não fazem piadas a seu próprio respeito. Buscam a auto-satisfação e podem ser muito egoístas. Por outro lado, podem ser igualmente indefesos, à sua maneira silenciosa e determinada. Possuem muita vaidade pessoal e gostam de roupas e frivolidades, que utilizam como ferramentas para manter as aparências.

Os cancerianos são mestres na arte da resistência passiva. Essa é uma arma poderosa que, quando empunhada, torna o indivíduo inacessível. Com delicadeza, os cancerianos podem ser facilmente guiados, pois são basicamente compreensivos; se forçados, tornam-se inflexíveis.

Eles não gostam que lhes digam como fazer as coisas; precisam realizar as tarefas por si mesmos, pois as idéias dos outros os confundem. Às vezes, fogem às responsabilidades. Entretanto, quando trabalham num empreendimento que exija ou incentive a responsabilidade, são pontuais, conscienciosos e eficientes, desejosos de conduzir as coisas até uma conclusão bem-sucedida.

LEÃO

23 de julho — 22 de agosto

Fixo, Fogo
Regente: Sol

Palavras-chaves: vitalidade, autoridade, poder

Os leoninos nasceram sob o signo da generosidade e nobreza de sentimentos. O signo de Leão representa a tentativa do homem para se expressar e desenvolver o princípio interior de poder. Leão é um signo de fogo regido pelo Sol. Como a função do Sol é transmitir calor, luz e vida ao mundo, ele é o benfeitor de todas as criaturas vivas. Em nosso sistema planetário, é o centro ao redor do qual os planetas giram. Assim, os leoninos são generosos. Precisam estar em evidência e, quando estão, precisam brilhar; gostam de ser o centro das atenções.

A Divina Providência auxilia os leoninos quando eles mais necessitam. Novos campos de ação se abrem quando parece não haver nenhuma solução visível para seus problemas. Como o Sol se infiltra nas trevas mais escuras, assim ele ilumina os leoninos.

As raízes de Leão se encontram no lar e em sua própria independência pessoal. Eles sentem necessidade de gerar filhos, tanto a partir de suas mentes quanto de seus corpos.

Leão rege o coração; assim, estas pessoas se dão generosamente, oferecendo tempo, dinheiro e conhecimento, sem pensar no eu.

Sentem-se fortemente atraídas pelo sexo oposto. Sua natureza amorosa deve ser sempre controlada, ou pode gerar grandes sofrimentos. (Os franceses, como nação, são regidos por Leão, e ilustram amplamente este ponto.)

Os leoninos sentem-se inconscientemente atraídos pela idéia de que "os meios justificam os fins". O dinheiro é importante apenas como um meio para atingir metas.

Eles presumem que os outros possuem um senso de integridade igual ao seu, e conseqüentemente são muito confiantes, honestos e sinceros. Essas características provocam muitas dificuldades interpessoais e, muitas vezes, a perda de amigos.

Eles não gostam de repetições; uma vez resolvida uma questão, tornam-se muito impacientes e, com freqüência, obstinados nas discussões. Aqueles que não concordam com as opiniões dos leoninos deveriam ser diplomáticos, pois eles cederão, desde que sua dignidade seja reconhecida. Os leoninos desejam que as pessoas pensem bem deles, e, como dedicam muita energia para atingir este objetivo, geralmente são bem-sucedidos. Estão muito conscientes do efeito que exercem sobre os outros e estudam o que fazer para criar um efeito melhor. (Mas isso não significa que sejam introspectivos ou que se analisem para melhorar seu caráter.)

Eles assumem um papel nobre, e sua percepção teatral é tão forte que adquirem nobreza ao desempenhá-lo, criando, deste modo, sua própria realidade. No entanto, a auto-aprovação também é importante — ela substitui a consciência. Eles farão qualquer coisa que considerem correta — se necessário, sacrificando a desaprovação pública pela auto-aprovação. Se forçados a uma situação de compromisso, irão desprezar seu trabalho e negligenciá-lo.

O símbolo deste signo é o leão, que representa majestade, poder e dignidade. Leão é um signo real, e os leoninos manifestam seu orgulho em cada movimento, e sua altivez não escapará ao olhar mais atento. O poder irá aumentar surpreendentemente a autoconfiança dos leoninos, a ponto de fazê-los brilhar! Desde que os leoninos sintam que estão em uma posição de autoridade e responsabilidade, não deixarão pedra sobre pedra para justificar a confiança depositada neles. Os leoninos atuam bem em posições de responsabilidade e administração, manifestando sua criatividade no estabelecimento de planos de ação. Os que não satisfazem seu desejo de autoridade podem desenvolver características de indolência, preguiça, impetuosidade e inconstância.

As mulheres nascidas sob este signo tendem a controlar seu casamento. São como leoas ferozes na defesa de seus filhos. Pode-se pisar nos pés das mães leoninas, porém jamais nos pés de seus filhos!

Os leoninos são práticos, filosóficos e espirituais. Essas qualidades, associadas ao entusiasmo e inspiração, os ajudam a moldar a opinião pública. Quando o leonino é controlado e informado, não existe ninguém tão poderoso, útil e capaz de se doar a seus semelhantes.

Possuem uma coragem imprudente, mas jamais lutam deslealmente, não importa quais sejam as vantagens oferecidas. Na vitória, permanecem magnânimos e, na derrota, continuam inconquistados. A frase-chave para Leão é "Eu faço".

VIRGEM

23 de agosto — 22 de setembro

Mutável, Terra
Regente: Mercúrio

Palavras-chaves: discernimento, método, serviço

Para os nascidos sob o signo de terra Virgem, o eixo do universo é o trabalho. Como são regidos por Mercúrio, os virginianos estão sempre buscando conhecimento, que colocará a matéria sob o controle da mente. Nessa busca, aprendem que a mente do homem é um bom servo, porém um mau mestre, especialmente quando a mente usurpa a soberania do espírito. Os virginianos precisam aprender que, embora o corpo deva servir à mente, esta finalmente deve servir ao espírito.

O símbolo desse signo é uma virgem carregando feixes de grãos nas mãos. Os feixes representam a sabedoria colhida nos campos da experiência.

Os virginianos são meticulosos em seu trabalho, prestam muita atenção aos detalhes e fazem as coisas de maneira cuidadosa e eficiente. Gostam de obter ordem da confusão. Como valorizam o trabalho e o respeitam muito, farão todo o possível para ajudar um amigo a encontrar emprego, mas raramente levantarão um dedo para ajudar alguém que se encontra em dificuldades porque se recusa a trabalhar. Para os virginianos, a única verdadeira aristocracia é a do trabalhador.

Contudo, os virginianos são muito práticos e inteligentes para permitir que alguém os transforme em mártires. Quando as exigências se tornam excessivas e irracionais, eles dizem não, com convicção.

Em sua melhor forma, este signo favorece a eficiência e um brilhante desempenho dos deveres. Às vezes, contudo, confere uma visão estreita: eles podem ser incapazes de falar sobre qualquer coisa que não seja o seu trabalho e não se interessam por nada que não se relacione a ele.

Os virginianos submetem seu mundo a uma análise microscópica. Ocasionalmente, concentram-se em trivialidades, a ponto de não enxergarem o significado global de uma questão. Os virginianos mais evoluídos aprendem a diferenciar o essencial do trivial. Quando este poder para fazer distinções evolui, eles podem se tornar grandes eruditos, críticos construtivos, excelentes editores — tudo com perfeição rigorosa. A frase-chave para Virgem é "Eu analiso".

Entretanto, os virginianos não devem confundir um intelecto brilhante e a faculdade crítica, com sabedoria divina. Devem aprender a ser absolutamente imparciais na avaliação do próprio desempenho, bem como no dos outros.

Eles atuam com o máximo de seus poderes em carreiras de algum modo relacionadas ao serviço. São capazes de grande auto-sacrifício se acharem que seu trabalho vale a pena.

Virgem também rege a saúde. Nesta fase de sua evolução, contudo, os virginianos precisam aprender que homens sábios não esgotam as energias do corpo com preocupações, irritação ou excesso de trabalho. Temores tolos e apreensões podem conduzir à semi-invalidez. Entretanto, este signo possui uma maravilhosa resistência física às doenças, desde que a mente desenvolva a disciplina. Se os virginianos puderem se afastar do domínio da doença, tornam-se eficazes agentes de cura, exercendo notável influência sobre os enfermos.

O corpo dos virginianos rejeita todo tipo de alimento e medicamento artificiais. O alimento é muito prejudicial quando estão zangados ou em extrema angústia.

Como Virgem é um signo de terra, os virginianos admiram o progresso material. Gostam da boa comida, do conforto e de boas roupas. Muitas pessoas nascidas sob este signo são exemplos de elegância. Verificarão as etiquetas das roupas para determinar se o artigo foi manufaturado por uma empresa respeitável. Nenhum artigo de qualidade inferior é admissível para os virginianos! Contudo, eles precisam aprender a não fazer fofocas e comentários sobre as pessoas que se afastam de seu padrão particular de boa aparência.

Para eles, é difícil acumular grandes quantias em dinheiro devido aos seus gastos excessivos. Eles precisam desenvolver um método capaz de evitar os gastos desnecessários, pois, embora economizem em "farras", a economia nunca dura muito.

Eles se impressionam com palavras eloqüentes, unidas como um colar de pérolas. Elas soam como música aos seus ouvidos, e eles as preferem às sutis manifestações de afeto.

Muitas pessoas de Virgem são indiferentes às aventuras amorosas e com freqüência permanecem voluntariamente solteiras; ninguém está à altura de seus padrões de perfeição.

As mulheres casadas deste signo possuem uma capacidade administrativa maior do que a de seus parceiros. Elas se elegem chefes da família, governando o marido e todos ao seu redor, assumindo a responsabilidade pelo lar e pela família.

LIBRA

23 de setembro — 22 de outubro

Cardinal, Ar
Regente: Vênus

Palavras-chaves: harmonia, companheirismo, equilíbrio

Os librianos são regidos pelo planeta Vênus, que lhes confere encanto e graça de expressão, associados ao desejo de popularidade e aprovação. Os nativos mais evoluídos jamais comprometerão seus princípios para obter aprovação, porque a experiência ensinou-lhes que a humilhação máxima é o resultado desse expediente.

Como Libra é um signo cardinal, os librianos se preocupam com o presente e iniciarão atividades. Mas geralmente buscam a colaboração dos outros, em vez de continuarem sozinhos.

Os librianos sentem uma necessidade especial de companheirismo, e só assim se sentem realizados. Contudo, precisam manter sua própria individualidade dentro da estrutura de seus relacionamentos. O casamento e as parcerias são uma preocupação fundamental dos librianos.

As atividades típicas envolvem as relações sociais e o contato com o público, e podem incluir a advocacia, relações públicas, arte, teatro, música e sociedades que exijam colaboração mútua.

Os librianos possuem forte senso de justiça e imparcialidade devido à exaltação de Saturno neste signo. Assim, exigem que seus parceiros trabalhem tanto quanto eles. Ao contrário do que dizem os astrólogos, os librianos são tudo, menos preguiçosos, devido a esta influência de Saturno. Quanto mais evoluído, mais provável que seja um trabalhador dedicado, especialmente após seu vigésimo nono aniversário (devido ao ciclo de 29 anos de Saturno e à exaltação de Saturno em Libra).

Como Libra é um signo de ar, os nascidos sob este signo são intelectuais e buscam ativamente o conhecimento, as novas idéias e o estímulo mental. São especialmente competentes para analisar o que ocorre na sociedade ao seu redor. Todos os assuntos ligados à psicologia e às relações humanas despertam neles profundo interesse; por essa razão, são bons conselheiros e com freqüência procuram ajudar as pessoas em seus problemas pessoais. Freqüentemente desempenham o papel de apaziguadores. A frase-chave para Libra é "Eu equilibro".

Estes nativos, regidos por Vênus, raramente demonstram raiva, mas, quando o fazem, é como se um furacão tivesse passado pelo lugar — eles dizem tudo. Eles lhe repetirão exatamente o que você disse há cinqüenta anos, e em que circunstâncias. Contudo, como o furacão, sua raiva logo se dissipa, deixando-os trêmulos e abalados.

ESCORPIÃO

23 de outubro — 21 de novembro

Fixo, Água
Regentes: Marte e Plutão

Palavras-chaves: regeneração, engenhosidade, discrição

De muitas maneiras, Escorpião é o signo mais poderoso do Zodíaco, porque é regido por Marte e Plutão, enquanto Urano, o planeta da súbita libertação de energia, está exaltado neste signo.

Mais do que qualquer outro signo, Escorpião lida com os processos da transformação fundamental em todos os níveis. Essa transformação pode ocorrer num plano superior ou inferior, dependendo da motivação oculta. Mas, via de regra, os escorpianos trabalham para melhorar o *status quo*.

Os escorpianos possuem poder, vontade e desejos emocionais intensos. Sua vida provavelmente é uma luta constante para satisfazer o desejo mediante o uso criativo da vontade.

Como este signo está fortemente relacionado ao princípio do desejo e ao impulso sexual, há uma tremenda força emocional por trás dos envolvimentos românticos de Escorpião. Quando inadequadamente controlado, pode ser levado à possessividade, ao ciúme e à violência. Nenhum signo pode ser tão potente, para o bem ou para o mal, como Escorpião.

Como os escorpianos agem com todo o seu poder, é de extrema importância que estabeleçam, desde o início, um trajeto adequado. Eles nunca consideram a vida superficialmente, e todas as coisas em que se envolvem geralmente têm sérias conseqüências. Algumas vezes, seu desejo de realizar tudo com perfeição os torna incapazes de delegar responsabilidade; assim, eles se sobrecarregam, buscando a perfeição em todos os detalhes.

Os escorpianos muito evoluídos são os mais ardentes defensores da justiça, mesmo frente à morte. Ao contrário dos arianos, também regidos por Marte e Plutão, eles possuem um tremendo poder de resistência, porque estão em um signo fixo. Eles realizarão qualquer tarefa até o fim, independentemente do esforço e do sacrifício exigidos.

Embora desprezem suas fraquezas e não gostem de vê-las nos outros, com freqüência são generosos, complacentes e solidários. Os escorpianos esperam, contudo, que, uma vez auxiliado, o indivíduo continue independentemente e ajude a si mesmo.

Eles nem sempre são diplomáticos, pois acreditam na expressão de suas idéias e sentimentos com honestidade absoluta. Preferem permanecer em silêncio a oferecer uma versão atenuada de suas verdadeiras opiniões e emoções.

Possuem intenso impulso para investigar a natureza das coisas e descobrir os motivos ocultos das manifestações exteriores. Conseqüentemente, destacam-se em trabalhos que envolvam descobertas, ciência, pesquisa e investigações ocultas.

Tendem a ser muito reservados, e ai de quem revelar seus segredos ou se expuser à sua fúria. Numa batalha, atacarão sem piedade e não esperarão nenhuma; se alguém medir forças com um escorpiano, deve estar bem preparado.

Geralmente, sua aparência é robusta. Muitas vezes têm olhos penetrantes e uma forte aura de magnetismo pessoal.

Sua intuição é bem desenvolvida, via de regra, dando-lhes capacidade para penetrar nos pensamentos secretos dos outros.

Quando espiritualmente desenvolvidos, os escorpianos obtêm imenso poder de sua capacidade para captar as forças fundamentais, criativas e regeneradoras da natureza. Assim, suas façanhas podem, às vezes, parecer quase milagrosas.

Eles não tendem a temer a morte, porque possuem uma compreensão mística da natureza cíclica da manifestação. A frase-chave para Escorpião é "Eu desejo".

SAGITÁRIO

22 de novembro — 21 de dezembro

Mutável, Fogo
Regente: Júpiter

Palavras-chaves: aspiração, amor à liberdade, exploração

Os sagitarianos, nascidos sob o signo da honestidade e lealdade, são representados pela flecha que se dirige velozmente para seu objetivo. Os sagitarianos amam profundamente a liberdade e a independência.

São vigorosos e naturalmente expansivos, atingindo seus objetivos com o poder do pensamento positivo. Como o benéfico Júpiter rege e protege os sagitarianos, a ajuda sempre aparece quando eles dela necessitam, mesmo que seja no último instante.

Os sagitarianos são naturalmente pensadores sérios, preocupados com o bem-estar da sociedade como um todo, e com suas próprias vidas. Mesmo sendo incultos, no sentido formal da palavra, sentem-se à vontade com idéias, princípios e crenças abstratos.

Colocam a lei espiritual e a ética acima da personalidade. Em sua dedicação religiosa, podem, às vezes, esquecer seu lado pessoal.

São honestos, justos e generosos, devido à sua preocupação com a aprovação e a harmonia da sociedade em que vivem. Entretanto, também podem tender a uma visão estreita e intolerante se os padrões sociais que seguem forem limitados.

Embora o idealismo esteja fortemente acentuado neste signo, os sagitarianos menos evoluídos podem ser fanáticos religiosos e adeptos cegos das filosofias e dogmas estabelecidos. Eles precisam aprender a ultrapassar o denominador comum inferior do pensamento dos grupos sociais, religiosos ou filosóficos vigentes na sociedade a que pertencem.

Os sagitarianos não abordam a vida com sutileza, e geralmente vão direto às conclusões, sem levar em consideração todos os fatores. Por serem muito honestos, suas ações são irrepreensíveis. Se nos associarmos aos sagitarianos, é melhor não sermos muito suscetíveis, pois iremos escutar a verdade absoluta. Eles podem ser impiedosos com os inimigos; mas sob tensão podem ficar muito deprimidos.

Eles possuem a capacidade de ver o futuro, devido à compreensão das atuais tendências de pensamento, e seus *insights* beiram a profecia. São especialmente conscientes de que tudo o que se manifesta na civilização é resultado do pensamento e da motivação do homem. A frase-chave para Sagitário é "Eu vejo".

Os sagitarianos penetram esferas anteriormente jamais imaginadas, porque existe um desejo visceral de conhecer, experimentar, tentar vôos e obter excitação através da aventura. Eles viajam longe e rápido, geograficamente ou em pensamentos, ou em ambos. Apreciam que as pessoas reconheçam suas qualidades e seu trabalho, e, como o impulso criativo é muito forte, expandem seus egos através da criatividade.

As mulheres deste signo não gostam dos afazeres domésticos e tendem a ser muito independentes. Contudo, são companheiras encantadoras e agradáveis.

CAPRICÓRNIO

22 de dezembro — 19 de janeiro

Cardinal, Terra
Regente: Saturno

Palavras-chaves: ambição, conservadorismo, consciência, organização

Nascidos sob um signo de terra, os capricornianos jamais se contentarão em apenas manter o corpo e alma unidos. Eles sentem que precisam evoluir, precisam estar voltados para alguma realização, possuir alguma propriedade para cuidar, ou algum compromisso a cumprir, seja nos negócios, na política ou em áreas sociais ou intelectuais.

Possuem excelente intuição e a utilizam em seu esforço para atingir independência pessoal e segurança econômica. Como seu símbolo, o bode montanhês, são firmes e seguros. Amam a lei e a ordem, e são dogmáticos em sua visão de que uma regra é uma regra e ordens são ordens. Como são do elemento terra, todas as coisas precisam ser palpáveis.

Os capricornianos dominam as questões práticas, não tanto pelo estudo formal quanto pela leitura de artigos e conversas com pessoas. Seus hábitos prudentes os predispõem a utilizar tudo o que vêem, ouvem ou aprendem, mas não são estudantes por natureza. A frase-chave para Capricórnio é "Eu utilizo".

Os capricornianos nunca são desencorajados pelas coisas que dificultam sua escalada para o topo. Sua extrema capacidade de trabalho está associada à noção de que o sucesso significa segurança material, e eles trabalharão e farão planos para consegui-lo. Entretanto, sentem que o mundo deve lhes dar algo em troca de todo o seu esforço e contribuição.

Eles têm grande fé em seu poder, e são experientes e cuidadosos. Não pedem compaixão a ninguém, e assim, fazem um acordo difícil, porém justo. São extremamente capazes para solucionar os problemas mais difíceis e muito bem-sucedidos como apaziguadores.

São organizados e metódicos em seu trabalho e tendem a ser feitores em seu lar. Acham que sua casa deve ser administrada com precisão, com todas as coisas em perfeito funcionamento.

Os capricornianos são excelentes executivos e permanecem em papéis subordinados durante pouco tempo; podem parecer mansos como cordeiros, mas são capazes de tomar o lugar do patrão num piscar de olhos, se a oportunidade surgir.

Nunca recuam voluntariamente. Alternando segurança e ambição como seu objetivo, avançam sempre.

Desejam dinheiro, porque seu signo é um signo de vida longa. Temem depender dos outros na velhice. Esta necessidade de segurança pode provocar instintos mesquinhos, que os tornam avarentos e, às vezes, ambiciosos.

Eles são velhos quando jovens e jovens quando velhos. Quando criança, o capricorniano pode ter problemas de saúde, mas, ultrapassados os primeiros anos de vida, pode viver até uma idade avançada.

Como Saturno rege Capricórnio, os nativos tendem a ser melancólicos e, às vezes, solitários. Ocasionalmente, se comportam de acordo com o princípio de que o mundo é um lugar no qual todo homem está só. Contudo, possuem uma personalidade sensível e desejam muito ser valorizados.

AQUÁRIO

20 de janeiro — 18 de fevereiro

Fixo, Ar
Regente: Urano

Palavras-chaves: humanitarismo, independência, originalidade

Os indivíduos nascidos sob o signo da fraternidade têm como símbolo o aquário, que derrama força vital e energia espiritual sobre a humanidade. Como Urano rege Aquário, a amizade e o companheirismo são extremamente importantes para os aquarianos. Aqueles que os ajudam ganham sua lealdade inabalável.

Nascidos sob um signo fixo, os aquarianos possuem temperamentos excêntricos e são determinados e teimosos. Algumas vezes, sentem que as pessoas são pouco receptivas e incapazes de compreender suas idéias, e tendem a se irritar quando elas não os compreendem. Então, os aquarianos discutem e, quando o fazem, despertam a hostilidade das pessoas. São capazes de afastá-las de seu círculo social. A frase-chave para os aquarianos é "Eu sei".

Não há afetação ou esnobismo na personalidade aquariana, mas uma aversão à imitação ilegítima e à hipocrisia. Os aquarianos agem como iguais entre iguais. Contudo, não dependem de seu meio ambiente para se sentirem seguros, porque obtêm segurança na companhia de outras pessoas.

As pessoas nascidas sob Aquário podem ser tudo ou nada, mas jamais estão sozinhas. A influência de Urano lhes proporciona verdadeiro prazer de conhecer novas pessoas e trocar idéias. O instinto gregário dos aquarianos sempre os levará para onde existem pessoas, ou então as pessoas irão até eles.

Uma vez que os aquarianos têm amigos de ambos os sexos, não vêem motivo para desistir deles, mesmo após o casamento. Como Aquário é um signo de ar intelectual, os nascidos sob ele se relacionam com as pessoas num nível mental.

Os aquarianos amam a beleza da natureza, mas gostam de admirá-la com conforto. Desejam os bens materiais, mas não são ambiciosos. São avessos a se envolverem em atividades esportivas, a não ser como observadores. Suas atividades são mais intelectuais do que físicas.

As mulheres deste signo devem controlar sua tendência para exagerar seus problemas. Entretanto, podemos perdoá-las, pois seu charme e sua vivacidade de expressão as tornam muito atraentes.

A aparência de tranqüilidade dos aquarianos é enganosa; sua ansiedade pode até mesmo fazer com que se sintam doentes. Como levam seu trabalho muito a sério, o nervosismo e a apreensão raramente os abandonam. Eles trabalham melhor com outras pessoas ou organizações que tentam realizar algum ideal. Nessas atividades, sua excelente memória, criatividade, conhecimento, amor pela liberdade e humanitarismo encontram uma válvula de escape.

Seu interesse e sua solidariedade pelos problemas humanos ganham o respeito e a confiança das pessoas próximas. Sua compreensão é impessoal, e sua reação, intelectual, mas, quando despertados, os aquarianos são trabalhadores incansáveis.

PEIXES

19 de fevereiro — 20 de março

Mutável, Água
Regentes: Netuno e Júpiter

Palavras-chaves: compaixão, universalidade, renúncia

Peixes é um signo sensível, e os nascidos sob ele são extremamente sensíveis aos pensamentos e sentimentos dos outros. Absorvem inconscientemente as idéias e a perspectiva mental das pessoas que os cercam.

Eles desejam desesperadamente fazer a coisa certa, mas, via de regra, não possuem muita força de vontade. Assim, são facilmente influenciados por fatores externos. Precisam aprender a permanecerem sozinhos e a enfrentar o desconhecido com fé verdadeira.

O símbolo de Peixes são dois peixes unidos, um deles nada rio acima, e o outro, rio abaixo, indicando a drástica dualidade de emoções das pessoas nascidas sob este signo. Os piscianos aparentemente são incapazes de se decidir.

Os piscianos sempre parecem sentir cansaço, o que os estimula a se afastarem de esforços intensos e esportes. Não são combativos. Sua aversão ao esforço muitas vezes os torna indecisos para pensar e agir. Geralmente aceitam os danos, em vez de lutar por seus direitos. Quando seu estoque de paciência se esgota, entretanto, podem ficar tão irritados que é impossível acalmá-los. Os piscianos podem ser teimosos e não permitem que alguém tente persuadi-los.

Júpiter é um dos regentes de Peixes, e, como este planeta atua como um preservador, oferece aos piscianos a fé necessária para conservar a vitalidade e um senso de importância pessoal.

Seu encanto, humor e simpatia abrem oportunidades para os piscianos. Contudo, sua natureza gentil e moderada favorece o hábito de permitir que as coisas fiquem à deriva, o que pode ser extremamente irritante para pessoas mais práticas. Por outro lado, devido à dualidade deste signo, os piscianos podem ser eficientes e precisos.

O temperamento do pisciano varia entre um grande otimismo e um estado agudamente pessimista. Isso pode ser irritante para quem está absorvido no mundo material e não consegue entender como as pessoas nascidas sob um signo sensível podem ficar tão perdidas em suas próprias vidas.

Geralmente os piscianos não ambicionam possuir bens materiais ou financeiros. Contudo, no início da vida seus objetivos parecem materialistas, pois sabem instintivamente que, se quiserem ter sucesso na busca do eu, as necessidades físicas não devem ser fonte de preocupação. Precisam aprender a ser mais cuidadosos com os bens de outras pessoas, bem como com seus próprios.

Sua percepção das sutis tendências ocultas nas interações humanas lhes confere um ar de indiferença. Os piscianos são impelidos a manter sua individualidade — precisam seguir aquela voz interior suave e tranqüila. Se tentarem forçar seu espírito em trabalhos cotidianos que restrinjam sua singularidade, serão extremamente infelizes.

Os piscianos gostam de estar envolvidos em um mundo de sonhos onde possam esquecer o eu. Se esta tendência puder ser desenvolvida, controlada e dirigida, o resultado é uma admirável habilidade dramática, que algumas vezes cria o artista, o poeta, o músico ou o escultor. Muitos excelentes e criativos bailarinos nasceram sob este signo. A música parece ser uma lei natural para os piscianos, pois o signo também produziu cantores extraordinários e importantes.

Como Netuno, o planeta criador de imagens, rege Peixes, os piscianos possuem uma imaginação muito ativa. São capazes de perceber as dificuldades na vida das pessoas e podem prever os resultados dolorosos de palavras e ações. Peixes rege os pés, que é a área do corpo tradicionalmente ligada à compreensão do homem.

Netuno sensibiliza os piscianos ao sofrimento dos seres humanos. Assim, eles desejam sinceramente curar e aliviar. Muitos deles escolhem trabalhar nas condições mais sórdidas ou aceitam qualquer coisa que diminua a carga de outras pessoas. Os piscianos de todas as profissões e condições sociais dedicam sua força e seu tempo aos doentes e abandonados, sem esperar recompensas pessoais.

Quando autênticos, os piscianos são altruístas, amáveis, dedicados e ansiosos por se sacrificarem pelos que os cercam. A consciência do pisciano anseia sair e se tornar parte de toda a vida, e suas emoções envolvem os outros com compaixão e ternura. Os piscianos são cegos para os defeitos das pessoas que amam e em quem confiam.

As deficiências de caráter dos piscianos se encontram na área do fatalismo; eles precisam perceber que não estão acorrentados a nenhum destino, a não ser aquele criado por eles próprios. Devem se encarar realisticamente para realizar tudo aquilo que podem vir a ser.

Eles se sentem desorientados se não perceberem e enfrentarem todas as complexidades. Quando o fazem, o eu se absorve em atividades de ajuda e o mundo inteiro se transforma em uma esfera radiante, onde até mesmo as coisas banais parecem resplandecer. A frase-chave dos piscianos é “Eu acredito”.

CAPÍTULO 3

Padrões de Sobreposição do Signo Ascendente

Os padrões de sobreposição explicam o significado da seqüência de casas quando determinado signo está ascendendo. As limitações de espaço só permitirão que sejam considerados os elementos mais significativos, criados pela combinação particular de casa e signo.

O sistema de casas habitualmente utilizado (placidiano) não utiliza casas de igual extensão. Assim, no horóscopo de uma pessoa, algumas vezes um signo está interceptado, isto é, encontra-se dentro de uma casa que contém mais de 30°, mas não na cúspide ou no início desta casa. Por outro lado, um signo isolado pode aparecer na cúspide de duas casas quando uma casa contém menos de 30°. Mas pelo menos parte de um signo irá cair na casa que corresponde ao seu padrão de alinhamento natural de sobreposição. Todos os horóscopos com Áries ascendendo possuem Touro em algum lugar em sua Segunda Casa, embora outro signo possa estar na cúspide da casa. Isso acontece em latitudes muito extremas, ao norte ou ao sul, onde o sistema placidiano de divisão de casas é completamente interrompido.

Sobreposição em Áries

Áries na cúspide da Primeira Casa

Os arianos se projetam com intensa energia e poder primal. Sua determinação lhes permite agir sobre suas idéias no instante em que são formadas. Os arianos não perdem tempo. São competitivos e possuem o impulso para se destacarem em tudo o que fazem. Precisam se testar continuamente por meio da ação.

Touro na cúspide da Segunda Casa

O espírito prático e a disposição dos arianos para se adaptarem aos métodos dos negócios ou de comércio os tornam hábeis para ganhar dinheiro. Contudo, tendem a gastar seu dinheiro em prazeres. Eles dão uma importância especial aos instrumentos de seu trabalho.

Gêmeos na cúspide da Terceira Casa

Os arianos gostam de ser conhecidos por sua originalidade e individualidade. São inteligentes e versáteis ao expressarem suas idéias e florescem quando isso é reconhecido pelos outros. Gostam de discutir suas idéias com parentes e vizinhos. Contudo, precisam focalizar e concentrar seus pensamentos para que possam realizá-los.

Câncer na cúspide da Quarta Casa

Os arianos sentem profunda satisfação emocional em sua vida familiar. São dedicados à família, que é a base de suas operações.

Leão na cúspide da Quinta Casa

Os arianos são ardentes no amor. Eles se identificam muito com seus filhos e desejam se orgulhar deles. Seu constante fluxo de energia criativa muitas vezes se expressa na arte. Eles gostam de se destacar nos esportes e jogos competitivos. Podem ter sorte em especulações, embora geralmente não se envolvam nesse tipo de negócios.

Virgem na cúspide da Sexta Casa

O esmero e a precisão caracterizam o trabalho dos arianos, que, sob muitos aspectos, é de qualidade superior. Mas com freqüência deixam algo inacabado, ou porque suas tendências perfeccionistas tornam difícil o término de uma tarefa a tempo ou porque seu entusiasmo diminui.

Libra na cúspide da Sétima Casa

Muitas vezes os arianos se casam sem considerar os principais fatores envolvidos, e a discórdia é o provável resultado. Eles tendem a escolher como parceiros pessoas gentis e vulneráveis. Seus companheiros geralmente são habilidosos em relações públicas e desejam apresentar uma boa imagem ao mundo.

Escorpião na cúspide da Oitava Casa

Os arianos muitas vezes têm segredos e conflitos com relação às finanças de seus parceiros. É provável que existam problemas relacionados a assuntos como testamentos e heranças.

Sagitário na cúspide da Nona Casa

Os arianos possuem crenças religiosas fortes, dedicadas, que geralmente seguem padrões convencionais. Há um interesse natural pela filosofia e pela educação superior. Eles estão sempre desejando "pastos mais verdes" e passam por períodos em que sentem muita vontade de viajar.

Capricórnio na cúspide da Décima Casa

Os arianos são ambiciosos e desejam obter destaque profissional por intermédio da competição. Nem sempre cultivam a paciência necessária para se submeterem àqueles que se encontram em posição de lhes dar a promoção que desejam.

Aquário na cúspide da Décima Primeira Casa

Os arianos são capazes de fazer muitas amizades e trabalham bem em grupo, especialmente com pessoas jovens. Contudo, algumas vezes, o seu individualismo os impede de ter muitos amigos. Eles também são excêntricos em suas associações.

Peixes na cúspide da Décima Segunda Casa

Os arianos possuem uma sabedoria espiritual inconsciente, que não é visível na superfície. Sentem profunda empatia pela humanidade, embora às vezes sintam-se solitários. Algumas vezes, a confusão no nível inconsciente pode ser sua ruína.

Sobreposição em Touro

Touro na cúspide da Primeira Casa

Os taurinos podem expressar potencial de poder por meio de questões financeiras e estruturação de dados e recursos. Eles adoram as coisas boas da vida e, de alguma forma, sempre criam beleza.

Gêmeos na cúspide da Segunda Casa

Os taurinos ganham dinheiro com idéias originais e pensamento prático com relação a recursos materiais. Não se limitam a um mercado financeiro.

Câncer na cúspide da Terceira Casa

Uma atitude maternal/paternal prevalece com relação a irmãos e irmãs e à vizinhança. Há muitas idas e vindas e oscilação na comunicação.

Os taurinos tendem a fazer viagens relacionadas aos negócios e a questões financeiras.

Leão na cúspide da Quarta Casa

Os taurinos expressam seu poder no lar e na família. Geralmente, o lar é o local onde manifestam sua criatividade e seu *status*. Eles sabem receber as pessoas, e quem vai à sua casa é tratado com entusiasmo e amor.

Virgem na cúspide da Quinta Casa

Essas pessoas manifestam seu poder mediante um pensamento cuidadoso, analítico, e atenção aos detalhes. Também são perfeccionistas em assuntos sociais, certificando-se de que tudo está no lugar certo, escrupulosamente organizado até o último detalhe. Há uma tendência a ser muito crítico nas questões afetivas. Os taurinos desejam que tudo seja tão perfeito que as pessoas que amam sentem-se constrangidas sob sua fiscalização constante.

Libra na cúspide da Sexta Casa

Os taurinos são capazes de trabalhar com eficiência em atividades de serviço. Procuram a harmonia e a cooperação com seus colaboradores, e esta provavelmente é uma das razões de seu sucesso financeiro. Como patrões, são justos e tratam seus empregados como iguais.

Escorpião na cúspide da Sétima Casa

Os taurinos sentem-se atraídos por poder e *status*. Buscam parceiros vigorosos, que se destaquem na expressão criativa e tenham poder de realização. Entretanto, devem tomar cuidado com seu ciúme, agressividade e possessividade com relação aos parceiros. Há a necessidade de desprendimento espiritual, juntamente com a necessidade de regeneração de Escorpião, nas áreas relacionadas aos parceiros e ao público.

Sagitário na cúspide da Oitava Casa

Há muita atividade legal relacionada a testamentos, seguros e finanças conjuntas. Com freqüência, os taurinos se beneficiam de heranças. Seus parceiros geralmente são financeiramente estáveis e úteis ao avanço do taurino em direção ao próximo "campo verde".

Capricórnio na cúspide da Nona Casa

Os taurinos são muito tradicionais e conservadores na religião e na filosofia. Seu ponto de vista filosófico é limitado pelo materialismo. Seus instintos humanitários se manifestam no trabalho profissional.

Aquário na cúspide da Décima Casa

Existe uma tendência a trabalhar em grupos ligados a questões profissionais e, conseqüentemente, ao envolvimento com amplas corporações e esforços conjuntos. Os taurinos gostam de ter a reputação de estarem associados a pessoas importantes e estáveis, embora incomuns e engenhosas.

Peixes na cúspide da Décima Primeira Casa

Essas pessoas expressam sua compaixão e simpatia na generosidade para com os amigos. Gostam de partilhar sua valorização estética com os amigos. Porém se forem imprudentes na escolha das pessoas que ajudam, os amigos podem ser uma fonte de desilusão para os taurinos.

Áries na cúspide da Décima Segunda Casa

A impulsividade e a teimosia podem ser a causa da ruína dos taurinos, embora a coragem e a determinação sejam seu apoio oculto. Eles iniciam novas atividades em segredo, visando desconcertar os competidores.

Sobreposição em Gêmeos

Gêmeos na cúspide da Primeira Casa

Os geminianos são pensadores originais e criativos e tendem a dominar intelectualmente seu círculo social. Também têm o poder de visualizar suas idéias e expressá-las cientificamente. Uma vez que tendem a se identificar com suas idéias, sua forma de expressão mais dinâmica é intelectual.

Câncer na cúspide da Segunda Casa

Os geminianos ganham dinheiro devido à sua capacidade de adaptação e receptividade às pessoas que os cercam. Percebem instintivamente aquilo de que os outros precisam para crescer e se nutrir, e, ao responderem a essas necessidades, muitas vezes são capazes de ganhar dinheiro. Assim, seus assuntos financeiros e emocionais estão interligados. Geralmente, possuem um "pé-de-meia" guardado; são emocionalmente ligados a ele e o protegem custe o que custar.

Leão na cúspide da Terceira Casa

Eles expressam poder por meio do pensamento criativo e investem em suas idéias com muita energia. Assim, pensam em termos amplos e dramáticos. Sua engenhosidade mental com freqüência se manifesta na arte. Suas viagens provavelmente terão um propósito agradável ou criativo; eles tendem a viajar para encontrar aqueles que amam ou com quem estão romanticamente envolvidos.

Virgem na cúspide da Quarta Casa

Os geminianos preferem, e muitas vezes o fazem, trabalhar em casa. Prestam serviço às suas famílias e são exigentes e meticulosos no lar. Como a Lua, os geminianos se movimentam constantemente, e, se possível, combinam viagens e lucros financeiros.

Libra na cúspide da Quinta Casa

A parceria é o canal para seu poder criativo. Os geminianos sentem-se atraídos por pessoas requintadas, graciosas e equilibradas. Sentem grande prazer estético na música e apreciam discussões intelectuais no intercâmbio social. Possuem uma habilidade artística que geralmente os outros não percebem; sua criatividade artística é tanto mental quanto emocional.

Escorpião na cúspide da Sexta Casa

Esses geminianos precisam se regenerar nas áreas do trabalho e serviço. Somente tornando suas idéias efetivas, por intermédio de um caminho prático, é que podem se transformar e começar uma nova vida. Gêmeos rege o sistema nervoso; e essa colocação do Escorpião muito emocional na Sexta Casa indica que a expressão ou repressão de desejos influencia fortemente a saúde dos nativos. Assim, há necessidade de utilizar a mente de maneira a favorecer a saúde.

Sagitário na cúspide da Sétima Casa

Os geminianos tendem a enfatizar valores éticos, religiosos e filosóficos quando escolhem suas associações pessoais. Geralmente têm sorte no casamento e se relacionam bem com o público.

Capricórnio na cúspide da Oitava Casa

Os geminianos precisam conquistar a sua parte em qualquer tipo de parceria, do contrário se privam da realização. Se tiverem suficiente sorte para herdarem alguma coisa, geralmente ocorrem demoras e a herança com freqüência está obstruída por um litígio. Mas os geminianos podem se proteger fazendo um seguro.

Aquário na cúspide da Nona Casa

Há uma tendência a ser progressista, incomum e liberal em questões de religião, filosofia e educação superior. Os geminianos gostam de se associar a pessoas envolvidas nessas áreas. São curiosos a respeito de culturas estrangeiras e buscam o incomum por meio de viagens e estudos. A inspiração surge em súbitos lampejos, e assim, eles partem repentinamente para viagens, sem muita preparação.

Peixes na cúspide da Décima Casa

Os geminianos tendem a ser "espiritualistas" e visionários, e nem sempre são práticos com relação ao trabalho e à reputação pública. São evasivos e têm dificuldades em assumir compromissos profissionais. Algumas vezes, condições peculiares estão associadas ao seu emprego e à sua reputação, e sempre há um elemento de mistério em sua atividade profissional.

Áries na cúspide da Décima Primeira Casa

Há um constante esforço para fazer novos amigos. Os geminianos estão continuamente entrando em novos grupos, deixando para trás os velhos amigos e voltando para eles mais tarde. Tendem a organizar esforços de grupo. São vigorosos ao expressarem suas esperanças e desejos e, com freqüência, tentam métodos novos e incomuns para realizá-los.

Touro na cúspide da Décima Segunda Casa

É provável que os geminianos sejam afetados por situações do passado que não mudam com facilidade. Há uma tendência a ser mais persistente no nível inconsciente do que no consciente. A autodestruição dos geminianos surge de seus desejos materialistas inconscientes.

Sobreposição em Câncer

Câncer na cúspide da Primeira Casa

Os cancerianos tendem a ser emocionalmente voláteis. Despendem muita energia em seus sentimentos e são românticos e dramáticos nas manifestações emocionais. Contudo, suas emoções são sustentadas pela vontade. Eles se identificam fortemente com suas famílias e questões familiares.

Leão na cúspide da Segunda Casa

Os cancerianos expressam poder em assuntos financeiros, mas desejam que seu dinheiro seja usado para seus filhos, sua família e seu lar. Geralmente ganham dinheiro quando ocupam posições de autoridade.

Virgem na cúspide da Terceira Casa

Os cancerianos são precisos no discurso, na escrita e na formação de idéias, sempre práticas e viáveis. As viagens e passeios curtos são meticulosamente planejados e organizados. Entretanto, são críticos com irmãos, irmãs e vizinhos.

Libra na cúspide da Quarta Casa

Os cancerianos cultivam a arte, a beleza e o refinamento no lar, e sentem-se emocionalmente ligados aos objetos de sua casa. Consideram a família como uma sociedade e insistem na justiça e na imparcialidade rigorosas para todos os membros; do contrário, surgem problemas emocionais que desequilibrarão tudo e afetarão a paz familiar.

Escorpião na cúspide da Quinta Casa

As crianças de Câncer estão sujeitas a intensa emotividade. Embora os cancerianos sejam muito generosos e proporcionem todos os recursos a seus filhos, sua preocupação excessiva pode conduzir à tirania se não for controlada. Eles tendem a ser ciumentos com as pessoas que amam. São extremamente sensuais em sua vida romântica. Os atores com este padrão de sobreposição expressam grande intensidade emocional no palco.

Sagitário na cúspide da Sexta Casa

Uma vez que o nativo é generoso para prestar ajuda a outras pessoas, seu eu espiritual é capaz de amadurecer através do serviço. Entretanto, os cancerianos precisam se sentir livres para seguir sua própria inspiração no trabalho. Possuem grande crença na cura pela fé e no poder do pensamento positivo. Trabalharão muito e desinteressadamente para os outros, acreditando que, ao ajudar uma pessoa, estão ajudando todas.

Capricórnio na cúspide da Sétima Casa

Existe uma tendência à cautela e reserva na formação de parcerias e à timidez nas relações. Como as grandes multidões os amedrontam, os cancerianos não gostam de permanecer nelas durante muito tempo. São cautelosos no casamento. Tendem a se casar tarde e, com freqüência, por *status*.

Aquário na cúspide da Oitava Casa

Os cancerianos estão interessados no lado espiritual da vida. Muitos deles possuem habilidades mediúnicas. Estão singularmente ligados às exigências da morte. Quando os amigos morrem, a perda os emociona profundamente, mais do que demonstram externamente.

Peixes na cúspide da Nona Casa

A religião desempenha um papel dominante na vida dessas pessoas, e suas crenças têm uma conotação mística. *Insights* que parecem vir do céu os ajudam a resolver seus problemas. Muitos cancerianos escreveram livros sobre assuntos místicos, de apelo emocional. Eles gostam de fazer longas viagens por mar.

Áries na cúspide da Décima Casa

Os cancerianos precisam trabalhar muito em suas profissões e canalizam uma imensa quantidade de energia para seus empregos. São impulsivos em questões de trabalho e reputação social. Se estiverem empregados, podem facilmente se magoar com o tratamento ríspido ou injusto daqueles que exercem autoridade.

Touro na cúspide da Décima Primeira Casa

Os cancerianos sentem atração por pessoas artísticas, estáveis e ricas. Esse é um dos segredos de sua própria habilidade para acumular riqueza e recursos financeiros. Com muita freqüência, pedem ajuda a seus amigos ricos para financiar seus planos meticulosamente elaborados.

Gêmeos na cúspide da Décima Segunda Casa

O apoio oculto dos cancerianos vem de sua habilidade em manter as idéias em segredo. Desse modo, eles proporcionam seu próprio impulso para o crescimento; porém, têm o hábito autodestrutivo de discutir seus problemas emocionais, verbalizando aquilo que deveria permanecer oculto.

Sobreposição em Leão

Leão na cúspide da Primeira Casa

Embora os leoninos se projetem com dignidade, energia e vontade, às vezes são bruscos e autoritários. Estão determinados a se expressar sempre que acharem conveniente, e algumas vezes entrarão em uma situação e a controlarão sem serem convidados.

Virgem na cúspide da Segunda Casa

Há uma tendência a ser determinado e exigente em assuntos financeiros. No trabalho, os leoninos gostam de atuar em equipe e, assim, irão incluir os amigos em seus planos financeiros ou, talvez, ganhar dinheiro em grandes corporações ou esforços conjuntos.

Libra na cúspide da Terceira Casa

Os leoninos expressam suas idéias graciosamente; são amigáveis e justos com seus irmãos, irmãs e vizinhos. Gostam de viajar com luxo. Se forem escritores, gostam de ter parceiros em seus trabalhos literários.

Escorpião na cúspide da Quarta Casa

Os leoninos resmungam muito em família; é a natureza da fera. Porém, o privilégio de resmungar está restrito ao rei. Os estranhos não devem pisar nos pés de nenhum membro da família de um leonino ou saberão o que é ter um leão encurralado. Com freqüência há muita atividade na casa de um leão ou em sua "toca", e todos os leoninos precisam ter suas próprias "tocas" em algum lugar.

Sagitário na cúspide da Quinta Casa

Para os leoninos, é importante proporcionar o melhor para seus filhos, ao ponto de mimá-los demais. Os leoninos são artísticos e criativos e, geralmente, resplandecentes. Gostam de oferecer festas generosas e gastarão seu último centavo para proporcionar uma noite espetacular. O envolvimento em esportes ou religião é característico, pois um deles, ou ambos, são fonte de grande prazer. Eles gostam especialmente de dramas religiosos e filosóficos que lhes ofereçam *insights* sobre o significado da vida.

Capricórnio na cúspide da Sexta Casa

Os leoninos são muito sérios em suas profissões. Qualquer um que zombe de seus esforços no trabalho saberá o que é lidar com um leão. Quando trabalham, são esforçados e muito organizados.

Aquário na cúspide da Sétima Casa

Nas parcerias, os leoninos gostam de ser livres. São humanitários nas relações sociais e gostam de criar uma imagem de altruísmo. Possuem um instinto para centralizar as coisas nas sociedades, e, quando casados, querem saber, sem nenhum motivo racional, o paradeiro e atividades de todos. O rei precisa saber o que sua rainha está tramando!

Peixes na cúspide da Oitava Casa

Embora saibam que a morte finalmente chega para todas as pessoas, os leoninos não se detêm muito pensando nela. Ao contrário, fazem todo o possível para adiar o dia final. Os leoninos, do sexo masculino especialmente, são assíduos compradores de pílulas, mesmo que apenas vitaminas e sais minerais. Geralmente existem condições peculiares relacionadas a heranças, que muitas vezes são gastas antes mesmo de serem recebidas.

Áries na cúspide da Nona Casa

Os leoninos sabem instintivamente que todas as coisas se originam de Deus. Como resultado de seu pensamento visionário, sua criatividade muitas vezes é expressa dramaticamente. Eles não desejam ser reprimidos por práticas religiosas tradicionais. Muitos dos reis medievais que saíam em cruzadas eram de Leão, e até hoje os leoninos tendem a ser cruzados em defesa de seus ideais.

Touro na cúspide da Décima Casa

Os leoninos ganham dinheiro principalmente para sustentar os padrões de vida elevados adequados à sua auto-imagem majestosa. Eles desejam proeminência e riqueza.

Gêmeos na cúspide da Décima Primeira Casa

Os leoninos escolhem como amigos pessoas inteligentes e engenhosas, cujas idéias possam ajudá-los a adquirir o poder que procuram. Eles cultivam a diversidade e estímulo intelectual em suas amizades.

Câncer na cúspide da Décima Segunda Casa

Os leoninos procuram isolamento e privacidade em seu ambiente doméstico. Usam seu lar para a reflexão e busca espiritual; parecem fortes e imunes às críticas, mas na verdade são surpreendentemente melancólicos e emocionalmente vulneráveis. Raramente demonstram o quanto se magoam quando são rejeitados ou desprezados.

Sobreposição em Virgem

Virgem na cúspide da Primeira Casa

A sutileza mental dos virginianos é expressada nas questões práticas. Eles são sistemáticos e bem-organizados no desenvolvimento de idéias e em sua execução. Nenhum detalhe lhes é insignificante, e seu sucesso se deve a essa cuidadosa atenção aos pormenores sutis e aos detalhes ignorados pelos outros. A perfeição é o objetivo dos virginianos, e não existem defeitos naquilo que fazem. A qualidade supera a quantidade.

Libra na cúspide da Segunda Casa

Os virginianos tendem a se envolver em especulações com um parceiro, muitas vezes a esposa ou marido. Possuem a capacidade de atrair o dinheiro necessário para lhes proporcionar as coisas boas e belas da vida. Contudo, o padrão de aquisição dessas coisas é irregular, pois eles se alternam entre a frugalidade e a extravagância.

Escorpião na cúspide da Terceira Casa

Os virginianos são vigorosos, extremamente habilidosos e criativos em seus processos de pensamento. Seu discurso e sua comunicação se caracterizam pela brevidade e franqueza. As palavras bem ditas atuam como um bálsamo e são como música para seus ouvidos.

Sagitário na cúspide da Quarta Casa

Casas espaçosas e confortáveis são importantes para os virginianos. Eles gostam de determinar um lugar para tudo e providenciam para que tudo esteja em seu lugar. Embora as visitas sejam generosamente recebidas, os virginianos são especialmente generosos com suas próprias famílias. Na verdade, suas famílias geralmente são mais bem-sucedidas do que a maioria.

Capricórnio na cúspide da Quinta Casa

Os virginianos são muito puritanos com relação a sexo e romance. Embora pareçam frios, são muito sensuais. Freqüentemente realizam suas ambições por intermédio da pessoa que amam, ou dos filhos de seu corpo e de sua mente. São extremamente cautelosos na área da especulação e não entram em esquemas duvidosos. Procuram prazeres sérios e contemplativos e têm a capacidade de apreciar o trabalho duro.

Aquário na cúspide da Sexta Casa

Essas pessoas são criativas e originais em seu trabalho. Tratam seus colaboradores como amigos e gostam de projetos em grupo. Entretanto, perdem o interesse por um projeto se todos os membros do grupo não estiverem dispostos a levá-lo até o fim. Geralmente são metódicos em suas profissões, utilizando técnicas originais e humanitárias em seu serviço.

Peixes na cúspide da Sétima Casa

Os parceiros com freqüência são o caminho pelo qual os nativos ingressam em novas áreas; estes parceiros aumentam a compreensão humana dos virginianos e seu envolvimento emocional. Os virginianos atraem pessoas não tão organizadas quanto eles.

Áries na cúspide da Oitava Casa

Os virginianos estão sujeitos a acidentes e febres que podem modificar toda a sua vida se não forem cuidadosos. As heranças com freqüência estão envolvidas em litígios prolongados. Discórdias surgem nas questões relacionadas a finanças conjuntas. Uma vez que sua oportunidade para a regeneração se faz por meio da ação decisiva, seu padrão é iniciar projetos, bem como terminar aqueles que outras pessoas iniciaram.

Touro na cúspide da Nona Casa

A filosofia dos virginianos baseia-se no belo e no prático. Eles assumem um ponto de vista realista dos conceitos sociais e da religião e não estão dispostos a mudar facilmente de opinião nesses assuntos. Insistem no manuseio justo de finanças e relacionamentos.

Gêmeos na cúspide da Décima Casa

Os virginianos se dedicam a profissões que permitem utilizar a mente e as mãos para executar suas idéias originais, que lhes trazem fama e reconhecimento. Com freqüência se envolvem em mais do que uma atividade profissional. Muitos deles trabalham na área de comunicações. Isso preenche o desejo dos virginianos de serem lembrados por seu talento.

Câncer na cúspide da Décima Primeira Casa

Os virginianos tratam seus amigos como membros da família. Desenvolvem ligações emocionais extraordinariamente fortes com os amigos, e com grupos e organizações aos quais pertençam. Os amigos são convidados à sua casa, que se torna um local de atividade em grupo.

Leão na cúspide da Décima Segunda Casa

Os virginianos possuem uma força extraordinária que não é visível até serem testados. Essa profunda força de vontade é seu apoio inconsciente. Sua ruína pode vir do orgulho e do egotismo oculto.

Sobreposição em Libra

Libra na cúspide da Primeira Casa

Os librianos projetam sua individualidade colaborando com outras pessoas; sua personalidade precisa se concentrar e refletir aqueles com quem colaboram. Suas ações expressam graça e beleza, associadas à disciplina, severidade e um forte senso de justiça. Sua maior virtude é a capacidade de considerar qualquer assunto sob o ponto de vista das pessoas com quem estão lidando. Os librianos não gostam de ficar sozinhos; sentem-se perdidos quando forçados a contar apenas com eles mesmos.

Escorpião na cúspide da Segunda Casa

Essas pessoas são habilidosas e vigorosas em seus métodos para ganhar dinheiro. Possuem a habilidade de transformar coisas sem valor em algo realmente valioso. Gastam com muita rapidez o dinheiro ganho com seu espírito inventivo e engenhosidade. Contudo, preocupam-se mais que seus bens tenham um valor estético e não monetário. Seus parceiros com freqüência providenciam o dinheiro para os objetos elegantes que satisfazem o gosto dos librianos. Entretanto, estão prontos a partilhar esses bens com seus parceiros e amigos.

Sagitário na cúspide da Terceira Casa

Os librianos são filosóficos e visionários na manifestação de seus pensamentos e idéias. Preocupam-se com a religião e os valores sociais, e consideram as idéias em função de sua utilidade em uma ampla ordem social. São generosos com irmãos, irmãs e vizinhos, mesmo estando afastados deles. Muitas vezes, suas viagens curtas, mentais ou físicas, os levam a lugares anteriormente não visitados. Com freqüência, recebem mensagens e se comunicam com pessoas de lugares distantes.

Capricórnio na cúspide da Quarta Casa

Uma vez que desejam tudo em seu lugar adequado, os librianos são grandes disciplinadores e organizadores em seu lar, embora as coisas jamais estejam sistematizadas a seu gosto. Concentram muito trabalho e responsabilidade em seu lar. Embora suas famílias tendam a ser conservadoras e austeras, para eles é importante que seu lar seja reconhecido como colaborador para a vida da comunidade.

Aquário na cúspide da Quinta Casa

Os librianos gostam de romances excitantes e singulares. Obtêm muito prazer no estudo de coisas singulares, com os amigos e em atividades de grupo. Seus filhos são uma mistura peculiar de originalidade e disciplina mental, porém fisicamente nem sempre são tão fortes quanto a vontade que expressam. Para os librianos, a estrutura é especialmente importante na arte e no teatro, e eles gostam de peças incomuns e dramáticas.

Peixes na cúspide da Sexta Casa

Em questões de trabalho e serviço, as circunstâncias exigem uma devoção altruísta dos librianos. São compreensivos com colaboradores e empregados. Algumas vezes, entretanto, assumem maior quantidade de trabalho do que a que podem efetivamente realizar, criando confusão e problemas. Podem se tornar hipocondríacos se estiverem procurando uma válvula de escape para suas responsabilidades profissionais. A saúde depende de seu estado emocional.

Áries na cúspide da Sétima Casa

Os librianos podem ser agressivos para obter a colaboração e atenção dos outros. Também possuem o poder de motivar outras pessoas para a ação, sem que elas se apercebam. Os parceiros de quaisquer librianos precisam compreender que, se desejam a paz, devem manter um elevado nível de atividade e trabalhar muito.

Touro na cúspide da Oitava Casa

Os librianos irão ajudar seus parceiros a ganhar dinheiro, mas seu amor pela beleza os predispõe a gastá-lo em adornos. Eles também possuem o poder de criar riquezas a partir de fontes desconhecidas para outras pessoas. Geralmente morrem tranqüilamente, e começam e terminam as coisas com tranqüilidade.

Gêmeos na cúspide da Nona Casa

Os librianos exigem que a religião e a filosofia tenham uma aplicação prática e sejam logicamente compreensíveis. Muitos librianos gostam de escrever e discutir esses assuntos. Há muita movimentação nas atividades religiosas.

Câncer na cúspide da Décima Casa

Essas pessoas são muito sensíveis no que diz respeito à sua reputação e posição no mundo. Para elas, é importante serem consideradas responsáveis e respeitáveis. De muitas maneiras, existe uma ligação estreita entre a atividade profissional e a vida familiar. Os librianos com freqüência possuem parceiros na mesma profissão ou ramo de negócios.

Leão na cúspide da Décima Primeira Casa

É necessário o estabelecimento de uma fonte exterior de força e segurança. Assim, os librianos cultivam a amizade com pessoas influentes, engenhosas e criativas, pois sua própria auto-expressão criativa muitas vezes está ligada a esses amigos.

Virgem na cúspide da Décima Segunda Casa

Os librianos tendem a criar sua própria queda com uma preocupação excessiva por questões insignificantes. Entretanto, sua força oculta é a capacidade para dedicar uma atenção meticulosa aos detalhes secundários que os outros podem não perceber. A base de seus esforços é bem planejada e organizada.

Sobreposição em Escorpião

Escorpião na cúspide da Primeira Casa

Os escorpianos se projetam com energia e força de vontade e estão dispostos a arriscar suas vidas para atingir seus objetivos. É inútil tentar convencê-los de que alguma coisa não pode ser realizada, pois eles irão fazê-la ou morrer tentando. Fortalecem seus objetivos com uma intensidade tremenda, fixa, emocional. Possuem a capacidade de atrair fontes ocultas de poder, para atingir seus objetivos.

Sagitário na cúspide da Segunda Casa

Geralmente, os escorpianos têm boa sorte em questões financeiras e sabem como fazer o dinheiro se multiplicar. Expandem suas atividades por intermédio do dinheiro e geralmente existem recursos financeiros adequados para favorecer suas metas. Com freqüência dão apoio financeiro a instituições religiosas e educacionais. Algumas vezes são economistas teóricos.

Capricórnio na cúspide da Terceira Casa

Os escorpianos são cuidadosos na manifestação de seus pensamentos. Jamais dizem ou escrevem alguma coisa, a não ser que exista uma razão definida para isso, o que lhes dá a reputação de serem discretos. Uma vez que as palavras são cuidadosamente calculadas para obter o máximo de impacto, eles podem ser ásperos e precisos em seu discurso. É aqui que surge o ferrão do escorpião.

Aquário na cúspide da Quarta Casa

O ambiente familiar é incomum e característico. Via de regra, existe algo de extraordinário no lar e na família dos escorpianos. Em vez de visitar os amigos, gostam que eles venham à sua casa.

Peixes na cúspide da Quinta Casa

Os escorpianos são surpreendentemente sentimentais nos assuntos amorosos. Ajudam as pessoas amadas sem pensar em si mesmos. Seus filhos e aqueles que amam com freqüência são uma fonte de desapontamento. Os escorpianos sentem grande prazer no isolamento e no estudo do misticismo.

Áries na cúspide da Sexta Casa

Os escorpianos são eficientes, poderosos e originais na realização de tarefas que parecem impossíveis para os outros. Uma vez que conseguem realizar as coisas com maior eficiência do que as pessoas nascidas sob qualquer outro signo, os escorpianos parecem auto-impulsionados em tudo o que fazem. Sendo líderes naturais, têm tendência a serem um pouco mandões com subordinados e colaboradores. Ajudam as pessoas que se encontram em dificuldades, mas esperam que o indivíduo que recebe ajuda absorva a força e auto-suficiência necessárias para continuar sozinho.

Touro na cúspide da Sétima Casa

No casamento, os escorpianos atraem parceiros que tenham riquezas a oferecer. São cooperativos nas sociedades, mas esperam algum lucro prático como resultado. Gastam dinheiro em coisas adoráveis, que tenham qualidade. Também gastam dinheiro com seus parceiros e sentem grande orgulho quando esses têm boa aparência.

Gêmeos na cúspide da Oitava Casa

Os escorpianos têm muitas idéias com relação a finanças conjuntas. Com freqüência se ocupam com pensamentos e mensagens relacionados à morte e assuntos referentes a ela. Intelectualmente, estão interessados no mistério.

Câncer na cúspide da Nona Casa

Essas pessoas são emotivas e persistentes nas áreas da religião e da filosofia. São previdentes, devido à percepção psíquica, embora se mantenham fiéis à religião da família. Via de regra, preferem viajar por água.

Leão na cúspide da Décima Casa

Os escorpianos são ambiciosos em suas profissões e orgulhosos de sua posição na comunidade. Com freqüência atingem posições de liderança e autoridade e são admirados por suas realizações.

Virgem na cúspide da Décima Primeira Casa

Os escorpianos se empenham por seus amigos, especialmente aqueles que precisam de ajuda. Cultivam amigos em seu trabalho e utilizam as idéias práticas e as habilidades de seus associados.

Libra na cúspide da Décima Segunda Casa

Os escorpianos que apreciam o isolamento de lugares bonitos são mais requintados e gentis do que poderíamos acreditar. Sua força oculta é seu senso de justiça e imparcialidade inato, mas sua ruína pode vir do desejo inconsciente de luxo.

Sobreposição em Sagitário

Sagitário na cúspide da Primeira Casa

Os sagitarianos se projetam com otimismo. Suas ambições estão voltadas a metas de grande alcance. Eles parecem amigáveis, interessados e joviais, mas tendem a considerar as coisas garantidas e pensar apenas em função de seus próprios assuntos e pontos de referência. Seu poder vem da habilidade para influenciar outras pessoas a aceitar um sistema de pensamento organizado para lhes proporcionar todas as vantagens. Entretanto, o otimismo dos sagitarianos é uma fonte de inspiração para aqueles com quem se relacionam.

Capricórnio na cúspide da Segunda Casa

Com relação ao dinheiro, os sagitarianos são práticos, responsáveis e ambiciosos. Não o desperdiçam tola ou caprichosamente. Sentem que o dinheiro deve ser usado para coisas que possuam valor duradouro e com freqüência são muito moderados.

Aquário na cúspide da Terceira Casa

Nessa posição, os sagitarianos são capazes de transmitir idéias de maneira excitante e engenhosa. Suas idéias vêm em lampejos de intuição, mas os sagitarianos são capazes de utilizá-las na prática. São progressistas em seus pensamentos, insistindo em que as idéias possuem uma função prática, baseada em valores que resistiram ao tempo. Pensam em termos humanitários. Estabelecem relações incomuns e peculiares com irmãos, irmãs e vizinhos, que entram e saem inesperadamente de sua vida.

Peixes na cúspide da Quarta Casa

O lar dos sagitarianos com freqüência é um lugar de refúgio, reservado à introspecção. Algumas vezes sua moradia é oferecida por instituições; eles podem morar em reitorias, locais de retiro religioso, alojamentos em universidades etc. De qualquer maneira, gostam da privacidade em seu lar.

Áries na cúspide da Quinta Casa

Os sagitarianos dedicam muita energia à atividade criativa e criam muitos conceitos. Na esfera do amor e do romance, são passionais e agressivos. Gostam de esportes, especialmente os que envolvem competição e combate, como o boxe, a luta romana e o futebol. São dominadores em seu relacionamento com crianças, embora, ao mesmo tempo, possam ser generosos.

Touro na cúspide da Sexta Casa

O trabalho dos sagitarianos é prático, mas eles gostam de projetos belos e artísticos. Trabalharão duro somente se puderem ver um ganho monetário para seus esforços. Sua saúde geralmente é forte, desde que não comam demais ou se tornem comodistas.

Gêmeos na cúspide da Sétima Casa

Freqüentemente, existe mais de um casamento ou sociedade, uma vez que os sagitarianos com freqüência têm os olhos voltados para campos mais verdes. Embora sejam fundamentalmente solitários, eles atraem pessoas inteligentes e versáteis, que possam ajudá-los de maneira prática. São perspicazes e inteligentes nas relações sociais. Entretanto, muitas vezes preferem que seus parceiros os representem e às suas idéias.

Câncer na cúspide da Oitava Casa

Os sagitarianos são intensamente emocionais com relação à própria morte. Para eles, é imperativo serem afetuosamente lembrados após sua morte. Precisam se certificar de que seus negócios estão em ordem e que aqueles que deixam para trás ficarão bem amparados. Nas finanças conjuntas, os parceiros geralmente ganham o dinheiro que os sagitarianos utilizam em benefício próprio.

Leão na cúspide da Nona Casa

Essas pessoas talvez demonstrem desejar a fama, mas sua mente subconsciente, bem como sua filosofia, estão de certa forma voltadas para atingir posições de importância em seu respectivo campo de ação. Os sagitarianos emprestam à sua filosofia o poder de sua existência. Muitos fazem longas viagens, física ou mentalmente. Seus olhos estão sempre voltados para metas distantes.

Virgem na cúspide da Décima Casa

Os sagitarianos geralmente são cuidadosos com sua imagem pública. Parecem circunspectos, eficientes e organizados, e em seus papéis profissionais podem parecer frios, distantes e críticos.

Libra na cúspide da Décima Primeira Casa

Essas pessoas muitas vezes atingem seus objetivos cercando-se de amigos incomuns, atraentes, artísticos e graciosos, que são estáveis e prósperos. É provável que se casem com um amigo, com o amigo de um sócio ou com um amigo de longa data.

Escorpião na cúspide da Décima Segunda Casa

A força oculta dos sagitarianos é a sua habilidade. Eles são capazes de perceber coisas valiosas que os outros ignoraram; também sabem cultivar talentos ocultos em outras pessoas. Sua queda pode ser provocada por ressentimentos secretos e questões amorosas disfarçadas.

Sobreposição em Capricórnio

Capricórnio na cúspide da Primeira Casa

As características dos capricornianos são a disciplina, o esforço sistemático, o trabalho duro e a paciência. Tudo o que fazem tem um objetivo e visa atingir algum resultado prático definido. Os capricornianos são sérios, austeros, um tanto melancólicos e reservados.

Aquário na cúspide da Segunda Casa

Essas pessoas ganham dinheiro de maneiras originais e incomuns por intermédio de grupos e organizações. Com freqüência estão ligadas a empreendimentos corporativos, obtendo sucesso financeiro ao criarem as inovações mais caras e as técnicas mais engenhosas em suas áreas de atividade.

Peixes na cúspide da Terceira Casa

Essa posição cria pessoas surpreendentemente críticas e muito emotivas em seus pensamentos e em sua comunicação. Muitas vezes suas idéias se baseiam em *insights* intuitivos. Os capricornianos organizam seus planos e idéias secretamente. Também gostam de estar sozinhos quando realizam trabalhos intelectuais.

Áries na cúspide da Quarta Casa

Os capricornianos são agressivos nos assuntos relacionados à família e ao lar. Seu lar algumas vezes é um campo de batalha para disputas emocionais e geralmente possui muitos aparelhos e utensílios mecânicos.

Touro na cúspide da Quinta Casa

Os capricornianos são sensuais e românticos em questões afetivas. São estáveis no amor e no afeto por seus filhos. Sentem muito orgulho deles, especialmente se suas realizações trouxerem um *status* elevado para o capricorniano. Desejam que seus filhos consigam boas coisas da vida. Sentem prazer em ambientes luxuosos e na boa comida; apreciam a arte, a escultura e a música.

Gêmeos na cúspide da Sexta Casa

Os capricornianos são versáteis e engenhosos na organização de seu trabalho e podem administrar diversos empregos ao mesmo tempo. Sua atitude fraternal com colaboradores e empregados é um dos segredos de sua capacidade de administração. Possuem muitas idéias sobre maneiras de aumentar a eficiência.

Câncer na cúspide da Sétima Casa

Os capricornianos são emocionalmente muito ligados às suas esposas e parceiros. Mas o fato de eles com freqüência também serem emocionalmente dependentes algumas vezes cria problemas. Além disso, os capricornianos são emocionais em suas relações com o público e amigos queridos, que consideram membros de sua família.

Leão na cúspide da Oitava Casa

Os capricornianos têm Leão, o signo regido pelo Sol, na Oitava Casa, e portanto têm vida longa. (O Sol é o doador de vida e afasta a morte.) Mesmo sendo generosos, os capricornianos gostam de controlar os recursos conjuntos. Gostam de controlar também a distribuição dos bens de pessoas falecidas; com freqüência, são executivos em companhias de seguro.

Virgem na cúspide da Nona Casa

A filosofia dos capricornianos baseia-se na eficiência e no trabalho duro. Eles têm idéias práticas que podem ser utilizadas dentro da estrutura social vigente. Qualquer filosofia que respeitem deve ser sólida em cada detalhe. Sua percepção dos detalhes e sua capacidade para realizar pesquisas contribuem para as mentes legais precisas de alguns capricornianos.

Libra na cúspide da Décima Casa

Os capricornianos muitas vezes têm parceiros na mesma profissão. São encantadores e habilidosos para conquistar pessoas em posições de poder, e, assim, obtêm promoções. Entretanto, por possuírem um forte senso de ética em assuntos profissionais, geralmente têm boa reputação e prestígio na comunidade.

Escorpião na cúspide da Décima Primeira Casa

Essas pessoas tendem a se cercar de amigos dinâmicos, agressivos e poderosos, que possam lidar com assuntos difíceis, pois são muito retraídas para assumi-los. Possuem sua fonte particular de agentes para executar seus objetivos ou desejos. Os capricornianos raramente escolhem indivíduos fracos como amigos.

Sagitário na cúspide da Décima Segunda Casa

Quando sozinhos e afastados do mundo dos negócios, os capricornianos são filósofos. Sua filosofia de vida é o apoio oculto que guia e inspira seu pensamento. Sua ruína pode ocorrer como resultado de aspirações grandiosas, que são incapazes de satisfazer nas circunstâncias atuais.

Sobreposição em Aquário

Aquário na cúspide da Primeira Casa

Os aquarianos são originais, criativos, independentes, desejosos de dar sua contribuição particular para o bem comum. Ao mesmo tempo, são divertidos, gostam das pessoas e são amigáveis de maneira impessoal. São modestos e não gostam de chamar atenção para si mesmos. Preferem ser amados em vez de admirados, e encontram sua fonte de poder em atividades de grupo, dentro de um círculo fechado de amigos.

Peixes na cúspide da Segunda Casa

É provável que exista falta de firmeza e espírito prático devido à excessiva generosidade em assuntos profissionais e financeiros. Contudo, é esse espírito generoso que muitas vezes traz boa sorte financeira aos aquarianos. Eles adoram as coisas boas e belas da vida, embora essa admiração nunca os torne ambiciosos.

Áries na cúspide da Terceira Casa

Os aquarianos podem ser agressivos e propensos a discussões sobre suas teorias e idéias prediletas. Têm uma tendência a criar tensão e instigar rivalidade entre seus irmãos e irmãs; são intelectualmente criativos e podem abrir novos caminhos de expressão e aplicação.

Touro na cúspide da Quarta Casa

Como os aquarianos admiram casas elegantes, grande parte de seus recursos financeiros é canalizada para criar um ambiente pessoal bonito. Neste ambiente, gostam de estar cercados por música e arte. O lar é onde o instinto paternal ou maternal impessoal dos aquarianos se expressa no sustento de suas famílias.

Gêmeos na cúspide da Quinta Casa

A paixão no amor não é característica dos aquarianos. Eles sentem prazer em atividades intelectuais e preferem companhias inteligentes, com quem possam estabelecer relacionamentos fraternos. Os aquarianos podem ser críticos com as pessoas que amam. Criam filhos com capacidade intelectual elevada; com freqüência, têm filhos gêmeos.

Câncer na cúspide da Sexta Casa

Como os aquarianos possuem o instinto de grupo, trabalham onde houver pessoas e constante atividade, tratando seus colaboradores como membros da família. Seu trabalho muitas vezes envolve a vida cívica e comunitária. A saúde depende de seu estado emocional. Quando emocionalmente abalados, podem sentir o que comumente chamamos de "aperto no estômago", embora isso raramente seja perceptível.

Leão na cúspide da Sétima Casa

Os parceiros no casamento e nos negócios, quando poderosos e bem-estabelecidos, sentem-se atraídos pelos aquarianos e ocasionalmente os dominam. Os aquarianos são muito independentes, de forma que esse domínio nunca chega a reprimi-los. Os parceiros no casamento geralmente são amorosos e têm seu próprio lugar ao sol.

Virgem na cúspide da Oitava Casa

Sua preocupação com assuntos de saúde e morte torna os aquarianos muito preocupados com seguros. Eles estão sempre alerta em situações de perigo, onde possam acontecer acidentes. Seus parceiros ajudam a aumentar a renda da família, com idéias práticas e serviço.

Libra na cúspide da Nona Casa

A filosofia e a religião dos aquarianos se baseiam no belo e no harmonioso. Eles gostam de viajar por prazer, com parceiros ou amigos queridos. Muitos aquarianos se casam em países estrangeiros ou com pessoas estrangeiras; tendem a se casar com pessoas educadas e requintadas.

Escorpião na cúspide da Décima Casa

Historicamente, muitos aquarianos foram revolucionários, uma vez que discordam do regime estabelecido ou daqueles que possuem autoridade sobre eles. Os aquarianos não desejam dominar ou ser dominados. Suas oportunidades de auto-renovação vêm por intermédio de suas profissões, e com freqüência eles atingem a fama.

Sagitário na cúspide da Décima Primeira Casa

Os aquarianos gostam de ter amigos famosos e otimistas, que os inspirem a grandes realizações. Geralmente têm muitos amigos. Os aquarianos se associam a muitas grandes organizações, que os ajudam a crescer pessoalmente.

Capricórnio na cúspide da Décima Segunda Casa

Os aquarianos são mais conservadores do que gostariam de admitir. Embora algumas vezes sejam limitados por temores inconscientes, sua força oculta é a disciplina, que lhes permite trabalhar muito nos bastidores. Eles guardam segredos e com freqüência trabalham em projetos secretos.

Sobreposição em Peixes

Peixes na cúspide da Primeira Casa

Os piscianos são simpáticos, adaptáveis, sutis e visionários. Suas realizações são o resultado da sensibilidade às tendências sutis de seu ambiente. Seu *insight* místico lhes permite penetrar nas sutilezas da natureza humana. Eles também possuem capacidade artística e musical.

Áries na cúspide da Segunda Casa

Os piscianos ganham dinheiro ao iniciar novos projetos; dedicam uma energia considerável à área monetária e gastam dinheiro impulsivamente, algumas vezes em excesso. São inclinados a ignorar os fatos da realidade e estão constantemente procurando novas esferas de empenho financeiro.

Touro na cúspide da Terceira Casa

Sendo lentos e cuidadosos na formação de suas idéias, os piscianos são teimosos no que diz respeito a mudar de opinião, uma vez tomada uma decisão. Seu pensamento se concentra no enriquecimento ou em esforços artísticos.

Gêmeos na cúspide da Quarta Casa

Os piscianos viajam muito e mudam de residência com freqüência. Eles tendem a estabelecer dois lares. Geralmente, existe uma ampla biblioteca no lar de um pisciano. Eles se comunicam muito com os membros da família e pensam bastante nos assuntos domésticos.

Câncer na cúspide da Quinta Casa

Essas pessoas são muito emotivas e sentimentais com relação às pessoas que amam, venerando-as como se fossem pinturas raras. Os piscianos apreciam comidas muito condimentadas e tendem ao excesso de peso. Sentem prazer nos contatos familiares e são maternais com seus filhos. Muitos piscianos do sexo masculino atraem mulheres que os fazem lembrar suas mães.

Leão na cúspide da Sexta Casa

O habitualmente dócil pisciano pode ser muito dominador com colaboradores e subordinados. Eles possuem um sentimento de autoridade no que se refere ao trabalho e serviços. Sentem-se envaidecidos com os sacrifícios que precisam fazer em sua profissão e em seu trabalho. Suas doenças muitas vezes são psicossomáticas e usadas para chamar a atenção. Tendem a ter pouca vitalidade, porque a influência de Netuno em sua Primeira Casa solar faz com que dissipem sua energia.

Virgem na cúspide da Sétima Casa

Os piscianos atraem parceiros trabalhadores, eficientes e precisos, que os ajudam a administrar seus assuntos práticos.

Libra na cúspide da Oitava Casa

Os parceiros dos piscianos com freqüência contribuem para os recursos conjuntos. Os piscianos apreciam a experiência de trabalhar com pessoas que planejam métodos melhores para ganhar dinheiro. Também se beneficiam de seguros e heranças.

Escorpião na cúspide da Nona Casa

São cruzados religiosos e filosóficos, envolvendo-se com freqüência em discussões sobre crenças religiosas. Se estiverem envolvidos em litígios de qualquer tipo, geralmente ocorrem muitos protestos inflamados.

Sagitário na cúspide da Décima Casa

Os piscianos podem ser bem-sucedidos como executivos de muita visão, mas nem sempre são práticos. Com freqüência trabalham em áreas de educação, religião e viagens, obtendo fama por meio de suas realizações religiosas e espirituais. Gostam que os considerem filantropos e são generosos em seus contatos profissionais.

Capricórnio na cúspide da Décima Primeira Casa

Uma vez que os desejos e esperanças dos piscianos são dominados pelo desejo de segurança, eles escolhem para amigos pessoas estáveis, conservadoras e estabelecidas.

Aquário na cúspide da Décima Segunda Casa

Os piscianos podem provocar sua ruína por sobrecarregarem os associados com seus problemas e afastarem os amigos com a exigência de constante compreensão e apoio. No lado positivo, a comunicação espiritual com os amigos pode ser sua força oculta. Os piscianos têm um desejo inconsciente de servir a humanidade e uma percepção universal que lhes permite penetrar nos níveis mais profundos de consciência.

CAPÍTULO 4

As Casas: como elas se Relacionam com o Homem e seu Meio Ambiente

A partir de um ponto de vista interpretativo, as casas representam os diversos setores da vida. Através delas, as características do indivíduo, reveladas nos signos e planetas, se expressam nas atividades e experiências da vida diária. As linhas que separam estes setores ou tipos de atividade são denominadas cúspides.

Tecnicamente, as casas astrológicas indicam como o padrão vibratório estabelecido pelos planetas e signos do Zodíaco se relaciona com o campo áurico da própria Terra. A Terra é o lugar onde realmente vivemos nossa vida, e determina a manifestação prática de outras forças astrológicas.

As casas são formadas por coordenadas espaciais que orientam as posições planetárias e zodiacais para os horizontes ocidental e oriental. No plano do meridiano — a linha que vai diretamente de norte a sul, passando pelo zênite (o ponto diretamente acima, na hora e lugar de nascimento) e que também atravessa o ponto diretamente abaixo na direção oposta ao zênite, onde estas quatro direções cruzam a eclíptica (o plano da órbita terrestre ao redor do Sol) —, temos as quatro cúspides das casas angulares.

No ponto onde a eclíptica cruza o horizonte oriental, temos o Ascendente, ou cúspide da Primeira Casa. Onde a eclíptica cruza o horizonte ocidental, temos o Descendente, ou cúspide da Sétima Casa. Onde a eclíptica cruza o meridiano de cima temos o Meio do Céu, ou cúspide da Décima Casa. Onde a eclíptica cruza o plano do meridiano de baixo, temos o Nadir, ou cúspide da Quarta Casa.

Estas cúspides das quatro casas angulares são consideradas as posições mais importantes e mais sensíveis do horóscopo. As cúspides das outras oito casas dividem os quatro quadrantes — os espaços entre as cúspides da casa angular — em três partes aproximadamente do mesmo tamanho, denominadas casas. Estes quatro quadrantes, com três casas cada, totalizam doze casas. As casas são numeradas no sentido anti-horário. Cada uma delas é uma porção de espaço com aproximadamente a duodécima parte de um círculo, após a cúspide determinada para aquela casa, no sentido anti-horário.

Quando não sabemos a hora do nascimento, o Sol torna-se o Ascendente, ou Primeira Casa. Este tipo de horóscopo é conhecido como mapa solar e indica como os assuntos individuais se revelam em termos de auto-expressão criativa, e não em termos de circunstâncias do ambiente, como seria indicado pelas cúspides das casas habituais.

Os signos e planetas aqui relacionados, correspondendo às casas individuais, são os do Zodíaco natural* e podem ser diferentes em horóscopos individuais. Entretanto, o signo que corresponde a uma casa no Zodíaco natural e seus regentes e regentes exaltados irão influenciar até certo ponto os assuntos daquela casa, mesmo que na maior parte dos horóscopos individuais um signo diferente possa se encontrar na cúspide daquela casa.

A Primeira Casa

(SIGNO: ÁRIES; CO-REGENTES: MARTE E PLUTÃO; SOL EXALTADO)

A Primeira Casa é denominada Ascendente. Sua frase-chave é "Eu sou". O signo do Zodíaco em sua cúspide é denominado signo ascendente. É a cúspide mais importante e a mais sensível do horóscopo. Representa o ponto de referência individual básico com relação à vida: a autopercepção, a maneira de assimilar experiências e reagir a estímulos externos.

Qualquer planeta localizado na Primeira Casa, especialmente se formar conjunção com o Ascendente, torna-se muito descritivo do caráter básico do indivíduo e da qualidade de sua consciência. Diversas outras influências afetam as qualidades da Primeira Casa: as características psicológicas associadas ao signo que ocupa a cúspide da Primeira Casa; o regente deste signo; qualquer planeta que forme um aspecto importante com a cúspide da Primeira Casa; e o dispositor do regente do signo ascendente.

A primeira Casa e esses elementos regentes indicam a aparência física e atitudes pessoais do nativo. (O signo e a casa do Sol e da Lua também são indicadores do tipo físico básico do nativo.) As qualidades físicas são a manifestação dessa força vital de nutrição, ou personalidade,

* O Zodíaco natural é um horóscopo com Áries no Ascendente, Touro na Segunda Casa, e o restante dos signos seguindo a ordem fixa.

e indicam o grau de saúde e vitalidade, bem como as influências que as afetam.

A Primeira Casa também indica o meio ambiente e o condicionamento iniciais do nativo, devido à sua afinidade com Áries, o signo dos novos começos.*

O Sol, que está exaltado em Áries e representa a vontade criativa e o princípio doador de vida, também possui um forte relacionamento com o Ascendente e a Primeira Casa. Assim, alguém que tenha o Sol em conjunção com o Ascendente na Primeira Casa, ou formando um aspecto importante com o Ascendente, provavelmente será um indivíduo autoconsciente e poderoso, com uma vontade forte e uma direção positiva na vida.

Marte e Plutão, os planetas regentes do signo de Áries, também possuem uma forte afinidade com a Primeira Casa e com o Ascendente. Marte é o planeta da ação física, baseada no desejo, enquanto Plutão é o planeta da manipulação mental de energia, baseada na vontade ou na determinação de vencer ou vir a ser. Esses dois planetas de ação interior e exterior exercem uma força maior quando estão de algum modo relacionados ao Ascendente ou Primeira Casa.

A Segunda Casa

(SIGNO: TOURO; REGENTE: VÊNUS; LUA EXALTADA)

A Segunda Casa lida com os recursos materiais de que a personalidade precisa para se apoiar (Primeira Casa). A frase-chave para a Segunda Casa é "Eu tenho". Geralmente, a aquisição de recursos materiais exige um esforço firme e constante, e a Segunda Casa corresponde ao signo de Touro, o mais estável de todos os signos, pois é um signo de terra (o elemento mais fixo), um signo fixo, e a mais estável das quadruplicidades. Os recursos necessários para nutrir a existência pessoal e a auto-expressão são extraídos da terra. A Segunda Casa relaciona-se à capacidade dos nativos para ganhar dinheiro e assim adquirir os bens materiais de que necessitam ou sentem que necessitam. Além de indicar a capacidade para ganhar e gastar, e a forma como os nativos assumem suas obrigações, ela também indica a quantidade e o tipo de bens móveis que ele adquire.

O signo que está na cúspide da Segunda Casa, seu regente e os planetas dispositores do regente, assim como a posição dos signos e os aspectos dos planetas na Segunda Casa, contribuem para determinar como

---

* O Ascendente, ou grau ascendente, possui um relacionamento semelhante com o ponto vernal ou equinócio da primavera no Zodíaco. Ele também é conhecido como 0° de Áries, e é o ponto central comum com o qual todos os outros campos de energia do horóscopo se relacionam. O ponto vernal é o ponto central comum, com o qual todos os outros campos de energia do Zodíaco estão geométrica e harmoniosamente combinados.

os nativos adquirem e utilizam o dinheiro e os recursos materiais. Esses fatores também indicam os problemas e situações que surgem nesse processo. Os aspectos formados com o planeta regente da cúspide da Segunda Casa podem ser igualmente importantes.

Neste caso, como Vênus (que rege Touro) e a Lua (que está exaltada em Touro) se relacionam à Segunda Casa no Zodíaco natural, esses planetas podem nos fornecer pistas sobre a natureza dos assuntos da Segunda Casa dos nativos.

Como a aquisição de recursos materiais requer um conjunto complexo de fatores humanos cooperativos, é na Segunda Casa que os nativos devem aprender a lição da responsabilidade pelos bens e serviços prestados aos seus irmãos e à sociedade como um todo. Para que os indivíduos alcancem a máxima segurança e paz, precisam fornecer uma base de segurança aos que dele dependem.

Por meio das experiências da Segunda Casa os nativos finalmente são convocados a aprender que não devem egoisticamente obter riquezas e gratificação para seu próprio prazer pessoal, mas usá-las, de acordo com sua capacidade, para alimentar, acolher, vestir e educar o maior número de pessoas possível. Aqueles a quem ajudam podem, por sua vez, contribuir para o progresso da civilização.

A Terceira Casa

(SIGNO: GÊMEOS; REGENTE: MERCÚRIO)

A frase chave é "Eu penso". O nativo precisa saber distinguir, baseado numa percepção acurada, na experiência e na lógica, quais os métodos mais valiosos para administrar os recursos representados pela Segunda Casa e quais os objetivos em que esses recursos devem ser utilizados. Esse procedimento envolve a faculdade do pensamento consciente, esfera de ação da Terceira Casa. É a mente consciente que precisa julgar e distinguir para escolher as coisas que devem ser examinadas por mais tempo e, assim, saber para onde a energia psíquica do indivíduo irá se dirigir.

Estamos constantemente nos criando à imagem das coisas nas quais nossos pensamentos se concentram. As respostas emocionais e a ação do indivíduo automaticamente seguem e ativam o padrão básico estabelecido pela estrutura do pensamento. Assim, com seus padrões de pensamento, os homens criam seu destino e seu céu ou inferno particulares. Aqui, o fator de discriminação de Mercúrio deve ser exercido para escolher o curso de pensamento e ação que irá conduzir a um crescimento positivo, e não à confusão e ao negativismo.

Uma vez que o signo da Terceira Casa, Gêmeos, é regido por Mercúrio, essa casa está relacionada à assimilação, ao processamento e à circulação de informação. Ela é a casa da mente prática, e como os relacionamentos necessariamente envolvem a comunicação de idéias, esta é a primeira das casas de ar que diz respeito a irmãos e irmãs, vizinhos próximos e pessoas em geral com as quais haja uma troca mental diária.

A Terceira Casa, seu regente e os planetas na Terceira Casa, assim como os aspectos por eles formados, fornecem pistas importantes sobre a capacidade de pensamento e comunicação dos nativos, sua maneira de expressar idéias e sua reação intelectual ao meio ambiente. A posição e os aspectos de Mercúrio também são muito importantes.

A Terceira Casa também rege os periódicos, os jornais, os livros, a escrita, o telefone, a televisão, o rádio e o discurso — meios utilizados na comunicação humana.

A Terceira Casa trata das viagens curtas, a movimentação que nos coloca em contato com pessoas que influenciamos mentalmente e por quem somos influenciados. Indica a bagagem intelectual com a qual o nativo nasce, embora isso necessariamente não represente o alcance total da mente amadurecida, que aprendeu a ultrapassar as limitações da personalidade individual utilizando os recursos da capacidade intuitiva mais elevada, unindo-a à mente universal. (Esta capacidade intuitiva está ligada à consciência individual da ordem social global e é mostrada pela regência de Júpiter e da Nona Casa*.)

Entretanto, a Terceira Casa é apenas o começo do desenvolvimento da mente. Aqui, a mente ainda está confinada aos pensamentos práticos individuais. Esta limitação de maneira alguma torna a Terceira Casa inferior às outras casas mentais. Sem uma lógica clara, percepção e comunicação, a capacidade intuitiva mais elevada degenera em enganos supersticiosos e dogmas e perde suas possibilidades de beneficiar a humanidade. Assim, o desenvolvimento do raciocínio prático, lógico e preciso, representado pela Terceira Casa, é um pré-requisito fundamental para o desenvolvimento espiritual e mental mais elevado, que é a ligação entre as inspirações criativas e intuitivas do homem e sua capacidade para utilizar essas inspirações de maneira a beneficiar de modo prático a si mesmo e aos outros.

---

* A capacidade intuitiva atinge seu desabrochar total em Peixes e na Décima Segunda Casa, onde a faculdade intuitiva mais elevada de Netuno, que é sem limites, assume o comando. A mente se aperfeiçoa e se prepara para o influxo de sabedoria elevada por intermédio do trabalho eficiente e inteligente, manifestado em Virgem e na Sexta Casa, também regida por Mercúrio.

A Quarta Casa

(SIGNO: CÂNCER; REGENTE: LUA; JÚPITER E NETUNO EXALTADOS)

A Quarta Casa rege as condições ambientais que criamos para nós mesmos, principalmente no cenário doméstico. À medida que adquirimos recursos, construímos uma base de operações, que também atua como uma fonte de segurança. Esse princípio se expressa mais facilmente no lar, nossa plataforma para colecionar, organizar e utilizar as coisas com as quais nos mantemos e nos expressamos. A Quarta Casa rege o lar, os alimentos, a lavanderia e os artigos domésticos. (É possível saber muita coisa a respeito da constituição mental e emocional dos indivíduos a partir do ambiente que criaram para si mesmos. Um ambiente desarrumado é quase uma indicação segura de uma mente confusa, indisciplinada e desorganizada.)

A Quarta Casa também rege a própria terra — o palco em que é representado o drama da vida. Todos os seres humanos se apoderam de uma porção da superfície da terra para seu uso; encontram um lugar que possam chamarem de lar, onde possam reunir seus bens. Mas, num sentido mais amplo, nosso lar pode ser o conjunto de condicionamentos mentais e emocionais dentro dos quais passamos a nos sentir à vontade. Esse lar psicológico carregamos conosco, independentemente do lugar onde possamos nos encontrar na superfície da terra. Ele forma aquilo que denominamos nossa mente inconsciente e determina nossos mecanismos de respostas inconscientes e nossa constituição emocional.

A Quarta Casa corresponde ao signo de Câncer, regido pela Lua. A Lua representa o princípio feminino reflexivo-reativo, atuando por intermédio da mente inconsciente e das respostas emocionais automáticas. Estas respostas emocionais e os padrões de hábitos são, em grande parte, determinados no início da infância, e a Quarta Casa tem muito a ver com a hereditariedade e o princípio da vida, quando estamos sujeitos ao condicionamento dos pais, bem como com o final da vida, quando estamos sujeitos às condições que nós mesmos criamos e que não podemos mais modificar. No que diz respeito ao corpo físico, a Quarta Casa representa o local de descanso final nesta terra.

A Quinta Casa

(SIGNO: LEÃO; REGENTE: SOL; PLUTÃO EXALTADO)

A Quinta Casa é a casa da expressão criativa. Representa o próximo estágio no desenvolvimento de um indivíduo. Como existe uma personalidade a exercer (a Primeira Casa), recursos a serem utilizados (a Segunda Casa), uma mente para controlar o uso desses recursos (a Terceira Casa), o nativo está preparado para a auto-expressão criativa e a procriação mental e física.

A Quinta Casa rege os filhos da mente e do corpo e lida com todas as artes criativas, especialmente as artes cênicas, juntamente com os assuntos amorosos, prazeres e lugares de diversão, festas, divertimentos sociais e jogo (incluindo especulações na Bolsa de Valores). Também se refere às crianças e aos assuntos ligados à sua criação e educação inicial, ensino, esportes e todas as atuações, sociais ou não, onde buscamos a auto-expressão criativa e a popularidade social.

Uma vez que a criatividade requer a firme utilização da vontade, é natural que Leão, um signo criativo fixo, de fogo, regido pelo Sol, corresponda à Quinta Casa. Aqui, a capacidade dinâmica da personalidade é expressa pelo poder do Sol para criar e dramatizar por intermédio do amor. O indivíduo está cheio de alegria de viver e transmite o mesmo fluxo de vida para a pessoa amada. Desta união nasce uma nova prole e a vida cumpre sua finalidade. Assim, a Quinta Casa é um local de poder, onde a força vital universal de poder criativo do Sol, atuando por meio da personalidade individual do nativo, encontra uma saída. Na Quinta Casa, o homem tem a oportunidade de tornar-se, junto com Deus, co-criador.

A Sexta Casa

(SIGNO: VIRGEM; REGENTE: MERCÚRIO*.)

A Sexta Casa diz respeito ao trabalho duro e à metodologia detalhada, necessários para criar aquilo que foi criativamente imaginado na Quinta Casa.

A Sexta Casa, os planetas que a ocupam, o regente da casa e seus aspectos irão revelar muito sobre a atitude dos nativos no trabalho, sua capacidade para desempenhar tarefas úteis e sua habilidade para utilizar a mente de maneira prática.

Como disse Edison, "A invenção é 5 por cento inspiração e 95 por cento transpiração". Na Sexta Casa, os nativos devem aprender a humildade e a renunciar ao esplendor do palco principal e dos refletores centrais, para que possam aprender os complexos detalhes e tarefas humildes necessários ao teatro da vida humana.

A chave para a compreensão do universo é entender a estrutura e os detalhes de um único átomo. Compreender a atuação sutil das forças interiores do microcosmo, que tornam possível a manifestação exterior, é uma tarefa difícil e complexa. O treino disciplinado da mente (Mercúrio), exigido para se compreender amplamente a vida, exige que os nativos aprendam a se concentrar e se tornem eficientes na devoção ao trabalho,

---

* Os autores acreditam que, com o tempo, o planeta Vulcano será estabelecido como o regente ou co-regente de Virgem e da Sexta Casa.

quando lidam com tarefas e responsabilidades práticas (Virgem). Assim, podemos ver como a Sexta Casa é fundamental para o processo de aprendizado. Obviamente, o trabalho que o nativo realiza está diretamente relacionado, em gênero, grau e proporção, à educação, formal ou prática, que recebeu em preparação para seu trabalho, regido pela Sexta Casa.

Parte do aprendizado da responsabilidade pelos detalhes vem com o cuidado e a conservação adequados de um corpo saudável, instrumento essencial para o desempenho de serviços úteis. Neste sentido, a Sexta Casa indica a saúde, ou a falta dela, e a atitude do nativo com relação a permanecer saudável. A Sexta Casa também trata de dietas e preparação de alimentos. Rege o vestuário, que protege o corpo, e o asseio, ou ausência dele, na aparência pessoal. Uma comunicação sutil surge através das roupas, novamente apresentando a importância de Mercúrio.

As primeiras seis casas do horóscopo possuem um significado pessoal. A Primeira Casa refere-se à personalidade, a Segunda às aquisições, a Terceira ao pensamento prático, a Quarta à base pessoal de operação, a Quinta à auto-expressão criativa e a Sexta ao auto-aperfeiçoamento por intermédio do trabalho. Contudo, a maior parte de nossa vida diz respeito ao relacionamento com outras pessoas e com a sociedade humana no sentido mais amplo. As últimas seis casas do horóscopo estão ligadas aos relacionamentos interpessoais de grupo.

As últimas seis casas e os últimos seis signos do Zodíaco traçam novamente o significado das primeiras seis casas e signos a partir de uma estrutura de referência social ou de grupo. Mostram como os indivíduos reagem, atuam e se adaptam à sociedade humana em que vivem.

A Sétima Casa

(SIGNO: LIBRA; REGENTE: VÊNUS; SATURNO EXALTADO)

Na Sétima Casa o eu individual faz contato direto com o não-eu. A frase chave para a Sétima Casa é "Nós somos". Essa casa envolve todos os relacionamentos pessoais íntimos e diretos com os outros e revela a natureza das reações das outras pessoas aos nossos atos. Essa casa também pode ser representativa da Primeira Casa de indivíduos com quem estamos envolvidos e, assim, descreve o tipo de parceiros que provavelmente atraímos, seja no casamento ou em outras relações íntimas. A regência de Vênus estabelece os elos de amor e harmonia mútua que tornam possível o casamento e amizades íntimas.

A Sétima Casa rege as parcerias no casamento, as amizades pessoais mais íntimas, contatos com o público, assuntos legais e a formação de contratos e acordos (a Terceira Casa trata do contrato propriamente dito).

Devido à influência de Saturno, a Sétima Casa está intimamente relacionada às influências do carma, ou lei de compensação, uma vez que afeta o indivíduo. Aquilo que os indivíduos fazem ao mundo, o mundo lhes devolve. A Sétima Casa, seu regente e os planetas que se encontram nela revelam a maneira como esse padrão se desenvolve.

Como Vênus também está relacionado ao signo do dinheiro, Touro, e Saturno trata de acordos de negócios, a Sétima Casa governa o comércio. (A realização de negócios requer transações com outras companhias e com o público. Assim, a Sétima Casa rege representantes comerciais e pessoas de relações públicas.)

A Oitava Casa

(SIGNO: ESCORPIÃO; CO-REGENTES: MARTE E PLUTÃO; URANO EXALTADO)

A Oitava Casa é a casa dos recursos conjuntos, da mesma forma que seu oposto polar, a Segunda Casa, é a casa da propriedade pessoal. Sua frase chave é "Nós temos". Conseqüentemente, a Oitava Casa lida com dinheiro corporativo, dinheiro ou propriedade herdados, seguros e impostos, dinheiro resultante de esforços combinados, ou dinheiro que pertence ao parceiro no casamento ou nos negócios. O desejo egoísta associado a Marte e Escorpião pode provocar conflitos em questões de riquezas conjuntas, geralmente porque alguns indivíduos desejam a riqueza do grupo para seu auto-enriquecimento. No decorrer da história, este motivo e estes atos conduziram à guerra (Marte) e à morte (Escorpião, e a Oitava Casa, associada à morte e à destruição).

Sendo o oposto polar da Segunda Casa, a Oitava Casa também está relacionada à dissolução de estruturas materiais, transformando-as em energia. Assim, está relacionada à morte do corpo físico e a questões práticas associadas a funerais, testamentos e heranças. Além disso, afeta a libertação de Ser Espiritual Presente de volta aos planos sutis. Devido ao seu envolvimento com essas forças sutis de energia, que são a causa interior de manifestações físicas, a Oitava Casa lida com o oculto e aspectos da ciência, como a matemática superior e a física atômica. Mediante a exaltação de Urano em Escorpião e a regência de Plutão, ela também se refere às experiências místicas interiores. Os indivíduos entram em contato com planos de existência que estão além do alcance de seus cinco sentidos físicos, e algumas vezes se comunicam com pessoas que não estão em encarnações físicas.

A Nona Casa

(SIGNO: SAGITÁRIO; CO-REGENTES: JÚPITER E NETUNO)

A Sétima Casa envolve o princípio "Nós somos"; a Oitava Casa, o princípio "Nós temos"; e a Nona Casa, o princípio "Nós pensamos" (pois está oposta ao princípio "Eu penso", da Terceira Casa). A Nona Casa está relacionada a todas as estruturas de pensamento coletivista codificados, geralmente representada pela filosofia, pela religião e as instituições religiosas, pelos sistemas legais e as leis, e pelas instituições de aprendizado superior. Em resumo, a Nona Casa rege todas as instituições nas quais são incorporados e ensinados os conceitos sociais desenvolvidos no decorrer da civilização. Também está relacionada ao ensino e a profissões de divulgação, pelos quais os preceitos espiritualistas e filosóficos são transmitidos às gerações subseqüentes. Além disso, a Nona Casa lida com o conhecimento obtido nas viagens longas, nas quais um indivíduo pode conhecer uma parte mais ampla da cultura humana.

Uma vez que um conflito desregrado a respeito dos recursos do mundo conduziria à destruição e ao caos, uma mente coletiva, como manifestada na Nona Casa, é fundamental para dirigir a ação individual e comum. Por meio da inspiração mais elevada que vem dos planetas intuitivos e expansivos, Netuno e Júpiter, que personificam o princípio do amor, os homens podem se comunicar com a consciência universal e adquirir a inspiração espiritual que lhes permite orientar harmoniosamente a conduta com seus semelhantes. Por intermédio dessa inspiração mais elevada, ocorre o nascimento de todas as grandes religiões do mundo. A Nona Casa, seu regente, os planetas que nela se encontram e os aspectos que afetam esses planetas, revelam a capacidade do nativo para penetrar nos níveis mais elevados de inspiração, revelar a sabedoria e desenvolver uma consciência social.

A Décima Casa

(SIGNO: CAPRICÓRNIO; REGENTE: SATURNO; MARTE EXALTADO)

A Décima Casa está relacionada à base de operação do indivíduo na sociedade (e não com sua própria esfera pessoal regida pela Quarta Casa). Lida com o cumprimento de nossas responsabilidades perante o mundo e envolve a reputação profissional e pública, a honra ou desonra, a carreira e nosso relacionamento com estruturas de poder político ou de negócios.

Enquanto a Quarta Casa indica a posição social e econômica na qual os nativos nasceram, a Décima Casa indica se eles ascendem, decaem ou mantêm essa posição.

A Décima Casa, os planetas que nela se encontram e os aspectos por eles formados, assim como o regente da casa e o signo em que se encontra, governam a capacidade (ou ausência de capacidade) para ascender a uma posição de importância no mundo. A Décima Casa indica o quanto somos ambiciosos e como essa ambição se manifesta. Também indica se os nativos irão receber simpatia ou desprezo daqueles que exercem o poder. Envolve o tipo de patrões que temos e a natureza de nosso relacionamento com eles.

O desejo de poder e *status* está intimamente relacionado ao princípio de desejo de Marte, que estimula a ação (Marte em Capricórnio). Entretanto, se essa ambição degenerar em tentativas cruéis de obter o poder, Saturno irá providenciar para que os nativos caiam de sua elevada posição, e a lei de causa e efeito assumirá o comando.

A ligação com Saturno também indica nitidamente o grau de organização, autodisciplina, trabalho duro e paciência que o nativo está disposto a empregar para obter posições na sociedade ou nos negócios. Como Saturno está exaltado em Libra, que trata de relações públicas e justiça, a posição do nativo somente será segura se sua reputação pública for estável e seus negócios honestos.

Politicamente, a Décima Casa rege o departamento executivo do governo, pessoas em elevadas posições de poder e estruturas oficiais de poder governamental em geral.

A Décima Primeira Casa

(SIGNO: AQUÁRIO; CO-REGENTES: URANO E SATURNO; MERCÚRIO EXALTADO)

A Décima Primeira Casa está relacionada à expressão criativa do grupo, oposta à expressão criativa individual de seu oposto polar, a Quinta Casa.

Esta casa, os planetas que nela se encontram, o signo na cúspide e os aspectos formados com seu regente ou planetas revelam a capacidade do nativo para formar associações de grupo, fazer amigos, se comunicar e trabalhar em idéias de interesse universal. A maneira como ele lida com essas coisas também é revelada pelos fatores da Décima Primeira Casa. Essas questões exigem a comunicação e a capacidade de pensamento reveladas aqui pela exaltação de Mercúrio em Aquário. Estão presentes o senso de lealdade e responsabilidade mútua, juntamente com a disposição de trabalhar por metas comuns, mostrados pela co-regência de Saturno.

A verdadeira expressão criativa de grupo só pode existir quando seus membros estão conscientes de sua unidade espiritual e percebem os propósitos e possibilidades mais amplos que podem ser realizados através do contato com a Mente Universal. Quando isso acontece, as aspirações mentais do indivíduo podem ser realizadas. Os recursos mais amplos do grupo podem resolver problemas de interesse de todos, mas que se encontram além da capacidade individual. Também estão indicadas a universalidade na receptividade do nativo a novas idéias e inovações, uma ligação criativa com a Mente Universal e uma abertura para novas experiências, reveladas por Urano.

Assim, a Décima Primeira Casa lida com as amizades e os esforços humanitários e torna possível a liberdade de expressão mental. A auto-expressão pessoal na Quinta Casa está principalmente relacionada à autogratificação emocional; sua principal preocupação, direta ou indiretamente, é com o impulso sexual. A expressão criativa do grupo na Décima Primeira Casa ocorre em um nível mental e intuitivo mais elevado. Ela está livre de ligações emocionais e oferece ao indivíduo uma liberdade mais verdadeira.

A Décima Primeira Casa é mais impessoal porque os princípios muito mentais de Mercúrio, Saturno e Urano, associados a ela por intermédio de Aquário, estão envolvidos com a verdade impessoal, e não com a defesa do ego individual. Se as questões tratadas na Décima Primeira Casa forem de verdadeira importância para a humanidade, oferecem ao nativo um sentimento de significado e realização.

A Décima Segunda Casa

(SIGNO: PEIXES; CO-REGENTES: NETUNO E JÚPITER; VÊNUS EXALTADO)

A Décima Segunda Casa trata da saúde psicológica do nativo em relação aos outros, bem como da saúde e desenvolvimento da sociedade como um todo (em oposição à saúde e ao serviço individuais, revelados na Sexta Casa). A Décima Segunda Casa e os fatores que a afetam no horóscopo do nativo revelam muito a respeito das reações emocionais características do nativo e seus padrões de hábitos. A Décima Segunda Casa rege a mente subconsciente — o acúmulo de lembranças inconscientes, experiências e atitudes emocionais. A armadilha particular da Décima Segunda Casa é a possibilidade de bloqueios emocionais, tendência a padrões de hábitos inconscientes, e respostas automáticas que podem não ser adequadas em determinadas situações. (Esses padrões se baseiam em respostas irracionais, inconscientes, que buscam o prazer e evitam a dor.) A reserva de experiências emocionais passadas pode conduzir à autopiedade e a justificativas, em vez de atender ao dever de viver no tempo presente e encarar a realidade. Esta tendência a fugir para o passado é outra armadilha da Décima Segunda Casa e pode resultar numa existência ilusória. Com freqüência, o mundo mental e a percepção da realidade do nativo não correspondem à realidade física (uma definição comum de doença mental ou insanidade). A Décima Segunda Casa revela o setor da vida no qual é mais provável que os indivíduos se iludam.

Por outro lado, a influência da Décima Segunda Casa pode levar a uma grande sabedoria e profunda compreensão. Como os planetas associados a Peixes estão intimamente ligados ao princípio do amor emocional, e a expressão mais elevada do princípio do amor é a empatia indicada pela exaltação de Vênus em Peixes, desta compreensão solidária nasce a generosidade para com os menos afortunados, indicada pela posição de Júpiter.

A Décima Segunda Casa pode ser o canal de inspiração mística. Os nativos são receptivos a estados de consciência mais elevados e à sabedoria obtida desses estados pela capacidade da mente para criar imagens (regida por Netuno). Esta possibilidade de entrar em contato com a riqueza dos níveis mais profundos das imagens mentais favorece a criatividade artística, muitas vezes associada à Décima Segunda Casa.

Em um nível mais mundano, a Décima Segunda Casa está relacionada a hospitais, instituições mentais, retiros religiosos e lugares de isolamento, onde a revelação de problemas cármicos pode ser alcançada e realizados contatos com as esferas interiores da existência.

A Décima Segunda Casa, regendo a memória inconsciente, é a casa mais intimamente associada ao carma. Encerra a lembrança de todas as boas e más ações passadas e nos une a tudo que possua um padrão semelhante de vibração, quer estejamos ou não conscientes disso. Rege os inimigos secretos, devido aos padrões inconscientes de memória e à telepatia inconsciente com pessoas que prejudicamos no passado ou com aqueles que nos prejudicaram.

O indivíduo só pode superar as limitações da Décima Segunda Casa enfrentando conscientemente as restrições que lhes são impostas por seu carma. Só podemos nos harmonizar com estados de consciência e circunstâncias cujas sementes se encontram dentro de nós. Assim, somos nossos próprios carcereiros. Somente enfrentando e aceitando conscientemente essas condições, e corrigindo-as em nós mesmos, ultrapassaremos as limitações da Décima Segunda Casa.

A tarefa da Décima Segunda Casa é tornar consciente o conteúdo da mente inconsciente, para que o indivíduo possa penetrar em níveis de inspiração, clarividência e canalização mais profundos, aprendendo a diferenciar os impulsos inconscientes construtivos daqueles que não o são.

CAPÍTULO 5

Os Planetas nos Signos e Casas

O relacionamento entre planetas, signos e casas do horóscopo pode ser descrito nos termos de uma peça teatral. Os planetas representam os atores, indicando os principais impulsos psicológicos de uma pessoa. O signo no qual se encontra um planeta indica o papel que o ator está representando: a abordagem ou forma de expressão que ele utiliza para atingir seus objetivos. A casa na qual se encontra um planeta, independentemente do signo, representa o palco ou cenário onde acontece a atividade. Ela indica qual o setor de vida afetado. Os aspectos entre os planetas são indicadores da interação harmoniosa ou desarmoniosa, o tipo de atividade que produz e onde serão sentidos os efeitos dessa atividade. Os aspectos são a trama da peça, mostrando como os personagens interagem entre si e os resultados dessa interação.

Uma vez que as posições dos planetas nos signos mostram o tipo de expressão dos principais impulsos psicológicos da pessoa, falaremos primeiro delas, com relação a cada planeta, e então descreveremos, respectivamente, os planetas na casas.

O Sol nos Signos

Para verificar os impulsos básicos do Sol, leia o Capítulo 2, "Potenciais do signo solar".

O Sol nas Casas

O Sol nas casas representa os setores da vida mais fortemente afetados pela expressão do potencial de força individual. Indica como e onde os indivíduos deixarão sua marca por meio da expressão criativa e utilização da vontade.

Sol na Primeira Casa

O Sol na Primeira Casa, especialmente se formar conjunção com o Ascendente, indica uma vontade firme, vitalidade abundante e intensa autopercepção. Essa posição carrega consigo uma grande iniciativa e poderes de liderança. As pessoas com essa posição não são facilmente dominadas pelas opiniões ou desejos dos outros; manifestam uma forte determinação para escolher seu próprio caminho na vida. Possuem uma visão nítida daquilo que desejam e são extremamente individualistas; têm muita energia e fortes poderes de recuperação, que as ajudam a superar doenças físicas e aflições de qualquer natureza.

Sua energia as torna ambiciosas de sucesso, e elas trabalharão muito e durante muito tempo para conseguir distinção pessoal e respeito aos olhos do mundo. Para elas, é extremamente necessário se sentirem importantes e diferenciadas.

Se o Sol estiver tensionado na Primeira Casa, pode haver orgulho excessivo, egotismo, compulsividade, falsa ambição e o desejo de dominar os outros.

Sol na Segunda Casa

O Sol na Segunda Casa indica nativos que precisam aprender a lição da responsabilidade mediante o uso correto dos recursos materiais relacionados aos assuntos regidos pelo signo no qual o Sol se encontra. Eles devem aprender a utilizar o dinheiro e bens construtivamente, de maneira benéfica à vida e não simplesmente para sua satisfação pessoal.

A posição do signo oferece um importante indício sobre a maneira como a pessoa irá adquirir e utilizar a riqueza. Por exemplo, se o Sol estiver em Gêmeos na Segunda Casa, o nativo provavelmente ganhará dinheiro e o gastará em atividades intelectuais; se o Sol estiver em Leão na Segunda Casa, o nativo pode ganhar dinheiro com sua capacidade administrativa e gastá-lo na procura das artes dramáticas e esforços sociais ou românticos. Em qualquer caso, esses nativos desejarão ganhar dinheiro, pois possuem uma forte vontade de adquirir independência financeira.

Se o Sol estiver tensionado na Segunda Casa, os nativos podem acreditar que irão conseguir prestígio simplesmente com a riqueza. Também tendem a impor sua vontade aos outros, visando o auto-enriquecimento material. Além disso, podem esbanjar dinheiro em luxos caros para se exibirem e gratificar o ego.

Sol na Terceira Casa

O Sol na Terceira Casa indica um forte impulso para adquirir distinção por intermédio do talento intelectual e realizações mentais. Isso cria uma tendência científica, um desejo de adquirir conhecimento e compreender os mecanismos interiores dos processos da vida. Devido à sua curiosidade, estes nativos anseiam investigar novas coisas, especialmente sobre assuntos regidos pelo signo em que se encontra o Sol.

Estes nativos também sentem o desejo de viajar e explorar todas as possibilidades na área em que atuam. Irmãos, irmãs e vizinhos geralmente desempenham um papel importante em suas vidas. A habilidade para expressar e comunicar suas idéias é muito importante para eles.

Se o Sol estiver sob tensão na Terceira Casa, pode haver arrogância e esnobismo intelectual, uma tendência a impor suas idéias.

Sol na Quarta Casa

Esta posição do Sol indica um forte interesse em estabelecer segurança no lar e família. Os nativos com esta posição do Sol sentem orgulho de sua herança familiar e podem ter um ponto de vista aristocrático. Desejam tornar o lar uma exposição de arte, beleza e opulência. Naturalmente, a proporção e a forma como isso é realizado dependerão da riqueza e da classe social do nativo.

A primeira parte da vida geralmente é uma luta difícil, com prosperidade e segurança crescentes ao se aproximar do final da vida.

Aqueles que têm o Sol na Quarta Casa com freqüência manifestam um grande interesse pela terra, casas, ecologia e recursos naturais.

Se o Sol estiver sob tensão na Quarta Casa, pode haver um excessivo orgulho familiar, incapacidade para se relacionar bem com os pais e tendência a dominar o cenário doméstico. Na verdade, via de regra, os nativos com esta posição desejam ser os líderes de suas famílias ou possuir algum bem que possam administrar.

Sol na Quinta Casa

Esta posição do Sol oferece amor pela vida e uma vontade poderosa, favorável à auto-expressão criativa. Os nativos buscam o prazer e desejam ser notados e valorizados. São muito competitivos, com uma inclinação pelos esportes, música, teatro e outras atividades artísticas. Eles se projetam da maneira mais drástica possível, buscando prazer e romance. Possuem temperamento radiante, feliz, e atraem muitos amigos. Entretanto, às vezes parecem ingenuamente infantis e egocêntricos. Os tipos menos desenvolvidos podem ser imaturos e pouco sutis. Seu comportamento pode ser ruidoso e excessivamente teatral, como o de uma *prima donna*.

Esses nativos com freqüência correm riscos devido à autoconfiança quase cega. Amam as crianças e se interessam ativamente por seu desenvolvimento e sua educação. Contudo, se o Sol estiver em um dos signos de fogo — Áries, Leão ou Sagitário — podem ter poucos filhos, ou nenhum.

Os nativos com o Sol nesta posição são amantes ardentes; quando envolvidos em um caso amoroso, este pode ser absorvente. Contudo, são capazes de ser leais a uma pessoa ao expressarem seu amor; mas se o Sol estiver em Touro ou Escorpião, pode haver possessividade e ciúmes.

Sol na Sexta Casa

Esta posição do Sol oferece uma saúde delicada, exigindo atenção adequada aos hábitos alimentares. A recuperação de uma doença pode ser demorada.

Aqueles que têm o Sol na Sexta Casa procuram distinção em seu trabalho. Geralmente são excelentes trabalhadores, porque sentem orgulho do que fazem. Contudo, exigem demonstrações externas de valorização, e se essas não estiverem disponíveis, terão má vontade com seus patrões e colegas e provavelmente mudarão de emprego. Os patrões com esta posição do Sol podem ser exigentes e autoritários com seus empregados; os empregados com esta posição exigirão muitos direitos e privilégios e esperam ser notados e valorizados como iguais.

Se o Sol estiver bem aspectado na Sexta Casa, a pessoa sabe intuitivamente como cuidar de sua saúde e pode se interessar por uma carreira relacionada à saúde, como enfermagem, farmacologia ou medicina. Não terá nenhuma dificuldade para atingir posições bem remuneradas. Se o Sol estiver sob tensão, o contrário é verdadeiro, com longos períodos de desemprego. A auto-estima e dignidade destes nativos estão intimamente ligadas ao seu trabalho e aos serviços que prestam.

Sol na Sétima Casa

Aqueles que têm o Sol na Sétima Casa expressam seu poder potencial em relacionamentos íntimos e pessoais. Se o Sol estiver bem aspectado, eles atrairão amigos fortes, capazes e leais. O casamento é de extrema importância em suas vidas, e se o Sol estiver bem aspectado, irão atrair parceiros fortes, leais e de afeto constante. Se o Sol estiver sob tensão, pode haver o perigo da tirania, tanto do nativo quanto de seu parceiro; o nativo pode tender a impor sua vontade aos outros. Neste caso, esta posição do Sol exige que o nativo aprenda a colaborar e a respeitar a auto-expressão individual dos outros.

Se o Sol não estiver sob tensão, pode haver um sucesso crescente na vida após o casamento. Esta posição favorece a popularidade, o relacionamento com superiores e uma conduta autoconfiante. As pessoas com o Sol nesta posição são especialmente competentes em relações públicas e podem se tornar bons vendedores ou organizadores.

Sol na Oitava Casa

A posição do Sol na Oitava Casa pode significar um interesse pelos mistérios mais profundos da vida, como a morte e a sobrevivência da consciência após a morte. Isso pode não estar sempre visível nos primeiros anos de vida, porém torna-se mais significativo com o passar dos anos.

Há um interesse no auto-aperfeiçoamento por intermédio da utilização da vontade. Os nativos precisam experimentar um nível profundo de realidade espiritual, que transcenda as circunstâncias materiais externas, estabelecendo-as na percepção do princípio do Deus Eterno, que é a essência de toda existência manifesta. Assim que esta consciência for percebida, os nativos tornam-se corajosos, sabendo que, desde que se mantenham fiéis aos princípios de justiça, nada poderá prejudicar a essência do eu.

As lições que acompanham o Sol na Oitava Casa provavelmente serão rígidas, porque as realizações que devem ser obtidas são de caráter fundamental. Muita coisa é exigida, porém muito pode ser alcançado com esta posição. A vida pode ser um campo de batalhas, mas, permeando esta luta, encontra-se o espírito descrito no Salmo 23: "Na verdade, embora eu caminhe pelo vale das sombras da morte, não temerei nenhum mal". Naturalmente, isso se manifestará melhor nos tipos muito evoluídos. Nos assuntos mundanos, haverá preocupações com impostos, seguro, os bens dos mortos e finanças de parceiros nos negócios.

Se o Sol, na Oitava Casa, estiver bem aspectado, pode indicar legados ou heranças. Contudo, se o Sol estiver sob tensão, pode haver problemas ou litígio nesses assuntos. No caso de divórcio, pode indicar o pagamento de pensão alimentícia, desfavorável aos nativos. No horóscopo de uma mulher, pode significar que o marido irá esbanjar os recursos da família. Também pode haver uma tendência a utilizar meios inescrupulosos ou a ter uma atitude do tipo "dominar ou destruir" com relação à vida.

O Sol na Oitava Casa algumas vezes traz o reconhecimento após a morte, embora durante a vida a capacidade do nativo não seja aceita.

Sol na Nona Casa

Esta posição do Sol indica um interesse dinâmico em atividades espiritualistas e religiosas, expresso ativamente nas áreas da educação superior, da religião, da lei e da filosofia. A mente intuitiva geralmente é muito desenvolvida, com freqüentes lampejos de inspiração que ajudam a solucionar problemas, e visões do futuro que beiram a profecia.

Há um interesse por relações exteriores e lugares distantes e suas culturas, formas de arte e tradições. Com freqüência, os nativos sentem-se atraídos por viagens ao exterior; mas, se o Sol estiver em um dos signos fixos — Leão, Escorpião, Touro ou Aquário —, pode haver uma inclinação a permanecer em um local, a não ser que a viagem seja necessária por razões muito fortes. Se Leão estiver na cúspide da Quarta Casa, os nativos podem morar num lugar longe de seus lares da infância.

O grau de expressão da vida espiritual irá depender do teor global do mapa. Contudo, em algum nível, existirão fortes convicções morais, pelas quais os nativos guiam suas vidas, embora essas convicções possam ser intolerantes e limitadas. Com freqüência, os nativos desejam ser autoridades em algum aspecto da religião, educação, lei ou filosofia. Via de regra, interessam-se pela ordem social mais ampla e pelas leis e tradições que a regem.

Se o Sol estiver sob tensão na Nona Casa, os nativos podem tentar impor seu ponto de vista religioso ou moral. Podem ter crenças religiosas excêntricas, dificuldades na educação superior e problemas em países estrangeiros ou com pessoas estrangeiras. Também podem ter uma conduta condescendente e moralista com as outras pessoas, o que; às vezes, pode estar associado à hipocrisia.

Sol na Décima Casa

Esta posição do Sol geralmente indica pessoas ambiciosas, que desejam alcançar posições de responsabilidade, poder e autoridade. Muitos políticos têm o Sol na Décima Casa ou relacionado à Décima Casa. Os indivíduos com esta posição são honrados e demonstram uma firme vontade de alcançar o sucesso. Desejam honra e reconhecimento, e trabalharão muito para adquirir o conhecimento e as habilidades necessários para atingi-los. Geralmente possuem fortes habilidades administrativas.

Estes indivíduos muitas vezes nascem em famílias de elevada posição social; assim, possuem um forte senso moral e detestam tudo o que seja degradante para sua dignidade e respeitabilidade moral. Sentem que devem dar um bom exemplo aos outros. A palavra *nobreza* se encaixa bem neles. Se o Sol estiver sob tensão nesta casa, podem existir atitudes tirânicas, um amor excessivo pelo poder e tendência a utilizar meios inescrupulosos para obter poder e posição. Pode haver reveses, abandono de uma posição elevada e desgraça pública se o Sol estiver sob muita tensão — especialmente se a tensão for provocada por Saturno.

Sol na Décima Primeira Casa

Esta posição do Sol proporciona interesse em amizades e atividades de grupo. Há um interesse por assuntos ocultos, esforços científicos e invenções. Se o Sol estiver bem aspectado, haverá muitos amigos e os nativos serão muito estimados. Receberão ajuda de amigos poderosos e influentes. Com freqüência há um forte impulso para obter reconhecimento por realizações intelectuais e invenções, geralmente realizadas com a ajuda de amigos, individualmente ou em atividades de grupo. Esta posição do Sol muitas vezes proporciona a ambição de liderar grupos.

A posição oferece fortes sentimentos humanitários e um senso de fraternidade com relação à dignidade humana universal. Os nativos gostam de considerar as coisas em função das leis universais que se aplicam imparcialmente a todos. Eles evitam preceitos e favoritismos.

Se o Sol estiver sob tensão na Décima Primeira Casa, pode haver tendência a dominar amigos e conhecidos, algumas vezes por motivos egoístas. Por isso, os nativos podem ser usados, humilhados ou desencaminhados por seus amigos, geralmente devido aos motivos ocultos dos próprios nativos, que eventualmente podem ter o efeito contrário, pois Saturno, um planeta cármico, rege esta casa.

Sol na Décima Segunda Casa

Esta posição do Sol indica um indivíduo um tanto reservado. Sua vontade está voltada à exploração dos recursos do próprio inconsciente. Se demonstrar liderança, será nos bastidores. Estes nativos podem ser solitários e viver afastados de contatos humanos normais. Interessam-se por psicologia e pesquisas psíquicas. Podem encontrar auto-expressão no trabalho em instituições amplas, como hospitais, asilos ou locais de retiro espiritual e físico. Servir aos outros pode lhes proporcionar reconhecimento e realização.

Se o Sol estiver sob tensão na Décima Segunda Casa, pode haver tendências neuróticas e excessiva timidez. Também pode haver o desejo de controlar os outros por meios secretos. Podem existir inclinações mediúnicas, que se originam do egotismo inconsciente e do desejo de poder e reconhecimento. O nativo pode ter poderosos inimigos secretos e inconscientemente ser seu pior inimigo.

Lua nos Signos

A Lua nos signos do Zodíaco indica o tipo de reação emocional imediata às situações da vida. A posição da Lua também mostra o tipo de atitudes instiladas no indivíduo pela família durante a infância. Mostra como as primeiras experiências afetaram as reações emocionais. Determina como a pessoa provavelmente irá reagir às influências externas e ações dos outros. É importante para determinar como a pessoa conduz sua vida familiar e o tipo de relação que tem com a mãe e com as mulheres em geral. Pode indicar como a pessoa reage ao público em geral. Sugere as atitudes nos assuntos diários, domésticos. A posição da Lua também é um indicador dos hábitos e preferências alimentares.

Lua em Áries

A Lua no signo de Áries predispõe os nativos a uma natureza volátil, emocionalmente impulsiva. As pessoas com a Lua nesta posição muitas vezes se comportam de maneira precipitada, sem levar em consideração as conseqüências de seus atos. Podem ter súbitos acessos de raiva, que no entanto são passageiros e logo esquecidos.

As pessoas com esta posição da Lua são muito independentes, insistindo em seguir seu próprio curso de ação, certo ou errado, e não tolerarão a interferência dos outros. Podem ter uma tendência a dominar os outros emocionalmente. Tendem a considerar a reação dos outros de maneira pessoal.

Lua em Touro

A Lua no signo de Touro indica uma necessidade de segurança financeira e material para conseguir bem-estar emocional. A Lua em Touro é muito forte, porque está no signo de sua exaltação. As emoções tendem a ser firmes e tranqüilas. Há muito bom senso na administração de assuntos financeiros e domésticos. A posição exige o estímulo de outras pessoas para iniciar novos projetos, que, no entanto, uma vez iniciados, são levados até o fim com muita perseverança e persistência. Geralmente, as pessoas com esta posição não iniciam novos empreendimentos até que os anteriores estejam totalmente completos.

Esta posição da Lua atrai riqueza e as boas coisas da vida. Via de regra, os nativos apreciam a boa comida e buscam conforto material. Uma situação doméstica estável é importante para sua segurança emocional.

Se a Lua estiver sob tensão em Touro, pode haver relutância em modificar atitudes emocionais estabelecidas. Com freqüência esta tensão pode indicar tendência à preguiça e um apego excessivo aos confortos materiais.

Lua em Gêmeos

A Lua no signo de Gêmeos indica uma natureza emocional que provavelmente será hesitante, embora também estejam presentes a vivacidade e a engenhosidade.

As pessoas com a Lua em Gêmeos tendem a falar incessantemente, algumas vezes a ponto de incomodar os outros; são o tipo de pessoa que nunca sai do telefone. Tendem a racionalizar suas emoções, e, assim, algumas vezes não sabem o que realmente sentem. Há muita inquietação, com freqüentes mudanças de residência e muitas viagens curtas. Estas pessoas com freqüência são nervosas e agitadas.

Com esta posição há uma tendência a querer abarcar o mundo com as pernas, a se excitar momentaneamente com muitas idéias, sem segui-las até o fim. Se a Lua estiver bem aspectada e outros fatores no mapa indicarem uma habilidade prática, pode haver capacidade para planejar soluções para problemas práticos e domésticos. Se o mapa for favorável, esta posição da Lua pode sujeitar as emoções à análise racional. Mas, se a Lua estiver sob tensão, as emoções podem distorcer a razão. Tensões muito fortes com esta posição da Lua indicam uma indecisão excessiva, superficialidade e confusão.

Lua em Câncer

A Lua em Câncer se encontra no signo de sua regência, indicando profundidade e intensidade de emoções. Pode haver fortes ligações com a mãe, a família e o lar. Os nativos com esta configuração podem ser bons cozinheiros e donas de casa, preocupados com os pais. A segurança e o casamento são importantes para seu bem-estar emocional.

Os indivíduos com a Lua em Câncer possuem uma sensibilidade aos humores e sentimentos dos outros que pode beirar a mediunidade; sua extrema sensibilidade às opiniões e reações dos outros pode levá-los a imaginar desfeitas, mesmo não sendo propositais. Conseqüentemente, tendem a se retrair e perder-se em pensamentos.

Se a Lua estiver sob tensão em Câncer, pode haver excessiva instabilidade emocional e tendência a sufocar os filhos com seu amor, a ponto de desejarem dominar suas vidas.

Lua em Leão

A Lua no signo de Leão indica um indivíduo emocionalmente orgulhoso, com talento para artes dramáticas, que com freqüência procurará estar em evidência. Há necessidade inconsciente de sentir-se admirado e apreciado. Estas pessoas precisam de romance e afeto. Gostam de crianças, festas, arte, esportes e todos os tipos de divertimento. Como podem ser egocêntricas, estão predispostas à teimosia. Algumas vezes agem como *prima donnas*, devido à necessidade de dramatizar seus sentimentos. Há tendência a dominar os outros, especialmente os que convivem no cenário doméstico. Algumas vezes, sua suscetibilidade às adulações se manifesta como vaidade infantil.

A tendência à autodramatização seria insuportável se estas pessoas não fossem sinceras em seus esforços de auto-aperfeiçoamento. Sua necessidade de amar e serem amadas é um impulso emocional saudável e na maioria dos casos contribui para um temperamento alegre e uma expressão construtiva. As pessoas com esta posição da Lua desejam que seus filhos estejam sempre bem-arrumados e que seus lares sejam exposições de beleza e arte.

Lua em Virgem

A Lua no signo de Virgem indica uma natureza prática, trabalhadora e exigente. Há uma grande preocupação com o asseio e a limpeza na higiene pessoal e na organização do lar. Estas pessoas são cuidadosas com a alimentação e com dietas, e preocupadas com a saúde. São bons cozinheiros, mas, para eles, a saúde é mais importante do que o paladar.

Os nativos com a Lua neste signo geralmente são tímidos e reservados, preferindo trabalhar tranqüilamente nos bastidores. Prestam muita atenção aos detalhes e desejam servir. Não fazem perguntas pessoais, a menos que seja necessário; são curiosos, porém somente com relação ao seu trabalho ou questões práticas.

Se a Lua estiver sob tensão neste signo, pode haver uma preocupação excessiva com detalhes irrelevantes, uma atitude de crítica e censura. O perfeccionismo nos detalhes pode torná-las cegas para questões mais amplas.

Lua em Libra

A Lua em Libra indica uma forte sensibilidade às atitudes e reações dos outros, especialmente os parceiros no casamento e companheiros de trabalho. As pessoas com esta posição da Lua consideram a vulgaridade desagradável. Ficam facilmente perturbadas por relacionamentos desarmoniosos, que têm efeito prejudicial sobre sua saúde. Há charme e elegância em sua aparência e maneiras pessoais. Seus lares geralmente são lugares bonitos e com freqüência locais de reunião para atividades sociais. Estas pessoas são amáveis, encantadoras e bondosas com todo mundo — porque seu bem-estar emocional depende da aprovação dos outros. No lado negativo, há uma tendência a ser facilmente influenciado sem a devida consideração do valor da ação ou atitude adotadas.

Esta posição da Lua pode proporcionar habilidade em relações públicas. Também indica uma ligação aos pais, especialmente a mãe. Se a Lua estiver sob tensão em Libra, pode implicar dependência dos outros para adquirir segurança emocional.

Lua em Escorpião

A Lua no signo de Escorpião indica emoções fortes, tendenciosas, baseadas no desejo obstinado. Esta não é considerada uma posição favorável para a Lua, porque ela se encontra no signo de sua queda.

Há uma tendência a levar muito a sério os assuntos pessoais, o que algumas vezes leva à possessividade e, em alguns casos, a um ciúme violento. Quando isso é levado a seu extremo, os nativos podem guardar ressentimentos e planejar uma vingança na hora oportuna; em qualquer caso, não esquecem facilmente as afrontas pessoais. A inclinação a remoer pensamentos e à vingança é um sério defeito de caráter que pode acompanhar esta posição da Lua e deve ser evitada a todo custo. Algumas vezes, estes indivíduos desejam dominar os outros por meios sutis. Também podem ser muito teimosos, devido à ligação emocional com seus próprios desejos. Contudo, se houver uma direção clara e motivação correta, eles não medem sacrifícios para alcançar um objetivo que valha a pena. Têm razões definidas para todos os seus atos, embora nem sempre estes impulsos estejam aparentes.

Lua em Sagitário

A Lua no signo de Sagitário indica uma natureza emocional idealista e elevada. Os nativos aspiram a metas elevadas, porém podem não possuir uma percepção realista da vida. Pode haver uma forte ligação a crenças religiosas ou filosóficas, instiladas pelos pais no início da vida. Estas pessoas gostam de viajar, movimentam-se com rapidez e com freqüência fixam residência em países estrangeiros ou lugares muito afastados do local de nascimento.

Se a Lua estiver sob tensão em Sagitário, pode haver opiniões intransigentes e limitadas, associadas à arrogância, e uma atitude egoísta, superior. Os nativos também tendem a se identificar com determinados valores sociais devido a razões emocionais, pessoais, inconscientemente motivadas, e, assim, não possuem objetividade em seu ponto de vista sobre questões sociais. Contudo, no lado bom, são otimistas e alegres.

Lua em Capricórnio

A Lua no signo de Capricórnio indica uma natureza reservada e cautelosa, inclinada à frieza e à austeridade. Os nativos com essa posição levam a vida a sério e se identificam emocionalmente mais com valores materiais do que com os espirituais. Essa não é uma posição favorável para a Lua, porque ela está em detrimento em Capricórnio.

A Lua em Capricórnio cria pessoas trabalhadoras, ambiciosas, mas suas ambições possuem uma tendência pessoal, voltada ao *status* e à segurança financeira. Sua ativa busca de dinheiro e poder, bem como de *status* para si mesmas e sua família, pode levar a investimentos egoístas, quando elas estão em posições de maior responsabilidade social. Estas pessoas, com freqüência tímidas e inseguras a respeito de seu próprio valor, podem ser hipersensíveis à falta de consideração, real ou imaginária. Procuram se justificar pela dignidade pessoal e ambição para vencer.

Se a Lua estiver sob tensão em Capricórnio, pode haver tendências calculistas para obter o poder a qualquer custo, sem considerar os sentimentos dos outros.

Lua em Aquário

A Lua no signo de Aquário indica capacidade para compreender as necessidades da humanidade. Ocasionalmente, existem lampejos de conhecimento intuitivo. As pessoas com essa posição são cordiais com os outros, de maneira impessoal. Buscam a liberdade de expressão emocional e exigem liberdade de movimentos dentro do cenário doméstico; assim, é provável que tenham relações familiares incomuns. Seus lares são locais de reunião para amigos e atividades em grupo. O aspecto negativo dessa posição pode proporcionar uma tendência à perversidade emocional e à teimosia, ou uma necessidade irracional de liberdade a qualquer custo. Também pode haver medo de envolvimentos emocionais devido à ameaça que eles representam para a liberdade pessoal.

Lua em Peixes

A Lua no signo de Peixes indica uma natureza emocional hipersensível, que age como uma esponja psíquica, absorvendo os pensamentos e emoções dos outros. Essa sensibilidade extrema no nível inconsciente faz com que a pessoa se sinta psicologicamente vulnerável e se afaste para se proteger emocionalmente. Há fortes tendências psíquicas e mediúnicas, mas, sem considerar os outros fatores no mapa, não pode haver garantias de que as influências recebidas sejam seguras. As pessoas com esta posição possuem uma imaginação ativa, que pode resultar em manifestações poéticas, musicais ou artísticas. Geralmente, são bondosas e compreensivas devido à sua sensibilidade aos sentimentos dos outros. Entretanto, podem se magoar facilmente e desenvolver um complexo de perseguição. Se a Lua estiver sob tensão em Peixes, pode haver tendências neuróticas ou psicóticas e o domínio irracional da mente inconsciente. Em alguns casos, há uma excessiva timidez.

Lua nas Casas

A Lua nas casas indica as áreas de atividade diária nas quais os sentimentos da pessoa se manifestam. Ela está relacionada à área do conjunto de experiências influenciado pelos hábitos inconscientes do passado, uma vez que a localização da Lua indica os setores da vida em que a pessoa reage inconscientemente, tanto aos estímulos ambientais quanto às outras pessoas. A posição da Lua na casa também oferece indícios importantes sobre o tipo de atividade que ocorre no cenário doméstico.

Lua na Primeira Casa

Esta posição da Lua indica pessoas cuja autopercepção e expressão são fortemente influenciadas por suas emoções, pelos condicionamentos da infância e assuntos familiares. Sua identidade pessoal tende a ser excessivamente influenciada por outras pessoas. Inconstantes e "de lua" em suas manifestações e respostas ao ambiente, elas não possuem uma direção e um objetivo de longo alcance. Devido à sua sensibilidade, podem ser mediúnicas. É provável que outras pessoas se envolvam em seus assuntos pessoais. Elas possuem uma necessidade emocional de reconhecimento pessoal, o que as leva a procurar a aprovação dos outros. Conseqüentemente, estão sujeitas a serem usadas.

Esta posição dá aos nativos um forte envolvimento pessoal com a mãe. Com freqüência, eles têm rostos cheios e redondos e uma predileção por comida, o que, em alguns casos, os torna obesos.

Lua na Segunda Casa

Esta posição da Lua possui algumas das qualidades da exaltação da Lua em Touro. Indica uma forte necessidade de segurança financeira, com o fim de proporcionar uma situação familiar estável. Em geral, o bem-estar dos nativos depende do conforto material. Eles possuem boa habilidade para os negócios, especialmente em assuntos que lidam com alimento, lar e bens imobiliários. Sua habilidade para se agarrar ao dinheiro dependerá muito da posição da Lua no signo e dos aspectos. Se a Lua estiver em um signo fixo ou de terra, as perspectivas a esse respeito são favoráveis.

Lua na Terceira Casa

Esta posição da Lua indica que o pensamento e o discurso do nativo provavelmente serão influenciados por fatores emocionais que surgem inconscientemente de questões familiares e condicionamentos da infância. Os nativos com freqüência se envolvem emocionalmente — em alguns casos, seu raciocínio pode ser distorcido por tendências emocionais — e se identificam com as idéias dos outros. Eles tendem a sonhar acordados e fantasiar, e, assim, seu pensamento é fortemente influenciado pela imaginação. Além disso, seus pensamentos e discurso podem estar ocupados com assuntos triviais.

As pessoas com a Lua na Terceira Casa possuem uma curiosidade incessante, cansam-se facilmente de rotinas monótonas e estão constantemente se movimentando. Há muita atividade com irmãos e irmãs; os vizinhos são considerados como parte da família.

Lua na Quarta Casa

Esta posição da Lua é forte, e, devido ao relacionamento desta casa com o signo de Câncer, a Lua está acidentalmente exaltada aqui. Uma vez que existe uma identificação emocional com o lar e a família, as pessoas com esta posição não podem ser felizes sem uma vida familiar significativa. Os relacionamentos familiares irão afetar todo o seu ponto de vista emocional. Os pais, especialmente a mãe, as influenciam muito. Via de regra, esta posição faz com que os nativos gostem de cozinhar e cuidar da casa; ela é especialmente favorável no mapa de uma mulher. Nos negócios, elas podem se destacar em atividades relacionadas a alimentos, bens imobiliários e produtos para o lar.

Se a Lua estiver sob tensão nesta casa, pode haver ausência de harmonia e muitas mudanças de residência. Se o horóscopo for favorável, as perspectivas financeiras podem ser melhores na segunda metade da vida.

Lua na Quinta Casa

Esta posição da Lua indica que as atrações e prazeres românticos dos nativos serão muito influenciados pela imaginação e pelas necessidades emocionais. Os afetos podem ser inconstantes devido à instabilidade emocional. Também pode haver dependência emocional do parceiro. A família talvez interfira nos assuntos românticos, especialmente se a Lua estiver sob tensão. A Lua nesta casa indica fertilidade e a criação de muitos filhos, especialmente se estiverem em um signo de água.

As pessoas com esta posição com freqüência gostam muito de bebês e crianças.

Se a Lua estiver sob tensão nesta casa, a impulsividade emocional pode levar à especulação por intermédio do jogo ou atividades na Bolsa de Valores.

Lua na Sexta Casa

Esta posição da Lua predispõe o nativo a um estado de saúde oscilante, muito influenciado pelas emoções. Em alguns casos, podem surgir doenças psicossomáticas e hipocondria. O estado emocional irá afetar a eficiência do trabalho do nativo e o grau de harmonia que ele mantém com seu patrão e seus colegas. Os patrões com a Lua sob tensão nesta casa acharão difícil contratar empregados estáveis; e os trabalhadores com esta posição da Lua provavelmente mudam de emprego com freqüência, a não ser que a Lua esteja num signo fixo. Uma vez que a dieta será um fator determinante do estado de saúde, é importante que estas pessoas aprendam hábitos alimentares corretos. Elas podem ser habilidosas na preparação de alimentos; assim, esta posição é favorável para ser utilizada em restaurantes e mercados.

Pode haver predileção por animais de estimação.

Lua na Sétima Casa

Esta posição da Lua indica tendência a buscar segurança emocional e doméstica no casamento. A família pode influenciar o casamento, pois esta posição nos torna emocionalmente sensíveis aos outros. Estes nativos procuram a satisfação emocional nos relacionamentos e são muito influenciados por eles. Freqüentemente procuram a figura da mãe ou do pai no parceiro do casamento. Pode haver muitos contatos com o público na área dos negócios.

Lua na Oitava Casa

Esta posição da Lua com freqüência oferece reações emocionais intensas e uma forte sensibilidade psíquica às forças ocultas. Pode haver interesse pelo espiritismo, devido ao desejo de entrar em contato com membros da família que já faleceram.

Os nativos geralmente se preocupam com herança, seguros e impostos sobre propriedades. Os assuntos financeiros serão afetados, bem ou mal, por meio do casamento e de sociedades.

Nesta posição, a Lua está em sua queda acidental; portanto, os desejos emocionais podem levar à sensualidade, se a Lua estiver sob tensão, porque a Oitava Casa é regida por Plutão e está relacionada ao signo de Escorpião, que rege os órgãos sexuais. Plutão está exaltado em Leão, o signo do prazer e dos envolvimentos românticos da Quinta Casa. A Oitava Casa também está relacionada a Marte, o planeta do desejo.

Lua na Nona Casa

Esta posição da Lua indica uma profunda ligação emocional com valores religiosos, sociais e éticos, instilados no início da infância. A Nona Casa é regida pelo planeta Júpiter, que está exaltado em Câncer, o signo regido pela Lua; conseqüentemente, como acontece com Júpiter em Câncer, a Lua em Sagitário ou na Nona Casa proporciona um forte reconhecimento da necessidade de valores espirituais e morais na família e na vida doméstica.

A Lua nesta casa pode limitar a esfera de ação ou a profundidade de compreensão espiritual, devido a tendências emocionais e identificação com atitudes e experiências parentais. Se o nativo mudar de religião, com freqüência os pais o criticarão. Se a Lua estiver sob tensão, pode resultar um ponto de vista religioso e social dogmático, limitado. A não ser que outros fatores no horóscopo neutralizem esta atitude, as convicções do nativo são amplamente fundamentadas nos sentimentos, e não na razão; mas como a Lua lida com a imaginação nesta casa da mente superior, podem ocorrer estímulos intuitivos inspirados.

Estas pessoas gostam de viajar e talvez fixem residência em locais bem afastados do local de nascimento. Tendem a aprender inconscientemente ou por osmose.

Lua na Décima Casa

Esta posição da Lua indica uma necessidade de obter destaque e reconhecimento. Os nativos com freqüência vêm de famílias de posição social elevada, e seus pais normalmente são ambiciosos a seu respeito; especialmente a mãe poderá exercer uma influência dominante. Suas carreiras tendem a ser favorecidas por influência de mulheres. Esta posição dará destaque público aos seus nativos e, se a Lua estiver bem aspectada, é uma boa posição para aqueles que se interessam pela política.

Lua na Décima Primeira Casa

A Lua nesta casa proporciona uma poderosa necessidade emocional de amizade e atividades em grupo. Pode haver muitas amizades, mas não necessariamente de natureza duradoura ou significativa.

As esperanças, objetivos e motivações dos nativos oscilam com seu estado de espírito. Eles podem ter muitas amizades femininas. Seus lares com freqüência são utilizados como locais para atividades em grupo. Muitas amizades são feitas nas relações familiares.

O estado emocional é influenciado pelas opiniões e reações dos amigos. Estas pessoas não gostam de estar sós; precisam de companhia para seu bem-estar emocional. Mas, às vezes, precisam ficar sozinhas para estabilizar seus sentimentos.

Lua na Décima Segunda Casa

Esta posição da Lua indica que o estado de espírito e as respostas emocionais são fortemente afetados pelo inconsciente e por experiências passadas; podem estar presentes tendências psíquicas e intuitivas. A extrema sensibilidade emocional, associada à relutância em demonstrar sentimentos, pode resultar em timidez e numa facilidade para se sentirem magoadas. Se a Lua estiver sob tensão, podem ocorrer tendências neuróticas e solidão; se ela estiver sob muita tensão, pode ocorrer o confinamento em instituições devido a doença mental. A hipnose pode ser um perigo com esta posição da Lua. Se a Lua rege a Quinta, a Sétima ou a Oitava Casas, ou formar um aspecto forte com Vênus ou com o regente da Quinta Casa, talvez existam amores secretos.

Mercúrio nos Signos

Mercúrio em um signo do zodíaco indica como as características do signo influenciam o raciocínio e a capacidade de comunicação. Ela oferece indícios importantes sobre as preocupações que ocupam a mente do indivíduo.

Mercúrio, regente do processo de pensamento, é a lente focalizadora pela qual todos os poderes criativos do indivíduo são orientados. A posição de Mercúrio nos signos é crucial porque revela que tipo de tendência psicológica determina a capacidade da pessoa para tomar decisões e transmitir suas idéias aos outros.

A posição de Mercúrio no signo nos diz muito a respeito do tipo de informação e fatos que uma pessoa observa e considera importantes, e quais ela ignora. Por exemplo, o pensamento de Mercúrio em Touro é fortemente influenciado pela importância financeira ou pela utilidade de determinadas idéias.

Mercúrio em Áries

Mercúrio no signo de Áries indica um tipo de raciocínio que tende a ser determinado e competitivo. Os nativos gostam de discutir e argumentar. Com freqüência, possuem a habilidade de pensar rapidamente e podem criar muitas idéias originais. Entretanto, podem ser impulsivos ao tomarem decisões e considerar as coisas a partir de um ponto de vista muito pessoal. Em seu extremo, esta tendência pode resultar em egotismo intelectual e atitudes voluntariosas.

Estas pessoas são importantes com oposições e demoras; conseqüentemente, com freqüência irão agir apenas para tomar uma decisão, evitando se submeter a processos de decisão demorados e frustrantes. Porém sua impulsividade significa que nem sempre eles concluem as idéias que iniciam, a não ser que um signo realçado no horóscopo indique o contrário.

Se Mercúrio estiver sob tensão neste signo, pode haver irritação e um temperamento irascível.

Mercúrio em Touro

Mercúrio no signo de Touro indica nativos cujo raciocínio e decisões são determinados por tudo o que possuir uma aplicação prática, material e financeira. Embora possam não ter brilho ou originalidade, no tocante ao bom senso prático são muito habilidosos. Assim, possuem mentes perspicazes para negócios e uma tendência natural para a administração. São lentos para formar opiniões, mas, assim que o fazem, relutam em modificá-las. Igualmente, não gostam de discussões e desarmonia, e lutarão somente para proteger sua segurança e interesses financeiros.

A habilidade desses nativos para considerarem somente coisas de interesse prático lhes proporciona grande poder de concentração, tanto que podem ignorar perturbações externas como se estas não existissem. Eles não percebem as coisas com as quais não desejam ser incomodados. Em seu extremo, essa atitude os torna cegos para assuntos importantes, que deveriam perceber para seu próprio bem, e explica muito de sua teimosia.

Esta posição de Mercúrio pode oferecer habilidade nas artes. Se Mercúrio estiver fortemente aspectado, pode haver talento para a matemática e para a ciência física, devido à percepção de forma e estrutura taurino-venusiana que se transforma em compreensão mental através de Mercúrio. Se Mercúrio estiver sob tensão neste signo, pode haver obstinação intelectual, opiniões dogmáticas, materialismo e avareza.

Mercúrio em Gêmeos

Mercúrio no signo de Gêmeos está no signo de sua regência. Se estiver bem aspectado e bem colocado na casa, o raciocínio puro, lógico, pode ser levado à sua expressão mais elevada. O Mercúrio geminiano é versátil, sem preconceitos e impessoal em sua habilidade para perceber a verdade, porque Mercúrio em Gêmeos está mais preocupado com fatos do que com atitudes e preferências pessoais. As pessoas com um Mercúrio em Gêmeos bem desenvolvido são capazes de um profundo pensamento científico. Geralmente são bem-educadas, conhecedoras de muitos assuntos e capazes de se comunicar com facilidade, rapidez e precisão, na fala e na escrita. Geralmente possuem um excelente vocabulário, que é um dos segredos de sua eloqüência e sua clareza de expressão.

As pessoas com Mercúrio em Gêmeos possuem um sistema nervoso muito sensível, o que torna difícil impedir a entrada de estímulos externos. Toda a conversa e atividade em seu ambiente são registradas com intensidade e vivacidade em sua consciência, forçando-as a lidar com muitos pensamentos e impressões ao mesmo tempo. Essa é a base de sua mente ágil, que possui a capacidade de registrar duas impressões ou ter dois pensamentos quase que simultaneamente. Contudo, se essas pessoas forem submetidas a ambientes movimentados e complexos durante muito tempo, seus nervos ficarão em frangalhos, podendo ocorrer fadiga, confusão e, algumas vezes, irritação. Portanto, elas precisam de períodos de isolamento para se acalmar, meditar e concentrar sua mente.

As pessoas com esta posição de Mercúrio possuem uma intensa curiosidade; querem saber tudo a respeito de tudo. Mas correm o risco de querer aprender muitas coisas e dividir sua atenção com muita freqüência; podem não dar continuidade ao propósito de completar os projetos que assumem. Quando esta tendência é levada a extremos, cria o típico "homem dos sete instrumentos" (mas que não domina nenhum a fundo). Uma vez que para estas pessoas é possível considerar qualquer situação a partir de muitos pontos de vista, elas podem ter dificuldade para se decidirem e mudam de idéia com muita freqüência, confundindo os outros. Em casos extremos, ganham a reputação de volúveis.

Somente Mercúrio em Aquário pode equiparar-se a esta posição no que diz respeito à originalidade mental. As mentes inventivas dos nativos são competentes para descobrir novas e surpreendentes soluções para problemas e situações de emergência. Estas pessoas precisam ser bem-educadas para que possam utilizar melhor sua capacidade intelectual. Esta posição é comum entre cientistas, matemáticos, peritos em computadores, secretárias, escritores, repórteres, professores e oradores.

Se mercúrio estiver sob muita tensão em Gêmeos, pode haver conversa incessante sobre assuntos triviais, o que é um aborrecimento para os outros. O horóscopo de uma pessoa não desenvolvida pode revelar tendência a se desviar de seus objetivos e perder a questão principal.

Mercúrio em Câncer

Mercúrio no signo de Câncer indica uma mente influenciada por padrões emocionais profundamente arraigados. Os desejos inconscientes irão fazer com que a pessoa observe alguns fatos e ignore outros, o que pode resultar em preconceitos e interferência no raciocínio objetivo. Às vezes, se Mercúrio estiver sob muita tensão, os nativos podem ser falsos, sem percebê-lo conscientemente.

Mercúrio neste signo pode indicar uma boa memória, devido à intensidade emocional associada aos pensamentos. Há também tendência a absorver muita informação subliminarmente ou a aprender por osmose. Na realidade, grande parte do processo mental ocorre em um nível inconsciente, embora se manifeste como intenção consciente. Como as pessoas com esta posição de Mercúrio são muito suscetíveis às atitudes e opiniões dos que as cercam, seu pensamento pode ser influenciado por apelos emocionais, como o patriotismo. Elas são muitos sensíveis; acreditam que tudo que é feito ou dito em seu ambiente é especificamente dirigido a elas.

Grande parte do pensamento se concentra no lar e na família. Há uma considerável habilidade para os negócios, em assuntos relacionados a alimentos, produtos de consumo e domésticos e bens imobiliários.

Mercúrio em Leão

Mercúrio no signo de Leão indica uma mente que possui uma vontade forte e um propósito firme. Os nativos com esta posição são capazes de concentração dirigida, porque aqui Mercúrio tem o Sol como dispositor, o que confere energias e força de vontade. Eles gostam de ser considerados autoridades nas áreas em que escolheram atuar, e são ajudados por uma forma de discurso dramática e convincente; porém, se levada a extremos, essa inclinação pode criar um excessivo orgulho intelectual e arrogância.

A autoconfiança intelectual indicada por Mercúrio em Leão favorece uma atitude positiva para enfrentar e solucionar problemas. Contudo, pode haver uma tendência para lidar com as coisas em termos gerais, amplos, ignorando os detalhes. Pode também existir tendência a ignorar as coisas que não se relacionam com o foco de interesse imediato. Como Leão é um signo fixo, as opiniões são formadas lentamente e modificadas com relutância.

As pessoas com Mercúrio em Leão possuem continuidade de planejamento e propósitos, o que lhes oferece capacidade executiva. Há também habilidade para o ensino e o trabalho no desenvolvimento intelectual das crianças.

O teatro, investimentos, Bolsa de Valores, educação e atividades artísticas são prováveis áreas de interesse especial. Esta posição de Mercúrio também pode combinar viagens de passeio com viagens de trabalho.

Mercúrio em Virgem

Mercúrio em Virgem está no signo de sua regência, uma posição que indica uma mente analítica, com grande habilidade de raciocínio prático. Estes nativos insistem numa precisão exata e apurada, que pode parecer trivial para outras pessoas. Eles exigem ambientes organizados e métodos e procedimentos eficientes, especialmente em sua área de trabalho. Esta é a melhor posição de Mercúrio para a pesquisa científica detalhada.

Essas pessoas atingem o sucesso profissional e financeiro ao adquirirem uma boa educação e habilidades especializadas. O interesse pela gramática e a competência nessa área podem torná-los eloqüentes em seu discurso e sua escrita, e competentes em idiomas. Via de regra, insistirão no uso adequado da gramática, da ortografia e da pontuação, motivo pelo qual são excelentes secretárias e correspondentes. Ao contrário de Mercúrio em Gêmeos, que se preocupa com idéias em seu próprio benefício, Mercúrio em Virgem está principalmente interessado em idéias que possuam uma aplicação prática para obter *status* e sucesso financeiro. A pessoa com esta posição é voltada ao trabalho e, conseqüentemente, pode ser tímida e reservada, preferindo não perder tempo com conversas inúteis.

A medicina, a dieta, a higiene, a matemática e trabalhos detalhados e precisos de todos os tipos atraem a atenção dessas pessoas. Mas, ao contrário de Mercúrio em Leão, elas podem perder de vista as questões principais devido à preocupação excessiva com detalhes que assumem uma importância indevida.

Mercúrio em Libra

Mercúrio no signo de Libra indica uma mente principalmente preocupada com relações humanas e psicologia. Os nativos possuem uma intensa curiosidade a respeito dos padrões de pensamento e comportamento dos outros; assim, sentem-se atraídos pelas áreas de psicologia, astrologia, relações públicas, sociologia e direito. Para eles, são essenciais uma boa comunicação e alegria nos relacionamentos. Eles preferem trabalhar em parceria intelectual com os outros e geralmente se comunicam com facilidade devido ao seu interesse pelo que os outros pensam. Seu forte senso de justiça geralmente os torna honestos em suas relações. A regência de Vênus em Libra busca a harmonia, e a exaltação de Saturno em Libra procura a justiça, tornando o Mercúrio em Libra honesto e equilibrado em todos os contatos mentais. Essas pessoas gostam de considerar todos os lados de uma questão antes de tomar uma decisão, mas, se esse desejo for utilizado de forma errada, pode conduzir à indecisão e assim se perde a oportunidade de agir. Contudo, quando as decisões são tomadas, elas geralmente são justas e ponderadas. Se outros fatores no horóscopo forem favoráveis, esta posição de Mercúrio é boa para as profissões legais, aconselhamento, arbitragem e outros trabalhos de relações públicas, como vendas e negociações. Mas, a não ser que existam alguns planetas em signos ou casas fixos, pode haver impaciência nesses assuntos.

As pessoas com esta posição de Mercúrio buscam se associar com pessoas de mentes requintadas, boas maneiras e reputação de honestidade. Modos deselegantes e motivações desonestas são considerados desagradáveis e evitados sempre que possível. Estas pessoas são muito sensíveis a odores, à aparência pessoal e conduta dos outros; consideram os trajes inadequados e o linguajar vulgar como afrontas sociais. Gentis e atenciosas em sua comunicação, podem ser rígidas quando estão envolvidos princípios. Elas cometem o erro de esperar dos outros o mesmo grau de disciplina mental que exigem de si mesmas.

Devido à exaltação de Saturno em Libra, a mente pode ser severa e trabalhadora. Em tipos muito desenvolvidos, essa qualidade conduz à profundidade, porém as pessoas superficiais com esta posição de Mercúrio podem não ter firmeza em suas convicções, porque tendem a concordar com seus companheiros, visando obter popularidade e aceitação.

Mercúrio em Escorpião

Mercúrio no signo de Escorpião proporciona uma mente intuitiva capaz de profundos *insights*. A percepção dos nativos pode levar ao exame crítico das motivações humanas; eles consideram as coisas com precisão, mas não necessariamente com compaixão. Talvez utilizem uma linguagem agressiva, pois se recusam a medir as palavras para não ofender os sentimentos dos outros. Eles preferem dizer exatamente o que sentem ou permanecer em silêncio; fazem planos em segredo e os comunicam somente quando têm um propósito definido que estão tentando realizar. Contudo, como podem ser influenciados por fortes fatores emocionais, são mais objetivos quando não estão pessoalmente envolvidos.

Estas pessoas possuem mentes determinadas e grande engenhosidade, que lhes permite vencer os obstáculos que outros considerariam insuperáveis. Se Mercúrio estiver sob tensão em Escorpião, podem existir motivos ocultos, ardilosos.

As pessoas com Mercúrio neste signo são bons detetives, investigadores e pesquisadores. Em tipos muito desenvolvidos, há uma habilidade científica que se origina de sua curiosidade sobre os mecanismos interiores da energia responsável pela manifestação objetiva. Isso proporciona um *insight* dos processos fundamentais de transformação.

Se Mercúrio estiver sob tensão neste signo, a mente pode estar preocupada com o sexo. Pode também haver desconfiança dos outros.

Mercúrio em Sagitário

Mercúrio no signo de Sagitário indica uma mente preocupada com todas as codificações do pensamento social, seja na forma de religião, filosofia, direito ou outros estudos relacionados à educação superior. Mercúrio em Sagitário está no signo de seu detrimento e se manifesta numa maior preocupação pelas atitudes do que pelos fatos. O resultado muitas vezes é construtivo, proporcionando um *insight* da motivação social e dos acontecimentos subseqüentes. Entretanto, os nativos podem não perceber a verdade se não prestarem suficiente atenção à informação factual detalhada, base de todo pensamento lógico. Devemos lembrar que Sagitário está em oposição a Gêmeos e em quadratura com Virgem, os signos regidos por Mercúrio.

As pessoas com essa posição podem ter um *insight* profético, porque sua preocupação com as atitudes lhes permite compreender as informações que serão importantes pela opinião pública. Isso conduz à revelação do destino coletivo e do carma. Essas pessoas têm um discurso direto e dirão exatamente aquilo que pensam; exigem liberdade intelectual, porém suas idéias raramente divergem dos conceitos tradicionais ou da moral social vigente. Assim, geralmente são respeitadas na comunidade. Mas se o conformismo social for levado muito longe, pode conduzir à hipocrisia, pois seus padrões morais talvez não sejam melhores do que as normas socialmente aceitas. Elas precisam perceber que uma atitude não está necessariamente correta simplesmente porque é popular ou dominante.

Esses nativos desejam ingressar em instituições públicas de aprendizado superior ou de controle social, como universidade, igrejas e governo. Seu objetivo é obter autoridade intelectual e *status*, embora o preço possa ser a submissão a instituições corruptas, estagnadas. Gostam de se considerar exemplos da verdade; porém, se o são ou não, isso depende dos aspectos formados com Mercúrio. Eles podem tender a pregar sermões moralistas sobre coisas óbvias, e se tornar pedantes.

Às vezes, existe uma preocupação com metas distantes, ideais elevados, que pode levar os nativos a não perceberem o que está sob seus narizes. A co-regência de Netuno em Sagitário pode resultar em tendências à desatenção.

Mercúrio em Capricórnio

Mercúrio no signo de Capricórnio indica uma mente ambiciosa, perspicaz, prática, organizada e preocupada em obter *status* por intermédio de realizações materiais. As pessoas com Mercúrio em Capricórnio são capazes de grande concentração e boa organização. São metódicas nos pensamentos e atitudes, possuindo a habilidade de fazer uma coisa de cada vez. Seu processo de raciocínio é meticuloso, porém não necessariamente original. Sua paciência e disciplina podem resultar em habilidade matemática, que pode ser utilizada nos negócios ou na ciência. Mercúrio neste signo também pode proporcionar boa capacidade administrativa, e muitos executivos bem-sucedidos têm Mercúrio em Capricórnio.

As pessoas com essa posição passarão por processos tradicionais de educação como um meio de atingir metas profissionais e melhorar seu *status* financeiro e social. Suas idéias políticas e sociais geralmente são conservadoras; elas defendem a ordem estabelecida. Respeitam as crenças que provaram sua utilidade através do tempo. Uma vez que Capricórnio, como Virgem, é um signo de terra, Mercúrio neste signo considera importantes apenas as idéias que tiverem valor prático.

Essas pessoas são mais realistas do que idealistas na abordagem de suas metas; consideram as coisas pelo que são e não se iludem com falsos idealismos. Como possuem uma percepção aguçada, poucas coisas de conseqüências práticas escapam à sua atenção. Contudo, há o perigo de que sua seriedade e sua disciplina mental as conduzam a uma atitude inflexível e falta de humor.

Se Mercúrio estiver sob tensão neste signo, a ambição material pode levar à avareza e à tendência de usar as pessoas para atingir objetivos materiais, sem considerar os valores humanos. O *status* material pode tornar-se um fim em si mesmo, sobrepondo-se aos valores humanos e a qualquer outra consideração.

Mercúrio em Aquário

Mercúrio no signo de Aquário indica uma mente aberta às novas experiências. A capacidade de considerar os fatos à luz da verdade impessoal oferece uma mente confiável, não preconceituosa e objetiva. Para as pessoas com esta posição, a verdade deve vir em primeiro lugar; elas não se interessam muito por idéias tradicionais ou socialmente aceitas se essas forem incompatíveis com os fatos ou com experiências diretas. Aqui está o segredo de sua originalidade. Devido à sua objetividade impessoal, estas pessoas não se surpreendem facilmente com nada que possam ver ou experimentar. Assim, podem aceitar coisas que outros considerariam amedrontadoras ou incompreensíveis.

Mercúrio em Aquário está em sua exaltação; conseqüentemente, estes indivíduos possuem a capacidade de saber que a razão existe como um padrão da Mente Universal, da qual a mente individual é apenas um submecanismo. Assim, Mercúrio em Aquário manifesta suas faculdades intuitivas mais elevadas mediante a comunicação com a Mente Universal mais ampla, transcendendo o ego individual. A capacidade dos nativos para experimentar as coisas ultrapassa os cinco sentidos físicos. Como Aquário é um signo fixo, a energia mental é estabilizada, concentrada e, portanto, capaz de receber idéias das esferas arquetípicas da consciência. Alguns possuem a capacidade de perceber a própria mente como um campo de energia, e seu conteúdo como padrões desta energia. As pessoas com Mercúrio em Aquário provavelmente são telepatas.

A experiência direta de estados de energia mais elevados também oferece um *insight* científico sobre os mecanismos das manifestações materiais. Os nativos consideram a realidade como ela é no nível microcósmico — um padrão de impulsos energéticos em movimento. Como Saturno é co-regente de Aquário, há uma boa organização mental e concentração, com freqüência levando à habilidade matemática, uma das razões pelas quais esta posição gera cientistas.

A capacidade de ver as coisas em termos amplos favorece o humanitarismo e a preocupação com o desenvolvimento espiritual da humanidade. É uma excelente posição para a astrologia e todas as formas de estudos ocultos.

As pessoas com esta posição de Mercúrio gostam de atuar com outras pessoas; assim, envolvem-se em trabalhos de grupo ou de organizações. Buscam estímulo mental nas amizades.

Mercúrio em Peixes

Mercúrio no signo de Peixes indica uma imaginação ativa e uma capacidade fotográfica para visualizar pensamentos e lembranças. As pessoas com esta posição são muito intuitivas e telepatas no nível inconsciente; portanto, são facilmente influenciadas por sugestões subliminares, uma vez que inconscientemente se sintonizam com os pensamentos e o estado de espírito das pessoas que as cercam. Elas chegam a conclusões, não por meio do raciocínio lógico, mas baseadas em percepções intuitivas que fluem da mente inconsciente. Aprendem mais por osmose do que pelo estudo disciplinado.

A mente pode ser influenciada por padrões emocionais inconscientes baseados em experiências passadas, de modo semelhante a Mercúrio em Câncer. Se Mercúrio estiver sob tensão em Peixes, a mente correrá o perigo de ficar presa às lembranças, a ponto de distorcer a percepção da realidade presente. Nos casos extremos, isso pode levar a condições neuróticas. Devido à extrema sensibilidade e imaginação de Mercúrio em Peixes, muitas vezes se manifestam aptidões poéticas e artísticas. Estas pessoas são compreensivas; podem imaginar como é estar na situação de outra pessoa, porque já estiveram em situações semelhantes. Às vezes, suas emoções são facilmente manipuladas.

Peixes é um signo mutável, e as emoções vacilantes podem provocar hesitação no raciocínio, nas decisões e na comunicação. Pode também haver tendência a sonhar acordado e devanear. O fato de os nativos gostarem de ser reservados e guardarem para si mesmos seus pensamentos pode resultar em timidez e isolamento.

Mercúrio sob tensão em Peixes pode significar uma imaginação mórbida e complexo de perseguição. O indivíduo talvez seja hipersensível e capaz de perceber uma crítica pessoal mesmo não intencional. Ele precisa se tornar mais impessoal em seu raciocínio e percepção da realidade; nisso, esta posição é semelhante a Mercúrio em Câncer.

Mercúrio nas Casas

Mercúrio nas casas oferece importantes informações sobre os assuntos práticos da vida que ocupam a mente e a comunicação de uma pessoa, como a fala e a escrita. Ele também indica as áreas de atividade que serão influenciadas pelos pensamentos e relações sociais.

A posição de Mercúrio nas casas indica o tipo de ambiente e atividades dos quais uma pessoa extrai suas idéias. Por exemplo, se Mercúrio estiver na Segunda Casa, o indivíduo talvez obtenha informação por intermédio dos negócios e contatos financeiros, enquanto, com Mercúrio na Sétima Casa, pode aprender por intermédio do casamento, de sociedades e relações com o público.

Mercúrio na Primeira Casa

Mercúrio na Primeira Casa oferece às pessoas um ponto de vista inquisitivo, intelectual, com relação à vida; quase nada do que acontece em seu meio ambiente lhes escapa.

Seus atos e sua auto-expressão baseiam-se na lógica e no raciocínio. Com freqüência, essas pessoas têm uma inteligência acima da média; são tagarelas e tendem a escrever bastante devido ao intenso desejo de se expressarem verbalmente.

Estas pessoas se movimentam muito, porque Mercúrio é o regente natural da Terceira Casa, e a Primeira Casa indica a auto-expressão por meio da ação. Iniciativa mental e força de vontade acompanham esta posição; portanto, os nativos geralmente são intelectualmente competitivos, especialmente se Mercúrio estiver num signo de fogo.

As pessoas com Mercúrio na Primeira Casa são bons escritores, médicos, cientistas, pesquisadores, eruditos, bibliotecários e secretários, devido à sua habilidade inata de expressão e ao elevado grau de inteligência. A auto-expressão mental — pensamento, comunicação e grau de percepção intelectual de nosso eu — geralmente se relaciona aos assuntos regidos pelo planeta que forma com Mercúrio o aspecto importante mais próximo.

Mercúrio na Segunda Casa

Mercúrio na Segunda Casa indica uma preocupação com assuntos comerciais e financeiros. O sistema de valores baseia-se em coisas que podem produzir resultados práticos e concretos. Existe uma habilidade para a literatura, o jornalismo, divulgação, radiodifusão, intercâmbio telefônico, ensino e outros meios de comunicação.

As pessoas com esta posição buscam a educação visando melhorar seu poder aquisitivo. Possuem idéias originais sobre maneiras de ganhar dinheiro, e seus assuntos financeiros são sempre metodicamente planejados. Muitos economistas, consultores financeiros e planejadores de organizações possuem Mercúrio na Segunda Casa. As pessoas que ganham a vida como secretárias, contadoras, bibliotecárias, telefonistas, escritoras, e assim por diante, também podem ter esta posição de Mercúrio ou alguma ligação com Mercúrio na Segunda Casa, pela regência do signo ou aspecto. Os assuntos de negócios geralmente estão relacionados ao planeta que forma o aspecto mais próximo com Mercúrio, e podem ocorrer lucros financeiros através desse planeta.

Mercúrio na Terceira Casa

Mercúrio na Terceira Casa está acidentalmente exaltado, porque a Terceira Casa corresponde ao signo de Gêmeos, regido por Mercúrio; portanto, Mercúrio localizado nessa casa geralmente tende a proporcionar uma habilidade intelectual superior. Há habilidade e interesse em todos os tipos de comunicação, e as pessoas com esta posição são bons escritores e oradores, com muita originalidade e agilidade mental. Viagens curtas e constante comunicação com irmãos, irmãs e vizinhos são características desta posição, e grande parte do tempo é gasto no telefone ou escrevendo cartas. Essas pessoas são competentes para encontrar soluções práticas para todos os tipos de problemas. São bons secretários, telefonistas, repórteres, editores e redatores de textos.

Se Mercúrio estiver sob tensão na Terceira Casa, pode haver problemas devido ao discurso indiscreto ou informações falsas, incompletas ou errôneas. Podem também ocorrer dificuldades com contratos, promessas e acordos.

Mercúrio na Quarta Casa

Mercúrio na Quarta Casa indica que haverá muita atividade educacional e intelectual no lar. As pessoas com esta posição com freqüência possuem pais bem-educados. Tendem a investigar sua árvore genealógica e a história de seus ancestrais.

O lar provavelmente será utilizado como um local de trabalho, porque Mercúrio rege Virgem e a Sexta Casa, que lida com o trabalho. As pessoas com Mercúrio na Quarta Casa com freqüência possuem amplas bibliotecas em casa e passam muito tempo com suas famílias, envolvidas em atividades intelectuais. O lar pode tornar-se um centro de relações sociais da vizinhança, e há muitas conversas ao telefone. São pessoas que transformam a leitura do jornal em um ritual diário durante o café da manhã.

Mercúrio nesta casa pode indicar um interesse por bens imobiliários, agricultura, ciências da terra — como geologia — e pelos problemas ecológicos e ambientais; o nativo pode escrever a respeito dessas questões. As pessoas que possuem condições para mudar de casa, que se movimentam com freqüência, que vivem em trailers, ou que de algum modo procuram uma vida nômade, provavelmente têm Mercúrio na Quarta Casa. Se Mercúrio estiver sob tensão na Quarta Casa, podem ocorrer disputas e discussões intelectuais com outros membros da família.

Mercúrio na Quinta Casa

Mercúrio na Quinta Casa indica interesse intelectual em muitos empreendimentos artísticos e criativos. Por essa razão, ele pode criar dramaturgos, críticos de arte e escritores em geral. Os nativos sentem-se atraídos pelas formas de arte que transmitem informações ou que agem como meio de ensino ou propaganda. Possuem a capacidade de se expressar de forma dramática e vigorosa na fala e na escrita, e querem ser admirados por suas realizações intelectuais. Jogos de competição mental, como xadrez e baralho, atraem seu interesse. Com freqüência, analistas e investidores da Bolsa de Valores que planejam os padrões do mercado possuem Mercúrio nesta casa.

Essas pessoas também tendem a se preocupar e sentir orgulho das realizações intelectuais de seus filhos. Uma vez que há interesse pela educação das crianças, muitos importantes professores possuem Mercúrio nesta casa. A atração romântica está voltada a tipos intelectuais capazes de proporcionar excitação e estímulo mentais.

Se Mercúrio estiver sob tensão na Quinta Casa, podem ocorrer especulações imprudentes e vaidade intelectual. Mercúrio sob tensão na Quinta Casa também pode oferecer uma visão analítica e crítica nos romances.

Mercúrio na Sexta Casa

Mercúrio na Sexta Casa indica pessoas que adquirem conhecimento e habilidades especializados, que possam ser aplicados em seu trabalho ou profissão. São metódicas e eficientes para lidar com os detalhes de seu trabalho; consideram uma obrigação pessoal manter-se informadas sobre técnicas e pesquisas mais recentes em sua área de atuação. Portanto, esta é uma posição favorável para pessoas envolvidas com a medicina, a engenharia ou a ciência.

Mercúrio na Sexta Casa está exaltado, porque esta casa corresponde a Virgem, que é regido por Mercúrio. Assim, como Mercúrio na Terceira Casa, esta posição pode indicar capacidade intelectual superior.

Mercúrio nesta casa indica uma preocupação com os deveres, a higiene pessoal e roupas adequadas. Os sentidos profundamente alerta dos nativos tornam desagradável a desordem no ambiente; eles podem sofrer efeitos psicológicos adversos e até ficar doentes em situações de caos. Mercúrio na Sexta Casa pode indicar tendência ao trabalho excessivo e ao perfeccionismo.

Se Mercúrio estiver sob tensão na Sexta Casa, há a possibilidade de uma saúde ruim, preocupação com detalhes insignificantes e uma natureza geralmente crítica.

Mercúrio na Sétima Casa

Mercúrio na Sétima Casa indica pessoas preocupadas com a comunicação e a colaboração mental com os outros. Elas preferem trabalhar em algum tipo de parceria, em vez de atuarem individualmente. São competentes para se comunicar com o público e, portanto, podem ter sucesso em vendas, relações públicas e direito.

Os nativos com esta posição de Mercúrio preocupam-se com o que os outros pensam. A tendência a buscar parceria mental faz com que casem com pessoas intelectuais, inteligentes e bem-educadas. As outras relações provavelmente também se estabelecerão com tipos intelectuais.

Se Mercúrio estiver bem aspectado na Sétima Casa, os nativos podem possuir habilidades em arbitragem, mediação e aconselhamento. Em geral existem aptidões para psicologia com esta posição de Mercúrio.

Se Mercúrio estiver sob tensão na Sétima Casa, podem ocorrer problemas nas relações com os outros, mal-entendidos no casamento e em sociedades, e acordos não cumpridos. Os nativos devem considerar cuidadosamente os acordos contratuais antes de assiná-los. Pode também haver discórdia no casamento, baseada em diferenças de opinião. Se Mercúrio estiver sob tensão, o parceiro pode ser mentiroso e instável, e, em alguns casos, mais jovem do que o nativo. Com Mercúrio na Sétima Casa, pode ocorrer um casamento com um empregado, colaborador ou parente.

Mercúrio na Oitava Casa

Mercúrio na Oitava Casa indica interesse pelas fases mais profundas da ciência e do oculto. Se Mercúrio nesta casa formar aspectos com Urano, Netuno ou Plutão, pode haver interesse pelo espiritualismo e pela comunicação com os mortos. O interesse também pode se concentrar em finanças corporativas, impostos, seguros e bens de pessoas falecidas, uma vez que a Oitava Casa é a casa da morte. O trabalho do nativo pode se relacionar a uma dessas áreas.

As pessoas com esta posição tendem a ser reservadas, especialmente a respeito de informações que consideram pessoais ou importantes; tendem a fazer planos em segredo e são engenhosas na formulação de estratégias. Adoram mistérios e intrigas; gostam de ler e escrever histórias de detetives e de mistério. Possuem o desejo e a habilidade para deslindar segredos e descobrir as motivações ocultas por trás do comportamento humano, pois desejam chegar à essência das coisas.

A morte de irmãos, irmãs ou vizinhos é incomumente significativa para elas; talvez façam viagens relacionadas à morte. Com freqüência são herdeiras de informações secretas ou importantes documentos. Mercúrio na Oitava Casa indica que a morte pode ser provocada por distúrbios do sistema nervoso ou doenças respiratórias.

Os nativos não esquecem facilmente os atos e desrespeitos dos outros. Se Mercúrio estiver sob tensão na Oitava Casa, podem guardar rancor, falar em vingança e se envolver em planos secretos de vingança.

Mercúrio na Nona Casa

Mercúrio na Nona Casa indica interesse em filosofia, lei e educação superior, conduzindo a uma educação elevada e altos títulos. É importante para as pessoas com esta posição compreender a evolução das idéias fundamentais que orientam o pensamento social, as leis, a filosofia e a religião dominantes. Suas decisões se baseiam na ética e na moral, bem como em considerações práticas. Como Mercúrio em Sagitário, esta posição está relacionada com atitudes e fatos, uma vez que as atitudes determinam quais os fatos que as pessoas consideram importantes e o modo como estes fatos são utilizados. Muitos professores possuem Mercúrio na Nona Casa.

As pessoas com esta posição de Mercúrio adoram viajar e são curiosas a respeito de países e culturas estrangeiras; assim, podem ser bons historiadores e antropólogos. Percorrem longas distâncias para adquirir o conhecimento que consideram importante ou para buscar ensinamentos religiosos e gurus que os esclareçam.

Se Mercúrio estiver sob tensão na Nona Casa, os nativos podem demonstrar orgulho e esnobismo intelectuais, assim como crenças e opiniões sectárias, dogmáticas. Mercúrio na Nona Casa, favoravelmente aspectado, especialmente se formar aspectos com Urano, Netuno ou Plutão, pode proporcionar um *insight* profético sobre o futuro.

Mercúrio na Décima Casa

Mercúrio localizado na Décima Casa indica pessoas que buscam a educação por razões de ambição profissional. Elas desejam aumentar seu conhecimento visando carreiras lucrativas e influentes. Esta posição de Mercúrio oferece aos nativos uma boa habilidade de organização e capacidade para planejar o futuro. Suas carreiras não são acidentais, mas o resultado de planos deliberados destinados a atingir metas específicas.

Mercúrio na Décima Casa oferece a capacidade de comunicação com pessoas em posições de poder e liderança; conseqüentemente, muitos estrategistas políticos e redatores de discursos possuem esta posição. Além disso, como ela proporciona astúcia política, talento na redação de discursos, habilidade executiva e capacidade de comunicação com o público, é a posição de políticos que se destacaram por suas idéias brilhantes. As pessoas que pertencem a profissões relacionadas aos meios de comunicação, imprensa, literatura, divulgação, ensino ou oratória também podem ter Mercúrio nesta casa.

Se Mercúrio estiver sob tensão na Décima Casa, podem ocorrer arranjos que beneficiem a ambição pessoal. Isso pode vir acompanhado de uma atitude egoísta, fria e algumas vezes desonesta, na qual a ambição tem precedência sobre os princípios. Os assuntos regidos pelo planeta que forma aspectos mais próximos com Mercúrio geralmente influenciam a carreira e a educação profissional da pessoa.

Mercúrio na Décima Primeira Casa

Mercúrio na Décima Primeira Casa indica pessoas profundamente interessadas em comunicação e na troca de idéias com amigos e grupos. Elas buscam em especial associações que estimulem suas mentes e aumentem seu conhecimento; contudo, seu pensamento é fortemente influenciado pelas idéias dos amigos. Essas pessoas ensinam e aprendem com seus amigos e podem receber ajuda deles para obter empregos.

Mercúrio na Décima Primeira Casa está acidentalmente exaltado, porque a Décima Primeira Casa corresponde ao signo de Aquário, no qual Mercúrio está exaltado. Portanto, Mercúrio nesta casa oferece amor à verdade, imparcialidade e a capacidade de pensar com originalidade e objetividade. Os nativos muitas vezes se interessam por investigações científicas, astrologia, filosofia oculta avançada e ideais e objetivos humanitários; e possuem amigos com interesses semelhantes. Sua atitude é impessoal, porém amigável. Eles desejam trocar idéias e se comunicar com todos, independentemente de sua educação ou posição social. Esta receptividade a toda a humanidade amplia a mente e proporciona compaixão e um profundo *insight* das questões sociais mais amplas.

Se Mercúrio estiver sob tensão na Décima Primeira Casa, as idéias do nativo podem ser excêntricas e pouco práticas. Ele pode usar seus amigos para obter vantagens pessoais, ou os amigos podem orientá-lo de forma errada por motivações próprias. Ele também pode não ser hábil na comunicação com grupos ou para atuar neles com eficiência.

Mercúrio na Décima Segunda Casa

Mercúrio na Décima Segunda Casa indica que o pensamento da pessoa é fortemente influenciado por lembranças e hábitos inconscientes originados de experiências passadas. As decisões baseiam-se nos sentimentos, e não no raciocínio prático, uma vez que muitas impressões fluem da mente inconsciente, influenciando o raciocínio. As pessoas com esta posição provavelmente serão reservadas a respeito de seus pensamentos e idéias. Com freqüência são tímidas e hesitam em dizer o que realmente pensam. Se Mercúrio estiver bem aspectado, especialmente se formar aspecto com Urano, Netuno ou Plutão, há a possibilidade de se obter idéias e conhecimentos valiosos por intermédio da habilidade psíquica ou intuitiva. Com Mercúrio nesta casa, a imaginação é muito ativa.

Se Mercúrio estiver sob tensão na Décima Segunda Casa, podem ocorrer tendências neuróticas, doença mental e uma fixação em experiências passadas, que não são importantes nas circunstâncias presentes. O indivíduo também pode achar difícil se relacionar com o ambiente externo e, assim, passar por dificuldades no aprendizado. Muitas crianças com Mercúrio sob tensão na Décima Segunda Casa têm problemas de relacionamento durante a educação inicial, o que pode resultar em problemas na leitura ou outros bloqueios mentais.

Vênus nos Signos

O planeta Vênus nos signos do Zodíaco oferece informações importantes sobre a maneira como a pessoa expressa suas emoções nos relacionamentos pessoais, especialmente no amor e no casamento. Ele também oferece dados importantes sobre a atitude com relação a dinheiro, bens pessoais, conforto e valores estéticos e sociais.

Vênus em Áries

Vênus rege o princípio do amor e o contato com os outros. Vênus em Áries indica pessoas que tendem a ser agressivas em sua auto-expressão emocional. Sua natureza sociável empresta entusiasmo e brilho em reuniões sociais. Elas não hesitam em perseguir o objeto de seu interesse, e podem ser competitivas quando desejam o afeto dos outros. No horóscopo de uma mulher, essa qualidade pode favorecer uma abordagem agressiva, na qual a mulher persegue o homem. A habilidade destas pessoas para serem ardentes no amor e no romance resulta de Marte, o regente de Áries, que dá energia aos sentimentos de Vênus. Entretanto, esses sentimentos podem ser impulsivos e instáveis.

Vênus em Áries está em seu detrimento, porque Áries é o signo oposto de Libra, que é regido por Vênus. Por essa razão, as pessoas com Vênus em Áries exigem muita atenção pessoal e tendem a ser egoístas.

Se Vênus estiver sob tensão em Áries, os modos do nativo podem ser grosseiros, sem requinte. Quando Vênus em Áries está bem aspectado, há uma atitude positiva, cordial. Há também a capacidade de ser ativamente criativo em atividades artísticas.

Vênus em Touro

Vênus no signo de Touro oferece sentimentos constantes, duradouros. A segurança emocional e a estabilidade no amor são importantes para os nativos. Eles são leais e estáveis, embora possam ser possessivos e ciumentos se sua segurança emocional for ameaçada. O sentido do tato é bastante desenvolvido, e eles apreciam o contato físico com as pessoas que amam; porém, são sensuais de forma passiva, procurando atrair, em vez de buscar o objeto de seu amor.

Vênus em Touro proporciona o amor ao conforto, ao luxo, a ambientes belos, boa comida e opulência em geral. Assim, o dinheiro, que torna possíveis essas coisas, é importante para estas pessoas. Como a Lua, que rege o cenário doméstico, está exaltada em Touro, elas procuram tornar seus lares belos e artísticos. A beleza pessoal também é importante, e assim elas procuram ser tão atraentes e jovens quanto possível.

Esta posição de Vênus revela um senso inato do valor dos objetos materiais e habilidade de adquirir coisas belas e de qualidade duradoura. Como estas pessoas tendem a gostar de coisas materiais, podem se envolver em negócios que lidam com arte e bens de luxo. Podem se sentir atraídas por expressões artísticas nas quais possam moldar diretamente os materiais; com freqüência, pintores e escultores têm Vênus neste signo.

Os nativos sentem grande afinidade com a terra e prazer e conforto ao observar flores, árvores e outras plantas. Podem se dedicar à jardinagem ou ao cultivo de flores.

Como Touro rege a garganta e a laringe, e Vênus confere graça e beleza, muitas pessoas com Vênus em Touro possuem vozes ricas e melodiosas. Cantores talentosos podem ter esta colocação de Vênus.

Vênus em Gêmeos

Vênus no signo de Gêmeos indica pessoas que gostam de diversidade em suas vidas românticas e sociais. O desejo de experiências variadas, associado à curiosidade sobre as pessoas, as torna pouco inclinadas a se dedicarem a um relacionamento romântico permanente. Como acontece com Vênus em Aquário, esta posição faz com que as pessoas queiram fazer amizade com todos; porém, mesmo assim, são capazes de uma devoção constante. Devido à sua inteligência e habilidade para conversar, sentem-se atraídas por pessoas com mentes ágeis e intelectos aguçados. Esse é um Vênus que precisa ter a liberdade apropriada.

As pessoas com esta posição de Vênus passam muito tempo viajando em busca de prazer e atividade social. As atividades literárias — especialmente a poesia — são manifestações artísticas preferidas, geralmente incluindo algum tipo de jogos de palavras.

Como acontece com outros signos de ar, há uma tendência a não gostar de comportamentos vulgares. Os nativos possuem maneiras agradáveis e geralmente mantêm bons relacionamentos com irmãos, irmãs e vizinhos. Se Vênus estiver sob tensão neste signo, há inconstância e volubilidade nos romances. Os valores relacionados ao amor, ao casamento e ao romance podem ser superficiais.

Vênus em Câncer

Vênus no signo de Câncer indica pessoas profundamente sensíveis em seus sentimentos românticos. Sua extrema sensibilidade significa que seus sentimentos podem ser facilmente magoados, porém elas ocultam essa vulnerabilidade com uma aparência exterior muito séria. Como seu humor pode ser instável e imprevisível, valorizam tanto a segurança financeira quanto a doméstica. Buscam o casamento como meio de obter uma vida doméstica estável, valorizando suas famílias e seus lares. Desejam demonstrações de afeto, porque isso as faz se sentirem seguras e amadas. Procuram tornar seus lares confortáveis e belos e o centro de atividades sociais. Quando solteiras, com freqüência preferem ficar em casa para jantar com alguém, em vez de saírem para lugares públicos de diversão.

As mulheres com esta posição de Vênus são muito caseiras; gostam de cozinhar e cuidar da casa para as pessoas que amam. Possuem uma feminilidade delicada, que eventualmente se manifesta de forma maternal. Como Câncer é o signo maternal, são muito carinhosas com seus filhos. Os homens com esta posição podem cuidar maternalmente de suas famílias e filhos.

Como Câncer é um signo cardinal, estas pessoas, às vezes, tomam a iniciativa quando se sentem aborrecidas e solitárias, embora tentem fazê-lo de maneira discreta.

Se Vênus estiver sob tensão em Câncer, pode haver uma tendência ao sentimentalismo piegas, a reações emocionais instáveis e ao mau humor.

Vênus em Leão

Vênus no signo de Leão indica pessoas que possuem sentimentos ardentes, estáveis. São amantes da vida e um tanto teatrais em seu comportamento. Podem possuir muito orgulho pessoal e social, especialmente quando estão em evidência. São pessoas que oferecem festas generosas, caras. As mulheres com esta posição desejam ser notadas, admiradas e apreciadas. Algumas vezes são *prima donnas*; com freqüência tentam ser o centro das atenções em reuniões sociais.

Devido à sua habilidade para dramatizar as emoções, as pessoas com esta posição de Vênus são bons atores e atrizes. Possuem intenso amor pela arte, com uma forte percepção de cor e habilidade para a pintura, escultura e outras manifestações artísticas.

Esses nativos são afetuosos, expansivos, alegres e carinhosos; gostam de crianças; são românticos e gostam de namoros cheios de drama e excitamento. Serão extremamente fiéis àqueles que consideram dignos de seus sentimentos. A pessoa com Vênus nesta posição gosta de exibir seu parceiro, mas pode ser possessiva e ciumenta se o parceiro não lhe prestar a devida homenagem.

Se Vênus estiver sob tensão em Leão, há a possibilidade de haver orgulho social excessivo, esnobismo, egoísmo e preocupação excessiva com sexo.

Vênus em Virgem

Vênus no signo de Virgem está em sua queda, pois Virgem está oposto ao signo de Peixes, no qual Vênus está exaltado. As pessoas com esta posição tendem a analisar demais as emoções e são muito críticas com aqueles que amam, fazendo com que os outros se sintam constrangidos e inibidos e impedindo o fluxo espontâneo de afeto. Esta característica analítica pode dificultar uma resposta direta intuitiva à beleza. Por exemplo, estas pessoas tentam compreender a beleza de uma rosa, analisando-a pétala por pétala, sem perceberem que a rosa é bela devido à totalidade de suas partes.

As pessoas com Vênus em Virgem freqüentemente procuram parceiros com quem possam partilhar seu trabalho e seus interesses intelectuais. Mas é provável que esta posição de Vênus crie mais pessoas solteiras do que qualquer outra posição de Vênus nos signos, devido aos elevados padrões de crítica dos nativos sobre aquilo que desejam em um parceiro. Quando se casam, com freqüência o casamento possui ligações com o trabalho. A não ser que Vênus esteja sob muita tensão, existem relacionamentos agradáveis com colaboradores em geral. Geralmente o local de trabalho se torna artisticamente agradável por meio da contribuição pessoal ao ambiente de trabalho.

Estas pessoas são extremamente exigentes a respeito de modos, aparência pessoal e higiene; rejeitam todo tipo de comportamento rude. Possuem uma percepção inata da beleza que existe na ordem e limpeza, e assim são bons cozinheiros e dietistas. Podem ter habilidade na criação e confecção de roupas; desenhistas de moda muitas vezes possuem Vênus nesta posição. Na arte, podem ter uma boa habilidade técnica; porém existe a possibilidade de falta de inspiração e fluência.

A extrema correção social dessas pessoas muitas vezes é um disfarce para a timidez e sentimentos de inferioridade social e sexual. Sua fria aparência exterior, especialmente das mulheres com esta posição, com freqüência impede o desenvolvimento de relacionamentos românticos, podendo resultar em sentimentos de solidão e frustração. Nesse caso, podem fugir para o trabalho e atividades intelectuais e dedicar seu afeto a algum animal de estimação. Essa reclusão pode, por sua vez, impedir a criação de contatos sociais que ajudariam a tirar estas pessoas de suas conchas. Contudo, se Vênus estiver bem colocado na casa e bem aspectado, as dificuldades podem ser superadas ou bastante modificadas. Como Virgem é um signo de terra, Vênus localizado neste signo oferece atração pelo conforto material e bens pessoais de qualidade e beleza, que, na opinião do nativo, conferem *status*. Com freqüência, eles trabalham muito para adquirir essas coisas, algumas vezes usando bens e *status* como substitutos para afetos pessoais.

As pessoas com Vênus em Virgem são compreensivas e prestativas com as pessoas doentes. Sua capacidade para cuidar dos outros as torna bons médicos e enfermeiros. Também podem lidar com problemas psicológicos originados de desajustamento social, pois Vênus neste signo regido por Mercúrio é capaz de combinar a razão com as emoções e examinar estas questões de maneira metódica e analítica.

Curiosamente, se Vênus em Virgem estiver sob tensão, provocada por Marte, Urano, Netuno ou Plutão, pode haver uma reação excessiva contra a timidez e o comportamento social, criando um tipo de vida licencioso, promíscuo e boêmio. Isso se origina do medo profundo dessas pessoas de que somente assim possam encontrar amor e satisfação sexual; sentem necessidade de realizar conquistas sexuais para provar que são desejáveis. Nesses casos, a polaridade inconsciente de Peixes assume o comando. Estes tipos reacionários podem se tornar rudes e desmazelados em sua aparência pessoal e maneiras.

Vênus em Libra

Vênus no signo de Libra indica um tipo de pessoa para quem o casamento e os relacionamentos sociais harmoniosos são de extrema importância. Vênus, o planeta regente de Libra, é poderoso e está bem localizado aqui. Como Vênus geralmente confere traços bem-proporcionados e beleza física, as pessoas com esta posição são atraentes para o sexo oposto e têm muitas oportunidades para o casamento.

Estas pessoas possuem uma capacidade inata para compreender o sentimento dos outros. Como apreciam o companheirismo, procuram relacionamentos nos quais seja possível uma ligação pessoal harmoniosa e íntima. Além de sua consideração pelos outros, elas desejam agradar, o que faz com que sejam queridas. Seu senso de justiça e imparcialidade no romance e nas relações sociais é bem desenvolvido. Como não gostam de comportamentos rudes e grosseiros, possuem padrões elevados de comportamento social. São românticas e afetuosas, mas, como Libra é um signo intelectual de ar, procuram estímulo intelectual e companhia nos relacionamentos pessoais íntimos; a sensualidade em si não será suficiente. Sob esse aspecto, Vênus em Libra é diferente de Vênus em Touro, pois não se preocupa com o dinheiro em si; entretanto, os nativos gostam de estar cercados pela beleza e, por isso, geralmente desejam dinheiro. Ao contrário dos nativos com Vênus em Touro, estas pessoas buscam o *status* nos relacionamentos pessoais em vez de procurá-lo nos bens materiais; mas via de regra obtêm ambos, porque tentam estabelecer relacionamentos significativos com indivíduos maduros que adquiriram riquezas. Além disso, são capazes de ganhar dinheiro com suas maneiras agradáveis e a aptidão para lidar com o público, que pode ser utilizada nos negócios.

As percepções estéticas são muito desenvolvidas com Vênus em Libra. Os nativos com freqüência possuem aptidões para alguma forma de arte, especialmente a música. Como Libra é um signo de ar e as ondas sonoras viajam pelo ar, eles geralmente possuem audição aguçada, que é a base de sua habilidade musical. Vênus em Touro, por sua vez, tende a se relacionar mais com a pintura, a escultura e outras artes táteis.

As pessoas com esta colocação de Vênus não gostam de divergências e discórdia. Se forem expostas a elas com muita freqüência, tornam-se nervosas, perturbadas e até mesmo doentes. Conseqüentemente, evitam situações de conflito. Se Vênus estiver sob tensão, podem concordar com os outros apenas para evitar discussões e desentendimentos, e assim parecem não ter integridade. Vênus sob tensão em Libra pode levar a valores sociais e emocionais superficiais e criar uma atitude conformista e ausência de valores pessoais definidos.

As mulheres com esta posição de Vênus desejam ser protegidas; mas, em lugares públicos, maneiras corretas e uma abordagem suave dos homens que as acompanham são muito importantes para elas. Existe a habilidade para apresentações em público, e esses nativos aceitam a fama com muito prazer. Para as pessoas envolvidas em artes dramáticas, podem resultar muita popularidade e aprovação pública.

Vênus em Escorpião

Vênus em Escorpião está no signo de seu detrimento, porque Escorpião é o signo oposto a Touro, regido por Vênus. Com esta posição de Vênus, as emoções e desejos sexuais são fortes e ardentes, ciumentos e reservados, e há muito orgulho no sexo e nos romances. Se Vênus estiver sob tensão neste signo, sensualidade e preocupação com o sexo são possíveis. As reações nos relacionamentos pessoais íntimos tendem a ser emocionais, e os desejos e emoções intensos podem impedir os nativos de considerar as opiniões dos outros; assim, muitas vezes, falta-lhes razão e sensibilidade. Os tipos muito desenvolvidos podem demonstrar idealismo e padrões elevados nos relacionamentos íntimos e envolvimentos românticos e sexuais. Estes tipos muito elevados sacrificarão tudo por amor se sentirem que o objeto de sua afeição é digno de seus sentimentos.

Essas pessoas podem conduzir seus romances de maneira muito séria e pessoal, faltando-lhes um toque de leveza e senso de humor. Como oferecem muita expressão emocional, também esperam muito, uma atitude que pode levar ao orgulho e a uma abordagem do tipo "tudo ou nada" no amor e no romance. Se a pessoa com esta posição de Vênus for rejeitada ou se desiludir, pode se tornar muito ciumenta, ressentida e amargurada, sentindo sua confiança traída. Assim, a posição tende a conduzir a intensos relacionamentos de amor-ódio. Se o amor que sentem for ofendido ou maltratado, pode facilmente se transformar em ódio ou fria indiferença. Quando essas pessoas rompem uma relação importante, ela jamais será reiniciada nas antigas bases; elas jamais permitirão que a pessoa as magoe novamente.

A intensidade emocional desta posição de Vênus proporciona uma personalidade viva. O gosto artístico prefere os fortes contrastes dramáticos. Os nativos sentem-se atraídos por ciências ocultas e mistérios interiores, possuindo uma sensibilidade psíquica para os sentimentos alheios.

Se Vênus estiver sob tensão em Escorpião no mapa de uma mulher, ela pode ser o tipo de *femme fatale*, que usa seus atrativos para ter poder sobre as pessoas e manipulá-las. Existe também o perigo de o nativo desejar dominar ou controlar sutilmente um relacionamento íntimo, casamento, ou parceria nos negócios. Esta intensa posição de Vênus pode levar a excessos emocionais. Contudo, mesmo quando sob muita tensão, essas pessoas jamais perdem seu orgulho pessoal e dignidade emocional. Portanto, agem de forma reservada, mantendo um ar de mistério a seu respeito até que se sintam seguras em seus relacionamentos.

Vênus em Sagitário

Vênus no signo de Sagitário indica pessoas cujas emoções e reações são idealistas e espiritualmente orientadas. Elas são amigáveis, animadas, sociáveis e expansivas. Dane Rudhyar, um dos maiores astrólogos psicológicos, salientou em *The Pulse of Life* que cada signo do Zodíaco é uma reação contra os excessos do signo que o precede. Essa observação é especialmente verdadeira no que se refere a Vênus em Sagitário, que é francamente sincero sobre seus sentimentos interiores, contrastando com Vênus no signo anterior, Escorpião, que é reservado e calculista. A intensidade emocional da alma, o ciúme e a possessividade de Vênus em Escorpião deixam um gosto mais amargo na experiência evolucionária da alma que possui Vênus em Sagitário. Conseqüentemente, as pessoas com esta posição procuram fundamentar seu comportamento emocional nos relacionamentos pessoais em princípios mais objetivos, socialmente aceitos e fundamentados na ética, na filosofia e na religião. As estruturas morais tradicionais as fazem se sentir mais seguras em seu comportamento emocional. Elas procuram ser honestas e abertas em seus sentimentos e reações com as pessoas que amam ou com quem estão romanticamente envolvidas.

As pessoas com esta colocação de Vênus com freqüência irão tentar converter seus namorados ou parceiros a suas próprias crenças religiosas ou princípios morais, para conseguir um relacionamento fundamentado em bases iguais. Elas geralmente procuram se casar com pessoas da mesma religião ou meio filosófico, mas não têm medo de se envolver em relacionamentos românticos diferentes.

Com a regência de Júpiter em Sagitário, seu gosto pela arte e decoração tende a ser excessivo, e elas gostam de exibições vistosas de cor e forma. Se tiverem recursos, seus lares irão exibir uma atmosfera majestosa, suntuosa. Elas sentem-se atraídas pelas formas clássicas de beleza, como a arquitetura grega e a música sinfônica. Gostam de formas de arte que tenham temas religiosos ou filosóficos, e a música religiosa pode afetá-las profundamente. Cerimônias religiosas e pompa também as atraem.

Esta posição obtém satisfação emocional por intermédio de jogos e esportes ao ar livre; pessoas que praticam equitação ou esqui são exemplos típicos, e eventos que incluam essas atividades irão atraí-las. Esta posição proporciona gosto por viagens a lugares distantes. Os nativos com freqüência procuram se casar com estrangeiros ou pessoas de origem estrangeira ou de outras raças, com tendências filosóficas, educação superior ou ligadas a instituições de aprendizado superior.

As mulheres com esta posição em Vênus procuram homens com características românticas galantes. O elemento dramático lhes agrada.

Se Vênus estiver sob tensão em Sagitário, é possível haver uma franqueza que ofende os sentimentos alheios, idealismo pouco prático nos romances e tendência a impor padrões religiosos e morais de maneira dogmática às pessoas amadas.

Vênus em Capricórnio

Vênus no signo de Capricórnio indica pessoas que precisam de *status* e riqueza para adquirirem segurança emocional. Com freqüência, procuram melhorar seu *status* casando-se com alguém de posição social mais elevada. Consideram mais conveniente apaixonar-se por alguém rico. Sentem-se atraídas por pessoas que possam levá-las a restaurantes caros e locais de prestígio. Orgulhosas e reservadas em seu comportamento público, não gostam de demonstrações públicas de emoção e afeto, considerando tal conduta indigna delas. Seu ar majestoso pode se basear no desejo de se sentirem superiores às pessoas comuns; algumas vezes, isso é visto pelos outros como esnobismo.

Devido à regência de Saturno em Capricórnio, as pessoas com esta posição de Vênus podem reprimir suas emoções e sua sexualidade, como as que têm Vênus em Virgem, mas são capazes de ser muito sensuais na vida particular. Elas atraem simpatia por sua tranqüila dignidade pessoal e requinte. Há também um ar de solidão, gerando um mistério sutil que agrada aos outros. Os traços clássicos bem delineados da beleza grega são típicos de Vênus em Capricórnio.

Quando se casam jovens, as pessoas com esta posição em Vênus procuram parceiros mais velhos e maduros. Entretanto, quando se casam mais tarde, escolhem parceiros mais jovens, a quem possam oferecer segurança e estabilidade em troca de afeto. Embora não o demonstrem abertamente, são fiéis e constantes com aqueles que amam, devido ao senso inato de responsabilidade pessoal nos relacionamentos importantes.

Na arte, possuem um forte senso de composição e estrutura; como Vênus em Sagitário, esta posição lhes oferece a atração por música clássica e outras formas tradicionais de arte que preservaram seu valor através dos tempos. Como possuem habilidade administrativa nas questões relacionadas à arte, podem se tornar antiquários, curadores de museus e diretores de galerias de arte.

Se Vênus estiver sob tensão em Capricórnio, é possível haver frieza emocional e preocupação excessiva com propriedades e bens materiais. Os motivos ocultos e interesseiros podem substituir os sentimentos; o casamento pode ser realizado por interesses financeiros e *status*.

Vênus em Aquário

Vênus no signo de Aquário está reagindo contra o materialismo e a fria exatidão de Vênus em Capricórnio. Ele indica uma visão emocional, impessoal, porém amigável. Os nativos desejam ser agradáveis com todos, mas não necessariamente numa base pessoal. São populares e queridos, e geralmente têm muitos amigos. Seus modos pessoais são animados, efervescentes e incomuns.

A atitude dessas pessoas com relação à moralidade social e sexual pode ser incomum, afastando-as das regras estabelecidas pela sociedade. Isso não significa que não tenham princípios, mas, pelo contrário, que possuem sua própria interpretação daquilo que é justo e importante. Como acontece com as que têm Vênus em Gêmeos e em Libra, essas pessoas consideram pouco atraentes os comportamentos grosseiros, embora elas próprias nem sempre observem os conceitos tradicionais de comportamento social.

As atrações românticas com freqüência são súbitas e casuais, não necessariamente estáveis ou duradouras. O indivíduo considera importante o estímulo intelectual no romance e no casamento e sente-se atraído por tipos originais ou excêntricos, assim como por aqueles que possam ajudá-lo a expandir sua manifestação social. O parceiro ou esposa deve ser um amigo e um amante, e compreender que ele precisa de variedade e estímulo mental, e não gosta de rotinas aborrecidas. Essas pessoas também não apreciam ciúmes e possessividade e se afastarão daqueles que procuram restringir sua liberdade social. Assim, se quisermos ficar próximos das pessoas com Vênus em Aquário, precisamos permitir que tenham liberdade em seus relacionamentos com os outros.

O ecletismo de Vênus em Aquário proporciona aos nativos preferências incomuns. Eles se sentem atraídos por formas de arte extremamente modernas ou extremamente antigas. Há um gosto por formas eletrônicas de arte, devido à regência de Urano em Aquário. A intuição sobre as tendências sociais, emocionais e pessoais dos outros pode estar muito desenvolvida, beirando a telepatia no que se refere ao estado emocional das pessoas.

Se Vênus estiver sob tensão em Aquário, os hábitos sexuais podem ser excêntricos e promíscuos. Essas pessoas pretendem sinceramente permanecer constantes em seus sentimentos, mas seu ponto de vista emocional está sujeito a súbitas mudanças radicais, que podem provocar a ruptura de antigos relacionamentos ou criar novos — e sem nenhuma razão aparente. A motivação oculta com freqüência se encontra no desejo de maior liberdade pessoal ou novas experiências. Elas talvez não consigam atuar dentro dos limites do casamento ou de outros relacionamentos duradouros. Podem ter comportamentos emocionais de muita teimosia e, assim, se recusam a considerar o ponto de vista dos outros. Como Aquário é um signo fixo, se Vênus estiver bem aspectado pode haver dedicação constante a alguém que verdadeiramente amam e respeitam.

Vênus em Peixes

Vênus no signo de Peixes está em sua exaltação. Aqui, o princípio do amor atinge seu desenvolvimento evolucionário mais elevado; os nativos se casam por amor, e outras razões não têm a menor conseqüência. Vênus neste signo manifesta profunda compaixão e simpatia, que chegam quase à espiritualidade — a compreensão e unidade com a vida. A universalidade de Vênus em Aquário, combinada à empatia e profundidade emocional de Peixes — que é regido por Netuno —, cria uma harmonia emocional com a vida de todas as criaturas do universo. O indivíduo enxerga o princípio da Vida Eterna fluindo através de toda manifestação, unificando a alma com todas as formas de vida. Essas pessoas possuem elevada capacidade para compreender os sentimentos dos outros; sabem o que é estar na pele de outra pessoa. A experiência de ter passado por todos os signos do Zodíaco oferece à alma a capacidade para se identificar com todos os tipos de humanidade.

As pessoas com esta posição de Vênus são românticas e sensíveis. A não ser que recebam demonstrações claras de amor e afeto dos outros, sentem-se sozinhas e desapontadas. Algumas vezes, o desapontamento leva a um sentimento de martírio, que pode ser sublimado em manifestações religiosas; ou a tendências neuróticas ou doença mental. A regência netuniana de Peixes oferece a Vênus inspiração intuitiva, tornando estas pessoas capazes de recorrer a dimensões mais elevadas para obterem recursos em suas criações artísticas, poéticas e musicais; muitos grandes compositores, poetas e artistas têm Vênus em Peixes. Esta posição de Vênus provavelmente possui mais habilidades inatas para a criatividade artística do que outras colocações.

Como os nativos são muito sensíveis ao sofrimento dos outros, as pessoas podem se aproveitar de sua compreensão, a menos que seu discernimento esteja bem desenvolvido. Sua extrema sensibilidade emocional significa que eles com freqüência têm medo de serem magoados pela rejeição; assim, hesitam em expressar seus sentimentos, sofrendo as angústias do amor em silêncio. Algumas vezes perdem oportunidades românticas. Tendem a se tornarem emocionalmente dependentes dos outros ou a tornar os outros emocionalmente dependentes deles.

Se Vênus estiver sob tensão em Peixes, há tendência a um sentimentalismo excessivo, falta de discernimento na escolha dos objetos do amor, preguiça, hipersensibilidade e excesso de dependência dos outros. As emoções fortes podem impedir a percepção objetiva da realidade.

Vênus nas Casas

Vênus nas casas nos mostra como uma pessoa se expressa socialmente, romanticamente e artisticamente nos diversos setores de sua vida. Por exemplo, alguém com Vênus na Décima Casa se manifestaria artisticamente em sua carreira e teria relacionamentos íntimos com pessoas ligadas ao seu trabalho ou profissão; poderia se casar com alguém que conheceu em sua profissão.

A casa ou setor da vida em que Vênus se encontra indica o tipo de pessoas com quem o nativo estabelece relacionamentos sociais, amizades e romances.

Vênus na Primeira Casa

Vênus na Primeira Casa indica pessoas que possuem graça pessoal, modos agradáveis e um comportamento amigável. Esta posição é especialmente favorável no horóscopo de uma mulher, porque confere beleza física. Geralmente, a infância é feliz, o que conduz a uma opinião favorável sobre a vida. Vênus na Primeira Casa também mostra que a pessoa é socialmente expansiva e ativa em seus esforços para desenvolver amizades e romances.

As pessoas com esta posição gostam de roupas bonitas e de tudo o que realce sua aparência pessoal. Sua capacidade natural para se relacionar socialmente provavelmente resulta em oportunidades românticas, matrimoniais e nos negócios. O talento pode se manifestar na arte, na música ou em outro tipo de expressão artística.

Vênus na Segunda Casa

Vênus na Segunda Casa indica amor à riqueza, a coisas belas, objetos de arte e adornos pessoais — em geral, todas as coisas adoráveis que o dinheiro pode comprar. Os nativos também buscam a riqueza para atingir *status* social. No romance ou casamento, procuram parceiros ricos, que possam lhes proporcionar os confortos materiais que desejam. Esta posição confere talento nos negócios, especialmente naqueles relacionados à arte.

Os artistas com Vênus bem aspectado nesta casa têm boa chance de ganhar dinheiro com sua arte.

As mulheres com esta posição em Vênus geralmente são extravagantes, e os homens tendem a gastar muito dinheiro com suas amizades femininas. Esta posição de Vênus recebe ajuda dos amigos e dos contatos sociais, levando a acordos em negócios e a posições que trazem riqueza.

Vênus na Terceira Casa

Vênus na Terceira Casa indica interesse intelectual em atividades artísticas e culturais. Há um amor especial pela literatura e pela poesia, e capacidade de se comunicar harmoniosamente por meio da fala — especialmente ao telefone — e da escrita. As pessoas com esta posição podem ser bons artistas, eruditos e escritores.

Há muita movimentação e viagens curtas, por prazer e obrigação social. As pessoas com Vênus na Terceira Casa tendem a analisar os relacionamentos românticos e contatos sociais de maneira intelectual. Geralmente se comunicam facilmente com seus cônjuges e amigos íntimos; têm bom relacionamento com irmãos, irmãs e vizinhos. Os contatos sociais e românticos são realizados com vizinhos ou pessoas conhecidas em atividades comunitárias e intelectuais. São pessoas que escrevem lindas cartas de amor e poemas românticos.

As relações sociais e românticas estabelecidas por intermédio de jornais e periódicos provavelmente serão resultado de Vênus na Terceira Casa.

Vênus na Quarta Casa

Vênus na Quarta Casa indica uma ligação emocional ao lar e ao cenário doméstico. Os relacionamentos com os membros da família serão harmoniosos, a não ser que Vênus ou a Quarta Casa estejam sob tensão.

Os nativos gostam de receber seus amigos íntimos e namorados em casa, onde podem cozinhar para eles e criar um ambiente aconchegante, pessoal. O lar desses nativos é sempre artisticamente decorado, de maneira tão bela quanto suas posses lhes permitam.

A proximidade emocional com os pais está indicada, e muita alegria vem por intermédio deles. Heranças podem vir dos pais. Há a promessa de beleza e conforto no final da vida. Há amor pela terra, flores, jardinagem e vegetação exuberante, e um amor patriótico pelas belezas naturais da terra natal.

Vênus na Quinta Casa

Vênus na Quinta Casa indica uma forte inclinação para o prazer e uma natureza romântica. Há amor pela vida, com um ponto de vista otimista. O romance é de importância fundamental. Se Vênus na Quinta Casa estiver bem aspectado, haverá felicidade e prazer no romance, e muitas oportunidades românticas. As pessoas com esta posição geralmente são populares e queridas. Amam as artes e podem ser muito talentosas, especialmente nas artes dramáticas. Freqüentam teatros e assistem apresentações musicais em suas atividades sociais e românticas.

Esta posição de Vênus proporciona um profundo amor pelas crianças. Ela também cria pais amorosos, professores e psicólogos infantis. Os filhos desses nativos provavelmente serão meninas com talento artístico e beleza física.

Vênus na Sexta Casa

Vênus na Sexta Casa indica atividades sociais e envolvimentos românticos estabelecidos no trabalho. O trabalho geralmente está ligado a atividades artísticas ou acontecimentos sociais. São típicos o amor pelo trabalho e relacionamentos harmoniosos e amigáveis com colaboradores, empregados e patrões. As condições de trabalho podem ser belas e harmoniosas. As pessoas com esta posição com freqüência se casam com alguém que conhecem em seu trabalho.

Esta posição oferece o gosto por roupas bonitas e habilidade na criação e confecção de roupas. O afeto com freqüência é dedicado a animais de estimação.

A saúde é boa, porém não muito resistente; essas pessoas podem ter boa saúde se não abusarem. Após o casamento, muitas vezes a saúde melhora.

Vênus na Sétima Casa

Vênus na Sétima Casa indica habilidade social e um casamento feliz se Vênus ou a Sétima Casa não estiverem sob tensão. Os nativos têm muita popularidade devido às suas maneiras agradáveis e consideração pelos outros. Há habilidade para lidar com o público, favorável para aqueles que se dedicam à psicologia, vendas, relações públicas e artes dramáticas.

O casamento e amizades íntimas são muito importantes para essas pessoas. Elas procuram o casamento para sua satisfação romântica e pela felicidade que ele oferece. Geralmente se casam cedo e obtêm prosperidade social e financeira por intermédio do casamento. Manifestam amor em seus relacionamentos pessoais e, conseqüentemente, recebem amor de volta.

Essas pessoas raramente precisam se envolver em ações judiciais, porém, quando o fazem, tentarão resolver o assunto sem recorrer a um tribunal.

Vênus na Oitava Casa

Vênus na Oitava Casa indica lucros financeiros por intermédio do casamento, outras sociedades e relações sociais. Com freqüência, esta posição indica uma herança, a não ser que Vênus ou a Oitava Casa estejam sob tensão. Se Vênus estiver sob muita tensão aqui, há tendência a uma natureza muito sensual ou ênfase excessiva ao sexo. O casamento também pode ser motivado pela possibilidade de ganhos financeiros.

A posição da Oitava Casa proporciona emoções excessivamente intensas e, algumas vezes, ciúmes e possessividade, porque aqui Vênus está na casa de Escorpião, o signo de seu detrimento.

Vênus na Nona Casa

Vênus na Nona Casa indica amor pela filosofia, pela religião e pela arte. As pessoas com esta posição com freqüência fazem longas viagens por prazer.

Os parceiros no casamento e outros importantes contatos sociais e românticos podem acontecer por intermédio de universidades e igrejas, durante longas viagens ou em países estrangeiros. Podem ocorrer fortes ligações com estrangeiros ou pessoas de outras raças e religiões. Os nativos possuem ideais elevados sobre o amor. Podem tentar converter as pessoas amadas a suas próprias opiniões religiosas ou filosóficas. Essas pessoas geralmente são bem-informadas no que se refere à história cultural e artística. Em alguns casos, tornam-se especialistas nessas áreas. Vênus nesta casa muitas vezes proporciona amor à música e à arte religiosas.

Pode haver relacionamentos harmoniosos, lucrativos, com pessoas da família.

Vênus na Décima Casa

Vênus na Décima Casa indica ambição social e artística. O indivíduo provavelmente irá escolher uma profissão relacionada às artes e, se possuir talento artístico, tem boa chance de reconhecimento. É provável que procure se casar com alguém capaz de lhe proporcionar *status* e riqueza. Podem existir boas relações e amizade com patrões e pessoas em posições de poder. Esta posição de Vênus proporciona às pessoas sucesso nos contatos com o sexo oposto, o que pode favorecer suas carreiras.

Se Vênus estiver sob tensão na Décima Casa, o nativo pode ser socialmente ambicioso ou alguém que esquece seus velhos amigos assim que realiza suas ambições sociais.

Vênus na Décima Primeira Casa

Vênus na Décima Primeira Casa indica amizades sinceras e relacionamentos estabelecidos por meio de atividades em grupo. A generosidade com os amigos assegura que esta será recebida deles. Por essa razão, as esperanças e desejos têm boa chance de se realizarem. Com Vênus nesta casa certamente haverá muitos amigos do sexo oposto. As amizades também são estabelecidas com artistas e músicos.

O parceiro no casamento com freqüência é apresentado por amigos ou conhecido em atividades de grupo e, conseqüentemente, irá partilhar dessas atividades. Os amigos com freqüência tornam-se namorados, e os namorados, amigos.

Vênus na Décima Segunda Casa

Vênus na Décima Segunda Casa indica amor pela tranqüilidade e solidão. Os contatos pessoais e sociais com freqüência são reservados, e podem ocorrer casos secretos de amor. A timidez social pode levar à solidão ou à frustração romântica.

Há uma harmonia emocional e artística com a mente inconsciente, que pode proporcionar profunda inspiração artística. Grande parte do comportamento social é motivado por um nível inconsciente. As pessoas com esta posição são gentis e compreensivas com aqueles que se encontram em dificuldades; seus próprios sentimentos são sensíveis, e elas se magoam com facilidade. Há muita compaixão nesta posição, porque ela corresponde ao signo de Peixes, no qual Vênus está exaltado.

Marte nos Signos

A posição de Marte nos signos do Zodíaco oferece informações sobre a maneira de agir característica da pessoa quando influenciada pelo princípio do desejo. O signo de Marte também indica quais os tipos de expressão através dos quais a pessoa irá agir. Quando Marte está sob tensão, a raiva e o comportamento impulsivo, por exemplo, podem ser expressões inerentes. A posição do signo irá mostrar a forma assumida por este comportamento emocional impulsivo. Por exemplo, quando Marte está em Gêmeos, pode haver tendência a discussões.

A posição de Marte no signo também indica o tipo característico de ambição da pessoa, que pode nos dizer muito sobre o tipo de trabalho que ela realiza. Devemos lembrar que o desejo conduz à ambição, como nos mostra a exaltação do signo, Marte em Capricórnio. Como a ação impulsiva e manifestações vigorosas de energia com freqüência conduzem ao perigo, a posição de Marte também mostrará como o perigo e a violência entram na vida da pessoa.

Marte em Áries

Marte em Áries caracteriza uma energia irreprimível que precisa encontrar uma maneira de se expressar. Esta é a posição básica do impulso inicial para a ação e auto-expressão, conduzindo à experiência evolucionária. Marte neste signo indica energia, iniciativa, coragem e impulsividade. O impulso de realizar coisas leva à criatividade e ao início de muitos novos projetos. Há capacidade de liderança, no sentido de que as pessoas com Marte em Áries podem tomar a iniciativa e dar entusiasmo aos outros. Elas têm um grande desejo de serem as primeiras. Contudo, podem não ter a habilidade de organização de Capricórnio e a persistência de Leão; assim, podem não manter seu interesse e entusiasmo o tempo suficiente para terminarem um projeto. As crianças com esta posição devem aprender a concluir suas tarefas.

Esta posição de Marte cria pessoas teimosas e independentes. Elas não irão tolerar oposições ou interferências. A posição pode levar ao sucesso se os nativos puderem aprender a pensar antes de agir; do contrário, a ação cega pode conduzir a perigos e enganos.

As pessoas com esta posição são muito competitivas; gostam de esportes e jogos físicos nos quais possam utilizar sua força e coragem contra seus adversários. Os astros do futebol ou das corridas, por exemplo, provavelmente têm Marte em Áries. Esses nativos também possuem a habilidade ou tendência para trabalhos que envolvem máquinas em geral. Muitos fãs de carros esporte e com motor envenenado possuem Marte neste signo.

Essas pessoas com freqüência recebem ferimentos na cabeça. Quando estão doentes, têm febres altas, mas também são capazes de sobreviver a febres que matariam outras pessoas.

Se Marte estiver sob tensão em Áries, há a possibilidade de haver egoísmo, agressividade e raiva. Embora essas pessoas possam ter temperamentos violentos, sua raiva passa logo, ao contrário daqueles que têm Marte em Escorpião. Elas precisam aprender a manifestar mais amor e paciência.

Dane Rudhyar mostra que a agressividade de Marte em Áries é uma reação psicológica contra um sentimento inconsciente de inferioridade; isso se manifesta como uma reação contra a desordem e confusão de Peixes, que foi a experiência evolucionária anterior da alma. Conseqüentemente, essas pessoas têm uma grande necessidade de reafirmar seu valor através de manifestações nítidas de força e coragem.

Marte em Touro

Como Marte no signo de Touro mostra forte desejo por dinheiro, muita energia é utilizada para adquirir dinheiro e bens materiais. Esta posição de Marte indica senso prático, e assim a energia é canalizada para tarefas úteis, que irão produzir resultados concretos.

Marte em Touro está no signo de seu detrimento, oposto ao signo de Escorpião, que é regido por Marte. Portanto, a energia e a ação de Marte serão dificultadas por obstáculos materiais e limitações. Como Touro é um signo de terra, o intenso plano material não responde tão rapidamente quanto Marte gostaria. As pessoas com esta posição de Marte são lentas para agir, mas assim que um curso de ação tenha sido escolhido possuem grande determinação e perseverança. Embora não sejam especialmente agressivas, se forçadas a lutar, esta posição as tornará fortes e resolutas.

Marte em Touro pode produzir artesãos habilidosos, capazes de grande paciência e precisão no uso de ferramentas; eles criam objetos adoráveis e duráveis. Com freqüência utilizam materiais sólidos, duradouros, como metal e pedra.

Se Marte em Touro estiver sob tensão, podem ocorrer uma preocupação com sexo e sensualidade e uma ligação excessiva ao dinheiro e bens materiais. Essas pessoas podem ser ciumentas e possessivas, especialmente no que se refere ao amor e ao sexo. A violência que surge do ciúme sexual com Marte em Touro pode ser tão intensa quanto com Marte em Escorpião.

Marte em Gêmeos

Marte no signo de Gêmeos indica atividade mental e agressividade. As pessoas com esta posição de Marte possuem mentes ativas e críticas, e, via de regra, habilidades para a mecânica e a engenharia.

Esta posição oferece o gosto pelo debate e discussões intelectuais. Se Marte estiver sob tensão, é possível haver tendência a discutir e irritabilidade. A engenhosidade e habilidade são típicas desta posição, porém não necessariamente a perseverança, a não ser que outros fatores no horóscopo a indiquem.

Repórteres, críticos e jornalistas com freqüência possuem Marte em Gêmeos. Uma grande inquietação acompanha esta posição, levando a muitas mudanças de ocupação, e essas pessoas podem trabalhar simultaneamente em diversos empregos. Se Marte estiver sob tensão em Gêmeos, o discurso pode ser sarcástico e grosseiro.

Marte em Câncer

Marte no signo de Câncer está em sua queda, pois Câncer está oposto a Capricórnio, onde Marte está exaltado; conseqüentemente, as pessoas com esta posição de Marte podem ser intensamente emotivas. O mau humor e frustrações emocionais levam à raiva, que, se manifestada abertamente, provoca discórdia nas relações domésticas. O relacionamento com os pais pode ser desarmonioso, criando problemas psicológicos mais tarde. Se a raiva for reprimida, ela também resulta em problemas psicológicos e provavelmente provocará úlceras e problemas estomacais.

Pode haver também muita agressividade nas relações domésticas, que é uma área inadequada para a manifestação de tanta energia. A energia de Marte em Câncer, entretanto, pode ser utilizada de maneira proveitosa na construção ou melhoria do lar por meio da carpintaria e outros reparos. Muitos homens que gostam de fazer consertos têm esta posição. Há também um desejo definido de ter e dirigir seu próprio lar.

Marte em Leão

Marte no signo de Leão oferece energia, força de vontade e criatividade. Como grande parte dessa habilidade se manifesta nas artes, muitos atores dramáticos possuem Marte neste signo.

Como Marte em Áries, esta posição revela iniciativa positiva; porém a estabilidade e a determinação são maiores porque Leão é um signo fixo. Há uma habilidade natural para a liderança, pois a autoconfiança de Marte em Leão inspira confiança nos outros. Essas pessoas desejam estar na vanguarda dos acontecimentos e são competitivas nas atividades que consideram importantes. Possuem crenças e opiniões fortes e firmes, que podem criar oposição daqueles que não concordam com elas.

Marte neste signo também revela desejos firmes, ardentes. Embora as pessoas com Marte em Leão geralmente sejam amantes ardentes, também são capazes de sentir ciúmes e possessividade. Os homens transpiram força e masculinidade e são orgulhosos e decididos. As pessoas com Marte nesta posição tendem a perder cabelo prematuramente. A natureza ardente de Marte queima as raízes do cabelo.

Se Marte estiver sob tensão em Leão, podem ocorrer tendências egotistas e maneiras autoritárias, com inclinações a dominar os outros. Há também uma tendência a acreditar na própria infalibilidade.

Marte em Virgem

Marte no signo de Virgem revela energia e habilidade no trabalho. Como acontece com Marte em outros signos de terra, muitos artesãos habilidosos, como mecânicos de precisão, possuem Marte neste signo. Marte rege as operações e os instrumentos afiados, e Virgem é um signo que lida com a saúde, indicando também habilidade na medicina: os cirurgiões com freqüência têm Marte nesta posição.

As pessoas com esta posição de Marte planejam cuidadosamente suas ações e as executam sistematicamente. É improvável que ajam sem boas razões práticas. Ao contrário de Marte em Leão, que gosta de dominar em questões mais amplas, Marte em Virgem deseja ser autoridade em detalhes minuciosos. Há uma forte tendência ao perfeccionismo, que pode impedir a realização completa das coisas. Essas pessoas são meticulosas e muito críticas, especialmente no que se refere à metodologia e à precisão. Insistem em ter um ambiente de trabalho bem organizado.

Se Marte estiver sob tensão em Virgem, podem existir divergências com colaboradores, empregados e patrões, algumas vezes tão pronunciadas que chegam a ameaçar a segurança no emprego. Pode também haver o perigo de acidentes no trabalho. Um Marte sob tensão em Virgem pode provocar um temperamento nervoso e irritável.

Marte em Libra

Marte no signo de Libra oferece um forte impulso para agir num contexto social. Marte está em seu detrimento, porque Libra é o signo oposto a Áries, que Marte rege; portanto, a ação direta de Marte fica um tanto limitada pela necessidade de aprovação e colaboração dos outros.

Como Libra é um signo cardinal que lida com sociedades e relações com o público, as pessoas com esta posição em Marte são iniciadoras de atividades sociais. Elas desejam ser notadas e apreciadas, e gostam de agir em parceria com os outros. Há um anseio pelo casamento e pela gratificação emocional que ele pode proporcionar; essas pessoas procuram parceiros agressivos, fortes. Têm também uma tendência a confundir seus próprios desejos e ambições com os dos outros.

Libra empresta graça e requinte às tendências agressivas e egoístas de Marte; devido a esta moderação, esta não é uma posição totalmente desfavorável. De todos os planetas, Marte é o que mais necessita de moderação e modificação através de outras qualidades, e neste signo Vênus oferece refinamento social, e Saturno, disciplina e prudência. As pessoas com esta posição, entretanto, podem se tornar iradas quando os princípios de justiça são violados, mesmo que elas próprias não sejam as vítimas. Sua preocupação com os princípios morais se origina da constatação de que a injustiça revela a fraqueza moral de seu perpetrador, que também poderia se voltar contra elas.

Se Marte estiver sob tensão em Libra, há tendência à austeridade no que se refere às regras de comportamento social; os nativos podem ter uma atitude que demonstra que o jogo deveria ser jogado de acordo com regras estabelecidas. Se Marte estiver sob muita tensão, podem existir dificuldades nas sociedades, criadas por discussões e conflitos de vontade.

Marte em Escorpião

Marte no signo de Escorpião indica emoções e desejos poderosos. Essa tremenda intensidade emocional oferece aos nativos uma coragem inflexível e meticulosidade na execução daquilo que pretendem realizar. Ela pode levar ao auge da realização espiritual ou às profundezas mais inferiores da degradação moral, dependendo do nível de sabedoria e do tipo de motivação que orienta a energia.

Essas pessoas possuem engenhosidade, coragem e energia, especialmente quando enfrentam situações difíceis. Mesmo a possibilidade da morte não as amedronta, se precisarem enfrentá-la para atingir seus objetivos. São capazes de lutar implacavelmente até o fim em defesa de seus princípios. As duas centenas de soldados espartanos que refrearam os invasores persas são um exemplo do princípio de Marte em Escorpião.

O poderoso impulso sexual que acompanha Marte em Escorpião, se erroneamente motivado, pode resultar em possessividade e intenso ciúme. As pessoas com esta posição tendem a assumir uma atitude de tudo ou nada, dificultando um acordo. Como para elas é muito difícil a neutralidade ou a indiferença, fazem amigos ou inimigos entre as pessoas com quem mantêm contatos constantes. São reservadas e não revelam seus planos e ações sem um bom motivo. Precisam aprender a ter maior desprendimento e objetividade.

Há perigo de vulgaridade e grosseria nesta posição, pois, às vezes, estas pessoas não levam em consideração os sentimentos de pessoas menos vigorosas do que elas.

Quando Marte está sob tensão em Escorpião, é possível haver raiva intensa e ressentimento, mas, ao contrário da raiva de Marte em Áries, esses sentimentos não são facilmente esquecidos. As pessoas com esta posição podem guardar rancor, alimentando sua raiva como o vapor em uma panela de pressão, até que o efeito de sua manifestação seja desastroso. Conseqüentemente, são o tipo de inimigo mais perigoso. Se Marte estiver sob muita tensão em Escorpião, há uma tendência a dominar os outros emocionalmente, forçando-os à submissão e à servidão.

Marte em Sagitário

Marte no signo de Sagitário revela fortes convicções religiosas e filosóficas. As pessoas com esta posição são cruzados pelas causas que abraçam. Algumas vezes, criam ressentimentos ao tentarem converter os outros a suas próprias crenças dogmáticas. Como Júpiter está exaltado em Câncer — que rege a terra natal — e é o planeta regente de Sagitário, com freqüência há um forte sentimento de patriotismo. Os nativos gostam de pensar em si mesmos como leais defensores de Deus e da pátria. Gostam de paradas, desfiles militares e música marcial.

Essas pessoas são capazes de agir por motivos idealistas. De acordo com o nível de sua inteligência, procurarão melhorar a ordem social em que vivem. O líder escoteiro é um exemplo deste tipo de pessoa. Há um forte amor pelos esportes e jogos ao ar livre; as pessoas que gostam de caçar com freqüência têm Marte em Áries ou Sagitário. Essas pessoas gostam da aventura e da excitação de lugares distantes e de viagens. Procuram ser líderes no direito, na religião, na filosofia e na educação superior; mas geralmente seguirão linhas tradicionais, e podem ser agressivamente presunçosas a esse respeito. O desejo de aventura para a realização de metas de longo alcance pode fazer com que desperdicem sua energia e ignorem coisas que necessitam de atenção em seu ambiente imediato.

Se Marte estiver sob tensão em Sagitário, pode haver tendência a um discurso sarcástico, falta de diplomacia na manifestação de opiniões, incapacidade para considerar as opiniões dos outros, petulância e o desejo de liberdade irrestrita, a todo custo. Em alguns casos, os nativos tendem a se identificar com instituições que tenham adquirido poder, o que pode levar à atitude petulante de que "o poder é certo". Quando levada ao extremo, essa tendência se manifesta em fanatismo político, filosófico ou religioso, que destrói a justiça.

No lado positivo, estas pessoas são diretas e abertas em suas atitudes e ações. Possuem senso de justiça nos esportes e outras competições. Lutarão ferozmente, porém geralmente consideram as táticas desleais indignas de sua dignidade. Contudo, tendem a interpretar as regras do jogo em seu próprio benefício.

Marte em Capricórnio

Marte no signo de Capricórnio revela grande energia canalizada na ambição profissional. Esta posição é menos sensual do que Marte em Escorpião ou em Touro, mas pode ser extremamente materialista. O desejo de reconhecimento e *status* elevado é intenso; as ações dos nativos são bem organizadas e cuidadosamente calculadas, visando resultados concretos em termos de dinheiro e progresso profissional. O sucesso profissional proporciona a habilidade para satisfazer as necessidades materiais do eu, da família e outros dependentes. Por isso, muitos executivos que lutaram para atingir posições elevadas em suas organizações têm Marte em Capricórnio ou na Décima Casa, assim como políticos e outras pessoas que buscam reconhecimento e fama.

Marte está exaltado em Capricórnio, porque a organização e a disciplina de Saturno — o planeta regente de Capricórnio — utiliza a energia de Marte de maneira mais prática e eficiente. Como ocorre com Marte em Virgem, os nativos precisam ter razões práticas para tudo o que fazem. A tendência de Marte em Áries, contudo, é dissipar energia em ações não dirigidas. Como Capricórnio é um signo cardinal, essas pessoas são mais capazes de ações decisivas do que as que têm Marte em qualquer outro signo de terra, ou em outro signo fixo ou mutável. Elas talvez não gastem tanta energia quanto aqueles que possuem Marte em Áries, nem tenham a intensidade emocional daqueles que apresentam Marte em Escorpião, mas a energia que despendem é utilizada de maneira mais eficiente.

Geralmente, possuem elevado grau de autocontrole e disciplina; são capazes de receber ordens das pessoas que ocupam o poder e de executá-las adequadamente, mas esperam a mesma disciplina e obediência daqueles que estão sob sua autoridade. Muitos homens que seguem carreiras políticas têm Marte em Capricórnio.

Essas pessoas sentem orgulho ao realizarem um trabalho corretamente, e um desprezo igual pela preguiça e falta de ambição. São aquelas que mais desprezam o tipo de vida dos *hippies*. Os pais com esta posição desejam que seus filhos tenham valor. Para eles, é muito perturbador se os filhos demonstrarem tendências boêmias e levarem uma vida de inatividade.

Se Marte estiver sob tensão em Capricórnio, há uma tendência a usar as pessoas para obter *status* e lucros materiais. Na intensidade de sua ambição material os nativos podem ignorar os valores humanos. Se Marte estiver sob muita tensão, podem ignorar totalmente os direitos alheios. A atmosfera de competição feroz no nível executivo de amplas organizações é típica da expressão negativa de Marte em Escorpião. Essas pessoas podem ganhar a reputação de calculistas, egoístas e materialistas. Mas essas qualidades negativas podem ser compensadas se outros fatores no horóscopo estiverem bem desenvolvidos.

Se Marte estiver sob tensão em Capricórnio, há o perigo de fraturas ósseas.

Marte em Aquário

Marte no signo de Aquário revela o desejo de independência para buscar cursos de ação incomuns ou não-ortodoxos. Os nativos exigem a liberdade de fazer as coisas à sua maneira. Suas ações podem ser inspiradas por um nível de inteligência superior, associado a uma boa capacidade de organização, que pode conduzir ao trabalho nas áreas de eletrônica, mecânica e engenharia. Além disso, se a energia for bem orientada, podem ocorrer valiosas realizações no trabalho humanitário, relacionadas a empreendimentos científicos e inventivos; pode-se realizar mais no trabalho conjunto do que em esforços individuais, se a lição da colaboração com o grupo for aprendida.

Esta posição de Marte cria tendências reformistas que se transformam em ações. Os nativos planejam métodos originais de fazer coisas e desdenham os métodos e pontos de vista tradicionais, a não ser que esses se adaptem à experiência prática e à lógica. A tradição só é respeitada se merecer respeito, ao contrário de Marte em Capricórnio, onde as ordens são obedecidas apenas porque são ditadas pela autoridade. Conseqüentemente, as pessoas com Marte em Aquário não atuam bem sob orientação autoritária. Precisam fazer as coisas à sua maneira e aprender com seus próprios erros. Contudo, correm o risco de rejeitar métodos e maneiras mais antigos antes de serem capazes de substituí-los por alguma coisa melhor. Assim, o resultado de suas ações pode ser construtivo ou destrutivo, dependendo do grau de sabedoria e maturidade indicado pelo padrão total do horóscopo.

No ano de 1971, Marte estava no signo de Aquário, onde entrou em 4 de maio e permaneceu até 6 de novembro. Durante esse período, quando o planeta se encontrava numa posição estacionária e em movimento retrógrado, vieram ao mundo muitas almas que serão os líderes de uma nova maneira de viver. Elas terão as habilidades especiais de Marte em Aquário, formando trígono com Urano em Libra, que irá criar um equilíbrio entre os conceitos sociais inspirados e a ação necessária para colocá-los em prática.

Se Marte estiver sob tensão em Aquário, pode haver o desejo de destruir a ordem estabelecida em vez de regenerá-la e melhorá-la. Muitos revolucionários possuem Marte em Aquário. As pessoas com Marte sob tensão neste signo precisam aprender a arte de atuar harmoniosamente com amigos e grupos.

Se Marte estiver sob tensão em Aquário, podem ocorrer problemas com a circulação do sangue.

Marte em Peixes

Marte no signo de Peixes revela emoções fortes originadas da mente inconsciente. Os nativos correm o perigo de nutrir ressentimentos inconscientes; a raiva reprimida pode conduzir a tendências neuróticas e sintomas psicossomáticos. Essas pessoas devem aprender a não nutrir ressentimentos a respeito de coisas do passado.

Esta geralmente é considerada uma posição fraca para Marte, porque Peixes é um signo mutável de água, indicando ausência de força. O excesso de sensibilidade emocional impede a autoconfiança e a ação direta e decisiva. Essas pessoas preferem manifestar suas discordâncias ou ressentimentos de maneira sutil. Tendem a agir em segredo, como meio de evitar a confrontação direta com adversários em potencial. Podem se tornar muito emotivas e propensas às lagrimas e necessitam de períodos de tranqüilidade ou solidão para recuperar sua energia.

As pessoas com esta posição atuam melhor nos bastidores, realizando tarefas que exigem sutileza e sensibilidade intuitiva. Haverá ausência de força, a menos que esta seja proporcionada por outros fatores no horóscopo, como Sol, Saturno, Urano ou Plutão fortes. Esta posição pode auxiliar a manifestação artística e musical, e, se bem aspectada, pode ser favorável àqueles que trabalham na área da psicologia. Ela também favorece os que trabalham em hospitais ou outras grandes instituições.

Se Marte estiver sob muita tensão em Peixes, há uma tendência a dominar os outros, exigindo atenção aos problemas pessoais de natureza psicológica ou física.

Marte nas Casas

Marte nas casas indica os setores da vida nos quais uma pessoa expressa seus desejos e ações. Ele mostra onde essa pessoa deve utilizar a energia e iniciativa para obter resultados. Quando Marte está sob tensão, a posição na casa mostra em que áreas existe a possibilidade de conflitos.

Marte na Primeira Casa

Marte na Primeira Casa indica pessoas agressivas, expansivas, que possuem muita energia. O corpo físico com freqüência é forte e musculoso, proporcionando uma aparência de força e vigor. Elas não se contentam em ser espectadores da vida; precisam estar diretamente envolvidas na ação. São impulsivas, especialmente se Marte estiver em um signo cardinal. Uma vez que Marte na Primeira Casa possui muitas semelhanças com Marte em Áries, as pessoas com esta posição conseguirão melhores resultados se aprenderem a pensar antes de agir.

Essas pessoas são ambiciosas e capazes de trabalhar muito. Seu impulso competitivo faz com que busquem reconhecimento e aprovação dos outros.

Se Marte estiver sob tensão, há o perigo de serem egotistas e teimosas; se sentirem que são suficientemente fortes para seguir seu próprio caminho, não terão escrúpulos para fazê-lo. Assim, Marte sob tensão nesta posição pode indicar desprezo pelos direitos e sentimentos dos outros; periodicamente, podem ocorrer violentos acessos de raiva e combatividade.

Esta posição de Marte indica gosto pelos esportes e outras formas de exercícios físicos vigorosos. Com freqüência, o corpo é forte e musculoso, com aparência de força e vigor. Esta posição é favorável para os homens, porque os torna fortes e masculinos.

A energia e a resistência físicas dessas pessoas lhes permitem realizar duas vezes mais tarefas do que as pessoas comuns, desde que a energia esteja bem orientada. Se o resto do horóscopo mostrar inteligência e capacidade de autodisciplina, elas com freqüência conseguem realizar grandes empreendimentos.

Esta posição de Marte insiste na liberdade de ação pessoal e não irá tolerar a interferência dos outros. A capacidade para agir, a autoconfiança e a coragem criam a liderança, mas não necessariamente habilidades administrativas e de organização, a não ser que essas qualidades sejam proporcionadas por outros fatores no horóscopo.

Se Marte estiver sob muita tensão, pode haver tendência a se envolver em lutas físicas. Além disso, a impulsividade emocional imprudente pode conduzir à negligência com a saúde e a segurança. Com freqüência essas pessoas têm uma cicatriz na cabeça ou no rosto.

As pessoas com Marte na Primeira Casa tendem a ter febres altas quando doentes, como as pessoas com Marte em Áries. Se Marte estiver em um signo de fogo, os nativos muitas vezes têm cabelos ruivos. Os homens com esta posição, em um signo de fogo, provavelmente perdem o cabelo precocemente.

Marte na Segunda Casa

Marte na Segunda Casa indica um desejo ativo de lucros financeiros e bens materiais. Embora a iniciativa dos nativos nos negócios lhes proporcione boa habilidade para ganhar dinheiro, eles são impulsivos em seus gastos, com freqüência esgotando seus recursos financeiros assim que são obtidos. Conseqüentemente, precisam verificar cuidadosamente o valor e o objetivo de seus gastos.

Essas pessoas desejam controlar seus próprios negócios e com freqüência irão iniciá-los, em vez de entrarem em organizações pertencentes a outras pessoas. São competitivas nas finanças e nos negócios e procuram demonstrar seu valor por meio da habilidade para ganhar dinheiro. Portanto, estão sempre ansiosas para superar seus concorrentes.

Seus negócios podem estar relacionados à mecânica.

Elas lutarão para proteger sua propriedade pessoal. Quando os outros tomam aquilo que não lhes pertence, ficam indignadas. Por outro lado, irão se desfazer de mercadorias para obter favores ou causar boa impressão.

Se Marte estiver sob tensão na Segunda Casa, pode haver uma preocupação excessiva com os valores materiais. Nos horóscopos de tipos menos evoluídos, pode haver brigas e furtos, ou outro tipo de desonestidade, para adquirir bens materiais ou satisfazer desejos.

Marte na Terceira Casa

Marte na Terceira Casa indica um intelecto agressivo, ativo. A habilidade mental assegura um raciocínio rápido em situações de emergências. Contudo, há uma tendência a tirar conclusões precipitadas.

As pessoas com Marte na Terceira Casa podem ser diretas e algumas vezes sarcásticas em seu discurso. Fazem valer seus direitos de forma agressiva, visando obter ou transmitir informações; muitos repórteres e comentaristas políticos possuem Marte nesta casa. Não devemos esquecer que Marte tem ligação com a política, por sua exaltação em Capricórnio. As pessoas com esta posição com freqüência trabalham com mecanismos relacionados à comunicação, como telefones, impressoras ou transporte de correspondência. Pessoas que trabalham com transporte de máquinas e mecânicos de automóveis também têm probabilidades de ter Marte nesta casa.

Há muita impulsividade nos movimentos diários e em viagens curtas. Se Marte estiver sob tensão, esta posição pode produzir motoristas imprudentes; eles tendem a se zangar com o que consideram estupidez de outros motoristas, porém não percebem que eles próprios muitas vezes são culpados dos mesmos atos.

Se Marte estiver sob tensão, podem resultar sarcasmo e tendência à discussão. Podem ocorrer problemas com contratos, acordos, publicações e nas relações com irmãos, irmãs e vizinhos.

Marte na Quarta Casa

Marte na Quarta Casa indica que muita energia é empregada no lar e existe o desejo de controlar o cenário doméstico. Isso pode ser motivo de desavenças familiares, especialmente se Marte estiver sob tensão.

São realizados esforços vigorosos para melhorar o lar; as pessoas com esta posição de Marte freqüentemente gostam de fazer consertos, como aquelas que possuem Marte em Câncer.

Pode haver também um interesse ativo pelos problemas ambientais e ecológicos. Se Marte estiver aspectado, pode produzir pessoas que trabalham muito para melhorar o meio ambiente.

Marte na Quarta Casa está acidentalmente em sua queda, pois esta casa corresponde ao signo de Câncer, no qual Marte está em queda. Se Marte estiver sob tensão aqui, geralmente existem conflitos com os pais. Essas pessoas necessitam melhorar o autocontrole emocional para obter harmonia no lar. Com freqüência, melhores relações familiares podem ser mantidas se os nativos se afastaram do local de nascimento.

Essas pessoas procuram ativamente adquirir propriedades para seus últimos anos de vida. Podem herdar terras e imóveis de seus pais. Se Marte estiver sob tensão, entretanto, podem ocorrer problemas com propriedades, e a casa pode ser ameaçada por fogo, furto ou outros problemas. Tensões muito fortes podem trazer dificuldades com impostos de propriedades.

Esta posição proporciona uma constituição forte e muita energia, que são mantidas até idade avançada.

Marte na Quinta Casa

Marte na Quinta Casa indica aqueles que buscam o amor e o prazer de maneira ativa. São agressivos e emotivos no sexo e no romance. Se Marte estiver sob tensão nesta casa, provavelmente surgirão desavenças no namoro, resultantes da impaciência e do ciúme sexual. Se Marte estiver sob muita tensão, a paixão sexual pode resultar em gravidez fora do casamento.

Os artistas — especialmente os que trabalham com ferramentas, como os escultores — com freqüência têm Marte na Quinta Casa.

Há preferência por esportes competitivos ao ar livre. Esta posição geralmente é encontrada nos horóscopos de atletas.

Com bastante freqüência, o interesse pelo trabalho com crianças e jovens confere um senso de liderança, poder e autoridade. Treinadores e professores de educação física têm maior probabilidade de possuir Marte nesta posição. Se Marte estiver bem aspectado, serão professores talentosos, que despertarão interesse e, assim, obterão resultados com seus alunos. Mas se Marte estiver sob tensão, podem existir atitudes autoritárias, dominadoras, para com aqueles que estiverem sob seus cuidados.

Se Marte estiver sob tensão na Quinta Casa, os filhos dos nativos podem estar sujeitos a acidentes ou morte.

Marte na Sexta Casa

Marte na Sexta Casa indica energia e habilidade, expressadas no trabalho, que geralmente envolve o uso de ferramentas afiadas ou mecanismos que consomem ou produzem muita energia; assim, esta posição é encontrada nos horóscopos de maquinistas, construtores de máquinas, mecânicos, operadores de equipamentos pesados, operários siderúrgicos e engenheiros mecânicos. Cirurgiões e outros profissionais da área de medicina também podem ter Marte nesta posição, assim como aqueles que utilizam ferramentas na preparação de alimentos e confecção de roupas.

Essas pessoas são trabalhadores dedicados, vigorosos. Têm pouca paciência com pessoas preguiçosas ou que não desejam se esforçar para ganhar a vida. Demonstram habilidade e precisão em seu trabalho, e sua auto-estima se origina da finalização e execução bem-feita de um trabalho.

Como Marte está exaltado em Capricórnio — o signo que indica o empregador —, as pessoas com Marte na Sexta Casa podem obter segurança e destaque trabalhando para uma empresa de negócios bem-organizada e eficiente.

Se Marte estiver sob tensão na Sexta Casa, pode indicar má saúde, ferimentos ou irritabilidade, resultado do excesso de trabalho ou de acidentes de trabalho. Podem também existir envolvimentos em problemas trabalhistas e conflitos com colaboradores, patrões ou empregados. Algumas vezes surgem tendências perfeccionistas, e uma preocupação excessiva com detalhes do trabalho provoca uma negligência com relação a assuntos importantes.

Marte na Sétima Casa

Marte na Sétima Casa indica uma pessoa agressivamente envolvida em atividades conjuntas ou no trabalho com o público. O parceiro no casamento, assim como os amigos íntimos e companheiros de trabalho, provavelmente terá uma natureza agressiva, ativa, típica de Marte.

As pessoas com esta posição preferem trabalhar e agir em colaboração com outras pessoas. Se Marte estiver bem aspectado, podem realizar muitas coisas agindo dessa forma. Contudo, tanto os nativos quanto seus associados provavelmente terão um comportamento impulsivo. Se Marte estiver sob tensão na Sétima Casa, há uma tendência a criar desavenças com associados, discórdia no casamento e divórcio.

Com freqüência, as atividades envolvem finanças conjuntas, o que pode ser motivo de controvérsias se Marte estiver sob tensão.

Marte na Sétima Casa pode produzir vendedores e relações-públicas agressivos. Se Marte estiver sob tensão, há a necessidade de aprender a ter tato e diplomacia nos contatos com os outros. Como Marte está acidentalmente em detrimento na Sétima Casa, pode haver tendência a interagir com os outros por razões egoístas ou por um senso de competição.

Marte na Oitava Casa

Marte na Oitava Casa está poderosamente colocado, porque esta casa é regida por Marte e corresponde ao signo de Escorpião.

Com esta posição, existem desejos fortes e intensidade emocional; a energia e a persistência são utilizadas para realizar coisas. A agressividade com relação ao dinheiro de outras pessoas em finanças conjuntas ou corporativas é característica. Esta posição cria um poderoso impulso sexual. Se Marte estiver sob tensão na Oitava Casa, no horóscopo de uma pessoa com inclinações ocultas, pode haver interesse por magia sexual.

Os indivíduos muito evoluídos — especialmente se Marte formar aspectos favoráveis com Urano, Netuno ou Plutão — podem se interessar por forças ocultas, poder psíquico e vida após a morte.

Em muitos casos, há uma experiência com morte violenta numa guerra ou em outro conflito. Marte na Oitava Casa pode indicar a probabilidade de morte súbita; se Marte estiver sob tensão, é possível a ocorrência de uma morte violenta. Se Marte estiver sob muita tensão em indivíduos menos evoluídos, podem existir tendências criminosas.

Há a probabilidade de conflitos a respeito de heranças, impostos e finanças conjuntas se Marte estiver sob tensão nesta casa. Essas pessoas com freqüência agem em segredo por uma variedade de motivos, tanto bons quanto maus.

Marte na Nona Casa

Marte na Nona Casa indica uma pessoa interessada em viagens, esportes ao ar livre e causas religiosas, filosóficas, sociais e educacionais.

Essas pessoas são cruzados que defendem agressivamente os ideais que abraçam. Se Marte estiver bem aspectado na Nona Casa e a mente for suficientemente desenvolvida para oferecer uma ampla compreensão da vida, elas podem ser muito valiosas na liderança de atos que visam reformas sociais; trabalham para inspirar atitudes e comportamentos mais éticos nas pessoas. Elas irão apoiar ativamente instituições de aprendizado superior, religiosas e filosóficas, que servem à humanidade. Como manifestam esses interesses por meio de ações, seus esforços podem ser muito eficientes.

Essas pessoas procuram aventura e experiências amplas, que com freqüência as conduzem a viagens ao exterior, bem como à exploração das áreas de filosofia e educação superior.

Algumas vezes, as pessoas com esta posição de Marte juntam-se a este tipo de organizações. Sua militância social pode se manifestar por meio de organizações que abrangem um amplo espectro político, do violentamente revolucionário até o reacionário. Essa posição também cria evangelistas do tipo "fogo do inferno e condenação eterna".

Os nativos podem provocar ressentimentos nos outros, se o nível de sua compreensão lhes oferecer um ponto de vista limitado ou fanático. Aqueles que lutam agressivamente por suas crenças e organizações e são intolerantes com as abordagens alheias podem ter Marte sob tensão na Nona Casa. A tendência a condenar aqueles com quem não concordam surge da falta de paciência para compreender as circunstâncias e experiências da vida de outras pessoas. Além disso, pode haver uma identificação pessoal com alguma crença religiosa, política ou filosófica que proporcione ao indivíduo um sentimento de vaidade.

Marte na Décima Casa

Marte na Décima Casa indica pessoas que desejam fama e *status*. Como são vigorosas na busca de uma carreira, possuem um forte impulso competitivo para chegar ao topo. Isso com freqüência as conduz a áreas como a política e a administração; engenharia e profissões militares também as atraem.

Aqui, Marte é muito poderoso devido à sua acidental exaltação na Décima Casa, que corresponde a Capricórnio. Um Marte bem aspectado revela iniciativa e capacidade executiva na realização prática. Ele também pode produzir líderes políticos eficientes e construtivos. A ambição profissional competitiva dessas pessoas geralmente lhes traz fama ou notoriedade.

Se Marte estiver sob tensão na Décima Casa, existe a tentação de utilizar meios desleais para obter poder ou posição. Quando os erros são revelados, podem resultar em má reputação e mudanças súbitas na sorte. Marte sob tensão na Décima Casa pode provocar uma extrema ambição material, levando ao desprezo dos valores humanos, se outros fatores no horóscopo não proporcionarem tais valores.

Em casos extremos, pode haver desejo de poder a qualquer custo no que se refere à carreira e ambições.

Marte na Décima Primeira Casa

Marte na Décima Primeira Casa indica energia orientada às amizades e atividades em grupo. Os amigos provavelmente serão do tipo masculino, agressivo, e com freqüência ajudam as pessoas com esta posição a realizarem seu trabalho e a satisfazer suas ambições profissionais. Pode haver boa habilidade mecânica, que algumas vezes produz inventores de equipamentos mecânicos. Em um indivíduo mentalmente alerta, a energia será utilizada em áreas de reforma social.

Se Marte estiver sob tensão na Décima Primeira Casa, pode haver insatisfação com a ordem social dominante e tendências revolucionárias. Essa energia deve ser orientada por esforços de melhoria, e não se voltar à destruição das condições existentes. Com um Marte sob tensão nesta posição, são prováveis as desavenças com amigos e associações. A impulsividade na companhia de amigos pode ocasionar ferimentos ou morte ao indivíduo ou a seus amigos.

Marte na Décima Segunda Casa

Marte na Décima Segunda Casa indica desejos e ações fortemente influenciados pela mente inconsciente. O trabalho e outras atividades serão realizados em segredo ou isolamento. Pode haver tendência a agir em segredo a fim de evitar a oposição aberta de outras pessoas.

Os nativos tendem a ser reservados sobre seus desejos e propósitos; podem ter envolvimentos sexuais secretos. Com freqüência, trabalham em amplas instituições, onde podem ocultar ou perder sua identidade pessoal.

Se Marte estiver sob tensão na Décima Segunda Casa, essas pessoas podem estar envolvidas em conspirações secretas; podem ter inimigos secretos ou sentir inimizades por outros. Com um Marte sob tensão aqui, há o perigo de encarceramento em prisões, hospitais ou instituições mentais. Algumas vezes o aprisionamento ocorrerá por razões políticas, devido à exaltação de Marte em Capricórnio.

Essas pessoas precisam ser mais honestas e abertas a respeito de sua raiva inconsciente.

Júpiter nos Signos

Júpiter nos signos do Zodíaco oferece informações sobre crenças e padrões éticos, religiosos e filosóficos de uma pessoa. Ele mostra como a pessoa manifesta seu interesse na filosofia e educação superior. A posição de Júpiter no signo indica onde a pessoa demonstra expansividade, onde realiza coisas em ampla escala.

A posição de Júpiter no signo também indica como a pessoa compartilha o que lhe foi oferecido e como manifesta sua generosidade com relação à ordem social mais ampla, recebendo, assim, ajuda e benefícios. Este princípio de colaboração social torna possíveis amplos empreendimentos e progressos impossíveis de serem obtidos por uma só pessoa.

A colocação no signo mostra não apenas onde existe a possibilidade de se receber lucros financeiros e materiais, mas também como a pessoa carmicamente recebeu a boa vontade dos outros e o direito de ter proteção espiritual. Júpiter, como co-regente da Décima Segunda Casa e do signo de Peixes, revela como uma pessoa recebe as recompensas cármicas por boas ações passadas. Devido a esta co-regência, ele também mostra como a pessoa é compassiva e generosa com os menos favorecidos.

Júpiter em Áries

Júpiter no signo de Áries indica capacidade de liderança e inovação no campo da filosofia, da educação e em outros trabalhos espirituais.

O aspecto mais elevado de Áries é o do espírito puro, criativo, a partir do qual todas as coisas se manifestam. Júpiter colocado nesse signo oferece uma compreensão inata da criatividade espiritual ou, pelo menos, um profundo respeito por ela. “Vejam, eu torno as coisas diferentes” é o modelo espiritual das pessoas que possuem Júpiter em Áries.

Devido à regência de Marte e Plutão neste signo — associada à exaltação do Sol em Áries e o trígono natural formado com Sagitário, que é regido por Júpiter —, os nativos agem de maneira positiva para melhorar as condições espirituais, sociais e educacionais. Têm fé na possibilidade de regeneração e renascimento para um modo de vida melhor. Conseqüentemente, há grande energia e inspiração com esta colocação de Júpiter.

Embora a iniciativa positiva adotada com esta posição ofereça capacidade de liderança religiosa e filosófica, ela também pode refletir o envolvimento do ego e uma atitude presunçosa, que, se levada a extremos, provoca suspeitas e ressentimentos nos outros. A maneira de expressar esta ânsia por melhoras sociais irá depender do nível geral de compreensão e desenvolvimento evolucionário do indivíduo, revelado pelo resto do horóscopo. Pode haver muito entusiasmo e autoconfiança, o que inspira confiança nos outros e os estimula à ação.

Às vezes, há o desejo de partir em cruzadas sagradas, que aos olhos dos outros podem não ser sagradas.

A fé dessas pessoas em sua capacidade de vencer e se transformar lhes dá a coragem de se envolverem em esforços amplos, que não seriam tentados por outros. Elas talvez reflitam o provérbio “Os tolos agem audaciosamente, sem ligar para o perigo”; porém, qualquer esforço positivo que façam produz alguma coisa boa, mesmo que não alcancem os objetivos pretendidos. Isso pode conduzir ao desenvolvimento evolucionário, pois Júpiter representa o princípio do crescimento.

Se Júpiter estiver sob tensão em Áries, os nativos tendem a se frustrar por desejarem realizar mais do que conseguem. Eles se tornam imprudentes e impulsivos e possuem um senso exagerado de auto-importância.

A negligência e o excesso de confiança podem provocar perdas nos negócios e de amizades. Júpiter sob tensão neste signo pode criar gastos impulsivos — por exemplo, desperdício de investimento em novas especulações de méritos duvidosos. Um Júpiter sob tensão em Áries indica a necessidade de desenvolver a prudência, a cautela e o hábito de guardar algumas reservas, caso as coisas não aconteçam como se espera. Para progredir, os nativos precisam aprender a se preparar para a possibilidade de dificuldades imprevistas.

Júpiter em Touro

Júpiter no signo de Touro indica capacidade para o uso correto e benéfico do dinheiro e dos recursos materiais. Se Júpiter em Touro estiver bem aspectado em uma pessoa espiritualmente madura, ela tem consciência de que todos os recursos nos são emprestados pelo princípio Eterno da

Vida, para que os utilizemos, servindo nossos semelhantes e melhorando o ambiente social e físico. Ela percebe que é somente um administrador dos bens existentes, e que deve utilizá-los e compartilhá-los sabiamente, para a manutenção e o desenvolvimento de todas as vidas, especialmente das pessoas com quem mantém contatos. Nesse caso, o dinheiro e os recursos materiais são considerados uma forma de energia, fluindo de pessoa para pessoa e tornando possíveis a expansão, o desenvolvimento evolucionário e a manutenção da vida, na intensa manifestação material que é o mundo físico.

Com Júpiter em Touro, o indivíduo precisa desenvolver o potencial para os valores referentes à aquisição e utilização do dinheiro e dos recursos materiais no contexto do ambiente social mais amplo. Quando essa lição for aprendida, os recursos oferecidos para que outros possam se expressar criativamente muitas vezes fluem de volta para ele, por ter-lhes dado a oportunidade de expressar seus talentos. Isso possibilita um ciclo de desenvolvimento produtivo ainda maior, do qual todos podem se beneficiar.

Não é suficiente que as pessoas com esta posição aprendam a ser generosas; elas também devem desenvolver a sabedoria e o discernimento ao investir seu dinheiro, para que ele possa ser utilizado de forma mais construtiva e eficiente.

Júpiter em Touro indica tendência a atrair riqueza, que estas pessoas consideram necessária para desfrutar os confortos materiais e as boas coisas da vida. Com freqüência, elas são *gourmets* e apreciam a boa comida e ambientes luxuosos. Se Júpiter estiver sob tensão em Touro, esses gostos caros devem levar ao desperdício, cujo resultado pode ser a satisfação exagerada dos próprios desejos, a degeneração física e a indiferença pelas necessidades físicas dos outros. Isso provoca ressentimentos e inveja em pessoas menos afortunadas, cujas verdadeiras necessidades físicas são negligenciadas.

Júpiter em Touro proporciona habilidade nos negócios, obtida por meio da paciência e da firmeza de propósitos. Estas pessoas podem prever e realizar empreendimentos em ampla escala e durante longo tempo. Porém, no processo de expansão, podem exagerar e se frustrar financeiramente, ficando sem recursos para enfrentar contingências imprevistas. Esse geralmente é o resultado quando sucessos anteriores nos negócios as tornam confiantes demais ou o hábito da riqueza as torna gananciosas.

O ponto de vista religioso geralmente é bastante ortodoxo, pois os nativos se identificam com os padrões morais e sociais da classe econômica à qual pertencem ou a que aspiram. A não ser que outros fatores no horóscopo determinem o contrário, elas podem desconsiderar os valores espirituais não associados a questões financeiras ou práticas. Para elas, a religião ou a filosofia nada valem, a não ser que tenham uma utilidade prática que elas possam compreender. A implicação da consciência de classe em seu ponto de vista religioso lhes proporciona um sentimento de expansão e autojustificativa.

Essa atitude é mais típica da pessoa comum com Júpiter em Touro, que é voltada aos negócios, e pertence ou deseja pertencer à camada mais elevada da sociedade. Estas pessoas podem provocar ressentimentos devido à sua presunçosa hipocrisia com relação aos pobres, políticos radicais e à geração mais jovem. Mas, se aqueles que têm Júpiter em Touro não realizassem diariamente seus negócios, não haveria um nível geral de riqueza social e empregos capaz de sustentar as pessoas mais ativas em outras áreas de expressão humana. Eles ocupam um lugar necessário na economia.

Se Júpiter estiver sob tensão em Touro, o orgulho pelo *status* financeiro pode levar à ruína; estas pessoas correm o risco de pensar que são superiores por terem acumulado maior riqueza. Precisam aprender que não é a riqueza, e sim o que é feito com ela, que traz honra ou desonra. O gosto extravagante de Júpiter sob tensão em Touro pode levar a dívidas e problemas com credores.

Júpiter em Gêmeos

Júpiter no signo de Gêmeos indica amor pela filosofia e pelo estudo de idéias importantes na história da religião, da educação, do direito e da filosofia. A resultante expansão da mente abre novas linhas de comunicação e áreas de contato social, que trazem benefícios em viagens, na escrita, no estudo e nos negócios relacionados ao desenvolvimento de novas idéias.

Os nativos possuem uma curiosidade intelectual que leva ao desenvolvimento mental, e, assim, são considerados intelectualmente avançados, mesmo que não tenham recebido uma educação formal. Com freqüência, buscam educar-se em universidades como meio de auto-aperfeiçoamento mental.

Júpiter em Gêmeos pode proporcionar ampla compreensão intelectual que abrange diversas áreas. Os nativos tendem a ser mentalmente inquietos, a realizar muitas viagens e se dedicar superficialmente a muitas áreas de estudo. Se levada a extremos, essa atividade pode produzir um diletante intelectual. Contudo, a grande variedade de diferentes experiências intelectuais permite que estas pessoas reúnam o perfil geral das tendências sociais, políticas e históricas, o que lhes dará *insights* sobre o futuro e o destino da humanidade. Assim, esta posição pode criar habilidosos historiadores e comentaristas sociais.

Devido ao trígono natural de Gêmeos com Libra e Aquário, estas pessoas atraem muitos amigos, conhecidos e sócios, e assim podem ampliar seus horizontes intelectuais em direções novas e incomuns. Esses contatos sociais também proporcionam oportunidades para a expressão criativa da mente.

Júpiter está em detrimento no signo de Gêmeos, pois este está em oposição ao signo de Sagitário, regido por Júpiter. Essa condição pode se manifestar no nativo na forma de um conhecimento amplo, porém superficial, ou um conhecimento teórico sem nenhum apoio da experiência prática. A lição de Mercúrio em Virgem nos mostra que o conhecimento mais preciso, detalhado, vem da experiência direta no trabalho pessoal. Esta posição de Júpiter, ao contrário, corre o risco de criar um erudito sem nenhuma prática, a não ser que outros fatores no horóscopo encorajem a experiência prática. Se Júpiter em Gêmeos estiver sob tensão, o resultado pode ser um intelectual esnobe.

Há capacidade para o ensino, para a literatura e a oratória com Júpiter localizado em Gêmeos. Muitos conferencistas têm Júpiter neste signo. Os nativos também podem ganhar dinheiro e expandir seus interesses financeiros por intermédio de publicações, viagens, serviços pessoais, importação, indústrias de comunicação e negócios de encomendas postais.

Júpiter em Câncer

Júpiter no signo de Câncer está em sua exaltação. Isso geralmente indica uma boa educação familiar — não necessariamente riqueza ou posição social, mas um ambiente na infância e uma influência paterna que ensinam bondade, generosidade e princípios morais e religiosos desde o início da vida. Mais tarde, essas características tornam-se parte da expressão básica dos nativos.

Os pais de crianças com Júpiter em Câncer geralmente as amam profundamente, cuidando de seu bem-estar e ensinando-as a serem responsáveis e bondosas. O princípio de moralidade, filosofia e educação superior de Júpiter se inicia em Câncer, porque os primeiros professores são nossos pais, especialmente a mãe. As pessoas com Júpiter em Câncer procuram ter um ambiente familiar seguro, amigável, próspero e confortável. São generosas e bondosas com a família e as pessoas da casa. Se Júpiter estiver bem aspectado, elas utilizarão seus lares para satisfazer as necessidades de amigos e conhecidos que tenham problemas para encontrar um caminho na vida. Júpiter nesta posição com freqüência indica uma casa ampla, com muitas pessoas. Os nativos possuem forte instinto maternal e, algumas vezes, tendência a proteger maternalmente o mundo. O lar também é utilizado como local para atividades religiosas, filosóficas e educacionais.

Como as pessoas com Júpiter neste signo gostam de boa comida, podem ser bons cozinheiros. Contudo, podem ter tendência a comer em excesso ou ingerir alimentos mais agradáveis ao paladar do que ao sistema digestivo.

Os negócios com freqüência envolvem bens imobiliários, habitação, agricultura, produção de alimentos e artigos utilizados no lar. Júpiter em Câncer indica idealismo emocional, muitas vezes levando a sonhos utópicos, que não se baseiam em considerações práticas, a não ser que outros fatores no horóscopo os proporcionem.

As pessoas com esta posição com freqüência recebem ajuda financeira de seus pais e podem herdar dinheiro ou propriedade dos pais ou outros membros da família. Com freqüência, tornam-se ricos na última metade da vida.

Se Júpiter estiver sob tensão em Câncer, há tendência ao sentimentalismo piegas, ao amor materno opressivo, a ligações muito estreitas com os pais e exagero na alimentação e nos confortos materiais.

Júpiter em Leão

Júpiter no signo de Leão indica qualidades de expansão, otimismo e autoconfiança. Os nativos com esta posição possuem muita energia e constituição forte. São generosos e benevolentes, mas geralmente esperam receber de volta admiração pessoal e valorização.

Sua preferência por fazer as coisas em proporções generosas, cerimoniosas, explica seu amor especial pela pompa religiosa e pelos dramas. Desfiles e atividades que incluam hospitalidade e rituais religiosos agradam seu senso de grandeza. Igualmente, sentem-se atraídos por arte religiosa, esculturas, música ou formas de arte que retratem acontecimentos históricos. Gostam de festas generosas e acontecimentos sociais. Quando ricos, têm preferência especial por tais atividades, que lhes dão um sentimento de importância e *status*.

Júpiter em Leão oferece capacidade de liderança, dignidade e a habilidade de inspirar confiança e entusiasmo em outras pessoas. Mas se Júpiter estiver sob tensão, essas aptidões podem atiçar o fogo da vaidade, porque o princípio de expansão (regido por Júpiter), associado ao principal defeito de Leão, o egoísmo, pode produzir presunção e arrogância. Estas pessoas precisam aprender que a grandeza vem do serviço à humanidade e da colaboração com as leis impessoais e universais do cosmos, e não da vaidade, mesmo que acompanhada de muitas aptidões.

Se essa lição for aprendida, é possível haver muita firmeza, confiabilidade, honestidade e generosidade. Júpiter em Leão confere honra e prestígio merecidos. Os nativos podem irradiar calor, afeto genuíno e benevolência. Quando se tornam altruístas em sua expressão de poder, são admirados e amados, e com freqüência se realizam no romance e no amor.

Estas pessoas possuem um amor especial pelas crianças e um interesse benevolente em seu crescimento, especialmente em seu desenvolvimento moral. Conseqüentemente, são excelentes professores, líderes de escolas dominicais e conselheiros espirituais dos jovens. Se a Quinta Casa não estiver sob tensão e Júpiter estiver bem aspectado, elas terão a sorte de ter filhos que alcançarão honra e distinção.

Elas também possuem afinidades com jogos e Bolsa de Valores, mas, se Júpiter estiver sob tensão neste signo, especulações ou jogos imprudentes podem provocar desgraça e ruína financeira; podem ocorrer envolvimentos em atividades de entretenimento, esforços artísticos, esportes e educação.

Se Júpiter estiver sob muita tensão em Leão, podem ocorrer desilusões e perdas no amor, no romance, de filhos e em especulações.

Júpiter em Virgem

Júpiter em Virgem está no signo de seu detrimento, porque está oposto ao signo de Peixes, do qual Júpiter é co-regente. Esta não é uma posição desfavorável, pois os nativos valorizam o trabalho e irão trabalhar pelos outros.

Contudo, a preocupação de Virgem com detalhes e precisão pode entrar em conflito com a tendência jupiteriana de expansividade. É impossível para uma pessoa considerar detalhadamente todos os aspectos de um projeto amplo. Esse conflito pode resultar em excesso de trabalho ou no tratamento inadequado de algum aspecto de um projeto. Conseqüentemente, o indivíduo precisa aprender a solicitar a colaboração dos outros e delegar responsabilidades; do contrário, irá diminuir o campo de ação de seus esforços.

As pessoas com esta posição exigem integridade total e são capazes de diferenciar o certo do errado quando confrontadas com grande quantidade de informações. Porém, podem ter uma preocupação moralista com a perfeição nos detalhes, e muitas pessoas consideram difícil lidar com esta atitude. Se essa preocupação for levada a extremos, podem fazer uma tempestade em um copo d'água; podem ignorar o sentido da importância relativa dos diversos fatores envolvidos no trabalho, especialmente o fator humano.

Se Júpiter estiver bem aspectado neste signo, a honestidade e a integridade caracterizam o trabalho e os negócios, criando relacionamentos agradáveis com colaboradores, empregados e patrões. Estas pessoas geralmente apreciam condições de trabalho agradáveis e são valorizadas e bem pagas pelos serviços que prestam.

Os nativos consideram a ordem e a limpeza de importância fundamental; esses valores são a base de sua integridade moral. Eles desaprovam hábitos desleixados, boêmios, na aparência e na organização doméstica, a não ser que Júpiter esteja sob muita tensão. Nesse caso, como uma reação psicológica, pode haver uma inversão de comportamento, semelhante ao da pessoa que possui Vênus sob tensão em Virgem.

Suas crenças religiosas e morais baseiam-se no conceito de serviço, e eles não valorizam idéias elevadas, a não ser que tenham aplicação prática. Este senso de realismo os torna conservadores e um tanto ortodoxos em seu ponto de vista social e religioso, como acontece com Júpiter em Touro ou Capricórnio.

Pode existir um interesse por atividades de caridade relacionadas à saúde física e mental, em hospitais e instituições educacionais, por exemplo. Pessoas ricas com Júpiter em Virgem com freqüência contribuem para manter tais instituições.

Se Júpiter estiver sob tensão em Virgem, pode haver instabilidade no emprego devido à tendência de mudar de trabalho. Pode haver preguiça e insatisfação com as condições de trabalho, colaboradores e patrões.

Essas pessoas precisam aprender que a realização espiritual exige mais do que a simples apresentação de belas idéias.

Júpiter em Libra

Júpiter no signo de Libra indica uma forte preocupação com a justiça e os princípios morais no casamento, nas sociedades e nos relacionamentos íntimos. Como o nativo tende a se casar com alguém interessado no pensamento religioso, educacional e filosófico, esta posição favorece um casamento fundado nos valores espirituais e na colaboração para a ordem social mais ampla.

Tais valores ultrapassam a atração sexual, e assim existe a promessa de um casamento duradouro (a menos que júpiter esteja sob muita tensão) e de uma vida familiar agradável (porque Júpiter está exaltado em Câncer).

As idéias religiosas, filosóficas, educacionais e sociais são influenciadas pelo cônjuge, por outros parceiros e amigos íntimos. Os nativos com esta posição irão igualmente influenciar as idéias religiosas e sociais das pessoas com quem mantêm contato íntimo. Seus conceitos religiosos estão centralizados no amor e na justiça que tornam possível uma ordem social harmoniosa.

Estas pessoas são generosas para com os desejos e necessidades dos outros; assim, a menos que Júpiter esteja sob tensão, são populares e benquistas. Essa consideração cria a capacidade para lidar com o público, que lhes permite serem psicólogos, mediadores, diplomatas, relações-públicas e vendedores.

Seu talento nestas atividades consiste em convencer as pessoas do mérito de determinadas idéias ou programas sociais. Conseqüentemente, podem ser eficientes organizadores e levantar fundos para igrejas, instituições de caridade e outros valiosos esforços sociais. Num nível mais sutil, podem promover filosofias religiosas, educacionais ou sociais, dependendo do teor total do mapa.

Se Júpiter estiver sob tensão em Libra, há uma tendência a tomar decisões morais pelos outros. Podem também existir o desejo de ser tudo para todos, para evitar discórdia ou obter aprovação; se levada a extremos, essa atitude pode conduzir a padrões duplos em muitas questões. A pessoa com Júpiter sob tensão em Libra pode prometer mais do que consegue cumprir, visando obter favores. Com o decorrer do tempo, irá atrair a desaprovação de indivíduos ou da sociedade, a despeito de suas nobres intenções.

Os nativos com Júpiter sob tensão em Libra esperam muitos favores e considerações. Podem iniciar muitas ligações pessoais íntimas ao mesmo tempo, criando suspeita de deslealdade naqueles com quem se envolvem. O resultado pode ser a traição dos membros do sexo oposto, que se tornam ciumentos e vingativos quando a consideração pessoal que esperam não acontece.

Se Júpiter estiver sob muita tensão em Libra, podem ocorrer ações judiciais originadas de compromissos financeiros ou legais não cumpridos, relacionados a negócios, propriedades, ou problemas conjugais ou profissionais.

Júpiter em Escorpião

Júpiter no signo de Escorpião indica envolvimentos fortes, amplos, em questões relacionadas a finanças conjuntas ou corporativas, impostos, seguros e heranças. Os negócios provavelmente se relacionam com funerais, bens imobiliários, levantamento de fundos, impostos e seguros.

Os nativos com freqüência se interessam pelos aspectos ocultos, místicos da religião, pela vida após a morte e pela comunicação telepática com seres de reinos ocultos — especialmente se Júpiter formar aspectos com Urano, Netuno ou Plutão. Podem ser profundos e intransigentes nas crenças e nos padrões religiosos e filosóficos, e nas atitudes e princípios sociais; esse tipo de atitude algumas vezes cria inimigos poderosos e cruéis.

Estas pessoas tendem a adquirir informações secretas sobre os assuntos privados dos outros. Podem tem amizades estranhas, baseadas em motivações ocultas. Podem receber heranças, devido a favores que fizeram. Se Júpiter estiver sob tensão, podem surgir problemas legais com respeito a heranças, pensão alimentícia, despesas corporativas, seguro e pagamento de impostos. Investimentos imprudentes em ações ou sociedades financeiras podem provocar perdas. Estas pessoas podem se dedicar a formas negativas de fenômenos psíquicos, como sessões espíritas e mediunidade, e pode haver o desejo de manipular forças ocultas visando lucros pessoais.

Júpiter em Sagitário

Júpiter no signo de Sagitário indica amor pela filosofia, religião, educação, viagens e culturas estrangeiras. O intenso envolvimento em assuntos relacionados à codificação do pensamento social pode levar as pessoas com esta posição a adotarem uma filosofia ou um sistema de pensamento capaz de modelar sua vida. Tradicionalmente, isso significa algum tipo de crença religiosa; mas os tipos sagitarianos, intelectuais, podem adotar a psicanálise freudiana, a dialética marxista, ou a boemia. Júpiter em Sagitário apenas mostra a necessidade de um sistema capaz de governar nossa conduta e nosso modo de vida; a forma assumida por este sistema depende do teor global do mapa e do meio social do indivíduo, que ele pode aceitar ou contra o qual pode reagir. O desejo de moldar a conduta pessoal a um conjunto imparcial de princípios morais traz o respeito e a admiração de muitos, incluindo seus inimigos.

Estas pessoas tendem a ter pensamentos metafísicos de grande projeção. Desejam conhecer a natureza da consciência humana, como o homem pode se adaptar bem à sociedade, o propósito do indivíduo no universo e qual a força criativa máxima existente por trás da manifestação física e do processo evolucionário. Esse questionamento, na maioria dos casos, conduz à crença religiosa e ao reconhecimento de um Ser Supremo.

Quando determinado conjunto de valores religiosos ou filosóficos é adotado, a satisfação é obtida por meio dos esforços para converter amigos e associados a um modo semelhante de pensamento; a aceitação de um sistema de crenças confere segurança para atuar em um contexto social mais amplo. Contudo, estas pessoas são profundos pensadores e irão formular seus próprios padrões dentro do contexto do sistema ético que aprovam ou que tenham sido parte de sua educação familiar.

Júpiter em Sagitário proporciona um interesse por culturas, religiões, raças e sistemas sociais estrangeiros, com freqüência expressado no estudo e em longas viagens a países estrangeiros — especialmente se os nativos tiverem os meios necessários para isso. Há também um profundo interesse pelas idéias sociais e filosóficas que formaram a história. Esta amplitude de compreensão produz um perspicaz ponto de vista sobre a vida e, com freqüência, *insights* proféticos sobre o futuro.

Se Júpiter estiver sob tensão em Sagitário, estas pessoas podem ter opiniões limitadas e esperar que todos as aceitem; consideram aqueles que discordam indignos de aprovação. Também é comum que ocorra, como efeito secundário, uma atitude presunçosa, como a que disseminou guerras religiosas através da história. O egotismo pessoal disfarçado em chauvinismo religioso, nacional, social ou racial, com freqüência é o fator motivador oculto nesta atitude.

Se Júpiter em Sagitário não estiver equilibrado pelo desenvolvimento mental adequado e por uma capacidade de diferenciação imparcial, como seria indicado por um Mercúrio, Saturno e Urano bem aspectados, há o perigo de adesão supersticiosa a crenças religiosas dogmáticas. Essas crenças são incutidas no início da infância e utilizadas como um mecanismo de defesa inconsciente contra os aspectos amedrontadores do desconhecido, cuja confrontação poderia perturbar a segurança psicológica de uma doutrina caprichosamente organizada. A tendência a se enredar em um sistema se aplica igualmente a radicais e conservadores que têm esta posição de Júpiter.

Júpiter em Capricórnio

Júpiter no signo de Capricórnio está em sua queda, porque Capricórnio está oposto ao signo de Câncer, no qual Júpiter está exaltado. Esta situação se manifesta numa preocupação excessiva com as palavras da lei, e não com sua essência. Contudo, Júpiter em Capricórnio, se bem aspectado, pode proporcionar grande integridade, especialmente na conduta moral, ética nos negócios e responsabilidades de cargos elevados.

Os nativos geralmente possuem valores conservadores, tradicionais, no que se refere à conduta moral, à política e à educação. Apóiam o sistema de valores do *status quo* político, econômico e social, ignorando suas injustiças, erros e hipocrisias. A rigidez resultante do ponto de vista social pode alienar a geração mais jovem e aqueles que adotam um ponto de vista universal.

As pessoas com Júpiter em Capricórnio com freqüência assumem posições de responsabilidade econômica ou política. Irão utilizar prudência, cautela e um julgamento maduro, mas podem não ter imaginação, criatividade e capacidade para inovar.

Possuem uma forte tendência ao poder e ao *status*, estimulada tanto por ambições pessoais quanto por um senso de dever para com a sociedade. Essa tendência pode interferir em sua vida familiar e nos valores pessoais ou emocionais associados a ela. O executivo que passa todo o seu tempo no escritório lidando com as pessoas que estão no poder e negligencia sua família é típico das pessoas que possuem Júpiter em Capricórnio. Estas pessoas com freqüência assumem uma atitude pessoal fria e austera nos últimos anos de vida, e ocultam seus sentimentos interiores de frustração emocional e solidão sob uma atitude de dignidade e importância.

As pessoas que têm esta posição de Júpiter com freqüência adquirem grande riqueza por meio da ambição, da paciência, da capacidade administrativa e do emprego sábio dos recursos. Como buscam o *status* conferido pela riqueza e pela posição elevada, automaticamente adotam os valores de pessoas de *status* elevado, que podem ajudá-las a se destacarem.

Estas pessoas detestam extravagâncias e desperdícios. Se Júpiter estiver sob tensão e esta tendência for levada a extremos, há uma tendência à mesquinhez ou a economizar tostões e, ao mesmo tempo, esbanjar milhões.

Júpiter em Aquário

Júpiter no signo de Aquário indica pessoas que não conhecem distinções de classe, de raça ou religião. Elas insistem nos valores morais, sociais e religiosos universais, imparciais e democráticos sob todos os aspectos. Há o desejo de compartilhar e vivenciar espiritualmente todas as coisas com homens e mulheres de todas as classes sociais.

Essas pessoas possuem grande tolerância e compreendem que não é necessário que todos vivam o mesmo estilo de vida ou tenham o mesmo sistema de valores. Cada pessoa tem seu próprio lugar na espiral evolucionária da vida, lições particulares a aprender e valiosas contribuições a dar à sociedade. Sem essas diferenças, seria impossível uma civilização adiantada, complexa.

As pessoas com Júpiter em Aquário percebem que a tolerância, o respeito e a colaboração são as bases para uma ordem social bem-sucedida. Assim, atraem muitos amigos e se envolvem em atividades de organização destinadas a melhorar a humanidade e criar fraternidade entre os homens. Não confiam em atitudes e leis que promovem diferenças sociais ou nacionalismo chauvinista.

Júpiter em Aquário, quando bem aspectado, proporciona o interesse pela sabedoria oculta, como a filosofia, a astrologia, leis cármicas e reencarnação. Em tipos avançados, encontramos os pioneiros de conceitos religiosos e sociais da era de Aquário. Essas pessoas são liberais e receptivas a novas idéias. Muitos líderes e reformadores sociais de organizações humanitárias têm Júpiter em Aquário.

Se Júpiter estiver sob tensão em Aquário, estas pessoas podem ser muito indiferentes e inconstantes em seus relacionamentos com amigos e nas responsabilidades para com o grupo. Podem adotar conceitos revolucionários e causas impraticáveis, irrealistas, que ignoram a disciplina e a responsabilidade. Com freqüência, dispersam sua energia e, assim, perdem seus objetivos.

Júpiter em Peixes

Júpiter no signo de Peixes indica profundidade emocional, especialmente na compreensão e na compaixão. As pessoas com esta posição defendem os oprimidos e menos afortunados; assim, com freqüência trabalham em hospitais e instituições de caridade. Contudo, algumas vezes são indiscriminadas em sua compaixão e generosidade, e os outros podem se aproveitar disso. Precisam aprender a ajudar outras pessoas a assumir a responsabilidade por suas próprias vidas e a aprender suas lições evolucionárias. Estes nativos precisam perceber que o propósito da evolução espiritual não é apenas tornar a vida fácil, e sim tornar os homens mais fortes no amor, na sabedoria e na expressão positiva da vontade.

Tendências místicas e convicções religiosas acompanham esta posição. Se Júpiter formar aspectos com Urano, Netuno ou Plutão, é possível haver habilidade psíquica e a percepção intuitiva da esfera espiritual do ser. Estas pessoas podem experimentar de forma direta e intuitiva as realidades que estão além da manifestação física. Sua compreensão espiritual pode ser mais universal do que a da pessoa ortodoxa que possui Júpiter em Sagitário. Contudo, sua percepção intuitiva não está necessariamente livre da ilusão astral, do egotismo ou do desejo de *glamour*.

Por necessitarem de isolamento periódico, busca intuitiva, meditação e renovação espiritual, essas pessoas com freqüência se recolhem em retiros espirituais, igrejas e conventos.

Se Júpiter estiver sob tensão em Peixes, pode haver adoração de gurus e alguns cultos, devido ao impulso emocional de pertencer a alguma coisa que proporcione *status* espiritual. Estas pessoas também sentem necessidade de uma figura humana ou personificação de Deus a quem possam expressar sua devoção religiosa. Sob esse aspecto, muitas vezes estão inconscientemente procurando a figura paterna que possa assumir a responsabilidade pela orientação de suas vidas, especialmente se Júpiter formar algum aspecto tenso com Netuno. A identificação com um guru ou culto também é um veículo por meio do qual elas são capazes de prestar serviço e sentir que estão melhorando a humanidade. Quando alcançam maior maturidade espiritual, compreendem melhor que sua lealdade deve se dedicar apenas ao poder espiritual, universal e infinito que é a realidade final. Neste poder, estão contidos o tempo, o espaço, a forma e a manifestação da personalidade.

Se Júpiter estiver sob tensão em Peixes, pode criar parasitas sociais que aceitam a bondade de amigos ou de instituições religiosas ou de caridade, em vez de utilizarem a disciplina para abrir seu próprio caminho no mundo.

Júpiter nas Casas

Júpiter nas casas oferece informações sobre os setores da vida e os tipos de atividade nos quais uma pessoa manifesta suas idéias religiosas, filosóficas e educacionais. Esta é a área em que ela será expansiva ao trabalhar com a ordem social mais ampla e ao compartilhar sua riqueza material e espiritual, recebendo de volta sucesso e boa sorte. Em outras palavras, Júpiter nas casas representa os setores onde o indivíduo irá colher as recompensas de fazer o bem sem olhar a quem.

A posição de Júpiter nas casas mostra onde a pessoa pensa de maneira positiva e otimista. Há um fluxo suave, fácil, nos assuntos regidos pela casa em que Júpiter se encontra. Quanto maior o fluxo de coisas boas enviado para os outros, maior será o retorno para aquele que o envia.

Júpiter na Primeira Casa

Júpiter na Primeira Casa indica uma personalidade otimista, sociável. Aqueles que têm Júpiter nesta posição tendem a se concentrar no lado mais brilhante da vida. Geralmente, são honestos, confiáveis, amigáveis, benevolentes e, portanto, populares e benquistos. Seu otimismo e sua autoconfiança inspiram confiança nos outros. Eles têm atitudes pessoais dignas, especialmente na fase mais avançada da vida.

Júpiter na Primeira Casa, se bem aspectado, pode oferecer a capacidade de liderança social, educacional e religiosa; as pessoas com esta posição gostam de ser consideradas autoridades em alguma área da religião, da filosofia ou da educação. Realizam estudos elevados nestas áreas como meio de se organizarem em sua busca por um papel. Sendo geralmente felizes durante toda a vida, parecem possuir um tipo de proteção divina, como se a Providência estivesse sempre cuidando delas. Contudo, a ajuda pode não chegar até a última hora.

Júpiter na Primeira Casa geralmente proporciona fortes convicções religiosas ou morais. Se estiver bem aspectado no signo e formar aspectos fortes com Urano, Netuno ou Plutão, pode produzir *insights* proféticos sobre a lei espiritual e o destino da humanidade. Com freqüência, esta posição produz líderes espirituais.

Se Júpiter estiver sob tensão nesta casa, haverá tendência a engordar, particularmente nos últimos anos de vida. Além disso, pode haver comodismo e um sentimento exagerado de auto-importância.

Um Júpiter sob tensão na Primeira Casa cria exageros. Essas pessoas tendem a prometer mais do que podem cumprir.

Júpiter na Segunda Casa

Júpiter na Segunda Casa indica uma importante habilidade nos negócios e expansividade, proporcionando boa sorte com relação a dinheiro e propriedades. Mas, se Júpiter estiver sob muita tensão, é provável que o dinheiro desapareça tão rápido quanto surgiu, ou que os lucros existam apenas no papel.

As pessoas com esta posição com freqüência se envolvem em negócios relacionados a bens imobiliários, produtos domésticos, alimentos, hospitais e outras instituições, psicologia, educação, levantamento de fundos, viagens e publicações.

Se Júpiter estiver sob tensão na Segunda Casa, os nativos têm uma tendência a considerar as coisas como garantidas e a se frustrar. Eles também podem estar desatentos às contingências imprevistas em empreendimentos nos negócios. Se Júpiter estiver sob muita tensão, é necessário cautela em dívidas contraídas.

Júpiter na Terceira Casa

Júpiter na Terceira Casa indica uma mentalidade otimista, filosófica e espiritualmente dirigida. Há interesse pela expansão mental nas áreas de educação, filosofia, ensino, publicações, religião, comunicação e viagens. Geralmente, o pensamento é compatível com as crenças e os tipos dominantes de comunicação da cultura.

Esta posição faz com que as pessoas gostem de viajar e, assim, muito tempo é gasto em viagens curtas e longas, a não ser que Júpiter esteja em um signo fixo. Há muita curiosidade com relação às tendências do pensamento social e meios de comunicação manifestados por todas as formas de escrita e discurso. Essas pessoas podem ser bons analistas, e comentaristas sociais e políticos muito perspicazes.

Esta posição confere relacionamentos agradáveis com irmãos, irmãs e vizinhos, a não ser que Júpiter esteja sob tensão. Se Júpiter estiver sob tensão, há o perigo de acidentes durante viagens, devido ao excesso de confiança ou imprudência. Contudo, na maioria dos casos, a pessoa não é fisicamente prejudicada. A propensão a acidentes durante viagens é especialmente provável se Júpiter estiver sob tensão com relação a Marte ou Urano.

Júpiter na Quarta Casa

Júpiter na Quarta Casa esta acidentalmente exaltado, porque essa casa corresponde a Câncer, no qual Júpiter está exaltado. Esta posição de Júpiter oferece relacionamentos familiares agradáveis e segurança, conforto e tranqüilidade no lar e em todos os assuntos domésticos. Como os nativos geralmente pertencem a famílias financeiramente seguras, com boa posição na comunidade, obtêm muitos benefícios sociais e educacionais. Esta posição também proporciona boa sorte em geral na segunda metade da vida. Essas pessoas com freqüência herdam terras e propriedades dos pais ou outros membros da família. Se Júpiter estiver bem aspectado na Quarta Casa, haverá harmonia familiar com relação aos padrões religiosos e morais. Como ocorre com Júpiter em Câncer, os pais proporcionam bons ensinamentos religiosos e morais no início da vida desses nativos.

Geralmente está indicado um amplo círculo familiar e casas amplas. O lar pode ser utilizado como centro de atividades religiosas, sociais, filosóficas e educacionais.

Se Júpiter estiver bem aspectado, os benefícios materiais e espirituais se originarão no local de nascimento. Mas se Júpiter estiver sob tensão, é uma boa idéia deixar o local de nascimento e se estabelecer em outro lugar.

Se Júpiter estiver sob muita tensão nesta casa, os membros da família podem ser um fardo para os nativos, devido às pesadas dívidas contraídas para mantê-los de acordo com o modo de vida ao qual estão habituados. Um Júpiter afligido aqui também pode trazer limitação por intermédio de crenças religiosas antiquadas impostas por membros da família.

Júpiter na Quinta Casa

Júpiter na Quinta Casa indica pessoas criativas nas artes, na educação, nos esportes e em todas as áreas relacionadas às crianças. Por gostarem muito de crianças, elas são professores e conselheiros espirituais que estimulam os jovens.

Geralmente, seus filhos são afortunados, alcançando honra e distinção. É provável que os filhos mostrem interesse por filosofia e religião e, via de regra, se saem bem e vão longe em sua educação.

A não ser que Júpiter esteja sob muita tensão, esta posição indica felicidade no amor e a possibilidade de romance com uma pessoa de posses e *status*.

As pessoas com Júpiter na Quinta Casa com freqüência se envolvem em negócios relacionados à Bolsa de Valores, investimentos, educação, artes ou locais de diversão. Se Júpiter estiver sob tensão, podem ocorrer grandes perdas financeiras como resultado de especulações ou investimentos imprudentes. Como ocorre com Júpiter na Segunda Casa, os nativos tendem a se expandir demais, atraindo desse modo a ruína financeira. Isso acontece devido à co-regência de Júpiter em Peixes, o signo cármico.

Júpiter na Sexta Casa

Júpiter na Sexta Casa indica um interesse pelo trabalho construtivo. As pessoas com esta posição desejam realizar algo prático que possa servir aos outros e contribuir para a ordem social

Há um interesse na cura do corpo e da mente, com freqüência conduzindo ao trabalho em curas espirituais. Pode haver a compreensão inata de que os estados emocionais e mentais de uma pessoa têm muito a ver com sua saúde física. Como o trabalho, especialmente o de cura, com freqüência está ligado à religião, essas pessoas se interessarão por missões médicas, cura espiritual, massagem, homeopatia e outras formas de medicina natural. A Ciência Cristã e disciplinas similares são predominantes com esta posição.

Essas pessoas geralmente são benquistas e respeitadas em seu trabalho. A não ser que Júpiter esteja sob muita tensão, elas manterão relações agradáveis com colaboradores, empregados e patrões porque estão conscientes de seu trabalho e procuram realizá-lo bem.

Se Júpiter estiver sob muita tensão, estarão evidentes a preguiça e a tendência a empurrar o próprio trabalho para outros. Como Júpiter acidentalmente está em detrimento nesta casa, oposta ao signo de Peixes, de quem Júpiter é co-regente, surge uma atitude hipócrita em relação ao trabalho e ao que se espera dos outros. Um Júpiter sob tensão aqui pode provocar problemas de saúde devido a excessos, com freqüência resultando em problemas do fígado.

Júpiter na Sétima Casa

Júpiter na Sétima Casa indica receptividade, benevolência e amizade, o que traz felicidade no casamento e em sociedades. Um forte senso de justiça torna as pessoas com esta posição honestas e justas em seus relacionamentos; elas esperam honestidade e justiça dos outros. Os valores morais e espirituais íntegros geralmente resultam em um casamento feliz e duradouro. Essas pessoas com freqüência se casam com alguém de posses ou elevada posição social. As parcerias nos negócios também irão prosperar, porque existe bom julgamento na escolha dos sócios e honestidade no relacionamento.

Se Júpiter estiver bem aspectado na Sétima Casa, o amor altruísta é abertamente manifestado; os nativos desejam o maior bem-estar espiritual e material para os outros. Essa sincera preocupação faz com que recebam de volta confiança e amizade.

Há habilidade nas áreas relacionadas à lei, relações públicas, vendas, negociações e mediação.

Se Júpiter estiver sob tensão na Sétima Casa, pode haver tendência a considerar as coisas como garantidas e a esperar muito dos outros. Se

Júpiter estiver sob muita tensão, pode haver ingenuidade em sociedades e negócios, expondo os nativos a charlatães e pessoas com idéias grandiosas e impraticáveis.

Júpiter na Oitava Casa

Júpiter na Oitava Casa indica benefícios por intermédio de heranças, seguros e finanças conjuntas. Contudo, se Júpiter estiver sob tensão, pode haver litígios com relação a pesados impostos sobre heranças.

Com freqüência, os nativos sentem-se atraídos por negócios como casas funerárias, seguros, contabilidade de impostos e levantamento corporativo de fundos.

Nos assuntos religiosos, há um forte interesse pela vida após a morte, e se Júpiter formar aspectos com Urano, Netuno ou Plutão, é provável que essas pessoas se interessem pelo espiritualismo. Alguns podem até mesmo se comunicar telepaticamente com habitantes de outras esferas.

Júpiter na Nona Casa

Júpiter na Nona Casa indica profundo amor pela filosofia, pela religião e pela educação superior. As pessoas com esta posição formulam um padrão moral e um sistema de filosofia definidos, pelos quais moldam suas vidas. Também se interessam bastante por todas as codificações de pensamento, incluindo leis, religião, filosofia e educação superior. Assim, são bons professores e com freqüência se associam a instituições de ensino superior.

Geralmente, procuram adquirir o máximo de educação, a não ser que Júpiter esteja sob tensão. Nesse caso, talvez não tenham oportunidade de uma educação superior, ou podem desperdiçá-la devido à preguiça ou à indiferença pela disciplina que a educação exige.

Com freqüência, tornam-se sacerdotes ou ocupam posições de importância dentro da hierarquia da Igreja, pois geralmente são liberais e tolerantes com as pessoas. Contudo, se Júpiter estiver sob tensão, crenças religiosas extremistas podem provocar intolerância.

Essas pessoas gostam de viajar e procuram estudar países estrangeiros e visitá-los para aprender suas culturas.

As atividades profissionais podem se relacionar à publicação, instrução e viagens.

Júpiter na Décima Casa

Júpiter na Décima Casa indica destaque e posição elevada na profissão, na maioria das vezes manifestada na última parte da vida. Os princípios religiosos e éticos são utilizados em contatos de negócios e responsabilidades públicas. Ações benevolentes levam a posições de influência, porém essas boas ações podem não ser visíveis ao observador casual.

Com esta colocação de Júpiter há considerável ambição profissional, bem como honestidade e confiabilidade no que diz respeito aos deveres profissionais ou cargos públicos. As pessoas com Júpiter na Décima Casa geralmente adquirem boa reputação e são consideradas pilares da sociedade. É uma posição favorável para aqueles que buscam cargos públicos ou que se envolvem em política. Ela também confere capacidade executiva e de organização; portanto, é uma posição favorável para administradores e executivos.

Na área da educação superior, estes nativos se preparam com afinco para serem dignos de maior confiança e responsabilidade, sendo recompensados com o reconhecimento dos outros.

Essas pessoas possuem atitudes dignas, especialmente nos últimos anos. Se Júpiter estiver em um signo de terra, elas também possuem excelente capacidade para os negócios e adquirem riquezas nesta mesma época.

Como ocorre com Júpiter em Capricórnio, a negligência dos assuntos domésticos, enquanto procuram realizar suas ambições, pode provocar relacionamentos insatisfatórios no lar.

Se Júpiter estiver sob tensão na Décima Casa, pode haver hipocrisia e vaidade, conduzindo à desgraça e reveses da sorte.

Júpiter na Décima Primeira Casa

Júpiter na Décima Primeira Casa indica pessoas que atingem seus objetivos por intermédio de amizades e atividades em grupo. Essas pessoas são bondosas com seus amigos e preocupadas com o bem-estar da humanidade. Portanto, são benquistas e atraem amigos generosos e prestativos.

Se Júpiter estiver bem aspectado nesta casa, os amigos oferecem e recebem muitos conselhos morais e espirituais importantes e inspiradores. Porém, se Júpiter estiver sob tensão, os conselhos nem sempre são bons ou práticos.

Há um espírito de colaboração e consideração mútua com os amigos, o que possibilita ao nativo realizar esforços amplos e construtivos com sucesso. Com esta posição, as atividades de grupo com freqüência possuem objetivos humanitários e caritativos, que quase sempre se concretizam por meio de organizações religiosas, educacionais ou fraternais.

As atividades nos negócios podem estar relacionadas a invenções, ciência ou esforços de organização.

Se Júpiter estiver sob tensão na Décima Primeira Casa, a pessoa pode ter tendência a se aproveitar dos amigos e considerá-los garantidos, negligenciando as responsabilidades para com eles. Algumas vezes as amizades se estabelecem por motivos ocultos de lucros pessoais.

Júpiter na Décima Segunda Casa

Júpiter na Décima Segunda Casa mostra o interesse pela busca espiritual interior por meio do isolamento, da meditação e do estudo introspectivo. O misticismo e a intuição podem ser predominantes, especialmente se Júpiter formar aspectos com Urano, Netuno ou Plutão.

Nesta posição de Júpiter, há também uma profunda compaixão pelos mais necessitados. Se o planeta estiver bem aspectado, os nativos auxiliam os necessitados com generosas doações. Eles obtêm satisfação emocional ajudando os outros e com freqüência trabalham nos bastidores de grandes instituições, como hospitais, asilos, universidades e igrejas.

Com esta posição de Júpiter, temos também a capacidade de transformar inimigos em amigos, se o planeta estiver bem aspectado. Sinceridade e humildade são uma regra, se Júpiter não estiver sob tensão. Quando isso acontece, podem existir tendências neuróticas, complexo de mártir e um idealismo pouco prático. Essas pessoas podem se tornar protegidos de instituições religiosas ou de caridade, ou parasitas dos que se compadecem delas. Dessa maneira, negligenciam a responsabilidade de desenvolver suas próprias aptidões para o trabalho criativo e produtividade. Igualmente, há uma tendência a se refugiar na fantasia, como ocorre com um Netuno sob tensão na Décima Segunda Casa.

Se Júpiter estiver bem aspectado, essas pessoas recebem apoio e amparo em tempos de crise, merecidos por suas boas ações passadas.

Saturno nos Signos

Saturno leva vinte e nove anos para completar um ciclo do Zodíaco. A posição de Saturno no signo mostra como uma pessoa deve assumir a responsabilidade e desenvolver a maturidade e a disciplina.

Pela regência natural de Capricórnio, Saturno é um importante fator na determinação da carreira. Sua posição nos signos pode oferecer importantes indícios sobre o tipo de trabalho mais adequado para uma pessoa e a carreira que provavelmente irá seguir. As pessoas com Saturno fraco com freqüência não progridem em sua carreira.

A posição de Saturno também indica o tipo de responsabilidades que uma pessoa é forçada a enfrentar e as lições que precisa aprender. Os assuntos regidos pelo signo em que Saturno se encontra são questões especialmente importantes para o indivíduo, pois, com Saturno, ele aprende, através do trabalho árduo e da disciplina, a lidar com muitas dificuldades em diversos setores de sua vida. É dessa maneira que ele encontra a ordem e a segurança.

Saturno nos signos mostra como uma pessoa busca *status* e reconhecimento — as áreas em que tenta realizar algo de valor duradouro aos olhos do mundo. Ao ter sucesso e evoluir, ela escala mais um degrau; Saturno se encarrega de fazê-la carregar seu próprio fardo.

Com Saturno, lutamos com as duras realidades da intensa manifestação física; assim, a posição de Saturno no signo indica onde existem possibilidades de enfrentarmos dificuldades e limitações. Aprendemos que Roma não foi construída em um dia, que a realização de uma idéia exige tempo e trabalho árduo. Por meio da concentração e da aplicação envolvidas neste processo, desenvolvemos nossa capacidade de discriminação, força de vontade e paciência. Esses são alguns dos fundamentos para o desenvolvimento da verdadeira espiritualidade.

Saturno em Áries

Saturno no signo de Áries indica uma pessoa forçada pelas circunstâncias a adquirir iniciativa, paciência e autoconfiança para enfrentar as necessidades práticas da vida. Através da obrigação de desenvolver seus próprios recursos, ela passa a desenvolver sua vontade e força de caráter.

Saturno está em sua queda em Áries, porque Áries é o signo oposto a Libra, no qual Saturno está exaltado. Áries representa o impulso inicial de ação, enquanto Saturno representa a lei de causa e efeito que traz de volta as conseqüências de uma ação. Saturno em Áries está em sua queda porque não houve tempo suficiente para que essas conseqüências acontecessem. Assim, é difícil para as pessoas com esta posição verem a si mesmas como os outros as vêem; elas estão iniciando um novo ciclo de experiências, de forma que não tiveram tempo para aprender as conseqüências de seus atos. Portanto, podem não ter consciência dos princípios de justiça social e dos direitos alheios.

Esta posição de Saturno oferece muitas habilidades; os nativos são capazes de desenvolver novos métodos em seu trabalho. No caso de pessoas muito desenvolvidas, a disciplina associada à iniciativa conduz à criatividade mental, que lhes permite criar novos conceitos nas áreas escolhidas. Einstein, que tinha Mercúrio em conjunção com Saturno em Áries, é um bom exemplo dessa característica.

Se Saturno estiver sob tensão em Áries, os nativos podem ser muito defensivos, sempre esperando oposição dos outros; essa qualidade dificulta a compreensão, a colaboração e a comunicação com os outros.

Um Saturno sob tensão em Áries também indica egocentrismo e o impulso de se autojustificar. Como essas pessoas se preocupam com sua própria ambição e segurança, podem ignorar as necessidades e aspirações dos outros. Sua tendência a buscar exclusivamente objetivos pessoais pode impedi-las de colaborar com os outros e, assim, limitar seu sucesso.

Portanto, com esta posição de Saturno, podemos ser desprovidos de diplomacia. Os nativos tendem a fazer as coisas sozinhos, cuidando de suas próprias necessidades sem dar nem solicitar ajuda. Eles preferem ter seus próprios negócios, mas isso nem sempre é possível com esta posição.

Saturno em Áries pode provocar dores de cabeça e tendência à preocupação, devido a uma restrição do fluxo sangüíneo normal para a cabeça.

Saturno em Touro

Saturno no signo de Touro indica pessoas que necessitam de disciplina e trabalho árduo se desejarem adquirir bens materiais; elas sentem uma forte necessidade de segurança financeira e emocional; não conseguem ficar em paz se os assuntos práticos não estiverem em ordem. Se Saturno estiver bem aspectado em Touro, serão características a paciência constante, a devoção inabalável aos princípios e a capacidade de administração de negócios.

Quando estão com cerca de 29 anos de idade, essas pessoas procuram posições estáveis em sua carreira, que lhes assegure segurança financeira e doméstica, exigidas para seu bem-estar. Elas provavelmente são confiáveis e persistentes em suas carreiras. Com freqüência, seguem profissões relacionadas a transações bancárias, investimentos, seguros ou administração de empresas. Como tendem a ser moderadas, geralmente compram objetos de valor duradouro, considerando principalmente suas qualidades práticas; guardam dinheiro para emergências futuras e segurança na velhice. Elas precisam desenvolver um senso de valor equilibrado dos recursos materiais.

Se Saturno estiver sob tensão em Touro, é possível haver obstinação e materialismo excessivo. Em casos extremos, o resultado é a avareza ou — inversamente — uma sobrecarga de bens materiais, que não permite que as coisas fluam para que novas coisas possam refluir quando necessário.

Saturno em Gêmeos

Saturno no signo de Gêmeos indica uma mente prática, disciplinada, sistemática e lógica. Há capacidade de disciplina no pensamento, no raciocínio, na escrita e na solução de problemas de todos os tipos. As idéias são julgadas por sua utilidade prática e pelos resultados obtidos na experiência direta.

Essa disciplina em todas as formas de trabalho mental, especialmente matemática, ciência e execução concreta de idéias, geralmente permite que os nativos completem cursos formais de estudo. Essas pessoas gostam das coisas bem definidas, organizadas em detalhes e anotadas no papel. Preocupam-se principalmente com a clareza em contratos e acordos.

A honestidade na comunicação e a confiança são de extrema importância; assim, essas pessoas geralmente conseguem algo sólido para provar seus esforços.

Saturno atua bem em todos os signos de ar, porque acrescenta disciplina, justiça e senso prático às funções intelectuais. A exaltação de Saturno em Libra e a co-regência de Aquário dão força a esta posição em Gêmeos, por intermédio do trígono duplo na triplicidade de ar do Zodíaco natural.

Muitas secretárias, estenógrafas, guarda-livros, contadores, escritores, professores e pesquisadores possuem esta posição. Ela também favorece pessoas envolvidas em engenharia, ciências físicas e matemáticas.

Se Saturno estiver sob tensão em Gêmeos, pode haver tendência a sentir e demonstrar muita dúvida, suspeita, timidez e uma atitude crítica. Contudo, os nativos são suficientemente flexíveis para se adaptarem às necessidades práticas de qualquer situação, sendo habilidosos para encontrar soluções de problemas; eles enxergam a vida com objetividade prática.

Saturno em Câncer

Saturno no signo de Câncer está em detrimento, porque Câncer é o signo oposto a Capricórnio, que é regido por Saturno.

Saturno em Câncer pode provocar inibições na manifestação da emoção, que provavelmente resulta em afastamento da família; este isolamento emocional dentro do cenário doméstico pode conduzir a reações neuróticas. O ambiente familiar inicial e os relacionamentos com os pais algumas vezes são frios, austeros ou cercados de problemas, e os nativos podem ficar com cicatrizes emocionais e inibições. As pessoas com Saturno em Câncer, apesar disso, levam muito a sério as responsabilidades familiares.

A necessidade de respeito ao indivíduo e sua família é sentida profundamente. Essas pessoas ocultam seus sentimentos interiores para preservar sua dignidade. A sensibilidade emocional e a necessidade de aprovação algumas vezes as forçam a construir uma couraça ao redor de si mesmas, o que pode inibir a manifestação do verdadeiro calor nos relacionamentos pessoais.

Saturno em Câncer com freqüência indica dificuldades na estabilidade e na segurança na vida familiar. Embora estas pessoas lutem para ter seu próprio lar e propriedades, podem passar por dificuldades financeiras e tensão no lar.

Em alguns casos, a má digestão e um lento metabolismo corporal provocam excesso de peso e retenção de água nos tecidos. Em outros, pode haver subnutrição, resultando em uma aparência ossuda.

Se Saturno estiver sob tensão em Câncer, existe a possibilidade de hipersensibilidade emocional, atitudes defensivas e ligações muito fortes aos bens materiais.

Saturno em Leão

Saturno no signo de Leão oferece aos nativos uma necessidade de se sentirem importantes e reconhecidos e um desejo compulsivo de controlar o ambiente; assim, procuram atingir posições de poder e liderança. Se Saturno estiver sob tensão, há o perigo de desenvolver atitudes autoritárias ou dogmáticas. A necessidade de defender o ego pode resultar em teimosia e rigidez. Buscando segurança por meio da autoridade autocrática pessoal, eles exigem muita atenção e respeito dos outros. Os pais com esta posição de Saturno geralmente são severos e disciplinadores rigorosos com seus filhos.

Saturno rege o senso prático e a valorização das leis universais e princípios de justiça. Como essas leis são de natureza cósmica e impessoal, como indica o signo de Aquário, co-regido por Saturno, sua interpretação deve estar livre de considerações pessoais, se desejarmos uma visão aguçada da realidade e relacionamentos bem-sucedidos. Contudo, Saturno está em detrimento em Leão, porque Leão é o signo oposto a Aquário; conseqüentemente, as leis que Saturno governa são distorcidas aqui pelo egotismo e pelo desejo de poder. Assim, esta posição pode indicar pessoas que precisam desenvolver um conjunto de valores adequado para lidar com o amor, o romance, crianças e questões de auto-expressão criativa.

Saturno em Leão oferece interesse profissional na educação e na administração das áreas de diversão, negócios e investimentos especulativos. As doenças físicas geralmente se apresentam na forma de rigidez nas costas e problemas no coração.

Um Saturno sob tensão em Leão pode trazer desilusões no amor ou problemas com os filhos, bem como perdas por intermédio de especulações financeiras.

Saturno em Virgem

Saturno no signo de Virgem indica pessoas práticas, exigentes e trabalhadoras. Elas se preocupam com detalhes, precisão e eficiência, especialmente no trabalho.

Se Saturno estiver sob tensão em Virgem, o perfeccionismo pode se manifestar nas relações com colaboradores, empregados e patrões. Como esses nativos são meticulosos a respeito de regras e regulamentos, é difícil se relacionar com eles. Eles tendem a sobrecarregar os outros e a si mesmos com excesso de trabalho, enquanto ignoram assuntos importantes devido à excessiva preocupação com detalhes.

Com freqüência trabalham em áreas de medicina, pesquisa relacionada à saúde e ciência, ou em atividades como guarda-livros ou bibliotecários. Exercitam sua paciência e precisão em experimentos científicos e análise de resultados experimentais.

Esta posição com freqüência cria pessoas austeras, melancólicas e deprimidas devido ao excessivo peso do trabalho e da responsabilidade. Elas necessitam tirar uma folga de vez em quando e desenvolver o senso de humor. A preocupação e o excesso de trabalho podem levar à má saúde, problemas de digestão e ansiedade.

Saturno em Libra

Saturno no signo de Libra traz a percepção de que para se conseguir qualquer coisa de valor duradouro, ou mesmo tornar a vida possível, é necessária a colaboração humana — que deve ser contínua para ser eficaz. Mas a colaboração contínua só é possível quando todas as partes de um projeto são tratadas com justiça, e a justiça exige regras de conduta e compromisso aceitas por todos. Cada pessoa deve lutar para completar seu trabalho e precisa ser responsável pelo todo. A disciplina e a responsabilidade nascem da compreensão de que os relacionamentos humanos impõem compromisso mútuo, como no casamento, nas sociedades e nas amizades íntimas. A razão é que Saturno está exaltado em Libra, o signo que rege os relacionamentos.

Como Saturno em Libra lida com a responsabilidade nos relacionamentos, ele também rege as leis que formalmente regulam esses assuntos. Assim, as pessoas com esta posição de Saturno com freqüência tornam-se advogados, juízes e mediadores.

Saturno em Libra rege contratos, incluindo os contratos conjugais; esses acordos com freqüência são de natureza cármica, surgindo das interações com pessoas que contraíram responsabilidades e dívidas morais passadas.

Como Libra é um signo intelectual de ar e um signo cardinal de atividade, as pessoas com Saturno em Libra geralmente lidam com acordos em negócios: planejamento de organizações, formulação de contratos legais, divisão cooperativa de responsabilidades de trabalho entre as pessoas. A capacidade de planejar e organizar esforços conjuntos acompanha esta posição.

Saturno em Libra pode indicar casamentos tardios ou com pessoas sérias, com pesadas obrigações comerciais ou profissionais. O casamento com freqüência está sujeito a obrigações, trabalho árduo e paciência.

Esta é uma poderosa posição para Saturno; ela oferece muita consciência e responsabilidade sociais. Se Saturno estiver bem aspectado, estas pessoas com freqüência atingem posições de honra e riqueza por sua habilidade para trabalhar com outros — uma habilidade que inclui receptividade, tato, confiabilidade e boa organização.

Se Saturno estiver sob tensão em Libra, o nativo pode demonstrar atitudes exigentes com as pessoas e a tendência de forçá-las a trabalhar. Pode não haver amor, perdão e senso de responsabilidade em seus relacionamentos. Os nativos tendem a aplicar a lei rigorosamente, em vez de compreender a justiça que está implícita em sua essência. O conceito de justiça que executam tão rigorosamente é dissimulado por sua opinião pessoal. Um Saturno sob tensão em Libra pode indicar uma falsa ambição, levando os nativos a muitos compromissos, que só podem cumprir às custas do excesso de trabalho. Em alguns casos, eles não conseguem cumpri-los, e o ressentimento que isso provoca nos outros resulta em sua própria queda de *status*.

Saturno em Escorpião

Saturno no signo de Escorpião indica responsabilidade em assuntos financeiros, como recursos corporativos, finanças conjuntas, impostos, heranças, seguros e questões relativas a propriedades alheias. A atividade nos negócios provavelmente irá lidar com financiamento corporativo, seguros e contabilidade de impostos. Se Saturno estiver sob tensão em Escorpião, podem ocorrer conflitos a respeito de heranças, impostos e finanças conjuntas, que, com freqüência, provocam batalhas legais e perdas através de litígios.

Os nativos geralmente são perfeccionistas em seu trabalho. Estão sempre tentando melhorar a estrutura do *status quo*. Se esta tendência for levada a extremos, podem adquirir a reputação de chefes muito duros. Como têm pouca paciência com atitudes que refletem preguiça ou má vontade no trabalho, não aceitam a falta de perseverança nos outros, bem como em si mesmos. Utilizam muita energia e força de vontade em realizações práticas.

Estas pessoas aceitam as responsabilidades com uma intensidade emocional que com freqüência as sobrecarrega; precisam aprender a lidar com elas de maneira calma e eficiente à medida que surgem. Meticulosidade, persistência e determinação são a regra com Saturno em Escorpião, proporcionando um impulso para o sucesso, igualado apenas por algumas outras posições. Estas pessoas desejam autoridade e lutarão muito para realizar suas ambições; se utilizam ou não meios honestos, dependerá dos aspectos de Saturno.

Estas pessoas são capazes de nutrir profundo ressentimento quando sentem que foram tratadas injustamente. Também podem ter uma devoção quase fanática pelos princípios.

Se Saturno estiver sob tensão neste signo, pode existir tendência a intrigas e conspirações. Podem também estar presentes o desejo de vingança e incapacidade para esquecer ofensas passadas.

Em assuntos de saúde, pode haver problemas com constipação ou calcificação.

Saturno em Sagitário

Saturno no signo de Sagitário indica pessoas sérias em sua busca da filosofia, religião e educação superior. Elas geralmente desenvolvem códigos morais rígidos ou uma devoção inabalável a sistemas religiosos e filosóficos. Defenderão preceitos morais e se comportarão de acordo com princípios de justiça; procuram a verdade e valores construtivos em sua atitude pessoal.

Saturno dá ao sagitariano intelectualismo, disciplina, meticulosidade e profundidade de concentração. Tudo o que eles aprendem é totalmente absorvido e pode ser colocado em prática. Quando atingem honra ou distinção, sentem que a obtiveram pelo esforço perseverante.

O desejo de poder e liderança se manifesta na vontade de ser considerado uma autoridade em algum aspecto da educação superior, da religião, do direito ou da filosofia. Há uma profunda necessidade de realização intelectual, filosófica ou espiritual que traga distinção.

Esta posição oferece um intenso orgulho intelectual; os nativos temem a desaprovação e a censura e ficam indignados quando outros pensam ou falam deles injustamente. Sua reputação pessoal é de extrema importância para eles.

Se Saturno estiver sob tensão, estas pessoas provavelmente são presunçosas ao tentarem impor seu sistema filosófico ou religioso aos outros. Se levada a extremos, esta prática resulta em presunção intelectual e espiritual.

Saturno em Capricórnio

Saturno no signo de Capricórnio indica uma forte ambição de poder mundano, *status* e autoridade, geralmente manifestada nos negócios, na ciência ou na política. Os nativos sentem grande necessidade de realizar coisas importantes em sua carreira, e não fazem nenhum esforço sem ter em mente objetivos práticos. São bons organizadores; alternam-se entre favorecer suas ambições e proteger sua segurança, conseguindo desse modo obter destaque sem correr riscos. Possuem uma aura de dignidade e seriedade que pode lhes dar uma aparência de austeridade e frieza.

São capazes de aceitar ordens de autoridades, e quando atingem suas próprias posições de autoridade, esperam a mesma obediência dos outros. Assim, são conservadores nos negócios e na política. Sentem que a estrutura tradicional do poder tem suas razões, que não deveriam ser questionadas por aqueles que não possuem experiência prática no trato com as responsabilidades do poder.

Sua luta para adquirir segurança e auto-suficiência no início da vida ajuda a formar estas atitudes práticas e conservadoras. Eles acreditam que, até que possamos lidar com nossas próprios assuntos, não estamos na posição de aconselhar os outros, ou de assumir responsabilidades políticas ou econômicas.

As pessoas com esta posição de Saturno sabem que tudo tem seu preço e que todos precisam contribuir para o funcionamento do mundo. Acham que todos deveriam obter as coisas por seus próprios esforços. Assim, quando chegam ao topo, procuram ajudar os outros a ajudarem a si mesmos. Contudo, mais tarde na vida, tendem a esquecer as duras lutas da juventude e as dificuldades de enfrentar a vida sem dinheiro, ferramentas ou recursos — a despeito da sinceridade e da vontade de trabalhar. Se Saturno estiver sob tensão, estas pessoas podem usar a riqueza obtida e os bens materiais para controlar os outros.

Como e quando o poder e a autoridade serão obtidos, irá depender do nível de compreensão e do grau de espiritualidade revelado pelo restante do horóscopo.

Estas pessoas geralmente possuem forte sentimento de orgulho e honra familiar; com freqüência se originam de famílias respeitadas na comunidade. Entretanto, os que nasceram de famílias ricas e socialmente importantes correm o risco de se tornarem extremamente insensíveis aos valores humanos, porque não passaram pela experiência do esforço pessoal sem recursos. É provável que considerem as pessoas social e economicamente inferiores como mercadorias manipuláveis, e não como seres humanos sensíveis. Essa tendência pode ser compensada se o horóscopo mostrar compreensão espiritual e compaixão herdadas de uma encarnação passada. Como ocorre em Escorpião, as pessoas com Saturno em Capricórnio podem atingir as alturas da espiritualidade ou as profundezas do materialismo e do egoísmo.

Se houver uma infância de pobreza e desgraça familiar, esta posição proporciona o impulso necessário para superar as dificuldades e atingir destaque e poder. Para essas pessoas, a vida é sempre um assunto sério e uma luta. Algumas vezes, não possuem sensibilidade estética, julgando as coisas somente por seu preço ou reputação. Precisam desenvolver o senso de humor e a compreensão de outros valores além do materialismo e do *status*. Se o desejo de *status* for levado a extremos, pode se tornar um fim em si mesmo, e não um meio de contribuir para a ordem social.

Se Saturno estiver bem aspectado em Capricórnio, haverá honestidade e integridade em todos os negócios e contatos profissionais e políticos. Se Saturno estiver sob tensão, podem ser utilizados meios inescrupulosos para adquirir riqueza e poder, resultando em tipos autoritários nos casos extremos; pode haver uma tendência a usar interpretações literais da lei visando vantagens desonestas. Contudo, quando utilizados, os meios inescrupulosos com freqüência provocam inversão na sorte, desgraça pública e perda do poder.

Estas pessoas devem evitar a rigidez em suas atitudes e crenças.

Saturno em Aquário

Saturno no signo de Aquário indica boa capacidade de concentração mental. A mente é impessoal e científica; a preocupação com a verdade imparcial é muito importante. Os tipos muito evoluídos são capazes de esquecer o ego e enxergar todas as questões — sociais ou científicas — à luz da lei universal, imparcial.

A capacidade de acalmar a mente e fixar a atenção é o pré-requisito necessário ao desenvolvimento das faculdades intuitivas uranianas do signo de Aquário. Saturno nesta posição proporciona a firmeza de atenção necessária a este desenvolvimento.

As pessoas com esta posição são mentalmente ambiciosas e com freqüência trabalham muito para realizar descobertas científicas ou novas aplicações do conhecimento científico, que lhes trarão *status* e destaque. Saturno em Aquário oferece a capacidade para visualizar formas e estruturas, muitas vezes de natureza geométrica, e confere habilidades matemáticas.

Como ocorre com Saturno em Libra, se estiver bem aspectado Saturno em Aquário oferece senso de justiça e responsabilidade nos relacionamentos. As pessoas com esta posição são leais e responsáveis com amigos e grupos com quem trabalham; com freqüência se envolvem em organizações fraternais altamente estruturadas, como a maçonaria. Geralmente são sensatas, dando bons conselhos que se baseiam em leis universais.

Os relacionamentos sociais são muito importantes, mas, se Saturno estiver sob tensão, essas pessoas podem ser egoístas e dominadoras. Elas esperam que os outros joguem de acordo com suas regras e sirvam a seus interesses pessoais.

Se Saturno estiver sob tensão em Aquário, pode haver tendência à frieza e insensibilidade emocional nas relações pessoais. O indivíduo pode ter atitudes formais, exclusivistas e intelectuais, sem demonstrar sentimento. Há também o perigo do orgulho intelectual.

Saturno em Peixes

Saturno no signo de Peixes é uma posição difícil, porque aqui o planeta cármico está no signo cármico. Os nativos tendem a ficar presos às lembranças do passado. Uma imaginação hiperativa, extraordinária, gera todos os tipos de ansiedades e neuroses. Conseqüentemente, é difícil para estas pessoas lidarem de modo eficaz com as exigências do presente. Em casos extremos, a imaginação cria defeitos pessoais e problemas que na realidade não existem.

No lado positivo, Saturno em Peixes pode dar a estas pessoas compreensão emocional, humildade e vontade de trabalhar pelos menos favorecidos. Se o resto do horóscopo indicar clareza mental, pode também haver *insight* psicológico sobre os outros.

Se Saturno estiver bem aspectado, estas pessoas são capazes de profunda meditação, que firma a psique e possibilita profunda compreensão espiritual.

Um Saturno sob tensão em Peixes pode resultar em paranóia, preocupação excessiva, agitação e arrependimento por erros e contratempos passados. Quando levadas a extremos, estas reações podem levar a tendências neuróticas e psicóticas, que resultam na internação em instituições mentais ou outros locais de confinamento. Em alguns casos, os problemas neuróticos se manifestam em doenças físicas e isolamento em hospitais, especialmente quando existe oposição de Saturno em Peixes com Virgem, o signo da saúde.

Estas pessoas precisam de uma certa tranqüilidade e solidão para penetrarem em seus recursos interiores. Também deveriam passar algum tempo participando ativamente das questões mundiais, evitando o mau humor e excesso de introversão. Se Saturno estiver sob tensão em Peixes, deveriam se esforçar muito para evitar a autopiedade.

Lamentações inúteis sobre o passado podem se transformar num câncer da alma, destruindo a felicidade, a criatividade e a dedicação a si e aos outros. Esta posição exige uma auto-análise objetiva e crítica para que os nativos possam descobrir seu valor e suas aptidões pessoais — bem como seus defeitos —, e encontrar uma saída para suas dificuldades. Eles precisam aprender a esquecer o passado e agir construtivamente no presente.

Esta posição de Saturno com freqüência indica que o trabalho será realizado nos bastidores de amplas instituições — hospitais, asilos, universidades ou órgãos governamentais.

Saturno nas Casas

Saturno nas casas indica os setores na vida onde a pessoa precisa aprender a agir com disciplina. Ele mostra as circunstâncias práticas que exigem responsabilidade do indivíduo, forçando-o a amadurecer. Mostra como deve construir a estrutura que falta em alguns setores de sua vida e como irá manifestar sua ambição.

Saturno na Primeira Casa

Saturno na Primeira Casa indica uma atitude pessoal austera e digna. Os nativos aceitam responsabilidades e são sérios e trabalhadores. Não falam nem agem sem ter em mente um objetivo definido. Podem parecer frios e hostis ao observador casual, mas se Saturno estiver bem aspectado, podem ser amigos leais e prestativos quando sua ajuda for mais necessária.

As pessoas com esta posição possuem boa capacidade de raciocínio e senso de justiça. A percepção de que devem assumir pesadas responsabilidades pode fazê-las acreditar que as diversões são frívolas e que não têm tempo para isso. Precisam se tornar mais expansivas e desenvolver o senso de humor.

Se Saturno estiver sob tensão na Primeira Casa, são comuns limitações e privações na infância. Muitos obstáculos devem ser superados antes que estas pessoas possam ter auto-suficiência, independência e liberdade. Se Saturno estiver sob muita tensão, pode indicar egoísmo e ambição materialista, resultado psicológico do sofrimento vivido no início da vida. Esse sofrimento leva à desconfiança dos outros e a atitudes de que precisam proteger seus próprios interesses, pois ninguém mais o fará. Nesses casos, construirão ao seu redor uma parede emocional que os outros não conseguem ultrapassar. Assim, podem afastar ainda mais as pessoas, num círculo vicioso que acarreta mais defesas e solidão.

Estas pessoas trabalham muito e durante longo tempo para obter destaque por seus próprios méritos, porque desejam mostrar quem são por meio de realizações que conduzem ao poder e proporcionam *status*. As limitações para a satisfação de ambições pessoais podem provocar frustrações e, conseqüentemente, hostilidade. Esta não assume a forma de violência declarada, mas pode se manifestar em planos de vingança ou para tirar vantagem dos outros.

Saturno na Primeira Casa está acidentalmente em queda, porque esta casa corresponde a Áries, onde Saturno está em queda. Conseqüentemente, estas pessoas com freqüência precisam aprender a amar e a colaborar com os outros antes de ter satisfação pessoal e felicidade. Somente quando tiverem adquirido alguns dos atributos de Libra e da Sétima Casa é que poderão escapar à sua autolimitação.

Às vezes, um Saturno sob tensão na Primeira Casa resulta em incapacidade ou deficiência física. Saturno nesta colocação provavelmente proporciona uma aparência ossuda. Dois tipos distintos acompanham esta posição: um é baixo e moreno com olhos escuros, o outro é alto e de ossos largos.

Saturno na Segunda Casa

Saturno na Segunda Casa indica ambição e trabalho árduo para adquirir dinheiro, bens materiais e o *status* que eles conferem. Os nativos geralmente precisam trabalhar muito para ganhar a vida. São perspicazes nos negócios e podem lucrar em tudo o que compram. Guardam dinheiro pensando em segurança na velhice. Se esta moderação for exagerada, pode resultar em avareza; assim, a pessoa será excessivamente cautelosa com dinheiro e não desejará gastar nem nas coisas necessárias. Isso algumas vezes dificulta sua expansão profissional, que poderia lhe proporcionar mais dinheiro.

Estas pessoas precisam perceber que, se quiserem progredir financeiramente, o dinheiro precisa circular para retornar. Em muitos casos, essa cautela se origina de um profundo medo da pobreza, e com freqüência essas pessoas trabalham muito e acumulam grande riqueza devido a esse medo.

Se Saturno estiver sob tensão, existe a possibilidade de haver muito trabalho e poucos lucros. Se Saturno estiver bem aspectado, pode gerar segurança financeira e facilidade na aquisição de dinheiro e propriedades, especialmente nos últimos anos de vida. Um Saturno bem aspectado aqui com freqüência indica prudência e sagacidade nas questões de negócios. Em geral, as pessoas com esta posição adquirem terras e propriedades de valor duradouro.

O lucro material por intermédio do pai, patrão ou pessoas em posições de poder com freqüência está indicado. O dinheiro pode ser ganho em contratos com o governo, na administração de negócios, mineração e construção.

Se Saturno estiver sob tensão na Segunda Casa, pode indicar egoísmo e possessividade com relação ao dinheiro e aos recursos materiais.

Saturno na Terceira Casa

Saturno na Terceira Casa indica disciplina mental e senso prático; as idéias são julgadas por sua utilidade. O discurso é deliberado. As habilidades matemáticas e científicas são evidentes, devido à paciência e ao método que Saturno proporciona ao processo de raciocínio.

Com freqüência, as pessoas com esta posição trabalham em publicações, na imprensa e nos meios de comunicação. São bons contadores, secretários, pesquisadores, bibliotecários, escritores e professores. São cuidadosas com contratos e cautelosas ao assinar papéis ou fazer acordos.

Não gostam muito de viajar, a não ser por motivos de negócios. As atividades nos negócios podem exigir muitos telefonemas e cartas.

Se Saturno estiver sob tensão, podem ocorrer relações difíceis com irmãos, irmãs e vizinhos. Um Saturno sob tensão na Terceira Casa também pode causar preocupações e pensamentos negativos, capazes de provocar queixas e críticas. Podem surgir dificuldades e desilusões na educação ou no treinamento profissional.

Se Saturno estiver bem aspectado, há muito trabalho para adquirir treinamento profissional.

Saturno na Quarta Casa

Saturno na Quarta Casa indica pesadas responsabilidades no lar e na família. Os pais dos nativos geralmente são rígidos e conservadores e podem ser um fardo nos últimos anos.

Como Saturno está acidentalmente em detrimento na Quarta Casa, pode haver afastamento emocional da família. Estas pessoas com freqüência precisam lutar para ter segurança no lar e sustentar suas famílias. Podem também ocorrer limitações nos últimos anos, se Saturno estiver sob tensão nesta casa.

As atividades profissionais e nos negócios provavelmente se centralizam em bens imobiliários, construção, contratos, agricultura ou fabricação de produtos domésticos.

Esta posição de Saturno indica cuidados na administração do lar, propriedades e heranças. Os nativos procuram preservar estas coisas, para que mais tarde possam ter segurança.

Nos últimos anos de vida, geralmente tornam-se solitários ou introvertidos, ou talvez não possam sair de casa por força da necessidade.

Saturno na Quinta Casa

Saturno na Quinta Casa indica pesadas responsabilidades com filhos ou dificuldades para tê-los.

Se Saturno estiver bem aspectado, pode indicar organização e percepção da estrutura nas artes e música. Os negócios ou a carreira podem lidar com especulação, escolas ou lugares de diversão. As pessoas com esta posição são bons investidores e corretores da Bolsa, do tipo conservador. Saturno na Quinta Casa com freqüência indica ambição de poder e liderança por intermédio da auto-expressão; a política e a administração de negócios podem servir como canais de expressão.

Se Saturno estiver sob tensão, podem ocorrer perdas financeiras em investimentos especulativos.

Estas pessoas com freqüência se envolvem romanticamente com indivíduos mais velhos, maduros. Os envolvimentos românticos provavelmente impõem pesadas obrigações.

Se Saturno estiver sob tensão, talvez não haja oportunidades românticas, ou pode ocorrer desilusão no amor. Estas pessoas são muito reservadas em sua auto-expressão criativa e em suas atitudes com respeito à arte e ao prazer. Sua autopercepção dificulta a felicidade e o amor dos outros. Elas precisam aprender a se entregar, a buscar os outros com amor. Somente quando descobrirem uma forma de se expressar aberta e calorosamente é que poderão encontrar a felicidade.

Se Saturno estiver sob muita tensão, pode haver incapacidade para se relacionar com crianças, ou uma excessiva rigidez e severidade com elas. Com freqüência, existe frieza emocional e incapacidade para amar. Saturno sob tensão na Quinta Casa pode provocar inibição sexual e frigidez devido a bloqueios emocionais.

Saturno na Sexta Casa

Saturno na Sexta Casa indica capacidade para o trabalho árduo e eficiência no emprego. O trabalho é levado a sério, e muito conhecimento e habilidades específicas são adquiridos. Geralmente existem pesadas responsabilidades no trabalho, e uma atitude séria com relação aos cuidados com a saúde.

Os nativos seguem carreiras na medicina, em processamento de alimentos, vestuário, ciência, engenharia e outras áreas mecânicas que exigem habilidade e precisão. Esta posição de Saturno proporciona uma mente cuidadosa, analítica, devido à regência natural de Mercúrio na Sexta Casa. Estas pessoas podem alcançar segurança financeira através de suas aptidões e habilidades especializadas.

Se Saturno estiver sob tensão na Sexta Casa, pode haver problemas crônicos de saúde e pouca vitalidade, com freqüência como resultado da preocupação e do excesso de trabalho; talvez não consigam emprego por falta de oportunidade ou má saúde.

Se Saturno estiver bem aspectado, os nativos são respeitados por seus colaboradores, empregados e patrões. Contudo, se Saturno estiver sob tensão, as relações com essas pessoas são insatisfatórias.

Saturno na Sétima Casa

Saturno na Sétima Casa está acidentalmente exaltado, porque a Sétima Casa corresponde ao signo de Libra, no qual Saturno está exaltado. Assim, há um forte senso de responsabilidade e justiça em todos os relacionamentos importantes e contatos com o público. Os nativos casam-se tarde ou com pessoas sérias, maduras, voltadas à carreira. Se Saturno estiver bem aspectado, o casamento será estável e duradouro. Se Saturno estiver sob tensão, o casamento e as sociedades trarão problemas.

As pessoas com Saturno nesta casa irão trabalhar muito e conscienciosamente, colaborando com os outros e assumindo sua quota de responsabilidade. Se forem bem aceitas, serão trabalhadores de confiança, dos quais se pode depender em todos os acordos. Elas podem se interessar por leis e possuem capacidade para organização e administração de negócios, ou formulação de contratos. Podem determinar seu bem-estar futuro e progredir em suas carreiras, trabalhando com outras pessoas.

Se Saturno estiver sob tensão na Sétima Casa, o nativo tem tendência a ser crítico, inibido e negativo nos relacionamentos. O parceiro no casamento pode ser frio, antipático, pouco cooperativo, crítico e difícil. Um Saturno sob tensão nesta casa pode também indicar traição de inimigos e ações judiciais.

As pessoas com Saturno na Sétima Casa são de alguma forma impelidas a relacionamentos que acarretam responsabilidades.

Saturno na Oitava Casa

Saturno na Oitava Casa indica envolvimento com finanças de parceiros, dinheiro corporativo, seguros, impostos e heranças, o que sempre traz responsabilidades. Os nativos devem desenvolver seu senso de justiça na utilização de recursos materiais, porque são responsáveis por suas propriedades, bem como pelas dos outros.

Se Saturno estiver sob tensão na Oitava Casa, podem ocorrer litígios ou outros problemas com dinheiro, heranças ou bens de outras pessoas, e talvez lhes neguem direitos legais sobre heranças; em caso de divórcio, podem sofrer perdas por meio de pensões alimentícias. Provavelmente serão sobrecarregados por pesados impostos e devem pagá-los em dia para prevenir dificuldades legais. Um Saturno sob tensão também significa que a morte pode ser provocada por doença prolongada.

O nativo pode se casar com uma pessoa pobre, o que pode tornar o casamento um fardo em termos financeiros. Há também a possibilidade de haver restrições nas ambições profissionais devido à falta de capital. Entretanto, se Saturno estiver bem aspectado, o dinheiro pode ser ganho por intermédio da habilidosa administração do dinheiro de outras pessoas e de recursos colocados sob sua jurisdição.

Se o indivíduo não tiver valores espirituais, Saturno na Oitava Casa pode provocar o medo da morte. São comuns os sonhos angustiantes e experiências psíquicas de efeito psicológico perturbador.

Se Saturno estiver bem aspectado com Urano, Netuno ou Plutão, pode haver um profundo *insight* espiritual sobre os mistérios da vida.

Saturno na Nona Casa

Saturno na Nona Casa indica um sério interesse pela religião, pela filosofia e pela educação superior. Os sistemas de crença são julgados por seu valor prático e por sua contribuição para a estabilidade social, especialmente na fase mais avançada da vida.

As pessoas com esta posição geralmente buscam a educação em instituições tradicionais de ensino superior, como acesso ao *status* e progresso profissional. Como ocorre com Saturno em Sagitário, elas desejam destaque pessoal por intermédio de alguma realização nas áreas de educação, filosofia ou religião. Procuram posições de poder e autoridade dentro de importantes instituições educacionais ou religiosas; assim, muitos professores e membros de universidades podem ter Saturno nesta casa. Elas também se preocupam com sua reputação moral; seus padrões religiosos são conservadores e tradicionais, a não ser que outros fatores no horóscopo indiquem o contrário.

As atividades profissionais e os negócios provavelmente irão lidar com leis, ensino, publicações, religião e viagens. As pessoas com esta posição de Saturno viajam mais a negócios ou como meio de obter *status* do que por prazer.

Se Saturno estiver sob tensão na Nona Casa, pode indicar atitudes autoritárias intolerantes no que se refere à religião e à moralidade.

Saturno na Décima Casa

Saturno na Décima Casa está poderosamente localizado, porque esta casa corresponde ao signo de Capricórnio, regido por Saturno. Saturno também possui a posição mais elevada no mapa quando localizado nesta casa. Assim, indica fortes ambições profissionais; a ânsia de obter *status* na profissão é fundamental, especialmente após a idade de 29 anos e em anos posteriores.

Se Saturno estiver bem aspectado, a integridade moral e o trabalho árduo resultam em autoridade, posição elevada, riqueza e liderança. Mas se Saturno estiver sob tensão, a tendência a comprometer princípios em nome da ambição finalmente conduz a reveses da sorte, desgraça pública e perda de posições elevadas. Aqueles com Saturno nesta casa precisam ter extrema cautela com relação aos princípios, do contrário podem se expor à desgraça ou a pesadas dívidas cármicas. Um preço elevado deve ser pago pela violação da lei universal.

É importante que a ambição e o sucesso não se tornem fins em si mesmos, mas meios para servir a ordem social mais ampla. Para isso, é exigido um exame cuidadoso dos motivos da busca pelo poder. É muito melhor que as posições de liderança jamais sejam alcançadas se forem mal utilizadas, provocando sofrimentos aos outros; os erros resultantes só podem ser corrigidos sob circunstâncias difíceis e desfavoráveis.

Saturno na Décima Casa proporciona capacidade de organização e administração, e, desse modo, favorece executivos e políticos.

Se Saturno estiver sob tensão, podem existir obstáculos, desilusões e falta de oportunidade ou segurança na carreira.

Saturno na Décima Primeira Casa

Saturno na Décima Primeira Casa indica senso de responsabilidade nas amizades e associações de grupo. Saturno nesta casa nos faz procurar conhecer pessoas importantes e influentes como meio de favorecer nosso *status* e nossa carreira.

Se Saturno estiver sob tensão na Décima Primeira Casa, a pessoa e seus amigos podem usar uns aos outros por razões pessoais de lucro e ambição. Se Saturno estiver bem aspectado, há troca de lealdade e bons conselhos entre amigos, que também podem proporcionar ao nativo oportunidades de conhecimento e crescimento intelectual. Um Saturno bem aspectado aqui indica senso de justiça, manifestado no reconhecimento da necessidade de ajudar igualmente outras pessoas a terem sucesso naquilo por que se interessam.

Se o princípio de justiça igual para todos — representado por Saturno exaltado em Libra — for aplicado nas amizades e associações de grupo, todos receberão benefícios iguais da colaboração do grupo e da estrutura da organização.

As pessoas com esta posição provavelmente manterão amizade com pessoas mais velhas, sérias, voltadas à carreira, que terão influência em seu amadurecimento. Os nativos podem ter associações cármicas com pessoas com as quais tiveram contato no passado.

Saturno na Décima Segunda Casa

Saturno na Décima Segunda Casa indica que o nativo passará muito tempo em isolamento ou trabalhando nos bastidores de grandes instituições, como hospitais, universidades, corporações e órgãos governamentais. O trabalho pode ser realizado na área da psicologia ou em instituições de caridade. Esta posição torna difícil o reconhecimento, a não ser que Saturno forme aspectos favoráveis com a Décima Casa ou com seu regente.

Saturno sob tensão na Décima Segunda Casa significa solidão e depressão. Se ele estiver sob muita tensão, pode provocar doença mental e confinamento em hospitais, prisões ou outros locais de detenção. Um Saturno sob tensão aqui com freqüência traz inimigos secretos, que contribuem para a ruína do nativo. Mas em muitos casos esses inimigos são imaginários.

As pessoas com esta posição precisam se libertar de seus problemas psicológicos por intermédio do serviço aos outros e se energizar através do trabalho prático e construtivo.

Urano nos Signos

Urano nos signos indica como se manifesta o desejo de liberdade e individualidade de uma pessoa; mostra como ela estabelece uma ligação intuitiva com a Mente Universal, que lhe permite receber idéias originais e a inspiração para compreender a vida e solucionar seus problemas.

A posição de Urano no signo indica as motivações ocultas nos desejos, esperanças e metas de uma pessoa, especialmente as metas determinadas pela mente; mostra o tipo de amigos que uma pessoa provavelmente procurará e os propósitos e tipo de atividade dos grupos a que pertence.

Como Urano demora sete anos para atravessar um signo do Zodíaco, todos os que nasceram durante determinado período de sete anos possuem Urano no mesmo signo. (A posição de Urano na casa variará nesse período). Portanto, o signo é importante para indicar diferenças de gerações — o destino comum de um grupo de pessoas nascidas no mesmo período. Como acontece com os outros planetas exteriores, a posição de Urano no signo é menos importante do que sua posição na casa para delimitar as diferenças individuais nos assuntos regidos pelo planeta. A posição no signo possui mais importância histórica do que pessoal.

As posições de Urano no signo e na casa também nos dizem alguma coisa sobre o trabalho ou o propósito da alma na encarnação presente. Elas nos mostram onde nos são oferecidas oportunidades de nos libertarmos das limitações cármicas do passado, para que possamos nos expressar criativamente.

Urano em Áries (1928-1934)

Urano no signo de Áries indica pessoas cuja missão é indicar novos caminhos na ciência e reforma social. Para elas, a liberdade para agir à sua maneira é de extrema importância. Possuem coragem, audácia, iniciativa e habilidades. Mas, quando Urano está sob tensão em Áries, podem ser explosivamente impulsivas, politicamente fanáticas, violentas e indiscriminadas em sua rejeição do passado.

Esta posição torna seus nativos indelicados e francos. Como geração, eles exigem mudanças e se recusam a viver no estilo de seus pais ou das gerações precedentes. Seu espírito de aventura é forte, e eles precisam constantemente de novas experiências para se sentirem felizes.

Impulsividade e mau gênio são as armadilhas desta posição. Os nativos precisam aprender a ter mais consideração pelos outros e maior capacidade de colaboração. Quando o individualismo é levado a extremos, torna as pessoas cegas para a estrutura social da qual dependem grandes empreendimentos.

Muitas pessoas nascidas no final da década de 20 e início da década de 30 possuem Urano em Áries formando quadratura com Plutão em Câncer. Suas vidas e destinos foram destruídos pela Segunda Guerra Mundial.

Urano em Touro

Urano no signo de Touro indica uma geração com novas idéias sobre o uso do dinheiro e dos recursos materiais. Essas pessoas provavelmente buscam reformas nos negócios e na economia, áreas nas quais desejam aplicar princípios humanitários. Desejam ser práticas, de maneira única e original. Podem ter enorme determinação e firmeza de propósitos; mas, se Urano estiver sob tensão, pode haver teimosia obstinada.

Urano está em queda no signo de Touro; portanto, a ânsia de liberdade e a expressão de idéias intuitivas são limitadas por uma ligação a objetos materiais, ou por dificuldades impostas pela tentativa de modificar as condições materiais muito depressa. A ligação ao lar e à família também pode refrear a expressão individual. Os impulsos espirituais também podem ser frustrados pela submissão a instituições conservadoras nos negócios e no governo, que refletem o materialismo da ordem social dominante.

Urano em Touro pode proporcionar talentos artísticos e musicais incomuns, se estiver bem aspectado. Os nativos com freqüência se interessam por modernas técnicas eletrônicas em administração, contabilidade e outros negócios.

Urano em Gêmeos

Urano no signo de Gêmeos indica uma geração de pessoas destinadas a serem precursoras de uma nova maneira de pensar. Elas possuem mentes brilhantes, originais, intuitivas; irão abrir novos conceitos em ciência, literatura, educação, eletrônica e meios de comunicação.

As pessoas com esta posição tendem à inquietação exagerada, podendo dificultar a realização de uma idéia até o fim; precisam ter autodisciplina para que suas idéias possam se concretizar. Devido à sua inquietação, geralmente viajam muito, procurando novos contatos sociais e a descoberta de novas idéias. Esta posição indica grande liberdade de pensamento e — uma vez que criamos nosso destino com nossas mentes — como resultado da percepção de outros tipos alternativos de atividades, a capacidade para abandonar padrões de vida habituais.

Se Urano estiver sob tensão em Gêmeos, o raciocínio pode ser incoerente, excêntrico e pouco prático. Pode indicar confusão e o perigo de acidentes em viagens, bem como relações inconstantes com irmãos, irmãs e vizinhos.

Urano em Câncer

Urano no signo de Câncer indica uma geração de pessoas que buscam liberdade e excitação por intermédio da expressão emocional. Elas terão idéias avançadas a respeito do lar e da vida familiar, e procuram independência de uma autoridade parental rígida; preferem ser amigos de seus pais. Mas, quando deixam o lar, certificam-se de que podem voltar se o novo território que estão explorando for insustentável. Grande parte dos jovens nascidos entre junho de 1949 e junho de 1956, que têm Urano em Câncer, deixaram seus lares para terem mais liberdade do que a permitida na vida familiar.

Aqueles com Urano em Câncer administram seus lares de maneira incomum. Gostam de arquitetura moderna ou construções de estilo diferente, e seus lares terão muitos aparelhos eletrônicos e uma decoração admirável. Gostam de usar seu lar como local de encontro de amigos e atividades em grupo. Também podem se interessar por tipos de vida comunitária ou arranjos familiares fora da tradicional família nuclear. Em muitos casos, seus amigos tornam-se membros da família.

Com Urano em Câncer, há uma considerável sensibilidade psíquica. É provável que atividades ocultas façam parte do cenário doméstico.

Se Urano estiver sob tensão em Câncer, pode haver um temperamento excêntrico e súbitas mudanças de humor.

Urano em Leão

Urano no signo de Leão indica uma geração de pessoas que procuram liberdade no amor e no romance. Suas idéias sobre namoro e sexo podem se desviar dos padrões morais tradicionais, e provavelmente acreditam no amor livre.

Urano em Leão proporciona muita força de vontade e criatividade nas artes e nas ciências, bem como o potencial para tipos originais de liderança. As pessoas com esta posição procuram criar um tipo original de expressão para se destacarem em seus esforços. Podem desenvolver novos conceitos em arte, música e teatro. Em vez de se ajustarem aos padrões da sociedade em que vivem, preferem criar seus próprios padrões. Mas existe o perigo de egotismo com esta posição, pois Urano está em detrimento no signo de Leão; assim, elas deveriam se envolver em questões de interesse social ou universal, e não em questões pessoais.

Essas pessoas podem ser teimosas, e têm dificuldade para se comprometer ou colaborar com os outros. Se Urano estiver sob tensão neste signo, elas insistirão em fazer as coisas à sua maneira, a ponto de se recusarem a colaborar.

Urano em Virgem

Urano no signo de Virgem indica pessoas que têm idéias originais e práticas ao mesmo tempo com relação a métodos de trabalho, especialmente em áreas de saúde, ciência e tecnologia.

Enquanto Urano se encontrava em Virgem — o signo regido por Mercúrio, o planeta mental, científico — foram criadas muitas invenções eletrônicas, incluindo os computadores, que revolucionaram os negócios e a indústria. No mesmo período, houve o desenvolvimento do circuito em miniatura (Virgem em um signo de terra) na forma de transistores e dispositivos semelhantes.

A geração que possui Urano em Virgem apresentará abordagens singulares e engenhosas na indústria, ciência, tecnologia, relações de trabalho, ecologia e saúde. As crianças nascidas entre 1964 e 1968, com Urano formando conjunção com Plutão em Virgem, terão uma influência revolucionária nessas áreas. Esta geração irá suportar o impacto do árduo trabalho necessário para a regeneração da civilização humana, preparando-a para a nova era de Aquário, regida por Urano.

Essas pessoas possuem talento incomum para os negócios e enorme habilidade prática para o trabalho. Contudo, provavelmente passarão por muitas mudanças e rompimentos no emprego.

Urano sob tensão aqui pode causar problemas de saúde. Os nativos podem se interessar pelos efeitos curativos da dieta correta e pelo controle mental das funções corporais.

Urano em Libra

Urano em Libra indica uma geração de pessoas com novas idéias sobre casamento, sociedades e conduta social. Procuram liberdade no casamento e consideram o relacionamento mais importante do que o contrato legal. Com Urano em Libra provavelmente ocorrerão experiências com novos tipos de vida, como a vida comunitária e outras formas de inovações sociais. As pessoas desta geração irão promulgar leis que dificultarão o casamento e facilitarão o divórcio. Em geral, terão novos conceitos de justiça e tentarão modificar e modernizar os códigos legais existentes.

Essas pessoas terão um *insight* aguçado sobre todos os tipos de relações humanas, que assumirão a forma de conhecimento intuitivo ou telepático das motivações de outras pessoas.

Urano em Libra provavelmente também produzirá formas novas e incomuns de música, com a provável inclusão de técnicas eletrônicas.

Se Urano estiver sob tensão neste signo, os nativos podem não ter sucesso no casamento ou em sociedades, e ser irresponsáveis em relacionamentos que exijam responsabilidade mútua.

Urano em Escorpião

Urano no signo de Escorpião está em sua exaltação. Como Urano é o planeta de mudanças drásticas, ele é mais potente em Escorpião, o signo da morte e da regeneração. Os nascidos com esta posição de Urano precisam aprender a se adaptar à destruição de antigas formas de civilização, pré-requisito necessário ao nascimento de um novo tipo de civilização. Muitas pessoas com Urano em Escorpião vivenciaram a Primeira Guerra Mundial, que levou a era vitoriana a um final drástico e iniciou um período de rápidas mudanças.

O próximo período de Urano em Escorpião, que começou em 1975, marcou o início da destruição final da era de Peixes em preparação para a era de Aquário, que começa mais ou menos no ano 2000. As pessoas nascidas neste período passarão pela maior revolução da civilização humana na história.

As pessoas com Urano em Escorpião possuem emoções muito fortes. Acreditam na ação decisiva e não podem tolerar inatividade ou preguiça. Se Urano estiver sob tensão em Escorpião, provavelmente possuem temperamento violento e uma feroz determinação de realizar mudanças, mesmo destrutivas.

Essas pessoas podem ser muito habilidosas e possuir grande engenhosidade científica e mecânica. Podem ter tendências ocultas, como conhecimento da vida após a morte e percepção das dimensões suprafísicas de energia.

Urano em Sagitário

Urano no signo de Sagitário traz novos conceitos em religião, filosofia e educação. Os nativos com esta posição de Urano podem criar novas formas de religião e educação. Possuem um forte desejo de incorporar na religião os princípios da ciência e do culto, como a reencarnação, a astrologia e a telepatia.

Se Urano estiver sob tensão em Sagitário, pode haver devoção dogmática a religiões excêntricas e filosofias sociais, ou o desejo de negar todos os conceitos religiosos, criando pessoas céticas e agnósticas.

Urano em Sagitário oferece aos nativos muita curiosidade sobre culturas estrangeiras. Eles viajarão repentinamente, fazendo longas viagens por espírito de aventura. Terão muitas experiências singulares em países estrangeiros ou com pessoas estrangeiras, e tendem a adotar religiões e filosofias estrangeiras.

Urano em Capricórnio

Urano no signo de Capricórnio indica uma geração de pessoas que irão realizar importantes mudanças nas estruturas de poder governamental e comercial. Elas desejam mudar o *status quo* para garantir maior segurança no futuro, mas precisam ter cuidado para fazê-lo de maneira prática, construindo o novo, porém baseando-se no antigo. Elas procuram mudanças construtivas, embora relutem em abandonar completamente o passado.

Essas pessoas são muito ambiciosas e desejam o sucesso. Na ciência e nos negócios, possuem idéias originais que utilizam para favorecer suas carreiras ou melhorar seu *status*. Também são capazes de desenvolver velhas idéias de maneira nova ou incomum.

Se Urano em Capricórnio estiver sob tensão, essas pessoas provavelmente serão ambiciosas demais e tenderão a se expandir na procura do progresso profissional.

Urano em Aquário

Urano em Aquário está em seu próprio signo e, assim, é bastante poderoso. As pessoas com esta posição possuem um *insight* penetrante, intuitivo, sobre a verdade científica e oculta. Em tipos muito desenvolvidos, existe a capacidade de compreender as energias espirituais e conceitos religiosos num contexto científico. Essas pessoas possuem talento inventivo e científico.

Esta posição de Urano proporciona muita força de vontade e independência mental. Os nativos insistem em tomar suas próprias decisões e tirar suas conclusões. Suas mentes intelectuais, independentes, se empenham em descobrir a verdade imparcial; eles rejeitam as idéias e métodos antigos se estes não puderem ser cientificamente comprovados ou se não se ajustarem aos fatos.

A experiência direta é seu teste final da determinação da verdade sobre qualquer assunto. Sua capacidade para experiências e observações diretas pode se expandir para dimensões mais elevadas através da revelação de suas faculdades de clarividência.

Eles se preocupam com as coisas boas para a humanidade como um todo; acreditam na fraternidade humana e na dignidade do homem. Sua receptividade a novas idéias é uma manifestação de suas tendências humanitárias. Eles desejam reformar a sociedade e gostam de trabalhar em grupos e organizações.

Se Urano estiver sob tensão em Aquário, pode haver licenciosidade em lugar de liberdade, criando uma teimosia irracional e excentricidade pouco prática. Urano sob muita tensão pode fazer com que o nativo relute em seguir qualquer rotina ou disciplina.

Urano em Peixes

Urano no signo de Peixes indica habilidades intuitivas e uma curiosidade científica sobre a atuação do inconsciente. Os nativos possuem tendências religiosas dissimuladas pelo misticismo, que pode assumir a forma do interesse pela meditação, por filosofias orientais ou ioga, por exemplo. Eles recebem idéias através de sonhos e intuições.

O principal fator motivador de Urano em Peixes é buscar libertar-se da influência mental e emocional do passado. Há uma luta espiritual para superar as tendências materialistas do passado, associada à procura de uma identidade espiritual mais elevada.

Se Urano estiver sob tensão em Peixes, pode haver um idealismo pouco prático, bem como irresponsabilidade e insinceridade com amigos. Pode também existir a tendência de não enfrentar situações desagradáveis.

Urano nas Casas

A posição de Urano nas casas indica o tipo de atividade em que a pessoa expressa sua ânsia de individualidade e liberdade. Ela mostra quais as circunstâncias inesperadas, incomuns, e os acontecimentos excitantes que farão parte de sua vida. Indica o tipo de amigos que a pessoa escolhe e o tipo de atividade que gosta de compartilhar com amigos e grupos. A maneira de expressar suas faculdades intuitivas e interesses ocultos também é mostrada pela posição de Urano nas casas.

Urano na Primeira Casa

Urano na Primeira Casa indica pessoas com um forte impulso de liberdade em seu comportamento pessoal. Elas com freqüência possuem talentos intuitivos e científicos incomuns. Geralmente são consideradas excêntricas, diferentes ou avançadas, pois se preocupam pouco com comportamentos convencionais. Procuram amizades e atividades pouco comuns.

Se Urano estiver sob tensão nesta casa, pode haver teimosia excessiva, bem como a busca de liberdade pessoal sem levar em consideração o senso comum ou os direitos dos outros. Algumas vezes, quando Urano está sob tensão nesta casa, a excentricidade torna-se um fim em si e não o meio para se atingi-lo.

Esta posição de Urano estimula a inquietação e o desejo de mudanças e excitação constantes. Essas pessoas acham difícil aceitar uma vida rotineira, com freqüência preferindo o excitamento e a aventura à segurança.

Há o desejo de liderança em grupos e organizações, especialmente do tipo que promove reformas, novas idéias e conceitos espirituais avançados. Essas pessoas procuram se envolver com o novo, o não tentado, o inventivo. Estão sujeitas a muitas mudanças de atitudes e propósitos; tendem a vacilar entre pontos de vista extremos, especialmente se Urano estiver sob tensão; não tendem à moderação. Por essas razões, seu comportamento pessoal é imprevisível.

Se Urano estiver bem aspectado e o resto do horóscopo indicar inteligência superior ou *insight* intuitivo, Urano na Primeira Casa pode criar pessoas engenhosas, que farão importantes descobertas nas áreas que escolherem.

Essas pessoas tendem a ser de estatura alta.

Urano na Segunda Casa

Urano na Segunda Casa indica pessoas com finanças mal organizadas. Elas são impulsivas com o dinheiro, ganhando e perdendo com igual impetuosidade. Podem ter talentos e métodos incomuns para ganhar dinheiro, se Urano estiver bem aspectado. Mas, se Urano estiver sob tensão, podem se envolver em especulações financeiras pouco práticas. Podem ganhar dinheiro por intermédio de negócios relacionados a invenções, eletrônica ou outras áreas científicas. Tendem a emprestar ou pedir dinheiro emprestado para os amigos. Se Urano estiver sob tensão, com freqüência ocorrem conflitos sobre dívidas não pagas. Se Urano estiver bem aspectado, o dinheiro pode ser utilizado para propósitos humanitários e científicos valiosos.

Os valores relacionados ao uso de recursos naturais são diferentes dos das pessoas comuns. Essas pessoas podem considerar os valores convencionais inúteis ou, inversamente, seus próprios valores podem ser desprezados pelos outros.

Urano na Terceira Casa

Urano na Terceira Casa indica pessoas com mentes incomuns, intuitivas. Elas são livres-pensadores e formam suas opiniões baseadas na experiência direta e em fatos científicos; sua opinião não é influenciada pelos outros. Impessoais e imparciais na avaliação de idéias, estão sempre investigando áreas de interesse incomuns. Essa exploração acarreta muita movimentação e viagens inesperadas. São abertas a novas idéias, que, com freqüência, recebem através de súbitos *insights*. Conseqüentemente, muitos inventores e cientistas têm Urano na Terceira Casa. Essas pessoas tendem a expor idéias revolucionárias, mas, a não ser que Marte forme aspecto com Urano, se limitarão à palavra escrita ou falada.

As pessoas com esta posição procuram amizades e atividades em grupos intelectuais, que lhes proporcionarão estímulo mental e progresso educacional. Mesmo os relacionamentos com irmãos, irmãs e vizinhos com freqüência são diferentes e estimulantes.

Se Urano estiver sob tensão na Terceira Casa, a mente pode ser inquieta, pouco prática e volúvel; há muitas conclusões precipitadas e freqüentes mudanças de opinião.

Essa posição produz muitos escritores de assuntos astrológicos, científicos ou ocultos. Os nativos também podem se envolver com meios de comunicação, especialmente o rádio e a televisão.

Urano na Quarta Casa

Urano na Quarta Casa indica uma vida familiar e ligações familiares incomuns. Em certos casos, um dos pais é diferente de alguma maneira. As pessoas com esta posição buscam em seus lares a liberdade de ir e vir como quiserem. A própria casa pode possuir uma arquitetura incomum; pode ter muitos aparelhos e dispositivos eletrônicos.

Os amigos íntimos são aceitos como membros da família. O lar com freqüência é utilizado como local de encontro para atividades em grupo e empreendimentos ocultos.

É provável que ocorram mudanças súbitas de residência, especialmente se Urano estiver sob tensão ou em um signo mutável. Pode haver muitas mudanças em situações familiares e domésticas. Nos últimos anos de vida, surgem circunstâncias incomuns.

Se Urano estiver sob tensão, pode haver dificuldades com membros da família e perturbações no lar. Esses indivíduos não são ligados aos pais e à família.

Urano na Quinta Casa

Urano na Quinta Casa indica envolvimentos românticos inesperados e incomuns. Os romances terminam tão inesperadamente quanto começam. Os parceiros podem ser excêntricos, imaginativos ou extraordinários. Os nativos não gostam de seguir a moralidade sexual convencional, pois tendem a buscar excitação em atividades agradáveis. Se Urano estiver sob tensão, pode indicar promiscuidade e vida boêmia.

Atividades na Bolsa de Valores poderiam ocasionar mudanças precipitadas na sorte, para melhor ou para pior.

Os filhos desses nativos podem ser extraordinariamente talentosos se Urano estiver bem aspectado. Se Urano estiver sob tensão, os filhos serão propensos a problemas peculiares, dificuldades psicológicas ou anormalidade. Estas pessoas podem se interessar por novas técnicas de educação e ensino. Geralmente dão aos filhos muita liberdade. Mas, se Urano estiver sob tensão nesta casa, os filhos podem ter liberdade demais ou ser negligenciados.

Em alguns casos, Urano na Quinta Casa pode produzir muita criatividade artística ou interesse por formas eletrônicas de arte. Muitos artistas de cinema, músicos de *rock*, cantores e personalidades do rádio e televisão possuem Urano na Quinta Casa.

Se Urano estiver sob tensão na Quinta Casa, pode haver tendência a um comportamento anti-social e preferência por prazeres obtidos mediante formas de excitação doentias. Um Urano sob tensão na Quinta Casa pode indicar casos amorosos extraconjugais; nos mapas de mulheres, pode ocorrer gravidez fora do casamento. Em geral, a não ser que Urano esteja bem aspectado, a vida romântica é instável.

Urano na Sexta Casa

Urano na Sexta Casa indica a utilização de métodos estranhos e avançados no trabalho. Pode haver interesse por formas incomuns de cura, como terapia do som, medicina homeopática ou curas espirituais. Aqueles que experimentam diferentes tipos de dieta podem ter Urano nesta casa.

Engenheiros eletrônicos e técnicos, programadores de computador e outros cujo trabalho envolva tecnologia avançada, com freqüência têm Urano na Sexta Casa. A originalidade no desenvolvimento de novas técnicas irá ajudar a acelerar o trabalho.

Urano bem aspectado nesta casa pode indicar aptidões matemáticas e científicas e uma inventividade aplicável a problemas práticos.

Essas pessoas fazem amigos e se envolvem em atividades de grupo por intermédio de seu trabalho. Se Urano estiver bem aspectado, haverá relacionamentos amigáveis, mentalmente estimulantes com colaboradores, empregados e patrões. Mas, se Urano estiver sob tensão, esses relacionamentos podem ser explosivos e desarmoniosos. Urano nesta casa também pode indicar envolvimento político com sindicatos trabalhistas.

Essas pessoas são sensíveis às condições de trabalho e de relacionamento com colaboradores, empregados e patrões. É provável que deixem o emprego se esses relacionamentos não forem satisfatórios. As pessoas com esta posição de Urano desejam liberdade para realizar o trabalho à sua maneira. Elas se recusam a aceitar uma supervisão rígida ou opressiva.

Um Urano afligido na Sexta Casa pode indicar incapacidade para aceitar a rotina; pode também significar muitas mudanças e situação instável no emprego. Com freqüência, esses nativos deixam o emprego inesperadamente. Um Urano sob tensão na Sexta Casa pode indicar nervosismo e irritabilidade, resultando em má saúde.

Urano na Sétima Casa

Urano na Sétima Casa mostra desejo de liberdade no casamento e em sociedades. As pessoas com esta posição são propensas ao divórcio se Urano estiver sob tensão. A extrema necessidade de independência dificulta um compromisso duradouro com um parceiro.

Geralmente, o casamento acontece inesperadamente e sob circunstâncias singulares. O parceiro pode ser incomumente brilhante ou excêntrico, dependendo de como Urano estiver aspectado. Às vezes, os nativos ficam ressentidos com suas esposas porque elas ofuscam seu brilho.

Os outros relacionamentos envolvem amigos muito íntimos ou amizades superficiais, sujeitas a súbitas reviravoltas. Pode haver percepção telepática do humor e dos sentimentos de outras pessoas.

Se Urano estiver sob tensão, há o perigo de perdas por meio de processos e relações públicas mal-sucedidas que ocorrem devido à má vontade ou incapacidade de colaboração. Súbitas mudanças de humor, de opinião e de atitudes podem deixar os outros confusos e insatisfeitos. Mas, em alguns casos, a pessoa está desorientada devido às ações imprevisíveis de seu parceiro.

Se Urano estiver sob tensão, sua imprevisibilidade não favorece as pessoas envolvidas em política, lei ou relações com o público. O excesso de fatores imprevistos provoca dificuldades pelas quais estas pessoas serão responsabilizadas. Em geral, experiências incomuns são ocasionadas pelo casamento, em sociedades e relações com o público.

Urano na Oitava Casa

Urano na Oitava Casa indica preocupação com os mistérios da vida que ultrapassam a simples aparência física visível. Como Urano está acidentalmente exaltado na Oitava Casa, há interesse por ocultismo, telepatia, vida após a morte e áreas científicas, como a física atômica e quadridimensional. Se Urano estiver bem aspectado, pode haver um profundo *insight* sobre a atuação interior da natureza e do universo.

Os nativos com freqüência passam por súbitas mudanças da sorte devido a heranças, casamento, sociedades, seguros, impostos e finanças corporativas. Essas mudanças serão favoráveis ou desfavoráveis, dependendo de como Urano estiver aspectado. A morte provavelmente acontecerá inesperadamente e, se Urano estiver sob tensão, por acidente. Algumas vezes existe premonições das condições e da época da morte.

Essas pessoas precisam ter maior desligamento emocional do sexo e das riquezas materiais. Esta posição destina-se a criar a percepção de que os valores espirituais são as únicas coisas de importância duradoura. A vida precisa ser considerada como um processo dinâmico: a única coisa certa no reino material é a mudança.

Urano na Nona Casa

Urano na Nona Casa indica idéias avançadas em filosofia, religião e educação superior. As pessoas com esta posição com freqüência se afastam de pontos de vista religiosos ortodoxos e se interessam por astrologia, telepatia, ciências ocultas ou a idéia de reencarnação, por exemplo. Seus conceitos sobre educação serão progressistas, com um interesse por novos métodos de ensino, como a utilização de técnicas eletrônicas e audiovisuais. Com freqüência, têm idéias utópicas, que podem ter uso prático variável, dependendo dos aspectos de Urano.

Essas pessoas tendem a viajar de repente, à procura de estímulo e aventura. O mistério do passado remoto, de longas distâncias ou de um futuro utópico as fascina; daí seu interesse por assuntos como astronomia e arqueologia. Se Urano estiver sob tensão nesta casa, pode criar adesão fanática a cultos esotéricos e filosofias políticas ou sociais; ou o nativo pode ser um "filósofo de gabinete", cujas respostas prontas para os males do mundo não têm qualquer fundamento prático. Se Urano estiver bem aspectado, haverá *insights* inspirados sobre as mudanças necessárias para a realização de uma ordem social mais humana.

Escritores e filósofos que se dedicam à astrologia e ao ocultismo com freqüência têm Urano nesta casa.

Urano na Décima Casa

Urano na Décima Casa indica profissões e reputações incomuns. Esta posição pode criar líderes nas áreas científicas, humanitárias e ocultas; eletrônica, matemática e astrologia são profissões típicas. Seja qual for a carreira escolhida, haverá inovações nos métodos e técnicas.

Os nativos geralmente são liberais ou radicais na política e não tendem a ser conservadores. Se Urano estiver sob tensão, podem se manifestar tendências revolucionárias.

Essas pessoas têm muita força de vontade e ambicionam adquirir destaque por intermédio de contribuições singulares em sua profissão. Muitos executivos das áreas de eletrônica e ciência têm Urano nesta posição. Mas as mudanças da sorte e de *status* podem ser repentinas;

também existe a possibilidade de muitos empregos diferentes e incapacidade de lidar com pessoas em posições de autoridade. Uma súbita ascensão a posições de destaque pode ser seguida de uma queda igualmente repentina para a obscuridade, se Urano estiver sob tensão; pode também haver má vontade em se submeter às responsabilidades do dia-a-dia. Essas pessoas exigem e precisam de liberdade em seu trabalho, e são mais felizes quando podem dirigir as atividades de sua carreira.

Urano na Décima Primeira Casa

Urano na Décima Primeira Casa está acidentalmente exaltado. Esta posição indica pessoas liberais, preocupadas com a verdade e os acontecimentos, e que não levam em consideração a tradição ou aprovação alheia. Possuem uma tendência humanitária definida e um sentimento de fraternidade por pessoas de todas as posições e classes sociais.

As pessoas com Urano nesta posição possuem uma habilidade intuitiva para perceber as leis e os princípios universais. Isso geralmente se manifesta num interesse pela ciência e pelo ocultismo ou, algumas vezes, por ambos. Elas geralmente possuem muitos amigos incomuns, mental e espiritualmente estimulantes. Gostam de atividades em grupo que tenham propósitos humanitários ou científicos.

Sua abordagem impessoal ao casamento e aos relacionamentos românticos faz com que assumam atitudes não convencionais ou boêmias nessas relações. Seu desejo de estímulo as torna relutantes em se ligar a um único relacionamento. Seu senso de igualdade as torna tolerantes com aqueles que têm idéias e comportamento semelhantes. Nisso, são muito democráticas.

Se Urano estiver sob tensão, as amizades podem ser instáveis e, às vezes, falsas. O nativo pode ser irresponsável para com amigos e compromissos com grupos, e suas motivações egoístas provavelmente atuarão como um bumerangue, pois ninguém gosta de ser usado. Com Urano sob tensão nesta casa, podem também existir ideais sociais pouco práticos e irresponsáveis.

Urano na Décima Segunda Casa

Urano na Décima Segunda Casa indica uma busca oculta no inconsciente. A procura de uma identidade espiritual mais elevada nas esferas interiores da mente pode se manifestar no interesse pela ioga, pela meditação e outras formas de misticismo.

Se Urano estiver sob muita tensão, aptidões intuitivas e clarividência podem estar muito desenvolvidas. Com freqüência, as pessoas com esta posição tornam-se confidentes dos segredos de seus amigos; muitas vezes, juntam-se a organizações secretas. Possuem capacidade para trabalhar nos bastidores na busca de objetivos científicos e humanitários, se Urano estiver bem aspectado.

Mas, se Urano estiver sob tensão, pode haver tendências mediúnicas ilusórias, baseadas em motivações neuróticas. A dedicação superficial a fenômenos psíquicos negativos, ao invés de permitir que a intuição se desenvolva naturalmente, pode criar muita confusão e desilusão na vida desses indivíduos.

Netuno nos Signos

Netuno demora aproximadamente 164 anos para realizar um círculo completo ao redor do Zodíaco, passando cerca de treze anos em cada signo. Conseqüentemente, a posição de Netuno no signo tem um significado mais histórico e de geração do que pessoal.

A posição de Netuno nos signos indica o tipo de expressão cultural manifestado pelas faculdades criativas e imaginativas da humanidade num determinado período de treze anos. A geração que possui Netuno em determinado signo compartilha um destino espiritual comum. As faculdades intuitivas e criativas desta geração irão adquirir as qualidades do signo que Netuno ocupa.

Netuno em Áries (1861/62-1874/75)

Netuno em Áries indica uma geração na qual são feitos importantes avanços na criação de conceitos religiosos místicos. É uma geração que demonstra considerável iniciativa e desejo de criatividade espiritual e regeneração. O lado negativo dessa expressão, porém, é o orgulho espiritual e o egotismo.

Netuno em Touro (1874/75-1887/89)

Netuno em Touro indica um período histórico de muito idealismo no que se refere à utilização do dinheiro e de recursos materiais. Esta geração busca aplicações práticas para *insights* visionários. O lado negativo dessa expressão é a preocupação com dinheiro e valores materiais.

Netuno em Gêmeos (1887/89-1901/2)

Netuno em Gêmeos indica uma geração de pessoas que se esforçam para desenvolver as faculdades criativas e intuitivas da mente por meio da literatura e da poesia. Essas pessoas possuem uma imaginação ativa, versátil, e a capacidade de canalizar idéias de esferas mais elevadas através da habilidade da mente para formar imagens. O lado negativo dessa expressão é a preocupação com um mundo imaginário e seus valores superficiais. Pode também haver confusão no raciocínio prático e na comunicação.

Netuno em Câncer (1901/2-1914/16)

Netuno em Câncer indica uma geração de pessoas com fortes ligações psíquicas com o lar, a família e a terra. Elas são bastante compreensivas e emocionalmente sensíveis. Tendem a ser religiosas, mas de maneira emocional. Se Netuno estiver bem colocado e aspectado, são evidentes tendências psíquicas e mediúnicas. Muitos clarividentes nascem com Netuno em Câncer. O lado negativo dessa expressão são o sentimentalismo piegas e uma ligação exclusiva, emocional, com a família e o país. Pode também haver tendências mediúnicas mal orientadas que podem atrair influências astrais inferiores.

Netuno em Leão (1914/16-1928/29)

Netuno em Leão indica uma geração de pessoas com fortes talentos musicais e artísticos. Elas se interessam especialmente pelo teatro e outras artes dramáticas. Grande parte de sua criatividade se inspira nos níveis mais elevados da consciência. Esta posição de Netuno tende ao romantismo e ao idealismo no amor.

O lado negativo dessa expressão pode ser a ilusão no amor. As armadilhas dessa posição são os gastos extravagantes na procura do prazer e inabilidade para lidar com crianças.

Netuno estava em Leão no período em que especulações imprudentes na Bolsa de Valores levaram o mundo à ruína financeira e à Grande Depressão.

Netuno em Virgem (1928/29-1942/43)

Netuno em Virgem está em detrimento, indicando uma geração cujas faculdades criativas, imaginativas, são frustradas por circunstâncias materiais adversas. Netuno em Virgem inclui grande parte da geração que cresceu durante a Grande Depressão dos anos 30. Foi uma época de caos em todo o sistema econômico, resultando em escassez de empregos, que são regidos por Virgem.

O lado negativo de Netuno em Virgem pode se manifestar como uma tendência a doenças psicossomáticas e uma excessiva preocupação emocional com detalhes inconseqüentes. É provável que também existam dúvidas ou negatividade com relação aos impulsos intuitivos, que se manifestam no materialismo. Se Netuno estiver sob tensão em Virgem, são típicos hábitos alimentares insensatos. Grande parte da adulteração química de nossos alimentos começou durante esse período.

Netuno em Libra (1942/43-1955/57)

Netuno no signo de Libra é a posição da atual geração pós-guerra. Durante a guerra, a instituição do casamento foi submetida a muita confusão e a um aumento crescente do índice de divórcios. O número de lares destruídos conduziu a geração mais jovem à incerteza sobre o valor das obrigações nos relacionamentos. Há um instinto para o conformismo emocional e social com Netuno em Libra, que, em sua expressão negativa, resulta em cegos conduzindo cegos. Isso se manifesta em fenômenos contemporâneos como o abuso de drogas, *rock-and-roll* e cultura psicodélica.

No lado positivo, Netuno em Libra proporciona a essa geração uma percepção intuitiva dos relacionamentos sociais. O conceito de responsabilidade social mútua se baseia mais no espírito da lei do que em sua interpretação literal.

Esta posição trouxe o desenvolvimento de novas formas de arte.

Netuno em Escorpião (1955/57-1970)

Netuno no signo de Escorpião indica um período de exploração dos desejos naturais do homem. Poucas pessoas vivenciaram a regeneração espiritual e iniciaram a busca dos mistérios interiores da vida, mas muitos são marcados pela exploração do sexo com propósitos comerciais. Escorpião é o signo do sexo e Netuno rege as drogas. A moralidade licenciosa desta época levou à disseminação de doenças venéreas e à difusão do uso de drogas como uma saída psicológica. Há muita intensidade e confusão emocionais, provocando perturbações no inconsciente que se manifestam através de fenômenos artísticos caóticos, como o *rock-and-roll.*

Muitas das crianças nascidas com Netuno neste signo terão faculdades de clarividência e serão forçadas a reconhecer a necessidade da regeneração espiritual quando Urano e Plutão formarem conjunção com sua posição natal de Netuno.

Netuno em Sagitário (1970-1984)

Netuno no signo de Sagitário levou-nos a um período em que a necessidade de valores espirituais e religiosos mais elevados encontrou expressão positiva: houve um retorno a Deus e o desejo de espiritualizar a ordem social mais ampla. A música e formas de arte se voltaram para a espiritualidade. Houve muitas viagens ao estrangeiro e troca de idéias e religião com culturas estrangeiras.

Os assuntos ocultos e místicos foram gradualmente introduzidos nos currículos das universidades. As religiões deram maior ênfase ao contato pessoal do homem com Deus por intermédio do eu interior, o que resultou na prática crescente da meditação e no uso das faculdades intuitivas da mente superior. O mistério e o poder da mente foram explorados e desenvolvidos por intermédio de experiências místicas.

As expressões negativas de Netuno em Sagitário foram provavelmente o devaneio sem rumo, como aconteceu com a geração *hippie*, e a adesão a cultos religiosos mal orientados, falsos profetas e gurus. Mas Netuno em Sagitário trouxe a muitos a percepção da presença do Deus Único em todas as coisas.

Netuno em Capricórnio (1984-2000)

Netuno em Capricórnio indica um período no qual os governos do mundo se encontrarão no caos e as estruturas econômicas e políticas ruirão. Deste caos e sofrimento nascerá a verdadeira responsabilidade espiritual e a disciplina que se manifestarão em acordos práticos.

As pessoas não mais terão o luxo da espiritualidade abstrata de Sagitário. Para sobreviver, serão forçadas a incorporar a espiritualidade em suas vidas práticas. Através dessas experiências do final cármico da Era de Peixes, muitos daqueles que sobreviverem alcançarão novas alturas de realização espiritual.

Haverá necessidade de criar novas formas de governos e conceitos políticos, e o final deste período produzirá o início de um governo mundial.

Netuno em Aquário

Por volta do ano 2000, Netuno entrará no signo de Aquário juntamente com Urano, marcando o verdadeiro início da Era de Aquário. Nessa época, irá surgir uma nova civilização baseada no humanitarismo iluminado e numa ciência que utilizará novas tecnologias e novas formas de energia. Esses acontecimentos indicarão o início de mil anos de paz, revelados pela Bíblia no Livro da Revelação. As faculdades intuitivas, clarividentes, da humanidade serão muito desenvolvidas, e a fraternidade universal será colocada em prática.

Netuno em Peixes

Netuno em Peixes será um período de paz que se seguirá ao início da Era de Aquário. Este período proporcionará a oportunidade para a descoberta de faculdades espirituais e para o desenvolvimento de formas elevadas de música e arte; haverá grandes progressos nas curas. Será iniciada a forma mais elevada da cultura aquariana, utilizando todas as grandes realizações criativas da anterior Era de Peixes. Durante este período, nascerão muitos grandes místicos, artistas e líderes espirituais.

Netuno nas Casas

A posição de Netuno nas casas indica como uma pessoa expressa seu potencial místico. Ela também mostra em que circunstâncias práticas a pessoa será usada como um canal para as forças espirituais mais elevadas. Onde quer que Netuno se encontre, precisamos agir de maneira altruísta, com amor impessoal.

A posição de Netuno mostra como a pessoa utiliza as faculdades de sua mente para criar imagens — isto é, sua capacidade de visualização. Indica que circunstâncias da vida serão afetadas por premonições, sonhos, clarividência e profundos *insights* intuitivos. A posição de Netuno também revela grande parte do significado do carma criado por ações passadas. Quando Netuno está sob tensão, sua posição na casa mostra as áreas em que uma pessoa tem probabilidade de ser irrealista e inclinada ao auto-engano.

Netuno na Primeira Casa

Netuno na Primeira Casa indica uma percepção intuitiva, sensível do eu e do meio ambiente. Se Netuno estiver fortemente aspectado, pode haver o uso consciente e positivo de faculdades de clarividência, levando à percepção dos fatores ocultos que motivam os atos e acontecimentos da humanidade.

As pessoas com Netuno na Primeira Casa são muito impressionáveis e sujeitas a influências subliminares. Se Netuno estiver bem aspectado, elas podem ter uma visão mística inspirada; mas, se Netuno estiver sob tensão, correm o risco de serem usadas por forças psíquicas negativas, o que, em casos extremos, pode até mesmo significar possessão por entidades astrais. Elas deveriam evitar o uso do álcool e de drogas, que podem abrir a porta para influências psíquicas negativas.

Esta posição pode proporcionar talentos artísticos e musicais muito desenvolvidos, que utilizam a intuição como fonte de inspiração. Em sua aparência física, os nativos com freqüência têm um ar de mistério, e seus olhos, em alguns casos, irradiam magnetismo.

Esta posição de Netuno atrai relacionamentos peculiares, dos quais muitos possuem raízes no passado.

Se Netuno estiver sob tensão, pode haver auto-engano, irresponsabilidade e confusão nas metas pessoais. Netuno sob tensão nesta casa pode resultar em alcoolismo, uso de drogas, vida promíscua e tendência a perambular pela vida sem nenhum objetivo.

Netuno na Segunda Casa

Netuno na Segunda Casa indica pessoas idealistas a respeito do dinheiro e do uso de recursos materiais. Se Netuno estiver bem aspectado, elas generosamente doarão seu dinheiro para causas humanitárias e espirituais e serão liberais com os recursos materiais. Se Netuno estiver bem aspectado no horóscopo de uma pessoa perspicaz, ela pode ter *insights* intuitivos sobre formas de ganhar dinheiro e adquirir grande riqueza. Entretanto, o dinheiro pode chegar a sair em circunstâncias misteriosas e incomuns. Como esta posição geralmente indica extravagância, estas pessoas podem ter problemas para conservar seu capital. Essas tendências precisam ser equilibradas pelo uso parcimonioso do dinheiro, se Netuno estiver mesmo sob tensão.

Um Netuno sob tensão também pode indicar falta de senso prático, desorganização financeira e preguiça para ganhar a vida. Os nativos podem ser financeiramente enganados. As pessoas com Netuno sob tensão nesta casa geralmente dependem dos outros para sustentá-las financeiramente; assim, precisam desenvolver maior senso prático.

Netuno na Terceira Casa

Netuno na Terceira Casa indica pessoas que possuem mentes intuitivas e que são capazes de receber idéias de planos de energia mais elevados graças à capacidade mental para formar imagens. A capacidade de visualização é, com freqüência, muito desenvolvida, especialmente se Netuno formar aspectos com Mercúrio. Geralmente, a comunicação telepática está indicada por Netuno na Terceira Casa.

Esta posição torna as pessoas propensas ao estudo de assuntos ocultos e místicos; autores que escrevem sobre tais assuntos muitas vezes têm Netuno nesta posição. Com freqüência, elas podem ter alguma ligação com meios de comunicação. Aqueles que têm Netuno nesta casa precisam compartilhar o conhecimento imparcialmente e agir como um canal de informação.

Esta posição exige um raciocínio prático e disciplina nos estudos. Se Netuno estiver bem aspectado, a intuição pode ser utilizada na prática, especialmente quando Netuno se encontra em um signo de terra. Se Netuno estiver sob tensão, o nativo pode ter dificuldades de aprendizado, desatenção, muita imaginação e devaneios; há também a possibilidade de haver incompreensão ou outros problemas com irmãos, irmãs e vizinhos. Aqueles que possuem um Netuno sob tensão nesta casa deveriam ser cuidadosos ao assinar contratos e fazer acordos. Podem se sentir confusos nas relações sociais ou em viagens.

Netuno na Terceira Casa com freqüência significa que os nativos terão apelidos ou pseudônimos.

Netuno na Quarta Casa

As pessoas com Netuno na Quarta Casa possuem fortes ligações emocionais inconscientes com o lar e a família, geralmente de origem cármica. Um dos pais pode ser médium, ou diferente de alguma maneira. As pessoas com esta posição geralmente moram, ou gostariam de morar, perto da água. Elas podem ter sentimentos intuitivos pela terra e por toda a natureza.

Netuno sob tensão na Quarta Casa pode trazer relacionamentos familiares confusos e um ambiente doméstico caótico. Como existe o desejo de proteger o mundo, as pessoas com esta posição geralmente aceitam estrangeiros ou pessoas estranhas em seus lares. São comuns os segredos e mistérios no que se refere à vida familiar.

Se Netuno estiver sob tensão, podem ocorrer estranhos distúrbios nervosos em idade mais avançada; tais distúrbios são difíceis de diagnosticar e têm causas emocionais. O fim da vida geralmente é vivido em tranqüila meditação ou isolamento.

Netuno sob muita tensão nesta casa pode trazer problemas neuróticos que surgem das dificuldades com os pais ou outros membros da família.

Netuno na Quinta Casa

Netuno na Quinta Casa indica um desejo inconsciente de amor e valorização através do romance e da auto-expressão criativa. O talento artístico e musical pode se inspirar em níveis intuitivos, e a capacidade de desempenhar papéis proporciona talento nas artes dramáticas; há também amor pelo teatro.

Circunstâncias peculiares podem cercar as relações românticas e a vida sexual. Se Netuno estiver sob tensão, há possibilidade de casos de amor secretos e desilusão amorosa.

Se Netuno estiver bem aspectado, podem ocorrer *insights* intuitivos sobre atividades na Bolsa de Valores, mas os nativos com esta posição devem ser cuidadosos com investimentos e especulações.

Esta posição de Netuno indica que os filhos dos nativos serão sensíveis e intuitivos. Se Netuno estiver sob tensão, os filhos provavelmente terão problemas psicológicos difíceis de lidar. Os nativos podem negligenciar bastante seus filhos; ou adotar crianças ou tê-las fora do casamento. Algumas vezes esta posição indica famílias dissolvidas, criando para os filhos dos nativos uma situação semelhante àquela em que os pais jamais se casaram.

Netuno na Sexta Casa

Netuno na Sexta Casa enfatiza o trabalho realizado de maneira espiritual. Netuno está acidentalmente em detrimento na Sexta Casa, indicando que as lições de trabalho e saúde serão difíceis de aprender. Serão exigidos muitos sacrifícios dos nativos. Contudo, se Netuno estiver bem aspectado, eles podem compreender intuitivamente os diversos métodos de tornar o trabalho eficaz.

Netuno nesta casa indica uma tendência a gostar de animais e, algumas vezes, a habilidade de se comunicar psiquicamente com eles.

Se Netuno estiver bem aspectado, os nativos se interessarão por cura espiritual, medicina homeopática, alimentos saudáveis e outras formas de cura. Se Netuno estiver sob tensão, estarão sujeitos a doenças psicossomáticas e infecções difíceis de curar; podem também ocorrer problemas mentais e hipocondria. Com um Netuno sob tensão devem ser evitados o álcool, as drogas e formas artificiais de medicação. Deve-se tomar cuidado com a dieta, e as doenças devem ser tratadas com medicamentos e alimentos naturais.

Se Netuno estiver sob tensão nesta casa, há possibilidade de desemprego, tendência a inconstância e condições e relacionamentos insatisfatórios no trabalho. Contudo, se Netuno estiver bem aspectado, existe a possibilidade de condições de trabalho harmoniosas e ligações emocionais íntimas com colaboradores, patrões e empregados. Os nativos geralmente trabalham em hospitais e amplas instituições; seu trabalho pode se relacionar à psicoterapia.

Netuno na Sétima Casa

Netuno na Sétima Casa indica ligações cármicas no casamento ou em sociedades. Com freqüência, existe um forte vínculo psíquico com o parceiro no casamento, e uma forte percepção intuitiva das outras pessoas. As pessoas com esta posição podem ser facilmente afetadas pelos humores e sentimentos dos outros. Se Netuno estiver bem aspectado, os valores espirituais são utilizados nas relações com os outros, manifestando-se no amor altruísta e na compreensão. A capacidade para compreender os outros pode ser intuitiva. Um Netuno bem aspectado pode indicar um casamento espiritual ideal.

Netuno da Sétima Casa indica talento artístico e musical ou, pelo menos, amor às artes.

Se Netuno estiver sob tensão, podem ocorrer dificuldades no casamento, geralmente provocadas por confusão emocional. Os nativos podem ser desencaminhados e confundidos por outras pessoas, e deveriam tomar cuidado com as companhias que escolhem. Também podem estar inclinados a serem inconstantes no que se refere às responsabilidades sociais e em sociedades. Se Netuno estiver sob muita tensão, os nativos podem deliberadamente enganar os outros, ou seus parceiros podem ser psicologicamente perturbados e de pouca confiança. Um Netuno sob tensão aqui também indica a possibilidade de escândalos públicos e processos legais.

Netuno na Oitava Casa

Netuno na Oitava Casa indica tendências parapsíquicas, geralmente manifestadas no espiritismo ou no desejo de se comunicar com os mortos. Circunstâncias incomuns, secretas ou ilusórias podem cercar o dinheiro de parceiros, seguros, impostos e heranças.

Se Netuno estiver bem aspectado nessa casa, indica interesse em assuntos ocultos e capacidade de obter informações de esferas mais elevadas por intermédio da clarividência. Se Netuno estiver sob tensão, o indivíduo pode se sentir tentado a manipular forças ocultas visando lucros pessoais. Nos casos extremos, essa faculdade pode se manifestar na prática de magia negra.

Um Netuno sob tensão aqui indica perdas e dificuldades bizarras com as finanças de parceiros ou dinheiro corporativo, motivadas por fraudes dos nativos ou de outras pessoas; podem também ocorrer tentativas de sonegação de impostos ou falsificação de seguros.

Netuno na Nona Casa

Netuno na Nona Casa indica interesse pelas formas místicas de religião. Os nativos podem estar envolvidos em cultos místicos, métodos de ioga, meditação e religiões orientais místicas. Se Netuno estiver bem aspectado, indica espiritualidade e visão profética.

Esta posição mostra uma mente intuitiva altamente impressionável. Se Netuno estiver bem aspectado, pode-se obter um valioso conhecimento por meio de fontes intuitivas. Se Netuno estiver sob tensão, existe a possibilidade de haver dedicação fanática a cultos poucos práticos e adoração de líderes espirituais. O indivíduo pode acreditar que é o discípulo escolhido de um grande profeta ou mestre espiritual. Deve-se tomar cuidado para diferenciar os verdadeiros dos falsos mestres espirituais; uma pessoa verdadeiramente espiritualizada revela ausência de orgulho espiritual ou egotismo.

A pessoa com um Netuno sob tensão aqui com freqüência é pouco prática a respeito da educação, deixando de adquirir o treinamento necessário para obter um emprego. Ela provavelmente terá problemas com parentes, surgidos com o casamento.

Netuno na Décima Casa

Netuno na Décima Casa indica que fatores intuitivos desempenham um papel importante na carreira. Essa é uma boa posição para sacerdotes, psicólogos e psiquiatras, astrólogos e clarividentes. A carreira destes nativos pode incluir atividades realizadas em segredo ou por trás dos bastidores ou, ainda, sob proteção. Esta posição pode significar capacidade de liderança espiritual.

Um dos pais pode ser de alguma forma incomum; a profissão é sempre incomum e cercada de circunstâncias bizarras. Muitos atores, músicos e artistas têm Netuno na Décima Casa.

Um Netuno bem aspectado na Décima Casa pode proporcionar honra, como resultado de realizações ou sacrifícios pessoais. Um Netuno sob tensão na Décima Casa provoca pouco senso prático na profissão, geralmente resultando na incapacidade de se relacionar bem com empregadores ou manter o emprego. Se Netuno estiver sob tensão, pode haver escândalos ou perda de reputação em razão da irresponsabilidade ou da desonestidade do nativo no emprego. A pessoa com freqüência merece os infortúnios que enfrenta, devido à motivação egoísta de suas ambições.

Netuno na Décima Primeira Casa

Netuno na Décima Primeira Casa indica amizades incomuns, idealistas, e associações de grupo. Se Netuno estiver bem aspectado, a generosidade se estenderá aos amigos; esses nativos também oferecerão orientação espiritual e ajudarão na realização de metas, porque mereceram essa ajuda no passado. Haverá uma forte ligação espiritual com amigos e associados. As pessoas com esta posição são sensíveis às necessidades da humanidade e juntam-se a grupos com objetivos humanitários ou espirituais; com freqüência, também se sentem atraídos por organizações místicas ou secretas.

Se Netuno estiver sob tensão na Décima Primeira Casa, pode indicar irresponsabilidade e enganos nas amizades. Os amigos com freqüência se tornam inimigos secretos. Más associações levam à destruição, geralmente por intermédio do álcool ou abuso de drogas. Essas pessoas deveriam aprender a escolher os amigos. Um Netuno sob tensão aqui também pode indicar um idealismo pouco prático, mal orientado; podem se manifestar tendências boêmias.

Netuno na Décima Segunda Casa

Netuno na Décima Segunda Casa indica um elo intuitivo com a mente inconsciente. O indivíduo com esta posição manifesta fortes tendências religiosas místicas; procura a privacidade e o isolamento, necessários à busca espiritual interior. Com freqüência, tem lembranças de encarnações anteriores e muita sabedoria espiritual trazida do passado.

Se Netuno estiver bem aspectado, há inclinação à clarividência, psicologia e cura; também estão presentes sensibilidade artística e habilidade poética e musical. Se Netuno estiver sob tensão, existe uma preocupação neurótica com os problemas do passado, pois os nativos estão abertos a influências psíquicas negativas e enganosas. Isso com freqüência resulta em confusão mental, desatenção e afastamento das questões práticas da vida. Essas pessoas são atormentadas por medos e problemas neuróticos originados do inconsciente.

Plutão nos Signos

Plutão, o mais lento dos planetas, leva aproximadamente 248 anos para dar uma volta completa ao redor do Zodíaco. Como possui uma órbita excêntrica, o número de anos que passa em cada signo varia de doze a trinta e dois. Como acontece com Urano e Netuno, o significado da posição de Plutão nos signos é mais histórico e de geração do que pessoal.

As posições de Plutão no signo têm grande importância histórica, pois revelam revoluções fundamentais e provocam drásticas transformações nas áreas da vida humana e da civilização regidas por elas. Essas mudanças podem ser regenerativas ou degenerativas, mas geralmente os dois efeitos se fazem sentir, resultando em extremos do bem ou do mal na área regida por determinado signo. Plutão nos signos sempre cria mudanças permanentes.

Plutão em Áries (1823-1852)

Áries é um novo signo de experiência, iniciando um novo ciclo de ação. Plutão estava em Áries na época dourada do pioneirismo americano, quando pessoas autoconfiantes, destemidas, formaram uma nação a partir de um deserto virgem. Essas pessoas superaram muitos obstáculos e privações para estabelecer a liberdade e uma nova maneira de viver. Essa luta violenta nos foi transmitida pelo folclore do Oeste Selvagem.

Simultaneamente, na Europa, aconteciam muitos movimentos revolucionários, nos quais homens reivindicavam sua liberdade e começavam a derrubar antigas monarquias.

Plutão em Touro (1852-1884)

Touro é um signo de produção material e assuntos monetários. Plutão em Touro marcou um período de grande expansão econômica, no qual predominaram conceitos como o de peças padronizadas e a revolução industrial atingiu seu auge com o estabelecimento de fábricas e cotonifícios em ampla escala, nos Estados Unidos e Europa. Nessa época, começaram a surgir diversos tipos de organizações corporativas. A indústria ferroviária é um exemplo típico.

Plutão em Gêmeos (1884-1914)

Gêmeos é um signo de idéias e invenções. Plutão em Gêmeos marcou um período de importantes invenções e descobertas científicas. Nikola Tesla, Thomas Edison, Alexander Graham Bell e outros descobriram as funções da eletricidade e estabeleceram as bases da moderna tecnologia elétrica e das comunicações. O automóvel foi desenvolvido e os irmãos Wright pilotaram o primeiro avião. Essa era enfrentou rupturas na aplicação prática do conhecimento científico e da tecnologia.

Plutão em Câncer (1914-1939)

Câncer é um signo que lida com a expressão emocional pessoal, assuntos domésticos, a terra, o meio ambiente e produção de alimentos. Plutão em Câncer marcou uma época de luta econômica e de fortes sentimentos nacionalistas em todo o mundo, levando à Segunda Guerra Mundial. Houve uma revolução nas técnicas agrícolas, com a introdução de fertilizantes químicos e inseticidas, represamento de canais para irrigação e a produção de energia elétrica.

Como reflexo de Capricórnio, em resposta às pressões econômicas e sociais que ameaçavam a família e a segurança nacional, foram criados novos conceitos de governo: o "New Deal" nos Estados Unidos, o fascismo na Europa e o comunismo na União Soviética.

Plutão em Leão (1939-1957)

Leão é um signo de liderança e manifestação de energia e poder. Plutão em Leão marcou uma época na qual a energia atômica — que é regida por Plutão e se manifesta através do seu signo de exaltação — foi descoberta e as primeiras bombas atômicas foram lançadas. Pela primeira vez na história, a humanidade enfrentou a aterradora alternativa da total destruição da civilização ou das alturas jamais sonhadas de realização tecnológica. Esse período começou com o intenso conflito da Segunda Guerra Mundial. Nos anos seguintes, muitas novas nações independentes surgiram dos antigos impérios coloniais das nações européias. Uma luta mundial pelo poder ocorreu entre o capitalismo, representado pelos Estados Unidos, e o comunismo, representado pela União Soviética, uma luta que afetou o destino de toda a humanidade.

Plutão em Virgem (1957-1972)

Virgem é um signo que lida com o trabalho, a saúde e a aplicação prática da tecnologia. Plutão em Virgem marcou um período de mudanças revolucionárias no trabalho, na medicina e na produção industrial. Os computadores revolucionaram a ciência, os negócios e a indústria; os sindicatos tornaram-se poderosas forças políticas; a pré-embalagem dos alimentos se desenvolveu. A automatização na indústria substituiu muitos trabalhadores. A medicina realizou surpreendentes avanços e novas descobertas.

A introdução de drogas psicodélicas no início dos anos 60 revelou às massas esferas da consciência anteriormente desconhecidas e provocou uma revolução social entre a geração mais jovem. Como Plutão rege Escorpião, o signo do sexo, e Virgem é o signo da saúde, este período presenciou o desenvolvimento de métodos de controle de nascimento e uma nova moralidade sexual. Um drástico aumento na adulteração química e na poluição dos alimentos tornou-se uma importante preocupação, provocando uma tendência em direção aos alimentos naturais.

Plutão em Libra (1972-1984)

Libra é um signo de justiça, relações humanas, expressão social e psicologia. Enquanto Plutão se encontrava em Libra, os homens precisaram renovar sua consciência sobre a responsabilidade para com seus semelhantes, para evitar a destruição do mundo. Como parte deste despertar, foram desenvolvidos novos conceitos de casamento, leis e justiça.

Se essa regeneração nas relações pessoais, nacionais e internacionais não tivesse ocorrido, o caos e a guerra teriam resultado durante o trânsito de Plutão por Escorpião. Durante este período tivemos de aprender a resolver controvérsias nacionais e internacionais por intermédio da lei e da arbitragem, sem lançar mão de conflitos armados.

Plutão em Escorpião (1984-2000)

Com Plutão em Escorpião, há a probabilidade de o conflito mundial atingir o auge de sua intensidade. A ordem do dia será "regenerar ou morrer", porque Plutão rege Escorpião, o signo da morte e da regeneração. Não existe outra posição planetária tão potente. Este período marca o último suspiro da era de Peixes: não haverá mais lugar à insensatez humana, e nem outra escolha senão enfrentar as conseqüências.

Plutão se movimenta mais rápido quando passa por Libra e Escorpião. Como diz o bíblico Livro da Revelação: "A não ser que estes tempos sejam abreviados, ninguém será salvo". O maior perigo de epidemias, fome e guerras atômica e biológica ocorrerá durante os últimos vinte e cinco anos do século 20. De 1975 até 2000, Urano está em Escorpião, e de 1984 até o final do século, Plutão está em Escorpião. Neste período, a raça humana será forçada, por uma terrível necessidade, a se regenerar, preparando-se para a Era de Aquário e para o ano 2000.

Plutão em Sagitário (2000-)

Sagitário é o signo da religião, das leis, da filosofia, da educação superior e das viagens. Plutão entrará em Sagitário por volta do ano 2000, marcando um período de regeneração espiritual e o início da era de Aquário. Nessa época, haverá uma compreensão fundamental dos valores espirituais mais profundos. As religiões conhecidas atualmente se transformarão completamente. Haverá uma religião mundial, baseada na comunhão intuitiva direta do homem com seu Criador; surgirão novos líderes espirituais, que ensinarão as leis fundamentais que governam toda a vida no universo. A nova religião mundial combinará todas as mais elevadas expressões das grandes religiões do passado com a compreensão científica mais abrangente das forças subjacentes à vida.

Plutão em Capricórnio (1762-1777)

Capricórnio é um signo que lida com as estruturas do poder político e social, com as profissões, *status*, ambição e liderança. Durante os anos em que Plutão estava em Capricórnio nasceram novos conceitos de governo. Sua mais notável manifestação foi a Declaração da Independência Americana, em 1776. O nascimento de formas democráticas de governo nesta época iniciou a substituição das estruturas do poder aristocrático.

Quando Plutão entrar novamente em Capricórnio, começará a existir um governo mundial baseado nos melhores interesses de toda a humanidade. Esse governo será fundamentado em novos conceitos sociais, legais, educacionais e religiosos, que se desenvolverão durante a permanência de Plutão em Sagitário.

A geração que irá nascer com Plutão em Capricórnio mostrará uma vontade dinâmica, prática, nas organizações, negócios e governo, baseada no conceito de que todos os seres humanos devem ter uma chance de desenvolver seu próprio potencial de acordo com sua capacidade e sua autodisciplina.

Plutão em Aquário (1777-1799)

Aquário é o signo da atividade em grupo, desenvolvimento mental intuitivo, ciência e humanitarismo. O período em que Plutão estava em Aquário testemunhou a Guerra Revolucionária Americana e presenciou a formulação da Constituição dos Estados Unidos, da Carta de Direitos e a presidência de Thomas Jefferson. Os Estados Unidos tiveram seu verdadeiro nascimento como nação democrática, sendo o primeiro país a demonstrar a possibilidade de governar em uma democracia organizada.

Esse período também marcou a Revolução Francesa, a principal experiência européia de liberdade política, que representou a revolta do povo — regido por Aquário — contra formas ditatoriais obsoletas de governo.

O próximo trânsito de Plutão por Aquário será numa época de tremendas descobertas científicas e fraternidade mundial. A era de Aquário irá desabrochar plenamente.

Plutão em Peixes (1799-1823)

O signo de Peixes representa os níveis profundos do inconsciente, da experiência mística e da criatividade artística intuitiva. Plutão em Peixes marcou uma época de grandes mudanças culturais. Muitas obras de arte, com mensagens universais e de valor duradouro, foram criadas durante esse período.

A próxima geração a nascer com Plutão em Peixes trará notáveis avanços na arte e na cultura. Seus membros manifestarão *insights* espirituais sobre os mistérios interiores da vida.

Plutão nas Casas

A posição de Plutão nas casas mostra em que setores da vida uma pessoa precisa exercer sua força de vontade criativa consciente para regenerar a si mesma e ao seu meio ambiente. Como Plutão lida com forças do destino comum, sua posição na casa mostra como essas mudanças irão afetar cada pessoa individualmente — isto é, como o carma coletivo está ligado ao carma individual. A posição de Plutão na casa também indica como a pessoa irá manifestar tendências ocultas e utilizar as faculdades mais sutis da mente e da vontade.

Plutão na Primeira Casa

Plutão na Primeira Casa indica um indivíduo com forte autoconsciência e potencial para desenvolver uma poderosa vontade. Se Plutão estiver em conjunção com o Ascendente e fortemente aspectado, podem se manifestar faculdades de clarividência. Compreendendo a vida em função da essência de sua energia, o indivíduo pode se interessar por formas avançadas de tecnologia.

O ambiente inicial com freqüência é repleto de sofrimentos extremos, e assim desde tenra idade a pessoa torna-se familiarizada com a luta pela sobrevivência. Isso deixa suas marcas, e posteriormente ela tende a ser solitária e a manter seu eu mais profundo afastado dos outros.

Ela pode ser fisicamente forte e ter um olhar muito penetrante; também pode ser uma pessoa difícil de se conhecer, pois há muito mais coisas nela do que podemos ver superficialmente.

As pessoas com esta posição demonstram uma iniciativa considerável, mas, às vezes, acham difícil colaborar com os outros ou se submeter a condutas tradicionais; podem e precisam se regenerar através de uma profunda compreensão oculta da vida e da consciência. São cuidadosas com a saúde, mas precisam aprender que é o corpo que serve à mente, e não o contrário.

Plutão está acidentalmente exaltado na Primeira Casa, que corresponde ao signo de Áries, também regido por Plutão. Assim, estão indicados um forte poder pessoal e força de vontade, que surgem da percepção de que o eu mais profundo é espiritual, como uma consciência que observa a mente e as emoções. O inconformismo e individualismo desta posição com freqüência tornam difíceis as relações no lar, no casamento e na profissão.

Plutão na Segunda Casa

Plutão na Segunda Casa indica uma forte ambição para adquirir dinheiro e recursos materiais. Como Plutão rege Escorpião e a Oitava Casa, que está oposta a Touro e à Segunda Casa, nossas ambições financeiras pessoais provavelmente irão incluir o dinheiro de outras pessoas.

Plutão bem aspectado na Segunda Casa indica grande engenhosidade para ganhar dinheiro graças à habilidade de perceber possibilidades financeiras ocultas, por *insights* ou por intermédio de informações confidenciais.

Um Plutão sob tensão na Segunda Casa significa que a pessoa pode se tornar gananciosa e egoísta, o que faz com que perca os amigos e se envolva em problemas legais. Nesses casos, podem surgir problemas com impostos, heranças e seguros, e ocorrer reveses financeiros por meio de especulações.

A lição básica de Plutão na Segunda Casa é aprender a purificação das motivações financeiras, percebendo que somos simplesmente administradores dos recursos materiais, que devem ser utilizados altruisticamente.

Plutão na Terceira Casa

Plutão na Terceira Casa indica uma mente penetrante, capaz de compreender os motivos fundamentais das experiências e manifestações da vida. As pessoas com esta posição geralmente têm opiniões fortes, que não expressarão a não ser que possam manifestá-las de maneira eficaz. Em qualquer caso, elas não comprometerão suas crenças a não ser que evidências reais mostrem que estão erradas. Suas idéias originais atrairão amigos e parceiros que irão ajudá-las a utilizar e melhorar suas idéias.

Esta posição proporciona engenhosidade mental e habilidade científica; pode também haver interesse no estudo de assuntos ocultos.

Pelas circunstâncias mais diversas, essas pessoas geralmente são responsáveis por informações exclusivas ou secretas relacionadas a assuntos de grande importância; tudo que transmitem e pensam pode ter sérias conseqüências. Elas também tendem a viajar em segredo por razões misteriosas, passando por estranhas experiências, como acidentes, no decorrer de suas viagens.

Se Plutão estiver sob tensão, intrigas podem provocar dificuldades com irmãos, irmãs e vizinhos. Essa dificuldade também pode ocorrer com colaboradores, instituições que representam os valores da ordem social e inimigos secretos.

Plutão na Quarta Casa

Plutão na Quarta Casa indica o desejo de ser o senhor de seu próprio lar e do ambiente doméstico. Uma atitude dominadora pode afastar outros membros da família se Plutão estiver sob tensão; contudo, uma profunda habilidade para perceber a essência da vida possibilita sustentar e melhorar a situação doméstica.

Uma forte ligação oculta com a terra pode se manifestar no amor pela natureza, no interesse por ecologia ou conservação, ou na habilidade para conhecer os segredos da terra através de atividades como mergulho, estudo de geologia ou outros meios. Algumas vezes há envolvimento com mineração.

Se Plutão estiver sob tensão, um dos pais pode morrer nos primeiros anos de vida do nativo. Há a possibilidade de o nativo se interessar por ocultismo nos anos mais avançados de vida; podem também ocorrer circunstâncias misteriosas ou ocultas com relação ao lar e à família. Existe também o perigo de brigas com membros da família ou outros moradores da casa.

Plutão na Quinta Casa

Plutão na Quinta Casa indica poder criativo, manifestado na arte, em envolvimentos amorosos intensos ou filhos talentosos. Quando Plutão está bem aspectado nesta casa, podem surgir obras de arte inspiradas em níveis de consciência mais elevados. A regeneração espiritual ocorre através do amor, e os filhos do indivíduo podem demonstrar força de vontade, talento e gênio.

Se Plutão estiver sob tensão na Quinta Casa, há o perigo da autodegradação por excesso sexual. O indivíduo tende a dominar ou a ser dominado pelo parceiro e pode ter uma atitude excessivamente severa com os filhos. Se Plutão estiver sob tensão, é possível que ocorram perdas severas através de especulações.

Plutão na Sexta Casa

Plutão na Sexta Casa indica a habilidade para melhorar o emprego e os métodos de trabalho; o trabalho pode se relacionar ao secretariado. As pessoas envolvidas em indústrias de salvamento e as que trabalham em projetos governamentais relacionados à energia atômica também podem ter Plutão localizado nesta casa.

Essas pessoas precisam utilizar sua vontade para melhorar a saúde, o que pode ser conseguido mediante o pensamento positivo e hábitos corretos de dieta e higiene. Podem estar presentes poderes ocultos de cura; assim, com freqüência, aqueles que realizam curas espirituais podem ter Plutão nesta casa.

Plutão sob muita tensão na Sexta Casa exige um trabalho sério para melhorar a saúde. Também pode indicar necessidade de mudanças de atitude com relação ao trabalho para adquirir segurança no emprego, pois o nativo tem tendência a ser autoritário ou pouco cooperativo com colaboradores, empregados e patrões. A incapacidade de se relacionar no trabalho pode causar desorientação mental; a desonestidade no trabalho pode provocar problemas legais. Com esta colocação de Plutão, o trabalho renegerativo consciente irá trazer lucros financeiros, *status* e reconhecimento.

Plutão na Sétima Casa

Plutão na Sétima Casa indica pessoas cujas vidas são drasticamente alteradas pelo casamento, por sociedades e relações com os outros. O nativo atrai um parceiro obstinado e até mesmo dominador, que pode manifestar tendências ocultas. Essa pessoa possui um forte senso de justiça e reage intensamente contra qualquer injustiça.

Ela precisa desenvolver a percepção espiritual consciente sobre a necessidade de uma colaboração construtiva com os demais, e se esforçar positivamente para conseguir essa colaboração.

Se Plutão estiver bem aspectado, uma profunda capacidade intuitiva permite que essas pessoas tenham *insights* sobre os outros, compreendendo suas motivações. Assim, esta é uma boa posição para psicólogos, advogados e juízes. Plutão está acidentalmente em detrimento na Sétima Casa, indicando uma tendência a dominar ou ser dominado por outros cuja vontade é respectivamente mais fraca ou mais forte do que a do nativo. As pessoas com esta posição precisam aprender a compartilhar a iniciativa e a responsabilidade.

Plutão na Oitava Casa

Plutão na Oitava Casa é uma poderosa influência oculta que lida com a compreensão da continuidade da vida e da consciência após a destruição do corpo físico. A necessidade de conhecer o imortal pode se manifestar como um interesse pela reencarnação, pelo carma, por astrologia, ioga, meditação e outros assuntos ocultos. A percepção dos planos sutis de energia proporciona profundos *insights* na física, um assunto que lida com a energia e os componentes essenciais da matéria.

Se Plutão estiver bem aspectado, o indivíduo é capaz de superar o mal pela confiança em poderes espirituais mais elevados. Também possui a capacidade de regenerar os recursos rejeitados por outros.

Esta posição proporciona aos nativos uma poderosa vontade, algumas vezes combinada à faculdade da clarividência. Com freqüência, está presente uma atitude tipo fazer-ou-morrer; a vida para essas pessoas é um assunto sério, e elas geralmente se preocupam somente com assuntos realmente importantes, tendo pouca paciência com trivialidades. Portanto, tendem a se envolver em drásticas situações de vida ou morte, o que algumas vezes faz com que mudem sua maneira de viver ou sua visão moral. Se Plutão estiver bem aspectado, possuem grande força e engenhosidade nas crises. Muitas de suas atividades são realizadas em segredo e só aparecem nos estágios finais de desenvolvimento.

Se Plutão estiver sob tensão, podem surgir sérios problemas com dinheiro de parceiros, seguros, impostos e heranças. Pode também haver tentação a utilizar forças ocultas egoisticamente para adquirir as habilidades de outros.

Plutão na Nona Casa

Plutão na Nona Casa indica interesse pela regeneração dos sistemas legais, educacionais, morais e filosóficos. Isso se manifesta na capacidade para perceber as causas fundamentais dos problemas relacionados à ordem social mais ampla. A intuição nessas questões é bastante desenvolvida, proporcionando profundos *insights* sobre o futuro da humanidade e suas instituições. Se Plutão estiver forte e bem aspectado, está evidente a capacidade de liderança espiritual.

A ambição de adquirir destaque através da educação superior, de viagens ou realizações espirituais, quando levada a extremos, pode resultar em orgulho espiritual e competitividade. Quando Plutão está bem aspectado, são realizados empreendimentos significativos. Essa pode ser uma boa posição para Plutão, porque aqui a vontade é guiada por um padrão moral.

As pessoas com esta posição não toleram a hipocrisia e a injustiça social. Algumas vezes tornam-se revolucionárias, se sentirem que as instituições existentes não merecem respeito.

Um Plutão sob tensão na Nona Casa pode produzir um fanático religioso autoritário, inclinado a impor suas opiniões aos outros. Um Plutão sob muita tensão, indica a possibilidade de filosofias anti-sociais e crenças ateístas. Contudo, o nativo pode eventualmente passar por profundas experiências que o forçam a mudar sua visão religiosa.

Plutão na Décima Casa

Plutão na Décima Casa indica uma força de vontade muito desenvolvida e um forte impulso de atingir o sucesso. As pessoas com esta posição podem ser líderes espirituais na reforma das estruturas de poder existentes. Também é provável que sejam líderes na ciência e no ocultismo, e sua inclinação especial para a cura, a clarividência ou a profecia pode lhes trazer fama. Como são hábeis para lidar com pessoas em posições de poder e para compreender suas motivações, esta é uma posição favorável para a política e outras formas de trabalho público. Quando Plutão está bem aspectado, a perspicácia conduz a uma liderança sábia.

O desejo de reformar e reabilitar o mundo cria amigos e inimigos poderosos. Essas pessoas tendem a ser mal compreendidas e podem se tornar figuras polêmicas; crises em suas carreiras podem forçá-las a alterar drasticamente sua atividades profissionais.

Quando Plutão está sob tensão nesta casa, podem estar em primeiro plano tendências autoritárias e ambições pessoais egoístas. Às vezes, esta posição faz com que os nativos se sintam afastados dos outros devido às suas próprias responsabilidades opressivas.

Plutão na Décima Primeira Casa

Plutão na Décima Primeira Casa indica tendências reformistas expressadas nas amizades e associações de grupo. A natureza das motivações do indivíduo é importantíssima com esta posição de Plutão, uma vez que ela irá determinar se os associados sentem que ele os está ajudando ou usando. Se Plutão estiver bem aspectado e as motivações forem boas, o indivíduo atrai amigos poderosos e associações que o ajudarão a alcançar progressos científicos e humanitários. Plutão está acidentalmente em sua queda na Décima Primeira Casa, e os nativos devem ter cuidado para respeitar os direitos dos outros e utilizarem sua própria força de vontade de maneira cooperativa, para que possam atuar criativamente dentro do grupo. Se as motivações e relações com amigos forem egoístas, irão resultar em perdas financeiras, desilusões no amor e problemas com impostos e recursos conjuntos. Pode haver instabilidade na saúde, no emprego, e na situação doméstica. Por outro lado, a colaboração com os outros tornará possíveis sociedades bem-sucedidas e grande aumento de conhecimento pessoal.

Aqueles que possuem um Plutão bem aspectado na Décima Primeira Casa têm capacidade para uma liderança de grupo bem-sucedida e dinâmica. Tendem a se unir a organizações ocultas e possuem amigos ocultos; têm um penetrante *insight* intuitivo, que, se o resto do horóscopo indicar inteligência, pode se manifestar como talento científico.

Um Plutão sob tensão na Décima Primeira Casa indica amizades que terminam subitamente e perdas financeiras provocadas por gastos extravagantes com amigos e atividades agradáveis.

Plutão na Décima Segunda Casa

Plutão na Décima Segunda Casa indica a necessidade de regenerar a mente inconsciente, trazendo seu conteúdo para a consciência. Isso pode se manifestar como interesse por psicologia, ocultismo ou misticismo.

Plutão bem aspectado nesta casa indica um *insight* profundo e clarividência. Um Plutão bem aspectado aqui pode proporcionar solidariedade e capacidade para melhorar as condições de vida dos menos afortunados. As pessoas com esta posição são capazes de profunda meditação e compreendem os mistérios ocultos, uma habilidade que está evidenciada em poderes intuitivos muito desenvolvidos. Têm uma sensibilidade telepática inconsciente para com os pensamentos, sentimentos e motivações dos outros, mas isso pode fazer com que se isolem, ou que ajam secretamente contra aqueles de quem não gostam. A preocupação mental com seus próprios problemas faz com que ignorem as idéias e pontos de vista morais dos outros, o que com freqüência resulta na incapacidade de um bom relacionamento no trabalho.

Um Plutão sob tensão nesta casa pode indicar inimigos secretos traiçoeiros, problemas neuróticos e o perigo de envolvimento com forças psíquicas destrutivas. Essas pessoas devem evitar contato com sessões espíritas, drogas e outras situações que provavelmente as envolverão com fenômenos astrais inferiores.

CAPÍTULO 6

Dispositores dos Planetas

O dispositor de um determinado planeta é o planeta que rege o signo no qual esse planeta se encontra. Um planeta localizado no signo do qual é regente — por exemplo, Marte em Áries — não tem dispositor, ou é seu próprio dispositor.

Um planeta dispositor terá um certo efeito sobre os assuntos governados pelo signo e pela casa na qual se encontra um outro planeta qualquer. Em outras palavras, há uma sutil influência do dispositor sobre o signo, a casa e o planeta que se encontra neles. As posições do planeta dispositor e do planeta influenciado na casa e no signo tambem estão sutilmente ligadas.

Se dois planetas são dispositores entre si — isto é, se cada um deles se encontra no signo do outro, como Urano em Gêmeos ou Mercúrio em Aquário —, dizemos que estão em recepção mútua. A recepção mútua dá mais dignidade e força positiva, bem como o talento ou a habilidade especial dos dois planetas. Eles estão, por assim dizer, de acordo, apoiando-se mutuamente.

Os dispositores indiretos são uma espécie de cadeia de comando criada por um planeta dispositor, que por sua vez recebe a influência de outro planeta dispositor, e assim por diante. Por exemplo, se Marte estiver em Gêmeos, Mercúrio é seu dispositor, uma vez que é o regente de Gêmeos. Se Mercúrio estiver em Sagitário, seu dispositor é Júpiter, o regente de Sagitário. Se Júpiter, o regente de Sagitário, estiver em Leão, então Júpiter tem o Sol como dispositor, pois este rege Leão. Se o Sol estiver em Capricórnio, Saturno é seu dispositor e se Saturno também estiver em Capricórnio, Saturno é o dispositor final de Mercúrio, Marte, Júpiter e do Sol. Esse é um exemplo da cadeia de dispositores indiretos. O planeta dispositor final encontra-se no próprio signo que rege, o que lhe dá poder especial e dignidade e faz com que seja o dispositor final dos outros planetas.

Se, como acontece às vezes, um único planeta se encontra no signo que rege e é o dispositor final de todos os outros planetas no horóscopo, este planeta tem enorme importância, equivalente a ser o regente do horóscopo.

Se nenhum planeta for o dispositor final, o nativo terá dificuldades para se decidir ou escolher um curso de ação decisivo. Esse caso só pode ocorrer num horóscopo em que nenhum planeta se encontrar no signo que rege.

Algumas vezes temos um círculo de dispositores, como no exemplo seguinte: Marte em Virgem com Mercúrio como dispositor, Mercúrio em Libra com Vênus como dispositor, Vênus em Sagitário com Júpiter como dispositor, e Júpiter em Áries com Marte como dispositor, completando o círculo que começou com Marte em Virgem, com Mercúrio como dispositor. Esse padrão é uma cadeia circular e não tem dispositor final; indica uma pessoa que tende a andar em círculos e é incapaz de chegar a conclusões definitivas.

Se num horóscopo dois ou mais planetas se encontrarem nos signos de sua regência e forem os dispositores de um ou mais planetas do horóscopo, eles compartilham posições de poder que atuam como um conjunto de comportamentos autônomo ou individual na vida da pessoa. Se os planetas dispositores formarem aspectos entre si, estes conjuntos de padrões de comportamento estão ligados a um padrão de harmonização mais amplo ou a tendências psicológicas conflitantes.

Outro caso especial ocorre quando dois planetas em recepção mútua forem os dispositores finais dos demais planetas do horóscopo. Nesse caso, os dois planetas agem em parceria, sendo a influência decisiva no curso de ação da pessoa. Júpiter em Capricórnio e Saturno em Sagitário são um exemplo. Se Júpiter e Saturno forem os dispositores finais de todos ou da maioria dos outros planetas do horóscopo, serão os determinantes finais na tomada de decisões. Contudo, outros fatores, como a exaltação, o detrimento ou a queda, com freqüência tornam um dos dois mais forte do que o outro. Um exemplo disso é a recepção mútua de Marte em Capricórnio e Saturno em Áries. Aqui, Marte está no signo de sua exaltação, enquanto Saturno está no signo de sua queda. Assim, Marte irá dominar Saturno, e o desejo e a ambição dominarão o princípio saturniano de cautela e reserva. Esses dois signos também formam uma quadratura entre si, indicando que Marte e Saturno tendem a lutar entre si. Algumas vezes os dois planetas são fracos, como acontece quando Vênus está em Escorpião e Marte em Libra. Como os dois planetas se encontram nos signos de seu detrimento e são basicamente de natureza oposta, tenderão a neutralizar-se mutuamente ou um sobrecarregará o outro com seus fardos indesejáveis.

Se dois planetas em recepção mútua estiverem em signos compatíveis, como a Lua em Touro e Vênus em Câncer, um deles ainda pode ser o mais forte, pois a Lua está exaltada em Touro e pode receber mais força por sua colocação na casa. Um exemplo é a Lua na Décima Casa e Vênus na Décima Segunda.

Se dois planetas em recepção mútua formarem aspecto entre si, este aspecto também é mais poderoso do que seria se eles não formassem aspecto. Por exemplo, se Marte estiver a 10° de Leão e o Sol a 12° de Áries, mesmo que este seja um trígono de separação, o fato de Sol e Marte estarem em recepção mútua proporciona mais força ao aspecto. Assim, o nativo recebe enorme coragem e energia. Mas o princípio solar de poder e liderança irá ter maior domínio do que o princípio de ação de Marte, pois o Sol está no signo de sua exaltação (se todos os outros fatores forem iguais — como, por exemplo, Marte formando mais aspectos do que o Sol).

Se o Sol for o dispositor final de todos os planetas de um horóscopo, a ânsia de poder, importância e liderança é o princípio que domina todas as outras habilidades do nativo, que são criadas para servir a este impulso básico de poder. Este é o signo do super-Leão, que expressa de maneira mais forte e dramática as qualidades básicas desse astro. A maneira como as tendências solares irão se expressar depende da colocação do Sol na casa e dos aspectos formados por ele. Os nativos podem ser egoístas, acreditando que a vida deve girar ao seu redor. Mas possuem enorme talento para a liderança e a organização e geralmente se tornam famosos, em conseqüência de sua energia, coragem e autoconfiança. Às vezes, sua inocência meio infantil pode desarmar os outros, mas ela é apenas um ato dentro de uma peça, e sua característica leonina irá se modificar mais uma vez.

Se a Lua for o dispositor final de todos os planetas de um horóscopo, a preocupação com o lar, a família e, com freqüência, com o estômago, será predominante na mente e nos sentimentos do nativo. Ele chega a decisões e cursos de ação baseado mais nas emoções do que no pensamento racional. Com freqüência, é dominado por padrões de comportamento herdados da família. Emocionalmente muito sensível, é influenciado pelas pessoas e acontecimentos. Geralmente, as mulheres têm um papel dominante na vida dos nativos. A forma como são afetados depende dos aspectos que envolvem a Lua, pois a Lua assume as características dos planetas com quem forma aspectos fortes. Como a Lua não tem vida própria, age como um transformador-redutor da influência de outros planetas. Esses indivíduos tendem a ser passivamente guiados pelas fortes influências ao seu redor — representadas pela natureza dos planetas que formam aspectos mais fortes com a Lua. Assim, com freqüência se envolvem em relações públicas, embora sejam mais seguidores do que líderes. Algumas vezes são tímidos, como proteção contra sua vulnerabilidade às influências externas; então, o caranguejo se recolhe à sua concha ou recua até que seja prudente avançar outra vez.

Se Mercúrio for o dispositor final de todos os planetas no horóscopo, indica indivíduos que escolhem seus cursos de ação e tomam suas decisões mais importantes baseados no pensamento racional. Esses nativos não agirão sem que existam razões práticas; para eles, agir sem saber por que seria uma estupidez e uma cegueira intoleráveis. Algumas vezes, entretanto, são indecisos e deixam de agir rapidamente porque insistem em compreender cada detalhe. Eles podem ficar atolados, tentando compreender tudo, e esquecem que todo conhecimento, para ser acurado, deve se originar da experiência e da observação empírica. Contudo, são notados por sua inteligência e abordagem científica à vida; ao utilizarem o conhecimento, têm sucesso onde os demais falham, porque agem através da força bruta. Eles podem colocar a razão e o amor pela verdade acima de tendências pessoais e considerações emocionais e, assim, evitam grande parte do turbilhão emocional em que outras pessoas se envolvem. Classificam a experiência e chegam a conclusões racionais baseados na melhor informação que conseguem. Esses nativos dão excelentes escritores, professores, pesquisadores e cientistas, e são capazes de se comunicar claramente no que diz respeito a qualquer aspecto da vida. No lado negativo, às vezes parecem frios e distantes; tendem a viver em uma torre de marfim desligada da verdadeira experiência.

Se Vênus for o dispositor final de todos os planetas do horóscopo, o nativo toma sua decisão final e escolhe seu curso de ação com base naquilo que puder trazer mais amor, beleza e harmonia à sua vida. As considerações sociais são predominantes na mente destas pessoas. Elas são excelentes artistas e músicos; também são habilidosas em relações públicas e gostam de trabalhar em sociedade com outros; onde o encanto social e a diplomacia forem necessários, pode-se contar sempre com essas pessoas. Em sua expressão mais elevada, esta posição representa a pessoa que é por natureza um apaziguador. Ela tem o poder de levar alegria e felicidade aos outros, tornando o mundo um lugar mais belo para se viver. É romântica e busca a realização no amor e no casamento. O princípio de atração de Vênus atua com tanta força aqui que os nativos podem ser sufocados pelas muitas pessoas que passam por suas vidas; eles não têm tempo para lidar com todas e precisam se afastar para restabelecer sua própria harmonia e equilíbrio.

Se Marte for o dispositor final de todos os planetas do horóscopo, os nativos escolhem seu curso de ação e tomam suas decisões finais baseados naquilo que puder trazer resultados mais imediatos e decisivos através da ação. Essas pessoas são líderes fortes, capazes de agir eficientemente em qualquer esfera da vida. Elas se destacam em qualquer tarefa que exija o emprego de muita energia; via de regra, possuem muita vitalidade, força de vontade e coragem. São capazes de fazer das idéias realidade por intermédio do trabalho, pois a ação é uma das características de Marte. Se

Marte estiver favoravelmente aspectado com um dos planetas ativos mais elevados (Urano, Netuno e Plutão), são bons curadores. Contudo, tendem a ter fortes simpatias e antipatias e podem fazer inimigos perigosos.

Se Júpiter for o dispositor final de todos os planetas do horóscopo, o nativo está permanentemente inclinado a considerações sociais, filosóficas, morais e religiosas como base final para suas decisões e seu curso de ação. Ele deseja agir no interesse do bem maior para o maior número de pessoas e, assim, tende a se ligar a instituições com propósitos humanitários. Acredita no pensamento positivo e por isso com freqüência é bem-sucedido, graças à sua confiança, otimismo e boa vontade; tem a capacidade de dar fé aos outros, ganhando seu apoio e sua colaboração. Este é o grande segredo do sucesso de Júpiter. Os *insights* e habilidades no nativo para ver os potenciais do futuro lhe dão um bom começo na estrada para o sucesso.

Se Saturno for o dispositor final de todos os planetas do horóscopo, o nativo alcança o sucesso graças à sua enorme disciplina e capacidade para organizar de maneira eficiente os assuntos de sua vida. Ele toma decisões e escolhe seu curso final de ação baseado naquilo que, no final das contas, lhe trará maior segurança e estabilidade. As considerações com relação à segurança e ao senso prático são predominantes. Ele age com deliberação, sistematicamente, completando totalmente cada tarefa antes de passar à próxima; obtém sucesso graças à sua confiabilidade e ao seu trabalho duro e adquire a reputação de cidadão sólido e confiável em sua comunidade. Tudo o que faz tem um objetivo definido; assim, ele constrói sua carreira e sua posição com esforço paciente e metódico.

Se Urano for o dispositor final de todos os planetas do horóscopo, o nativo certamente terá uma originalidade brilhante. Ele com freqüência penetra nos níveis superconscientes da mente como meio de obter inspiração criativa. É um líder, especialmente nas áreas científicas e espirituais. Seu curso final de ação e suas principais decisões com freqüência chegam através de súbitos lampejos de percepção; possui habilidades telepáticas para saber o que está acontecendo em todas as áreas da vida e o que fazer a respeito delas, pois sua percepção se estende a reinos de consciência que outras pessoas não conseguem penetrar com tanta facilidade. Assim, pode fazer coisas inesperadas por razões aparentemente inexplicáveis. Estas pessoas têm necessidade de expandir sua expressão pessoal, pouco lhes importando o fato de serem consideradas excêntricas, pois seu desejo de liberdade e originalidade supera qualquer consideração sobre o que os outros pensam a seu respeito.

Se Netuno for o dispositor final de todos os planetas do horóscopo, o nativo tenderá a tomar importantes decisões e escolher seu curso de ação final baseado em algo intangível para os outros; com freqüência, é uma pessoa difícil de entender, porque parece não ter razões práticas para suas decisões; é motivado por uma sutil inclinação espiritual. Essas pessoas não nascem em todas as gerações, pois Netuno leva em média quinze anos para atravessar um signo e precisaria estar em Sagitário ou Peixes para ser o dispositor final.

Se Plutão for o dispositor final de todos os planetas no horóscopo, os nativos são dominados por uma compulsão espiritual interior. São capazes de escolher um curso de ação que exige tremenda força de vontade e força interior para atingir seus objetivos. Como no caso de Netuno, esses nativos não nascem em todas as gerações, pois Plutão é um planeta de movimento mais lento do que Netuno e precisa estar em Áries ou Escorpião para ser o dispositor final.

CAPÍTULO 7

Exaltações dos Planetas

Os planetas são mais fortes nos signos de sua exaltação ou regência. Diz-se que um planeta está exaltado quando ele está posicionado no signo em que o princípio do planeta envolvido adquire o poder do princípio do signo envolvido. Isto é: quando em seu signo de exaltação o planeta está no ambiente que, de acordo com a lei natural, gera o princípio básico deste planeta. Portanto, um planeta no signo de sua exaltação encontra-se em sua posição mais poderosa no que se refere à quantidade ou à intensidade de energia.

O signo de regência de um planeta é aquele que proporciona as condições para que um planeta se expresse mais facilmente; entretanto, estas não são necessariamente as condições que geram o poder do planeta.

O signo de queda de um planeta, sempre o signo oposto ao da exaltação, é aquele em que um planeta está mais fraco e mais debilitado.

O signo de detrimento de um planeta é sempre o oposto ao signo de sua regência. É o signo no qual o planeta está mais limitado na expressão de suas características básicas, que não é necessariamente aquele no qual ele é mais fraco — este seria seu signo de queda. Em outras palavras, a queda é muito pior do que o detrimento. Por exemplo, Marte está em detrimento em Libra, mas não se encontra em uma posição totalmente indesejável, pois as influências de Saturno e Vênus sobre Libra dão uma maior contenção e refinamento à agressividade básica de Marte. Por outro lado, Marte em queda em Câncer fica atenuado, enfraquecido e confinado ao lar, que é o local mais inadequado para a agressividade de Marte se expressar.

Os signos do Zodíaco devem ser interpretados não somente com base em seus planetas regentes, mas também a partir de seus planetas exaltados. O planeta que se encontra exaltado em determinado signo, como Vênus em Peixes, é chamado de regente exaltado daquele signo. Ignorar o regente exaltado é o mesmo que compreender apenas metade do significado básico do signo. O papel dos regentes exaltados como influenciadores dos signos torna-se mais importante se lida com pessoas muito evoluídas. No arco evolucionário da existência as pessoas estão abrindo seu caminho de volta para os princípios causais das manifestações da vida, astrologicamente representados pelos regentes exaltados dos signos. Por exemplo, como Libra tem Saturno como seu regente exaltado, as pessoas mais evoluídas de Libra são tão influenciadas por Saturno quanto por Vênus. Conseqüentemente, o mesmo acontece com seu senso de justiça, amor ao equilíbrio e à proporção, poder de organização, tendências ambiciosas e disciplina. O segundo decanato de Libra, correspondente a Aquário, que é regido por Saturno e Urano, é particularmente suscetível; este decanato recebe uma influência adicional de Saturno, porque Saturno é o co-regente de Aquário.

Sol exaltado em Áries

Existe uma razão óbvia para o Sol, doador da vida e origem da energia de nosso sistema solar, estar exaltado em Áries, o signo dos novos começos e do início de um novo ciclo de experiências. O Sol, representando o princípio do poder, deve ser o princípio causal de toda manifestação. As pessoas muito evoluídas de Áries estarão muito mais sujeitas às influências solares criativas do que às tendências combativas de Marte; elas não se caracterizam pela competitividade dos arianos menos evoluídos, que são mais motivados pelos desejos emocionais do que pela inspiração espiritual. Os arianos influenciados pelo Sol sabem que o poder do Criador Eterno está dentro deles, representado pelo princípio "Eu sou" ou pela pura capacidade de atenção. Eles não precisam se expressar por intermédio da agressiva ação de Marte; ao contrário, podem permitir que a energia solar divina se manifeste através deles. Os arianos mais desenvolvidos com freqüência demonstram poderosas tendências mentais mercurianas, uma vez que todas as coisas novas nascem no mundo do pensamento, que é a manifestação criativa direta da energia solar (justamente porque Mercúrio é o planeta mais próximo do Sol e recebe a energia solar mais diretamente do que os outros planetas). De acordo com Alice Baily, Mercúrio é o regente esotérico de Áries.

Lua exaltada em Touro

A Lua é o regente do plano etérico da manifestação, formado pelos quatro subplanos mais elevados do plano físico. A Lua é responsável pela criação da forma e pela manifestação física de todos os organismos vivos; ela precisa da matéria física para atuar plenamente. Como Touro é o primeiro dos signos de terra, oferece a matéria etérica e física na qual atuam as influências lunares. Assim, a Lua adquire seu poder e está exaltada em Touro. A Lua também está relacionada ao sétimo subplano ou subplano físico de cada plano; portanto, esotericamente dizemos que é um transformador-redutor ou um anteparo para Urano. Urano é o planeta que ressoa harmonicamente com o sétimo subplano de todos os sete planos de nosso sistema solar. Em outras palavras, existe uma relação harmônica entre a Lua e Urano, pela qual a Lua dá forma ao poder uraniano.

O oposto polar de Touro é Escorpião, onde Urano está exaltado. Esse fato deve ser considerado quando avaliamos a interação vibracional da Lua exaltada em Touro. Pode-se notar que os aspectos entre Lua e Urano trazem drásticas mudanças nos assuntos práticos da vida das pessoas. Como Urano dá forma às idéias, dizemos que ele indica mudanças súbitas. A Lua exaltada em Touro confere a habilidade para equilibrar os sentimentos e gerar a energia vital necessária para transformar idéias em manifestação física. Gostaríamos de propor a idéia de que a Lua é com freqüência a influência desencadeadora nos horóscopos de terremotos; ela pode provocar condições de tensão criadas pelo eclipse e outras configurações que envolvem Urano. A Lua atua como uma vibração harmônica que une as tensões dos planos mais elevados, geradas por Urano, e a totalidade da matéria física da própria Terra. As pessoas com a Lua em Touro geralmente atraem bens especiais, aos quais se tornam fortemente ligadas; esses bens não precisam necessariamente ter valor monetário. Devido ao poderoso corpo etérico que gera a Lua em Touro, produz nativos conhecidos por sua saúde forte e grande vigor. Eles estão determinados a obter resultados práticos em qualquer projeto que empreendam.

Mercúrio exaltado em Aquário

A mente superconsciente, ou consciência cósmica, está relacionada ao signo de Aquário. Sem a existência dessa mente superconsciente e sua manifestação harmônica inferior da consciência individual, não podia haver a manifestação do princípio mental de Mercúrio. Assim, Mercúrio obtém seu poder em Aquário ou está exaltado em Aquário.

O poder de raciocínio individual, regido por Mercúrio, é apenas uma das criações da mente superconsciente que penetra todas as coisas. Assim, todas as grandes realizações mentais criativas do homem são manifestações de Deus, que, como uma mente superconsciente, atua através da inteligência humana individual pelo reflexo das idéias divinas nas mentes dos homens. Nossos pensamentos criativos emanam da Mente Superconsciente Universal e são coisas com as quais nos sintonizamos harmonicamente. Na realidade, existe apenas um Deus, uma Mente e uma Consciência inerente a toda criação. A consciência individual é somente um submecanismo da inteligência criativa universal que denominamos Deus ou o Absoluto.

As pessoas com Mercúrio em Aquário são intuitivamente inspiradas por seus eus mais elevados ou pela expressão mental do princípio "Eu sou" — isto é, pura autoconsciência. Elas com freqüência recebem as respostas para os problemas através de súbitos lampejos de percepção; são muito científicas e podem resolver problemas graças à compreensão das leis básicas do universo. Pensam independentemente e são mais propensas do que outras pessoas a examinar tudo e não seguir cegamente conceitos aceitos. Elas se comunicam bem e são uma inspiração mental para seus amigos e grupos.

Vênus exaltado em Peixes

Para amadurecer e alcançar sua plena realização, Vênus, que rege o princípio do amor e da atração, precisa passar por todo o ciclo de experiências no Zodíaco. Somente quando nos colocamos no lugar de outra pessoa e sentimos aquilo que ela sente é que podemos nos sintonizar com ela e nos tornarmos capazes de amá-la. O amor, em seu verdadeiro sentido, exige que estejamos sintonizados com toda a criação. Somente em Peixes, onde Vênus atua com as vibrações transcendentais de Netuno e a boa vontade de Júpiter, essa meta se realiza. O amor é o produto mais transcendental e exaltado do processo evolucionário; somente quem passou por todas as experiências da humanidade — representadas por Peixes, o último signo do Zodíaco — pode conhecer plenamente o seu significado. Porém, até isso é limitado, pois Peixes é apenas o final de uma volta na espiral da evolução, sendo que a próxima espiral contém maior promessa de expansão da consciência e de revelação de novos poderes criativos.

Em Peixes, o amor natural de Vênus, expresso pela atração dos sexos, tem algo de divino e se manifesta de forma mais mística e altruísta. As pessoas com Vênus em Peixes geralmente são dotadas de talento musical muito elevado. A música das esferas soa através de suas almas. A música que criam pode trazer paz, harmonia e emoção divina a todos que a escutam. As pessoas com esta posição também são bons dançarinos, uma vez que Peixes rege os pés. A voz é suave, expressiva e melodiosa; o cantor possui uma qualidade angelical. Os trabalhos de pintores e outros artistas com esta posição exibirão uma característica de brilho e suavidade. Estes nativos amam e são inspirados pelos ensinamentos mais elevados do cristianismo e geralmente se esforçam para viver de acordo com eles.

Marte exaltado em Capricórnio

A agressiva energia de Marte é mais bem utilizada quando aplicada em trabalhos úteis. Da mesma maneira, os desejos regidos por Marte são mais bem utilizados quando canalizados para a ambição construtiva, com um objetivo elevado. Assim como a explosão de gasolina é inútil a menos que esteja confinada num compartimento que provoca o funcionamento do motor, a energia de Marte é inútil a não ser que seja utilizada e dirigida pela moderação de Saturno. É nas profissões e no mundo como um todo que a agressiva energia de Marte pode ser mais bem utilizada para o bem do indivíduo e da sociedade.

As pessoas com Marte em Capricórnio são praticas e ambiciosas; são trabalhadores bons e eficientes. Seu desejo de adquirir importância e provar seus poderes as impulsiona a trabalhar muito, com o propósito de alcançar padrões elevados em suas carreiras e o respeito do mundo.

Júpiter exaltado em Câncer

Câncer rege os relacionamentos no lar e na família. A Quarta Casa, de Câncer, é uma das casas parentais, representando a mãe. Júpiter é o princípio do pensamento religioso e social e da ética. Por intermédio da expansão da consciência, ele adquire seu poder no signo que rege o lar, uma vez que a mãe é a primeira professora e deixa em nós uma marca muito profunda enquanto crescemos e formulamos nossa visão básica da vida. Assim como a Quarta Casa rege a terra e oferece o alimento para o crescimento, a mãe é essencial para nosso desenvolvimento. Somente através da nutrição da Mãe Terra, mãe de todas as coisas vivas, é que a abundância representada por Júpiter pode existir e crescer.

Júpiter também rege o princípio da conduta social baseada na boa vontade mútua entre os membros da sociedade. A família é a unidade básica da sociedade; é do amor recíproco entre os membros da família que cresce a consciência social mais ampla representada por Júpiter. Como Júpiter rege a Nona Casa, representando pessoas estrangeiras, religião, filosofia e educação superior, é somente através do amor, da percepção espiritual e da generosidade mútua que uma família realiza seu potencial de educar as crianças para que se tornem os cidadãos e líderes do amanhã; Júpiter também representa o futuro e o destino que nos tornará completos. Aqueles que têm Júpiter em Câncer demonstram compreensão para com outras pessoas e as tratarão como membros de sua própria família; gostam de cozinhar e de um ambiente doméstico bonito; geralmente moram em casas amplas e são membros de famílias numerosas. Com freqüência, seus lares são usados como locais de atividades sociais e religiosas.

Saturno exaltado em Libra

Saturno rege a lei cármica, que só pode atuar em termos de relacionamentos; Saturno adquire seu poder em Libra, que é o signo dos relacionamentos e lida com a reação do não-eu ao eu. Se cada pessoa se relacionasse apenas consigo mesma, não haveria necessidade de leis que governassem nossa conduta; mas, como na realidade dependemos uns dos outros e precisamos nos ligar ao resto da humanidade, as leis são fundamentais para possibilitar os esforços cooperativos. Em última análise, as leis estão relacionadas ao tempo e ao espaço, que são regidos por Saturno; se desejarmos colaborar com os outros, precisamos encontrá-los em lugares e momentos específicos para podermos desempenhar tarefas específicas, e precisamos evitar encontros que causariam danos às pessoas ou propriedades. Essa afirmação óbvia é de extrema importância, pois todo relacionamento é governado pelo tempo e pelo espaço.

Saturno é um grande mestre; somente aprendendo a colaborar com os outros é que aprendemos as lições fundamentais da vida. Como Libra rege o casamento, esta disciplina é colocada em jogo nas responsabilidades do casamento e da educação dos filhos. Se o relacionamento for simplesmente o do amor da Quinta Casa, ele não está sujeito às mesmas obrigações morais e legais. Como Saturno está em detrimento em Leão e rege Aquário, essas obrigações estão implícitas se houver crianças, obrigando o relacionamento da Quinta Casa a se tornar um relacionamento da Sétima Casa, mesmo quando isto não é exigido pelas leis humanas.

A Sétima e a Décima Casas estão relacionadas porque Saturno é o regente natural da Décima Casa e o regente exaltado do signo da Sétima Casa, Libra. Assim, o casamento geralmente melhora o *status* do indivíduo na comunidade, dando-lhe maior estabilidade profissional para assumir as responsabilidades de sustentar uma família. Este também é o efeito de uma quadratura, que igualmente indica uma melhora no *status* profissional, resultante da necessidade de assumir muitas obrigações familiares.

Saturno rege a matemática e a geometria; através de sua ligação com Libra, ele governa até mesmo a relação geométrica entre as partículas atômicas, bem como os relacionamentos entre o Sol e os planetas. Isso acontece porque Saturno é o veículo do princípio de construção da estrutura do sistema solar.

As pessoas que têm Saturno exaltado em Libra são bons advogados, juízes, matemáticos e engenheiros, pois compreendem os relacionamentos em níveis humanos e científicos. Possuem mentes bem organizadas, capazes de perceber o padrão global inerente a todas as fases da vida. Podem dar forma à beleza e criar graça por meio de um equilíbrio e uma proporção adequados. São bons organizadores e relações-públicas, porque sabem fazer a coisa certa na hora e lugar certos. Sua concepção de justiça contém uma compreensão espiritual que pode torná-los mais compassivos do que aqueles que seguem literalmente as leis do homem.

Urano exaltado em Escorpião

Urano, o planeta da mudança inesperada e da liberação de energia, está exaltado em Escorpião, o signo da morte e do renascimento. Quando antigos padrões persistem mais do que deveriam, tornando-se inúteis e impedindo o progresso, Urano, que adquire seu poder em Escorpião, providencia sua destruição para que possam nascer novos padrões apropriados para a evolução da consciência ou da energia. A morte e o renascimento ocorrem através das transformações revolucionárias; elas exigem coragem e ousadia, aliadas a uma grande força de vontade para trazer avanços significativos para a civilização.

Escorpião é o signo que oferece estas características necessárias ao progresso. Urano rege as mudanças e a liberação de energia nos aspectos materiais da manifestação, provocando uma drástica reorganização no reino material. Para o observador superficial, isso surge como catástrofe e destruição; mas, para o observador sábio, é o processo de evolução que se expressa como morte e renascimento no reino da manifestação física.

As pessoas com Urano exaltado em Escorpião possuem coragem e ousadia incomuns e podem até mesmo arriscar suas vidas em aventuras no desconhecido. São destemidas e possuem uma vontade poderosa e decisiva. Essas pessoas aprendem a regenerar a si mesmas e às condições ao seu redor, através de *insights* sobre as forças ocultas da natureza.

Netuno exaltado em Câncer

Netuno (planeta do sexto raio que rege o sexto subplano de cada plano e o plano astral em geral — o sexto plano superior) lida predominantemente com as emoções, que encontram sua expressão mais elevada no amor universal. Novamente, é a mãe, que, durante a infância, forma os hábitos e atitudes emocionais da criança. Netuno, que é deus do mar e regente de Peixes, está à vontade no signo aquático de Câncer. Podemos dizer também que Netuno é a harmonia mais elevada de Júpiter, que também está exaltado em Câncer. Esses dois planetas são religiosamente expansivos e misticamente orientados; têm muita coisa em comum. Netuno rege o sutil e o ilusivo; como sabemos, é difícil determinar as verdadeiras bases emocionais de nossos hábitos passados. Os hábitos têm forte influência sobre as emoções, e a Lua, que rege Câncer, também rege nossos hábitos.

Júpiter e Netuno são co-regentes de Peixes, onde Vênus também está exaltado. Esses três planetas estão intimamente ligados, representando harmonias diferentes do princípio básico do amor. Vênus rege o amor num nível pessoal e também a atração sexual entre os indivíduos. Júpiter se expressa nas esferas familiar, social, religiosa e ética. Netuno lida com o amor na união transcendental com Deus e com a vida. Assim, é lógico que Netuno e Júpiter estejam ligados também na exaltação em Câncer.

Aqueles com Netuno em Câncer possuem habilidades parapsíquicas muito desenvolvidas e estão profundamente sintonizados com os sentimentos das pessoas que as rodeiam. Podem ser comparados a um filme fotográfico, que registra tudo o que colocamos nele. Estão bem sintonizados com o plano astral e são facilmente influenciados pelos impulsos que emanam dele.

Plutão exaltado em Leão

Plutão (planeta do primeiro raio, que lida com o princípio da energia ou poder focalizado) adquire seu poder no signo de Leão, que é um signo de intensa consciência ou autoconsciência. Plutão é como uma semente solar, e está em sintonia com os pontos centrais interdimensionais no campo áurico ou centelhas transmitidas pelo fogo solar central. Estas centelhas podem ser ativadas na forma de chamas divinas quando nutridas por virtudes espirituais. No corpo humano, Plutão rege a semente, ou princípio reprodutor, confirmado por sua regência de Escorpião, que rege os órgãos sexuais. Esta semente é utilizada e adquire seu poder no signo da Quinta Casa, Leão, que rege o amor e os relacionamentos sexuais. Quando a semente é levada para planos mais elevados, estimula a cabeça ou cérebro, despertando a consciência espiritual. De acordo com os iogues orientais, o fogo da kundalini emana do chacra na base da coluna, subindo pelo canal da coluna vertebral até ativar o chacra mais elevado, na cabeça, ou "lotus de mil pétalas". Isso é representado pelo signo de Áries, que, com Plutão, é co-regente da cabeça.

As pessoas com Plutão em Leão têm o poder de provocar mudanças fundamentais por intermédio de sua liderança dinâmica e autoconsciência concentrada.

Plutão também rege a energia atômica, descoberta quando ele estava em Leão e que, quando desenvolvida, mudou drasticamente o destino da humanidade e a natureza de nosso mundo. A atual geração de Plutão em Leão é a primeira a crescer na era atômica. O constante perigo de que o homem pudesse destruir a si mesmo e à sua civilização exigiu uma nova visão; assim, esta geração é bem diferente da de seus pais. Os costumes sociais e sexuais de seus membros também diferem radicalmente dos das gerações anteriores. São pessoas que precisam se regenerar espiritualmente, ou então sucumbir. Assim, vemos a forte influência de Plutão em Leão em plena ação.

Parte II

INTERPRETANDO OS ASPECTOS

CAPÍTULO 8

Regras Gerais para Interpretar e Integrar Aspectos

Integrar e interpretar os aspectos é um processo gradual que segue um padrão lógico e sistemático:

1. Considere os significados do aspecto. Por exemplo, uma quadratura representa obstáculos a serem superados; um quintil representa um talento especial.

2. Depois, considere a natureza e o significado combinado dos dois planetas envolvidos no aspecto. Por exemplo, uma combinação de Marte e Saturno representa o uso controlado (Saturno) de energias (Marte). Se isso será construtivo ou destrutivo irá depender da natureza do aspecto formado entre os dois planetas.

3. Considere outros aspectos formados com os dois planetas envolvidos. Estes aspectos manifestam forças que podem melhorar ou piorar os efeitos dos aspectos tensos e determinar as possibilidades construtivas dos aspectos positivos.

4. A seguir, preste atenção aos signos em que se encontram os aspectos, especialmente nos casos de quadratura, trígono, oposição e conjunção. Os signos em que se encontram os dois planetas que formam determinado aspecto disfarçam a expressão básica dos planetas envolvidos e influenciam a atuação do aspecto. Por exemplo, um sextil formado entre Touro e Câncer indica oportunidade de lucro em negócios financeiros e em assuntos domésticos, ao passo que o mesmo sextil entre Áries e Gêmeos indica oportunidade para a formulação de idéias novas e originais relacionadas aos assuntos dos dois planetas envolvidos. Simultaneamente, verifique as quadruplicidades e triplicidades nas quais se encontram os signos. Uma quadratura entre dois signos fixos indica uma tendência à teimosia; um trígono em um signo de ar indica capacidade intelectual.

5. Considere as casas ocupadas pelos dois planetas envolvidos no aspecto. Elas indicam que assuntos práticos são influenciados pelo aspecto.

Por exemplo, um trígono entre a Primeira e a Quinta Casa traz sucesso para a auto-expressão em empreendimentos criativos, enquanto o mesmo trígono entre a Segunda e a Décima Casa indica lucros financeiros em assuntos profissionais relacionados à natureza dos dois planetas envolvidos.

6. Então considere as casas regidas pelos dois planetas que formam o aspecto. Por exemplo, se Marte rege a Quinta Casa, quando Áries está na cúspide da Quinta Casa e há uma quadratura entre Marte e Vênus, as perturbações emocionais relacionadas à quadratura de Marte e Vênus irão afetar os romances do nativo. O mapa de homens mostrará desilusão na vida amorosa devido a impulsividade e grosseria no relacionamento com as mulheres.

Continuando com o mesmo exemplo: Áries se refere ao eu e à auto-expressão, e a cúspide da Quinta Casa, onde ele se encontra, lida com o prazer e o romance. Vênus (regente de Libra, que lida com os relacionamentos) representa os princípios de atração, amor e harmonia. Assim, quadraturas com Vênus em horóscopos masculinos indicam tensões em seus relacionamentos com as mulheres.

Quando Áries está na cúspide da Sexta Casa, que se relaciona ao trabalho e à saúde, ocorre a mesma quadratura entre Marte e Vênus, indicando conflitos com as mulheres nas relações de trabalho. Os nativos do sexo masculino tendem a hostilizar as mulheres com quem trabalham, com uma atitude áspera e agressiva. (Em geral, esta condição indica relacionamentos desarmoniosos com colaboradores.)

7. Considere os planetas dispositores dos dois planetas envolvidos no aspecto. Por exemplo, se houver um sextil entre Marte em Aquário e Mercúrio em Sagitário, Urano (que rege Aquário) será o dispositor de Mercúrio, trazendo uma influência de originalidade (Urano) e filosofia (Júpiter) às habilidades mentais, normalmente pragmáticas, indicadas por este sextil. Se Júpiter estiver na Segunda Casa e Urano na Primeira, a energia mental do sextil entre Marte e Mercúrio se expressa na originalidade (influência de Urano na Primeira Casa) para ganhar dinheiro (influência de Júpiter na Segunda Casa). Além disso, o signo e os aspectos dos planetas dispositores irão exercer alguma influência. Isto indicaria signos interceptados.

8. Considere os regentes dos decanatos e das casas dos dois planetas envolvidos no aspecto: por exemplo, uma oposição entre Sol e Urano, do terceiro decanato de Touro para o terceiro decanato de Escorpião, com o Sol em 25° de Escorpião e Urano em 26° de Touro. Aqui o Sol está no decanato de Escorpião correspondente a Câncer, regido pela Lua. Assim, o efeito da Lua, como subdispositor, se combina com o de Marte e Plutão, os principais dispositores, indicando sensibilidade emocional. Urano no decanato de Touro correspondente a Capricórnio, regido por Saturno,

indica uma certa cautela e reserva. Assim, a oposição de Sol a Urano geralmente indica dificuldades para adaptar o desejo de livre expressão e independência à necessidade de colaborar com outras pessoas. Nesse caso, essas idiossincrasias pessoais seriam compostas pela hipersensibilidade deste decanato de Escorpião, correspondente a Câncer, e pelo orgulho e teimosia do decanato de Touro, correspondente a Capricórnio, tornando o aspecto particularmente difícil.

Suponha ainda que neste horóscopo o terceiro decanato de Gêmeos, correspondente a Aquário, regido por Urano, esteja no Meio do Céu; e o terceiro decanato de Sagitário, correspondente a Leão, regido pelo Sol, esteja na cúspide da Quarta Casa. Além de afetar as casas regidas pelo Sol e por Urano (que têm Capricórnio e Aquário em suas cúspides), este aspecto traria tensões aos assuntos profissionais da Décima Casa e aos assuntos domésticos da Quarta Casa.

9. Finalmente, considere o padrão global dos aspectos, do qual faz parte o aspecto que está sendo analisado. Uma quadratura que é parte de uma quadratura em T terá uma interpretação diferente da de uma quadratura isolada; um trígono que seja parte de um grande trígono terá uma interpretação diferente da de um trígono isolado. Por exemplo, uma quadratura isolada enfatiza os dois planetas envolvidos no aspecto, dando talvez maior ênfase ao planeta em exaltação ou em maior tensão. Uma quadratura em T enfatiza principalmente o planeta que forma a quadratura com os dois planetas em oposição. Neste caso, dizemos que este planeta está no "ponto central", e seu signo e sua casa irão proporcionar a chave para o problema. A quadratura em T também envolve problemas de relacionamento devido à oposição associada a ela, e indica obstáculos a serem superados (significado comum de uma quadratura).

Mais um exemplo: a situação é inteiramente diferente quando existe uma grande quadratura criada por duas oposições de 90°. Enquanto a quadratura em T representa um elevado grau de energia focalizado através do planeta no ponto central, a grande quadratura representa a condição oposta — dissipação da energia. Essa situação ocorre porque todos os planetas envolvidos na grande quadratura estão no ponto central: assim, qualquer tentativa para solucionar os problemas trabalhando com um dos planetas irá irritar as condições regidas pelos outros três, ou pelos signos e casas afetados e as casas que estes planetas regem. Assim, é estabelecida uma condição dinâmica de crise em constante movimento rotatório, impedindo que o nativo encontre um método de solução durante qualquer período de tempo. A única maneira de trabalhar com esta configuração é focalizar o planeta ou planetas na configuração que possua o maior número de bons aspectos.

CAPÍTULO 9

Interpretando os Aspectos

Aspectos do Sol

Todos os aspectos do Sol irão afetar de alguma maneira a personalidade básica e a natureza e o emprego da força de vontade. O Sol representa o princípio do poder, seja potencial ou manifesto.

Não importa quanto possa ser bom o resto do horóscopo, se o Sol for fraco, os nativos provavelmente não terão sucesso na vida, pois lhes faltarão energia básica e coragem para utilizar as oportunidades que a vida oferece.

Aspectos da Lua

Os aspectos da Lua lidam com a mente inconsciente, padrões de comportamento do passado e reações automáticas. A Lua representa o princípio feminino, passivo, o aspecto da consciência receptivo aos estímulos externos. Indica, em grande parte, como o nativo reage à influência de outras pessoas. A Lua também está relacionada à memória, especialmente no que se refere às experiências emocionais. Assim, os aspectos formados com a Lua podem oferecer pistas sobre a capacidade do nativo para reter informações.

No horóscopo de um homem, os aspectos lunares indicam como os nativos reagem às mulheres, especialmente com relação a padrões de comportamento estabelecidos no início da infância. No horóscopo de uma mulher, a Lua representa a forma como as qualidades femininas e maternais se expressam. Ela também é um fator importante na saúde, pois se refere ao ciclo biológico da menstruação. (Este ciclo e seus efeitos glandulares também influenciam os ciclos emocionais.) Os aspectos da Lua, bem como a casa que ela rege e o signo e a casa onde ela está colocada, indicam que tipo de mãe será uma mulher. Tanto no horóscopo feminino quanto no masculino, a Lua representa a influência da mãe.

Aspectos de Mercúrio

Os aspectos de Mercúrio, sua colocação no signo e na casa, e as casas que ele rege, são a chave para se conhecer como os nativos pensam e que tipo de mente possuem. Sua principal forma de pensar e suas áreas de interesse mental são indicadas pelos aspectos dominantes formados com Mercúrio. Mercúrio é neutro no que diz respeito à comunicação mental, percepção, memória e raciocínio. Assim, adquire as características dos planetas com os quais forma aspectos, e do signo e da casa em que se encontra.

Ninguém pode alcançar uma posição elevada sem possuir um Mercúrio razoavelmente bem desenvolvido, pois a mente é um fator coordenante, espécie de lente através da qual todas as outras habilidades precisam ser concentradas e filtradas.

Aspectos de Vênus

Os aspectos de Vênus, bem como o signo e as casas regidas por ele, indicam os setores da vida mais fortemente influenciados pelo desejo de companheirismo. Revelam também de que maneira o amor se manifesta numa relação pessoal e as tendências estéticas ou artísticas. Indicam ainda as áreas em que existe habilidade ou dificuldade para se relacionar intimamente com outras pessoas; como e em que áreas se expressam os impulsos sociais, românticos e sexuais; e onde os nativos prestam serviço ou se entregam com amor, alegria e harmonia.

A força de Vênus em um horóscopo indica a capacidade para criar beleza, harmonia e prosperidade material, assim como para atrair as pessoas e as coisas que os nativos amam e desejam possuir. Quando Vênus está sob tensão, surgem problemas relacionados ao comportamento social e ao desejo de gratificação dos nativos.

No horóscopo de pessoas do sexo masculino, Vênus e os fatores que o afetam indicam o tipo de mulher que os nativos desejam atrair. No horóscopo de pessoas do sexo feminino, significam o que uma mulher fará por um homem.

Aspectos de Marte

Os aspectos de Marte, assim como o signo e a casa onde ele está colocado, e as casas regidas por ele, indicam capacidade de auto-expressão mediante uma ação dinâmica; se esta será uma ação construtiva ou destrutiva, e os setores da vida afetados por ela.

Se Marte formar aspectos tensos, os nativos tendem a agir com imprudência e precipitação, sem levar em conta as conseqüências.

Sob tensão, Marte significa mau gênio e possíveis explosões de raiva e violência. Por isso, a energia de Marte precisa ser canalizada de forma construtiva e voltada a um objetivo. Nisso, aspectos favoráveis com Mercúrio, Júpiter e Saturno poderão ajudar. Mercúrio oferece *insights* mentais, Saturno proporciona disciplina, e Júpiter, motivações altruístas.

No horóscopo de uma mulher, Marte indica o tipo de homem que ela deseja atrair. No horóscopo de um homem, representa a maneira como ele expressa sua masculinidade para atrair uma mulher.

Marte tem muito a ver com o desejo do indivíduo. A maioria das pessoas é motivada por aquilo que deseja possuir; somente no indivíduo muito desenvolvido é que a força de vontade é o principal determinante da ação.

Aspectos de Júpiter

Os aspectos de Júpiter, assim como a casa e o signo onde ele está colocado, e as casas que rege, determinam como os nativos ampliam a estrutura do processo de auto-realização. Esta expansão ocorre por intermédio de um princípio coletivo: os nativos obtêm colaboração dos outros. Essa colaboração se baseia numa partilha de atitudes sociais, filosóficas e religiosas com o propósito de satisfazer as necessidades da comunidade.

A colaboração implica a necessidade de um padrão ético e filosófico, e os aspectos de Júpiter lidam com a natureza moral e filosófica do indivíduo e determinam os canais pelos quais ela atua.

Esse princípio jupiteriano é um processo de mão dupla. O indivíduo não pode pretender receber nada da sociedade sem contribuir em igual medida. Reunidos seus recursos e habilidades, uma comunidade pode realizar tarefas de amplo alcance e maior complexidade do que um indivíduo isolado. Júpiter indica como um nativo pode servir a este bem-estar geral.

Se Júpiter estiver sob tensão, os nativos sentem dificuldade para colaborar com os comportamentos sociais aceitos ou são hipócritas em suas razões para fazê-lo. Os planetas que formam aspecto com Júpiter indicam como os nativos colaboram com os objetivos mais amplos das estruturas sociais a que pertencem.

Aspectos de Saturno

Os aspectos de Saturno, bem como a casa e o signo que ele ocupa e as casas que rege, indicam como os nativos expressam a capacidade de autodisciplina e onde e como constroem a estrutura de suas vidas. Sem um

Saturno bem desenvolvido, um indivíduo não pode ter sucesso na vida, porque lhe faltam disciplina e experiências necessárias às realizações.

A colocação de Saturno e seus aspectos com outros planetas mostra onde o nativo é forçado a se realizar e corrigir os erros do passado, adquirindo assim uma experiência valiosa e corrigindo as deficiências de sua natureza.

Se Saturno estiver sob muita tensão, os nativos podem ser egoístas e rígidos em suas atitudes. Essa fraqueza bloqueia os processos normais da vida e as interações sociais, levando a contratempos e limitações pessoais.

Os nativos que possuem um Saturno forte em seus horóscopos são ambiciosos; desejam construir algo importante e de valor duradouro nas áreas relacionadas ao signo e à casa que Saturno ocupa, aos planetas que formam aspecto com Saturno e suas casas, e aos signos que eles regem.

Aspectos de Urano

Os aspectos de Urano, bem como a casa e o signo onde ele está colocado, indicam originalidade dos nativos e um afastamento das formas normais de expressão e comportamento, resultado de uma fonte mais elevada de inspiração. Urano empresta uma característica de originalidade e talento a todas as áreas que influencia. Isso com freqüência se manifesta em habilidades científicas que levam a novas descobertas.

Os assuntos regidos pelos planetas que formam aspecto com Urano estão sujeitos a mudanças súbitas e dramáticas, favoráveis ou desfavoráveis, de acordo com o aspecto. A intuição baseada em faculdades extrasensoriais desempenha um importante papel na realização destas mudanças e na criação de um estilo de vida incomum. Se Urano estiver sob tensão, os nativos provavelmente serão excêntricos, extravagantes, indignos de confiança e insensatamente precipitados nos setores afetados por Urano.

A verdadeira liberdade oferecida por Urano só pode ser adquirida se for aprendida a lição de Saturno: a autodisciplina é um pré-requisito da liberdade, e a liberdade que não se baseia na autodisciplina é efêmera e destrutiva.

Urano também enfatiza tendências humanitárias, muitas vezes manifestadas na colaboração em esforços conjuntos. Um Urano forte e bem aspectado oferece habilidades ocultas, manifestadas em áreas como a astrologia.

Aspectos de Netuno

Os aspectos de Netuno, bem como a casa e o signo onde está colocado, indicam as áreas em que as influências transcendentais ou psíquicas podem tocar a vida dos nativos. Quando bem aspectado, Netuno oferece aos nativos experiências transcendentais no campo emocional, geralmente manifestadas na arte e na música, ou no teatro, na fotografia e no cinema. Os nativos muito desenvolvidos podem ter a capacidade de agir como um canal para a inspiração espiritual que emana de um nível mais elevado de consciência. Isso com freqüência se manifesta no talento para formar imagens mentais. Com muita freqüência, os nativos são clarividentes e capazes de enviar e receber imagens mentais através da telepatia.

Se Netuno estiver sob tensão, a auto-ilusão e desejos irrealistas irão afetar os nativos nos assuntos regidos pelos planetas que formam o aspecto tenso, bem como pelos signos e casas que Netuno e esses outros planetas ocupam e regem.

Aspectos de Plutão

Os aspectos de Plutão, bem como a casa e o signo onde ele está colocado, indicam as áreas em que os nativos são capazes de regenerar sua auto-expressão.

Plutão significa um princípio de vontade ou energia fundamental capaz de elevar o nível de expressão de qualquer padrão básico na vida dos nativos ou de alterar completamente a qualidade da vida, para o bem ou para o mal. (O resultado depende do que motiva a utilização do poder de Plutão, isto é, se essa motivação é construtiva ou destrutiva.) Este poder pode degradar ou regenerar qualquer assunto regido pelos planetas que formam aspecto com Plutão, bem como os signos e as casas que Plutão e estes planetas ocupam e regem.

Plutão também oferece a capacidade de trabalhar com as forças sobrenaturais mediante a utilização da vontade. Plutão só pode se expressar em sua forma mais elevada quando os nativos forem suficientemente desenvolvidos para focalizar imparcialmente sua vontade através da mente, sem os desejos que distorceriam a clareza mental.

Além disso, Plutão indica como a vida dos nativos é alterada por amplas forças impessoais que estão além de seu controle.

Aspectos dos Nódulos Norte e Sul

Os aspectos do Nódulo Norte determinam os relacionamentos dos nativos com as tendências e atitudes sociais dominantes e a maneira como utilizam as oportunidades proporcionadas pela história. O Nódulo Norte, por trazer oportunidade de crescimento, possui uma conotação jupiteriana.

Os aspectos do Nódulo Sul indicam como as tendências a hábitos criados por experiências passadas influenciam o comportamento e as atitudes atuais dos nativos. O Nódulo Sul também mostra a influência cármica da conduta passada dos nativos; assim, possui uma conotação saturnina.

CAPÍTULO 10

Considerações Gerais sobre Conjunções, Sextis, Quadraturas, Trígonos e Oposições

Aspectos do Sol

Conjunções

As conjunções do Sol enfatizam a força de vontade, a criatividade e a iniciativa, especialmente no que se refere aos assuntos regidos pelo planeta ou planetas que formam a conjunção e aos assuntos dos signos e casas em que a conjunção se encontra. Esta expressão pode ser construtiva ou destrutiva, dependendo dos outros aspectos formados com a conjunção e se os planetas que a formam são maléficos ou benéficos.

Sextis

Os sextis do Sol indicam oportunidades de auto-expressão, desenvolvimento mental e potenciais criativos no que se refere aos assuntos regidos pelo Sol, na casa e no signo em que ele se encontra, pelo planeta ou planetas que formam o sextil e pelas casas e signos que eles ocupam e regem.

Quadraturas

As quadraturas do Sol indicam dificuldades para utilizar de maneira harmoniosa e sábia a vontade e o potencial de poder. A má utilização passada deste poder com freqüência impede a auto-expressão dos nativos nos assuntos regidos pelo planeta envolvido na quadratura e nas casas e signos que estes planetas ocupam e regem. Dificuldades e frustrações irão acompanhar estas quadraturas. A maneira como esta quadratura finalmente será resolvida depende muito das habilidades totais. Para alguns, ela funciona como um estímulo para maiores empreendimentos, enquanto para outros, traz desânimo e resignação.

Trígonos

Os trígonos do Sol indicam boa sorte e um fluxo suave de auto-expressão criativa e liderança nos assuntos regidos pelo Sol e pelo planeta ou planetas que formam o trígono e os signos e casas que esses planetas ocupam e regem.

Em geral, estes trígonos favorecem bons relacionamentos amorosos. Os nativos se darão bem no campo de educação, de trabalho com crianças e em todas as coisas relacionadas ao Sol, como as artes criativas.

Oposições

As oposições ao Sol geralmente indicam um conflito de vontade entre os nativos e as pessoas regidas pelo planeta ou planetas que formam a oposição ao Sol. Algumas vezes, o egoísmo e a tendência ao autoritarismo provocam ressentimentos nos outros e levam à frustração.

Os nativos deveriam considerar imparcialmente todos os pontos de vista. Um dos resultados desta oposição é que os conflitos forçam os nativos a reconhecer que, além do eu, existe o não-eu. Mas eles também podem assumir um ponto de vista partidário quando confrontados com discórdias. A natureza dos conflitos será determinada pelos signos e casas ocupados pelo Sol e pelo planeta ou planetas opositores.

Aspectos da Lua

Conjunções

As conjunções da Lua indicam sentimentos intensos e uma influência emocional dominante nos assuntos regidos pelos planetas envolvidos na conjunção e pelos signos e casas que eles ocupam e regem.

Os assuntos domésticos, alimentos e considerações parentais também irão influenciar bastante os assuntos regidos pelos planetas envolvidos nesta conjunção. Nessas questões, o nativo é propenso a agir por impulsos inconscientes, padrões hereditários e condicionamentos do início de sua vida.

As mulheres provavelmente exercem uma influência decisiva sobre o nativo nos assuntos afetados por esta conjunção.

Sextis

Os sextis da Lua indicam oportunidade de crescimento doméstico e emocional e de desenvolvimento geral nos assuntos regidos pelos planetas que formam os sextis e os signos e casas que a Lua e estes planetas ocupam e regem. Geralmente, as mulheres têm um papel importante no progresso dos nativos. As mães, ou os relacionamentos familiares em geral, podem ser de grande ajuda. A configuração favorece as amizades e a boa comunicação emocional com amigas e com a mãe.

Quadraturas

As quadraturas da Lua indicam bloqueios e frustrações emocionais originados no início da infância e na hereditariedade, geralmente na forma de preconceitos raciais e sociais, que têm grande chance de dificultar a livre expressão emocional dos nativos. Aqui, ocasionalmente ocorrem ressentimentos inconscientes com as mulheres, com freqüência como resultado de conflitos com a mãe. Especialmente quando Saturno está em quadratura com a Lua, estes padrões de comportamento emocional cristalizados são um obstáculo à felicidade dos nativos.

Trígonos

Os trígonos da Lua indicam padrões de comportamento e condicionamentos inconscientes que favorecem o sucesso social dos nativos, particularmente em seu relacionamento com mulheres. Esses trígonos geralmente favorecem uma infância feliz e uma vida familiar bem-sucedida.

Os nativos são capazes de utilizar sua imaginação criativa e respostas automáticas que se originam no inconsciente. Também são sensíveis à disposição de ânimo de outras pessoas.

Esses benefícios virão através dos assuntos regidos pelo planeta ou planetas que formam o trígono, pela casa e signos ocupados e regidos pela Lua e pelos planetas que formam o trígono.

Oposições

As oposições da Lua indicam problemas emocionais nos relacionamentos. Geralmente existe um efeito espelho, onde os nativos projetam seus próprios problemas emocionais nos outros e os culpam por suas próprias faltas, que eles não reconhecem.

Estes nativos precisam aprender a ser emocionalmente mais neutros e objetivos, especialmente nos assuntos regidos pelo planeta ou planetas que formam a oposição e nos assuntos regidos pelos signos e casas ocupados e regidos pelos planetas opositores.

Aspectos de Mercúrio

Conjunções

As conjunções de Mercúrio indicam poder mental, compreensão de raciocínio e capacidade de comunicação nas áreas regidas pelo planeta ou planetas que formam a conjunção, pela casa e pelo signo ocupados pela conjunção, e pelas casas e signos regidos por Mercúrio e pelos planetas com quem forma a conjunção.

Sextis

Os sextis de Mercúrio indicam oportunidade de crescimento mental nos assuntos influenciados pelos planetas envolvidos no sextil, e pelos signos e casas que Mercúrio e estes planetas ocupam e regem. Os nativos possuem bom julgamento e capacidade de raciocínio nessas áreas. São especialmente habilidosos na escrita, na comunicação e na formação de novas amizades; têm muitas oportunidades de expressar idéias por intermédio de grupos e associações.

Quadraturas

As quadraturas de Mercúrio indicam dificuldades e bloqueios mentais no aprendizado e na comunicação. Os nativos podem ser inteligentes e mentalmente ativos com quadraturas de Mercúrio, mas são propensos a ter pontos de vista dogmáticos e parciais e a utilizar suas habilidades de maneira infrutífera ou destrutiva.

Pode haver excessiva ênfase no ceticismo, inclinação a discussões e orgulho intelectual. Essas dificuldades estarão em maior evidência nos assuntos regidos pelo planeta ou planetas que formam a quadratura e pelos signos e casas que eles ocupam e regem.

Trígonos

Os trígonos de Mercúrio indicam o uso criativo e inspirado da mente. Os nativos são capazes de pensar e se comunicar de maneira rápida e harmoniosa; suas idéias freqüentemente são aceitas, e o uso adequado de suas mentes lhes traz sucesso na vida.

Estes nativos se dão bem na educação, que possibilita avanço profissional e social. Terão sucesso nas áreas regidas pelo planeta ou planetas envolvidos no trígono com Mercúrio e pelos signos e casas que estes planetas ocupam e regem. Eles compreendem nitidamente o que está envolvido nestas áreas.

Oposições

As oposições de Mercúrio indicam dificuldades nos relacionamentos, que surgem de diferenças de opiniões e pontos de vista. Existem também problemas na comunicação com os outros; os nativos tendem a discutir e confundir — precisam aprender a considerar o ponto de vista do outro tão facilmente quanto enxergam o seu.

Esses problemas se revelarão como diferenças de pontos de vista relacionadas ao planeta ou planetas que formam oposição com Mercúrio e aos signos e casas ocupados e regidos por Mercúrio e por estes planetas.

Aspectos de Vênus

Conjunções

As conjunções de Vênus indicam uma expressão elevada das tendências sociais, românticas e estéticas dos nativos. A delicadeza e a graça com que expressam suas emoções atraem os outros, especialmente o sexo oposto. Eles sentem grande empatia emocional. Sua tranqüilidade e sensibilidade de expressão se estendem aos assuntos regidos pelo planeta ou planetas que formam a conjunção com Vênus nas casas e signos em que ocorre a conjunção e nas casas e signos que Vênus rege.

Sextis

Os sextis de Vênus indicam oportunidade para o desenvolvimento de qualidades estéticas e sociais relacionadas aos assuntos regidos pelos planetas, casas e signos envolvidos. A expressão estética e emocional pode ser refinada, e os afetos se desenvolvem nas áreas regidas pelos signos e casas ocupados e regidos por Vênus e pelo planeta que forma o sextil.

Quadraturas

As quadraturas de Vênus indicam dificuldades nos relacionamentos sociais e na satisfação emocional. Os nativos tendem a ter experiências infelizes ou insatisfatórias no amor e no romance. Com freqüência não possuem sutileza e bom gosto em questões estéticas.

Também podem ser auto-indulgentes e sensuais ou bloquear suas emoções — especialmente se Saturno formar a quadratura.

Todos os assuntos regidos pelos planetas que formam a quadratura com Vênus, bem como pelos signos e casas ocupados e regidos por estes planetas, irão ser afetados por algum tipo de dificuldade emocional ou social.

Trígonos

Os trígonos de Vênus indicam expressão alegre, criativa, romântica e artística. Eles favorecem a felicidade no amor e no romance e a popularidade; indicam beleza e maneiras graciosas.

Os nativos atraem a ajuda de pessoas do tipo regido pelo planeta ou planetas que formam o trígono. Por sua vez, os nativos geralmente possuem um efeito tranqüilizante e apaziguador sobre os outros.

Esses aspectos são fortes indicadores de talento artístico ou musical.

Os planetas envolvidos no trígono indicam as áreas afetadas; as áreas que trazem benefício também serão mostradas pelos signos e casas que os planetas e Vênus ocupam e regem.

Oposições

As oposições de Vênus indicam problemas de relacionamento nas esferas emocional, conjugal e romântica. Os nativos provavelmente são muito sensíveis e exigem muita gratificação emocional, embora negligenciem esta mesma consideração aos outros. Como esta atitude leva à desilusão e à infelicidade, os nativos precisam considerar os outros tanto quanto a si mesmos.

As áreas envolvidas estão indicadas pelos signos e casas ocupados e regidos por Vênus e pelos planetas em oposição e pelos assuntos naturalmente regidos pelos planetas que estão em oposição a Vênus.

Aspectos de Marte

Conjunções

As conjunções de Marte indicam tendência à ação direta nos assuntos regidos pelo planeta ou planetas que formam a conjunção, e esta ação afeta os setores da vida regidos pelos signos e casas ocupados e regidos por Marte e pelos planetas que formam a conjunção.

As conjunções de Marte proporcionam imensa energia para o trabalho. Isso pode ser a base para grandes realizações construtivas, pois essa energia é acompanhada de liderança e coragem. Se a conjunção estiver sob tensão, pode haver tendência à ação imprudente, inadequada. As pessoas afetadas por esta tensão devem cultivar uma atitude de paz e amor e pensar cuidadosamente antes de iniciar qualquer ação; assim, poderão evitar em grande parte a má utilização da energia.

Sextis

Os sextis de Marte indicam que a energia e força de vontade de Marte oferecem uma oportunidade de expressão construtiva por intermédio da ação e do trabalho, com uma orientação inteligente proporcionada pela natureza mental básica do sextil, indicada por Gêmeos e a Terceira Casa, e por Aquário e a Décima Primeira Casa. Os nativos têm muita oportunidade de agir construtivamente, o que leva à experiência — base da sabedoria. Eles possuem coragem e iniciativa para superar os obstáculos e, portanto, são capazes de progredir muito na vida.

Quadraturas

As quadraturas de Marte indicam frustração do desejo de ação: a natureza lunar e saturnina da quadratura, que se relaciona à Quarta e a Décima Casa, com freqüência faz com que os nativos se precipitem de maneira irrefletida. Essa reação pode ser destrutiva para os nativos e para aqueles que os cercam.

As pessoas com Marte em quadratura precisam aprender a lição da paciência e devem considerar os direitos e necessidades dos outros. Se forem capazes de canalizar inteligentemente sua energia, podem realizar muita coisa, pois a ambição com freqüência acompanha uma quadratura de Marte. A restrição saturnina sobre a energia de Marte, representada pela quadratura, pode ser utilizada como uma forma de organizar esta energia e conseguir resultados úteis. As principais áreas afetadas na vida dos nativos serão as regidas pelo planeta ou planetas que formam a quadratura e os assuntos regidos pelos signos e casas em que se encontra a quadratura.

Trígonos

Os trígonos de Marte indicam um fluxo suave e fácil da energia de Marte para canais construtivos. Os nativos amam a vida, amor que se manifesta nos assuntos regidos pelo planeta ou planetas que formam trígono com Marte e as casas e signos ocupados e regidos por Marte.

A implicação do trígono no que se refere à Nona Casa (Sagitário) e à Quinta Casa (Leão) une a energia de Marte ao potencial criativo do Sol e ao poder benéfico, filosófico, e gerador de crescimento de Júpiter. Os nativos possuirão uma força natural para realizações práticas e atingirão os mais elevados ideais espirituais.

Oposições

As oposições de Marte indicam problemas de relacionamento devido à tendência à imprudência e à agressividade dos nativos. Eles precisam aprender a amar e considerar qualquer assunto sob o ponto de vista do outro.

Com oposições a Marte pode haver uma infeliz inclinação à competitividade, brigas e raiva. Outros fatores do horóscopo irão indicar se esta expressão será mera discussão verbal ou algo mais sério.

Utilizada adequadamente, a oposição de Marte proporciona ação firme e enérgica em sociedades. Os nativos são forçados a se conscientizar da presença do não-eu e da necessidade de colaborar com ele; a recusa a esta colaboração pode levar a violentos conflitos com outras pessoas.

Aspectos de Júpiter

Conjunções

As conjunções de Júpiter indicam uma atitude geral de otimismo, boa vontade de percepção de possibilidades construtivas. Os nativos com esta conjunção são generosos e benevolentes, o que os faz ganhar a confiança e colaboração dos outros.

Os assuntos regidos pelos planetas envolvidos nesta conjunção e as casas e signos que estes planetas ocupam e regem são áreas de boa sorte e crescimento na vida dos nativos.

Sextis

Os sextis de Júpiter indicam oportunidades de rápido crescimento mental nos assuntos regidos pelos planetas envolvidos no sextil, bem como pelos signos e casas que Júpiter e os planetas que formam o sextil ocupam e regem.

As implicações do sextil referentes à Décima Primeira e à Terceira Casa indicam que os nativos terão muitos amigos e se beneficiarão no campo da educação, da literatura, das viagens e comunicação. Trabalharão bem com grupos e terão bom relacionamento com irmãos, irmãs e vizinhos.

Quadraturas

As quadraturas de Júpiter indicam que os nativos são excessivamente ambiciosos e provavelmente dificultam seu sucesso na vida ao tentarem fazer mais do que conseguem. Quando não atingem seus objetivos, suas carreiras e reputações são prejudicadas.

Eles deveriam aprender a utilizar a moderação e uma cuidadosa reflexão nos assuntos regidos por Júpiter e pelos planetas da quadratura, bem como pelos signos e casas que eles ocupam e regem. Embora sejam otimistas, precisam se certificar de que possuem uma base sólida sobre a qual construir e se expandir.

Trígonos

Os trígonos de Júpiter indicam sorte e progresso fácil na vida. Significam que as ações passadas estão sendo recompensadas. Mas esta sorte também pode ser perigosa, pois torna os nativos descuidados.

Os nativos possuem talentos maravilhosos e muitos recursos aos quais podem recorrer, se assim desejarem. Suas vantagens estão nos setores da vida regidos pelos planetas do trígono e pelos signos e casas regidos e ocupados por Júpiter e por estes planetas.

Oposições

As oposições de Júpiter indicam que os nativos terão problemas de relacionamento que surgem da tendência a exigir muito dos outros e dar as coisas como certas. Sua amabilidade exagerada nem sempre será apreciada, nem sua tendência a promover planos grandiosos às custas dos outros.

Essas dificuldades irão surgir nos relacionamentos que envolvem o planeta ou planetas opositores de Júpiter e os signos e casas ocupados e regidos por Júpiter e por estes planetas.

Aspectos de Saturno

Conjunções

As conjunções de Saturno indicam ambição e trabalho árduo. Contudo, muitos obstáculos e limitações precisam ser superados.

Os nativos geralmente são conservadores, sérios e respeitados por sua autodisciplina, embora uma certa austeridade desencoraje relacionamentos afetuosos.

Essas características se manifestarão mais fortemente nos assuntos regidos pelo planeta ou planetas que formam a conjunção com Saturno e pelos signos e casas ocupados e regidos por Saturno e por estes planetas.

Sextis

Os sextis de Saturno indicam progresso e desenvolvimento mental por intermédio de muito trabalho e boa organização. Os nativos serão fiéis aos amigos, irmãos e irmãs, vizinhos e organizações.

Estas influências estabilizadoras serão mais notadas nos assuntos regidos pelos signos e casas que Saturno e os planetas que formam o sextil ocupam e regem.

Quadraturas

As quadraturas de Saturno estão entre os aspectos mais difíceis, porque geralmente indicam severos obstáculos e limitações que frustram as ambições e o desejo de felicidade dos nativos. Estes nativos precisam trabalhar duas vezes mais para alcançar os mesmos resultados que outra pessoa pode atingir com facilidade. Estas dificuldades tendem a afetar suas carreiras e seus lares.

Os nativos precisam aprender a superar o pensamento negativo e assumir uma atitude mais positiva. Embora a quadratura de Saturno indique grandes problemas a serem resolvidos, ela também estimula o nativo a empreendimentos mais amplos.

Estas dificuldades irão afetar os assuntos regidos pelo planeta ou planetas que formam a quadratura e pelos signos e casas que Saturno e estes planetas ocupam e regem.

Trígonos

Os trígonos de Saturno indicam sorte e sucesso duradouro por intermédio de uma criatividade disciplinada e uma visão filosófica. A elevada conduta moral dos nativos inspira confiança nos outros. Assim, com freqüência eles recebem posições de responsabilidade; são bons professores, organizadores e administradores.

Essas habilidades irão afetar os assuntos regidos pelo planeta ou planetas que formam o trígono e os assuntos regidos pelos signos e casas que Saturno e estes planetas ocupam e regem.

Oposições

As oposições de Saturno indicam que os nativos terão problemas de relacionamento que surgem de atitudes negativas, restritivas e egoístas. Sendo muito sérios e austeros, parecem pouco amigáveis e distantes. Essas atitudes geralmente resultam em solidão e frustração; eles precisam aprender a corrigir estas características e não se tornarem amargurados e isolados, o que agravaria a situação.

Essas dificuldades irão afetar os assuntos regidos pelo planeta ou planetas em oposição a Saturno e pelos signos e casas que Saturno e estes planetas ocupam e regem.

Aspectos de Netuno

Conjunções

As conjunções de Netuno indicam ações que geralmente é difícil ou impossível compreender. Os nativos com freqüência possuem faculdades parapsíquicas, sendo influenciados por um aspecto inconsciente e, algumas vezes, intuitivamente superconsciente de sua mente; muitas vezes são místicos e parecem muito espirituais para as pessoas comuns.

Se a conjunção estiver bem aspectada, há grande profundidade de compreensão emocional e compaixão espiritual. Se a conjunção estiver sob tensão, os nativos podem se auto-iludir e tendem a ignorar a realidade.

Essas características serão manifestadas nos assuntos regidos pelo planeta ou planetas que formam a conjunção e pelos signos e casas ocupados e regidos por Netuno e por estes planetas.

Sextis

Os sextis de Netuno indicam oportunidade para crescimento mental e espiritual mediante uso da imaginação e intuição. Os nativos podem ter habilidades criativas, que se manifestam na escrita, nas comunicações, amizades e associações de grupo.

Eles provavelmente trabalham para causas idealistas; essa tendência será mais notada nos assuntos regidos pelo planeta ou planetas que formam o sextil e pelos signos e casas que Netuno e estes planetas ocupam e regem.

Quadraturas

As quadraturas de Netuno indicam grande confusão, desorganização e destrutividade, que surgem de neuroses ou condicionamentos negativos inconscientes. Com freqüência, os nativos evitam responsabilidades e se recusam a enfrentar a realidade. Às vezes, esta atitude se manifesta no abuso do álcool e de drogas. Os nativos com freqüência estão sujeitos a influências psíquicas negativas.

Essas características se manifestam principalmente nos assuntos regidos pelo planeta ou planetas que formam a quadratura e pelos signos e casas que Netuno e estes planetas ocupam e regem.

Trígonos

Os trígonos de Netuno indicam sorte e benefícios por intermédio do uso de faculdades intuitivas, imaginativas. Os nativos com freqüência são clarividentes e possuem grande criatividade nas áreas da arte e da religião. Podem ter um elevado grau de *insight* espiritual.

Estas características se manifestarão mais fortemente nos assuntos regidos pelo planeta ou planetas que formam o trígono e pelos signos e casas que Netuno e estes planetas ocupam e regem.

Oposições

As oposições de Netuno indicam problemas de relacionamento devido à irresponsabilidade dos nativos. Estas pessoas confundem os outros devido aos seus problemas emocionais inconscientes e, conseqüentemente, são indignos de confiança nos relacionamentos.

Também podem tender a projetar suas próprias dificuldades psicológicas nos outros ou a assumir a carga de problemas psíquicos deles. O resultado é o equívoco e a confusão, de modo que os outros nunca sabem como lidar com eles.

Os problemas serão mais notados nos assuntos regidos pelo planeta ou planetas em oposição com Netuno e pelos signos e casas que Netuno e estes planetas ocupam e regem.

Aspectos de Urano

Conjunções

As conjunções de Urano indicam tendências originais, criativas e dinâmicas. Os nativos sempre serão, de alguma maneira, diferentes. Com freqüência, se interessam pelo oculto ou por novas áreas de descoberta científica.

Jamais se ligam à tradição e possuem forte espírito de independência; são amigáveis e humanitários; possuem grande força de vontade e a capacidade para agir dinamicamente; com freqüência, ocorrem súbitas mudanças em suas vidas.

Estas qualidades serão mais notadas nos assuntos regidos pelo planeta ou planetas que formam a conjunção e pelos signos e casas que Urano e estes planetas ocupam e regem.

Sextis

Os sextis de Urano indicam oportunidades inesperadas para crescimento mental e progresso, que surgem do interesse e da abertura a novas idéias. Os nativos se comunicam bem, fazem amigos com facilidade e se interessam por grupos e organizações, especialmente as de natureza oculta. Interessam-se pela ciência e geralmente são intuitivos e talentosos.

Estas qualidades se manifestam melhor nos assuntos regidos pelo planeta ou planetas que formam o sextil e pelos signos e casas ocupados e regidos por Urano e por estes planetas.

Quadraturas

As quadraturas de Urano indicam que os nativos provavelmente bloqueiam seu próprio progresso e sucesso devido a ações imprudentes, impulsividade e instabilidade. Eles tendem a ser irracionais, teimosos e obstinados; mudam de idéia com muita freqüência: como se recusam a ouvir conselhos, geralmente cometem sérios enganos. Muito trabalho pode ser arruinado por ações insensatas.

Estas características serão mais notadas nos assuntos regidos pelo planeta ou planetas que formam a quadratura e pelos signos e casas que Urano e estes planetas ocupam e regem.

Trígonos

Os trígonos de Urano indicam uma sorte súbita e inesperada. Os nativos são intuitivamente criativos e fazem as coisas de maneira original. Sendo geralmente felizes, possuem muitos amigos e aventuras excitantes.

Estes benefícios serão mais notados nos assuntos regidos pelo planeta ou planetas que formam o trígono e pelos signos e casas que Urano e estes planetas ocupam e regem.

Oposições

As oposições de Urano indicam problemas de relacionamento que surgem de uma atitude imprevisível, autoritária e irracional. Os nativos não são dignos de confiança, são extravagantes e teimosos, o que torna difícil lidar e trabalhar com eles. Eles provavelmente prejudicam seus relacionamentos devido à sua má vontade em sacrificar seus desejos e sua liberdade.

Essas tendências difíceis serão mais evidentes nos assuntos regidos pelo planeta ou planetas que formam a oposição e pelos signos e casas que Urano e esses planetas ocupam e regem.

Aspectos de Plutão

Conjunções

As conjunções de Plutão indicam que os nativos possuem o poder de transformar, para melhor ou para pior, sua própria natureza e auto-expressão. Eles possuem uma vontade poderosa e *insights* penetrantes sobre as forças subjacentes à vida. Seu grande poder de concentração com freqüência resulta em clarividência e faculdades ocultas. Às vezes se interessam pela ciência, especialmente na área de energia atômica.

Estas características serão mais notadas nos assuntos regidos pelo planeta ou planetas que formam a conjunção e pelos signos e casas ocupados e regidos por Plutão e por estes planetas.

Sextis

Os sextis de Plutão indicam oportunidade de autotransformação e crescimento mental mediante uso dinâmico da força de vontade. Com freqüência, existe interesse pela ciência e pelo oculto.

Os nativos podem ter um efeito marcante sobre o mundo nas áreas da escrita, da comunicação, de amizades e esforços conjuntos. Algumas vezes, viajam por razões que os outros não podem compreender.

Estes efeitos serão mais notados nos assuntos regidos pelo planeta ou planetas que formam o sextil e pelos signos e casas que Plutão e estes planetas ocupam e regem.

Quadraturas

As quadraturas de Plutão indicam que os nativos criam dificuldades para si mesmos por serem impiedosos quando buscam obter o que desejam.

Também são impacientes e arrogantes e com freqüência frustram seus próprios objetivos. Às vezes tentam o impossível; em casos extremos, pode surgir o autoritarismo.

Estas características serão mais notadas nos assuntos regidos pelo planeta ou planetas que formam a quadratura e pelos signos e casas que Plutão e estes planetas ocupam e regem.

Trígonos

Os trígonos de Plutão indicam sorte e desenvolvimento espiritual proporcionados pelo uso criativo da vontade e pelo poder oculto de concentração e transformação. Os nativos possuem capacidade para melhorar, modificar e transformar seu meio ambiente. São bons líderes espirituais; muitos curadores, clarividentes e profetas têm este aspecto em seu horóscopo.

Estas qualidades se manifestarão nos assuntos regidos pelo planeta ou planetas que formam o trígono e pelos signos e casas que Plutão e estes planetas ocupam e regem.

Oposições

As oposições de Plutão indicam problemas de relacionamento provocados por atitudes exigentes, autoritárias e dominadoras. Os nativos desejam modificar os outros de acordo com seus planos, sem considerar os desejos e direitos dos outros. Naturalmente, esta atitude gera ressentimentos, com freqüência afastando os nativos do afetuoso contato humano.

Estas características podem levar a discussões e impasses que irão afetar os relacionamentos nos assuntos regidos pelo planeta ou planetas que formam a oposição e pelos signos e casas que Plutão e estes planetas ocupam e regem.

CAPÍTULO 11

As Conjunções

Conjunções do Sol

Sol em conjunção com a Lua (☉ ☌ ☽)

O Sol em conjunção com a Lua representa a identificação entre sentimentos e vontade. A impulsividade emocional se alia à tendência a concentrar todas as forças na área de expressão: problemas de saúde ocorrem quando a energia solar domina o princípio nutridor lunar que rege o corpo etérico, o campo de força ao redor do qual se organiza o corpo físico. A vitalidade física é destruída pelo excesso de atividade e estímulo.

Esta conjunção também indica um novo ciclo de experiências referentes às casas regidas pelo Sol e pela Lua e à casa em que ambos se encontram. Há uma tendência a alternar papéis masculinos e femininos — a ação passiva pode inesperadamente se tornar agressiva, e vice-versa. As pessoas com esta conjunção são ativas e criativas quando sua individualidade está ligada ao lar, ao cônjuge e aos filhos.

Sol em conjunção com Mercúrio (☉ ☌ ☿)

O Sol em conjunção com Mercúrio confere criatividade e capacidade de ação em todas as áreas regidas por Mercúrio, especialmente idéias, trabalho e amizades.

Esse aspecto revela uma tendência a impor idéias e decisões pela força da vontade. Contudo, também dificulta a objetividade na auto-análise, contribuindo para uma identificação muito íntima entre mente e ego. Assim, os nativos têm dificuldade para se enxergarem com imparcialidade, ou da maneira como os outros os vêem.

Esses nativos são dotados de muito vigor e energia mental. Se Mercúrio formar uma conjunção com o Sol dentro de uma órbita de 1/2 a 4°, dizemos que Mercúrio é o "estopim", criando uma condição em que as linhas de comunicação do pensamento ficam sobrecarregadas de energia solar. Então, há uma interrupção dos processos de comunicação e pensamento, que pode ser comparada à maneira como os fios de um computador eletrônico são destruídos quando submetidos a uma sobrecarga de eletricidade. Quando este excesso de energia superaquece os processos mentais, ocorre uma cegueira mental mais ou menos momentânea.

Quando Mercúrio está em conjunção com o Sol dentro de uma órbita de menos de 1/2° ou 30', dizemos que Mercúrio é o "*casimi*". Esta posição, embora possuindo algumas das mesmas dificuldades do "estopim", é também uma "dignidade"; quando o alinhamento dos padrões de onda é perfeito, a energia solar é regulada por Mercúrio e torna-se uma perfeita freqüência condutora para a mente. Em outras palavras, a vontade se torna um veículo para a expressão mental, conferindo um poder intelectual elevado, especialmente quando a conjunção está em Gêmeos, Virgem, Aquário ou Libra.

Sol em conjunção com Vênus (☉ ☌ ♀)

Esta conjunção oferece poder e energia às emoções e torna os nativos amantes da vida. Geralmente, são alegres e otimistas, embora possam ser um tanto narcisistas. Esta conjunção com freqüência faz com que gostem de divertimentos e atividades sociais. Confere beleza e facilidade de auto-expressão. Esses indivíduos possuem talento para a música e para a arte. Se não houver tensões com a Quinta e a Segunda Casa, as pessoas com esta conjunção geralmente lucram por meio da especulação. Também possuem a capacidade de levar felicidade aos outros, devido a seus fortes sentimentos e impulsos românticos; elas se relacionam bem, especialmente com as crianças.

Sol em conjunção com Marte (☉ ☌ ♂)

Esta conjunção confere força de vontade, expressada em ações que exigem força e coragem. Este é um aspecto decididamente masculino. As casas regidas pelo Sol e por Marte serão áreas de intensa atividade e potencial de poder, assim como a casa em que a conjunção se encontra.

Os indivíduos tendem a ser agressivos e confiantes, pois há uma tendência natural a expressar o princípio do poder do Sol por meio do princípio de ação de Marte. A forma como a agressividade se manifesta depende do signo e da casa em que a conjunção se encontra, da casa regida pelos planetas envolvidos e do aspecto formado com a conjunção.

Sol em conjunção com Júpiter (☉ ☌ ♃)

O princípio solar de poder e vontade se expressa por intermédio do princípio jupiteriano de expansão. Os nativos com esta conjunção são capazes de melhorar sua influência social e atingir seus objetivos.

Eles atraem a boa sorte graças a sua personalidade agradável e à sua natureza generosa e otimista. Sua visão otimista lhes permite tirar vantagem de tudo o que os cerca. Graças a seu entusiasmo e preocupação com o bem de todos, eles são capazes de atrair os outros para seus objetivos, o que faz com que obtenham mais do que conseguiriam sozinhos. Isso acontece porque Júpiter (o planeta natural da Nona Casa e regente de Sagitário) rege a filosofia, a religião e todas as codificações de pensamento de grupo. Assim, as pessoas com esta conjunção são capazes de obter poder por terem iniciado projetos que posteriormente ganham popularidade, ou mesmo quando utilizam idéias e metas comumente aceitas. Elas usam as aspirações sociais dos outros como veículo para suas próprias ambições e auto-expressão.

Sol em conjunção com Saturno (☉ ☌ ♄)

Saturno, que rege o princípio de limitação, inibe a auto-expressão e a ambição. Os nativos não se sentem livres para se expressarem a menos que tenham dominado completamente a esfera de limitação na qual se encontram.

Tudo que conseguem é adquirido por meio de um trabalho extremamente árduo; eles merecem tudo o que ganham. Com freqüência, são tristes e não se valorizam devido às contínuas frustrações que sofrem. Deveriam aproveitar todas as oportunidades disponíveis.

Contudo, como Saturno também representa o princípio de realização, os nativos podem adquirir um grau de poder significativo, graças à sua capacidade de organização. Finalmente, sua autodisciplina levará à satisfação pessoal.

Sol em conjunção com Urano (☉ ☌ ♅)

O potencial de poder do Sol se expressa nesta conjunção por intermédio da aventura em novas esferas de experiência, com freqüência em investigações científicas desenvolvidas na fronteira do conhecimento humano, onde as forças da natureza de alta freqüência e de alta potência estão sendo descobertas e utilizadas pela primeira vez. Os nativos possuem a habilidade de se aprofundar nos planos de alta freqüência da mente. Assim, podem experimentar, compreender e trabalhar com as chamadas "forças ocultas", que se expressam principalmente através de maneiras novas de fazer as coisas. Eles irão agir de maneira poderosa, inesperada e decisiva.

Aos olhos dos outros, que não compreendem seus objetivos, parecem imprevisíveis e excêntricos.

Os indivíduos com esta conjunção não estão necessariamente sujeitos a limitações comuns. Os meios que utilizam se baseiam em uma lei mais elevada, ou, mais corretamente, numa compreensão mais avançada da Lei Única Universal. Assim, com freqüência são chamados de gênios.

Sol em conjunção com Netuno (☉ ☌ ♆)

Os nativos com freqüência parecem estar paralisados pela música celestial que somente eles podem ouvir. Estão sujeitos a desejos e emoções que emanam de uma fonte sutil e elevada, que pode levá-los à confusão e ao auto-engano, ou à inspiração divina. Seu potencial de poder se expressa na capacidade de união, no nível emocional, como a força vital universal, com a qual seus níveis de consciência mais profundos estão sintonizados. Esta percepção intuitiva com freqüência se manifesta nas artes. Assim, estas pessoas tornam-se místicos, físicos, clarividentes e, no caso de nativos muito evoluídos, canais de orientação divina para a humanidade.

Se são ou não canais puros, irá depender: (1) do signo e da casa onde está a conjunção; (2) das casas regidas pelo Sol e por Netuno; e (3) de outros aspectos formados com a conjunção. Acima de tudo, irá depender do desenvolvimento evolucionário geral do indivíduo, revelado pelo padrão global do horóscopo.

Estes nativos precisam de uma mente bem desenvolvida (revelada por Mercúrio, Saturno e Urano), que possa atuar como um controle racional sobre suas impressões psíquicas, pois, com esta conjunção, às vezes torna-se difícil distinguir entre a verdadeira inspiração e a projeção do próprio ego ou desejo de importância, revestidos pela aparência simbólica de um consciente confuso. Através de sua associação com o corpo astral (ou desejo), Netuno está sutilmente ligado a Marte (a natureza do desejo), e com freqüência traz anseios peculiares que, no caso desta conjunção com o Sol, pode provocar uma forma sutil de ambição ou desejo de importância pessoal.

Do lado negativo, estas pessoas podem ser vítimas iludidas de sua própria imaginação, a ponto de perderem contato com as realidades da vida, tornando-se inúteis para si mesmas e para os outros.

Sol em conjunção com Plutão (☉ ☌ ♇)

Os nativos com esta conjunção expressam seu potencial de poder através de sua capacidade para regenerar e transformar a si mesmos e as coisas ao seu redor graças à concentração da vontade. Por terem uma tremenda energia à sua disposição, podem penetrar nas causas fundamentais.

Plutão rege a capacidade de penetrar dimensões e explorar a energia dinâmica original do universo, responsável por todas as manifestações da forma e da evolução. No organismo humano, esta energia se manifesta como potência sexual, que pode se expressar através da mente ou do corpo. Quando expressada através da mente, são revelados estados de consciência universal mais elevados, e o indivíduo pode se tornar um instrumento da Vontade Divina. Através da mente, o poder transformador de Plutão é capaz de recriar os indivíduos em seres espirituais com poder universal para o bem.

É importante que estes nativos aprendam a manter sua vontade em harmonia com a Vontade Divina. Se não o fizerem, seus esforços não serão bem-sucedidos e provocarão sua própria destruição. As pessoas com esta conjunção podem ter complexo de poder e, se o levarem a extremos, podem se tornar autoritárias. Precisam perceber que não são o único poder no universo, que a vontade e o poder de cada pessoa nascem de uma fonte universal de energia e devem se harmonizar com ela.

Sol em conjunção com o Nódulo Norte (☉ ☌ ☊)

Esta conjunção indica nascimento próximo do momento de um eclipse solar ou lunar. Também mostra que este é um importante acontecimento no mundo natural, provocando acontecimentos importantes e estabelecendo diversas circunstâncias no mundo dos nativos e lhes proporcionando maior alcance de auto-expressão, bem como oportunidades para expandir seu poder e potencial de liderança. A conjunção sugere uma herança cármica de boa sorte, resultado da utilização anterior das energias vitais em benefício do meio ambiente mais amplo. Contudo, quando levada a extremos, esta influência pode dissipar as energias individuais, provocando exaustão e redução da força vital.

Sol em conjunção com o Nódulo Sul (☉ ☌ ☋)

Esta conjunção refere-se a uma condição em que as principais circunstâncias no ambiente do nativo lhe negam oportunidades e recursos para a auto-expressão, limitando expecialmente sua liderança e seu potencial de poder. Os obstáculos surgem em seu caminho, dificultando a aquisição daquilo que deseja, a ponto de lhe serem negados os frutos de seus esforços.

Os nativos não são arrastados na corrente de acontecimentos, como no caso do Sol em conjunção com o Nódulo Norte. Esta conjunção indica uma situação cármica na qual os indivíduos, em encarnações anteriores, favoreceram egoisticamente suas próprias ambições às custas da auto-expressão de outros. Agora, eles sentem o que é ser limitado pelas ações de outros. Contudo, este aspecto pode trazer o domínio sobre as coisas que o nativo é capaz de realizar.

Sol em conjunção com o Ascendente (☉ ☌ Asc.)

Esta conjunção indica indivíduos poderosos cuja consciência básica e forma de auto-expressão estão unidos à força vital. Eles podem controlar seu meio ambiente e a si mesmos, porque sua ação jorra diretamente da nascente solar de vida. (Nesta posição o Sol está dignificado, porque está na casa de Áries, o signo e casa de sua exaltação.)

Estas pessoas têm corpos e constituições fortes; raramente ficam doentes ou cansadas, a não ser que seus horóscopos e o Sol estejam sob muita tensão. Possuem enorme poder de recuperação, mesmo quando ficam muito doentes.

Estão sintonizadas com a consciência que abrange o passado, o presente e o futuro no exato momento presente ou Eterno Agora. Assim, como seres espirituais, podem exercer enorme influência, especialmente aqueles cujo padrão global do horóscopo indica grande evolução (um padrão global de aspectos muito integrados, envolvendo a maioria ou todos os planetas com fortes aspectos com Urano, Netuno, Plutão, Sol, Meio do Céu e Ascendente).

Tensões envolvendo a Sexta e a Décima Segunda Casa mostram que a energia da constituição solar está em desarmonia consigo mesma, sendo utilizada em seu próprio detrimento.

Sol em conjunção com o Meio do Céu (☉ ☌ M.C.)

Os nativos com esta conjunção possuem enorme poder de influência sobre suas carreiras, profissões e reputações. Geralmente são encontrados na política e na vida pública, e alcançam fama ou notoriedade de alguma forma, dependendo da natureza dos outros aspectos formados com (1) o Sol e o M.C., (2) o signo em que se encontram o Sol e o M.C. e (3) o signo e a casa do regente do signo do Sol e os aspectos com seu regente.

Sol em conjunção com o Descendente (☉ ☌ Desc.)

Os nativos com esta conjunção expressam seu potencial de poder nas sociedades.

A menos que o Sol e a Sétima Casa estejam sob tensão, esses nativos possuem parceiros poderosos e magnânimos e amigos íntimos que os ajudam a realizar seu potencial de poder. São habilidosos em relações públicas e bons vendedores devido à sua habilidade para influenciar os outros.

Sol em conjunção com o Nadir (☉ ☌ Nadir)

Os nativos expressam sua vontade e potencial de poder no lar e na família; gostam de receber pessoas importantes.

Como a influência do Sol precisa atravessar toda a Terra, eles precisam superar muitos obstáculos materiais para alcançar a auto-expressão plena. A não ser que o Sol na Quarta Casa esteja sob muita tensão, a última parte de suas vidas é um período de segurança e satisfação.

Conjunções da Lua

Lua em conjunção com Mercúrio (☽ ☌ ☿)

Este aspecto indica uma ligação direta entre a mente inconsciente e a mente racional consciente. O nativo está intelectualmente consciente de sua natureza e de suas reações emocionais, especialmente às outras pessoas; e seus pensamentos conscientes e relações interpessoais exercem um efeito imediato sobre suas reações emocionais. (Ele é particularmente sensível ao que os outros pensam a seu respeito.)

Contudo, se a conjunção estiver sob muita tensão, devido a outros aspectos, há uma tendência de os sentimentos dominarem a razão, dando aos pensamentos uma coloração emocional. O nativo provavelmente é hipersensível a observações e críticas pessoais.

No lado positivo, esta conjunção oferece um acesso incomum às informações armazenadas na mente inconsciente, especialmente a experiências de natureza emocional.

O nativo pode dedicar muitos pensamentos aos assuntos domésticos e familiares, em particular na área de alimentação e saúde, pois este aspecto combina as preocupações alimentares de Virgem com as preocupações cancerianas nutritivas da Lua.

Lua em conjunção com Vênus (☽ ☌ ♀)

Este aspecto indica uma reação bastante emocional à beleza e harmonia, que com freqüência se manifesta em dons artísticos. As mulheres revelarão criatividade na escolha de roupas e na preparação de alimentos. Seu talento para a decoração irá produzir lindos ambientes. Elas possuem muito charme nas relações com outras mulheres.

Esta conjunção confere sensibilidade, tato e tendência à afetividade e os nativos terão sucesso no amor, a não ser que outros fatores no horóscopo o impeçam. Sua sensibilidade aos outros os torna bons diplomatas.

Se a conjunção estiver sob tensão, os nativos tendem a ser auto-indulgentes e podem facilmente ser usados através de seus sentimentos.

Lua em conjunção com Marte (☽ ☌ ♂)

Esta conjunção gera sentimentos fortes, que no lado negativo podem resultar em explosões de raiva e outros problemas emocionais. As crianças com este aspecto são propensas a acessos de raiva. Se a conjunção estiver bem aspectada, estas fortes emoções podem levar à ação enérgica e a realizações. Mas podem resultar em ciúmes, raiva e frustração emocional se a conjunção estiver sob tensão devido a outros aspectos. Em qualquer caso, os nativos sentem e agem com grande intensidade.

A não ser que um Mercúrio proeminente esteja envolvido no horóscopo, ou definitivamente indicada a disciplina saturnina, estes nativos podem fazer inimigos perigosos e vingativos, porque suas ações provavelmente se baseiam nas emoções, e não na razão. Seus sentimentos podem fazê-los ignorar a cautela e o bom senso. Com freqüência, lutarão bravamente por uma causa e conseguirão muita coisa se guiarem sua energia com sabedoria.

Lua em conjunção com Júpiter (☽ ☌ ♃)

Este aspecto confere compreensão e generosidade. Os nativos desejam o bem dos outros. Se transformada em ação política, sua preocupação com o bem-estar social produz o retorno de um bom carma; conseqüentemente, as pessoas confiam neles — especialmente as mulheres — e os ajudam e colaboram com eles.

Se a conjunção estiver sob tensão, podem resultar desperdício e auto-indulgência; estas pessoas também tendem a ser gulosas. Se bem aspectada, a conjunção confere honestidade, integridade e habilidade nos negócios.

Há tendência à boa saúde, devido ao generoso fornecimento de energia para o corpo etérico, regido pela Lua. Os nativos tendem a se identificar e trabalhar para causas religiosas e educacionais; mas se a conjunção estiver sob tensão, podem surgir complexos messiânicos.

Ao contrário do que se poderia esperar, este aspecto necessariamente não favorece viagens pelo mundo. As ligações emocionais ao lar, à família e aos amigos, assim como aos bens materiais, inibem as viagens, especialmente se a conjunção estiver num signo fixo.

Lua em conjunção com Saturno (☽ ☌ ♄)

Este aspecto cria uma tendência à identificação emocional com coisas materiais e com as lembranças ligadas a elas. As emoções dos nativos estão ligadas a lembranças passadas. Sua atenção deveria se voltar para atividades e metas construtivas e se afastar das arraigadas rotinas emocionais de experiências passadas.

A personalidade é um tanto sombria. A não ser que outros fatores no horóscopo contradigam este fato, há uma inclinação à depressão emocional e falta de alegria na vida. Aos olhos de muitos, os nativos são desmancha-prazeres.

O aspecto proporciona realismo prático e bom senso; os nativos são autodisciplinados e podem se dedicar ao trabalho. As qualidades deste aspecto serão construtivas ou depressivas, dependendo em grande parte dos outros aspectos formados com a conjunção.

Lua em conjunção com Urano (☽ ☌ ♅)

Este aspecto indica habilidade intuitiva, imaginação original e impulsos emocionais extravagantes. O nativo está sujeito a mudanças súbitas e peculiares de humor, e com freqüência se comportará de maneira impulsiva e inesperada.

A vida familiar e doméstica pode ser incomum; com freqüência, o lar é utilizado para receber amigos ou como local de encontro para atividades de grupo.

Se a conjunção estiver sob tensão, os nativos podem ser mal-humorados, extravagantes, irritados e nem sempre confiáveis; mas se estiver bem aspectada, terão evidentes habilidades criativas e engenhosidade incomuns.

As pessoas com este aspecto buscam o estranho e o incomum; sua vida emocional exige excitação e novidades; se o aspecto estiver sob tensão, podemos encontrar comportamentos emocionais extremos.

Lua em conjunção com Netuno (☽ ☌ ♆)

Os nativos com este aspecto são muito impressionáveis e tendem a estar psiquicamente sintonizados às reações emocionais dos outros. A vulnerabilidade de seus sentimentos os torna simpáticos e compreensivos. Por outro lado, podem ser muito facilmente influenciados pelo clima emocional do ambiente.

Inclinações mediúnicas e parapsíquicas estão em evidência, porém, se são verdadeiras ou apenas fantasias captadas pela mente inconsciente, irá depender do resto do mapa. Os nativos geralmente têm sonhos poderosos e algumas vezes proféticos.

Está indicada uma imaginação viva, que, se corretamente utilizada, pode favorecer habilidades artísticas e musicais. Se o mapa estiver sob tensão, fortes influências inconscientes podem fazer com que o nativo viva num mundo de sonhos, construindo castelos no ar e aparentemente sendo incapaz de se relacionar com a realidade. Em um bom horóscopo, esta conjunção pode oferecer tendências religiosas e espirituais.

Lua em conjunção com Plutão (☽ ☌ ♇)

Os nativos com esta conjunção possuem intensos sentimentos e são decididos no que se relaciona às suas emoções. Podem apresentar tendências à parapsicologia e ao ocultismo e propensão ao sutil domínio emocional do ambiente. São capazes de exercer grande influência sobre as pessoas; estão abertos aos reinos suprafísicos da manifestação, mas de forma mais positiva do que aqueles que possuem a Lua em conjunção com Netuno. Seu interesse pelo espiritismo ou por assuntos relativos à vida após a morte pode torná-los conscientes dos seres desencarnados.

Há também uma tendência a deixar o passado morrer e criar bases inteiramente novas para as experiências emocionais. Os nativos são destemidos e desejam assumir riscos, e Plutão, regendo o princípio de eliminação, morte e renascimento, faz com que procurem mudanças extremas e drásticas em suas vidas. Eles podem se relacionar de maneira drástica com suas famílias, provocando mudanças inesperadas na esfera doméstica; algumas vezes, afastam as mulheres com sua rudeza e tendência ao autoritarismo.

Se a conjunção manifestará talento criativo ou emotividade destrutiva, irá depender dos aspectos formados com ela e do horóscopo como um todo.

Lua em conjunção com o Nódulo Norte (☽ ☌ ☊)

Esta conjunção traz sorte graças à capacidade dos nativos para perceber e fluir em harmonia com os acontecimentos dominantes. Em outras palavras, eles são instintivamente capazes de aproveitar as tendências atuais. Levada a extremos, esta característica faz com que se envolvam em qualquer atividade que esteja na moda, sem considerar devidamente as conseqüências.

O entusiasmo dos nativos lhes dá popularidade; sucesso nas relações com as mulheres ou com o público também está indicado. Assim, o aspecto é benéfico para os envolvidos em relações públicas, vendas, divertimentos e política.

Se o mapa como um todo sustentar essa tendência, os nativos serão generosos e interessados em religião.

Esta é uma influência cármica favorável, criada pela generosidade e ajuda aos outros no passado dos nativos.

Lua em conjunção com o Nódulo Sul (☽ ☌ ☋)

Este é um aspecto difícil, porque as circunstâncias na vida dos nativos tornam difícil para eles sincronizar suas atividades com as tendências atuais. Em outras palavras, os nativos são atormentados por um mau senso de oportunidade devido à inabilidade circunstancial de estarem no lugar certo, na hora certa, fazendo a coisa certa da maneira certa.

Assim, são constantemente forçados a recorrer aos próprios recursos; não podem contar com a colaboração dos outros e estão emocionalmente sozinhos contra o mundo.

Este isolamento leva à depressão e a uma visão emocional negativa, que os afasta ainda mais das outras pessoas. ("Ria e o mundo rirá com você; chore, e você chorará sozinho.")

Os nativos são capazes de realizar esforços disciplinados, bem planejados e concentrados. Sua engenhosidade para aproveitar ao máximo recursos escassos traz sólidas realizações e uma força de caráter que enfrenta a adversidade com coragem e determinação.

Segundo diversos autores que escreveram sobre o assunto, esta é uma condição cármica, criada pelo uso inadequado anterior de riqueza, posição e popularidade.

Lua em conjunção com o Ascendente (☽ ☌ Asc.)

Esta conjunção faz com que os nativos identifiquem sua consciência básica com suas emoções. No lado positivo, pode levar a uma boa memória e à percepção da atuação da mente inconsciente.

Os nativos possuem uma imaginação viva e muita energia emocional; geralmente têm empatia para com os outros. Esta é uma conjunção mais favorável para as mulheres do que para os homens, porque tende à feminilidade nos modos e na aparência.

Com freqüência, os nativos possuem rostos redondos, de expressão comovente; são impressionáveis, e as experiências de vida os tocam profundamente, de forma pessoal, emocional. As experiências da infância têm grande efeito sobre suas personalidades. Eles parecem se identificar fortemente com o lar e a família. Se o restante do horóscopo confirmar, estão indicadas tendências parapsíquicas.

Se a conjunção estiver sob tensão, as reações à vida são excessivamente subjetivas e pessoais.

Lua em conjunção com o Meio do Céu (☽ ☌ M.C.)

A não ser que se encontre sob tensão, esta conjunção indica popularidade e vida pública. Favorece atores, artistas e políticos. Se a conjunção estiver bem aspectada, os nativos se beneficiam da ajuda de mulheres ricas e de elevada posição social, que os auxiliam a adquirir *status*.

Muitas vezes, as atividades profissionais são realizadas em sociedades, ou posições de responsabilidade são proporcionadas por alguém em posição de autoridade.

Algumas vezes esta conjunção indica que o nativo herdará os negócios da família, ou que a carreira está ligada à vida familiar.

Esta posição lunar é vantajosa para pessoas envolvidas em negócios relacionados a alimentos e artigos domésticos; também favorece aqueles envolvidos em bens imobiliários e negócios que lidem com casas.

Lua em conjunção com o Descendente (☽ ☌ Desc.)

Esta conjunção cria estreitas ligações emocionais com a esposa, outros parceiros e amigos íntimos. Também é boa para a sensibilidade emocional em relações públicas; favorece vendedores, especialmente os que lidam com alimentos e artigos domésticos.

As reações emocionais são fortemente influenciadas por outras pessoas; os nativos podem ser românticos e idealistas com relação ao casamento.

Esta conjunção é favorável para a construção de uma vida familiar e doméstica por intermédio de um bom casamento; é mais propícia no horóscopo de mulheres, porque realça as características femininas no relacionamento com o marido. Contudo, no horóscopo de um homem, proporciona compreensão emocional a respeito da esposa e das mulheres em geral.

As atitudes dos outros podem ter um efeito maior sobre esses nativos, tornando-os emocionalmente um tanto vulneráveis. Com freqüência, a mãe se encontra no lar e exerce grande influência sobre ele.

Lua em conjunção com o Nadir (☽ ☌ Nadir)

Nesta posição a Lua é forte, porque forma conjunção com a cúspide da casa que naturalmente rege, criando tendências domésticas e ligações emocionais com a família e os pais.

Os nativos adoram preparar e provar alimentos; estão indicadas fortes ligações com a mãe ou com o pai: os nativos sentem-se infelizes e incompletos sem um lar e uma família; gostam de estar perto de lagos, rios ou outros lugares de água. Algumas vezes, vagueiam de um lugar para outro à procura de novas experiências emocionais. Os sentimentos são profundos quando este aspecto se encontra no mapa.

Há também habilidade para jardinagem e agricultura e uma identificação emocional com a Mãe Terra.

Conjunções de Mercúrio

Mercúrio em conjunção com Vênus (☿ ☌ ♀)

Esta conjunção confere graça de expressão, na fala e na escrita. A voz geralmente é suave e musical. O aspecto produz talento literário e habilidade poética. O dinheiro pode ser ganho por intermédio da escrita e da comunicação. Os nativos são diplomáticos nas relações com outras pessoas, pois seus atos se baseiam na consideração daquilo que irá produzir maior beleza, equilíbrio e harmonia. Com freqüência, seus esforços mentais são realizados em sociedades. Esta conjunção também pode criar habilidade científica e matemática devido ao talento que oferece para a compreensão dos relacionamentos.

Os nativos gostam das outras pessoas e são capazes de melhorar a saúde por meio da beleza e do equilíbrio em geral; a mente está voltada para sentimentos de amor, e, se o resto do horóscopo confirmar, essas pessoas têm boa vontade para com seus semelhantes. Este aspecto oferece uma mentalidade prática, especialmente em signos de terra.

Se a conjunção estiver sob tensão, pode estar em evidência uma mente volúvel, que cria o exibicionista social.

Mercúrio em conjunção com Marte (☿ ☌ ♂)

O nativo com esta conjunção possui uma mente aguçada e muita energia mental. Há tendência a tomar partido e se envolver em causas partidárias. Este é um bom aspecto para repórteres ou investigadores, de quem se exige ação para a aquisição de informações. O nativo é mentalmente agressivo e dirá exatamente o que pensa, em qualquer situação; é determinado e age de acordo com suas decisões.

Com freqüência, existe interesse por política e oratória. Os indivíduos com este aspecto adoram discutir e levantar assuntos polêmicos. São competitivos e gostam de mostrar que possuem mais conhecimento ou que são intelectualmente superiores aos outros em determinadas áreas. Tendem a se expressar de maneira veemente e com extraordinária retidão no que se refere às coisas do intelecto.

Quando a conjunção está sob tensão, tendem a se envolver em discussões acaloradas, e o desejo pode dominar suas mentes, deixando-os temporariamente cegos para a razão.

Mercúrio em conjunção com Júpiter (☿ ☌ ♃)

Este aspecto amplia a mente e proporciona interesse por filosofia, religião, leis e educação superior. Os nativos confiam em suas habilidades mentais e em sua capacidade para influenciar os outros através do discurso fluente. A conjunção favorece professores, padres, conferencistas e políticos — pessoas cujas carreiras exigem habilidade verbal para ganhar o apoio dos outros.

O trabalho mental dos nativos com freqüência os leva a instituições na qualidade de professores e conselheiros. Eles têm integridade intelectual e usam a mente para melhorar a humanidade, o que geralmente lhes traz respeito e reconhecimento.

Eles também gostam de viajar, e geralmente fazem uma longa viagem em algum momento de suas vidas; com freqüência adquirem boa educação, o que os leva ao progresso social, profissional e financeiro. Muito respeitados, têm a reputação de serem autoridades em suas profissões.

Mercúrio em conjunção com Saturno (☿ ☌ ♄)

Embora os nativos com Mercúrio em conjunção com Saturno não sejam tão fluentes e expressivos quanto aqueles com Mercúrio em conjunção com Júpiter, são mais exatos, esforçados, lógicos e científicos em seu raciocínio. Esta conjunção oferece fortes habilidades científicas e matemáticas; a prudência e o planejamento cuidadoso estão entre suas boas qualidades. O teor total do horóscopo e os outros aspectos existentes irão determinar como é utilizada esta habilidade mental.

Os nativos são trabalhadores e meticulosos no aprendizado e no estudo. Quando escrevem e falam, não omitem nenhuma etapa. A conjunção produz notáveis poderes de visualização, pois os nativos compreendem a forma e a estrutura. Assim, são excelentes em geometria, bons desenhistas, projetistas, arquitetos e engenheiros. Tendem a ser mentalmente ambiciosos, mas podem enfrentar dificuldades periódicas para obter reconhecimento.

No lado negativo, esta conjunção pode significar pessoas críticas, muito preocupadas e sujeitas a depressões. Com freqüência são céticas e desconfiadas, e provavelmente não aceitam idéias que não sejam tradicionais ou que não possam assimilar rapidamente.

Mercúrio em conjunção com Urano (☿ ☌ ♅)

Este aspecto confere talento mental e originalidade. Os nativos possuem mentes rápidas como relâmpagos; são capazes de obter *insights* por intermédio de lampejos intuitivos e freqüentemente se interessam por telepatia ou outras formas de ocultismo. Sua capacidade para se sintonizar com a Mente Universal e receber sua orientação favorece especialmente aqueles que estudam astrologia.

A conjunção cria interesse pela ciência, particularmente no que se refere à eletrônica e ao emprego de forças microcósmica. Os nativos geralmente se envolvem profissionalmente com formas de comunicação eletrônica. Mentalmente, são independentes e não aceitarão idéias simplesmente baseados na tradição. Precisam compreender e provar todas as coisas, buscando constantemente o novo ou o incomum. Daí sua habilidade para chegar a soluções originais em problemas que outros, que pensam de forma mais tradicional, não percebem.

Os nativos com este aspecto deveriam receber uma boa educação, especialmente nas áreas científicas, para poderem utilizar melhor seus talentos mentais.

Se o horóscopo ou a conjunção estiverem sob tensão, essas pessoas podem ser excêntricas, volúveis, convencidas, de difícil relacionamento e muito independentes.

Mercúrio em conjunção com Netuno (☿ ☌ ♆)

Os nativos com esta conjunção possuem uma imaginação viva e percepção de suas mentes inconscientes. Seus interesses se concentram no misticismo, em fenômenos psíquicos e psicologia — eles lêem e escrevem livros sobre esses assuntos.

Se o horóscopo global e outros aspectos formados com a conjunção o confirmarem, eles podem possuir uma clarividência incomum e agir como canais para as idéias que emanam de planos de consciência mais elevados. A capacidade telepática e profética pode acompanhar esta conjunção em um mapa favorável.

Os nativos tendem a ser sonhadores e geralmente gostam de estar sós, para vaguear nos reinos psíquicos da consciência. O aspecto pode conferir talento poético ou literário, resultado de uma imaginação muito viva. Se o resto do mapa confirmar, a fotografia é uma boa profissão a ser buscada.

Os nativos podem ser evasivos e pouco sinceros, e, se a conjunção estiver sob tensão, francamente mentirosos ou, na melhor das hipóteses, ter dificuldade de assumir compromissos. Eles provavelmente não discutem, mas agem silenciosamente e fazem o que pretendem, independentemente de conselhos em contrário. Assim, esta conjunção pode torná-los fingidos.

Se a conjunção estiver sob tensão, o nativo pode viver em seu próprio mundo de sonhos e perder contato com a realidade; há a possibilidade de aberrações mentais que levam à psicose, se o horóscopo como um todo também estiver sob tensão.

Mercúrio em conjunção com Plutão (☿ ☌ ♇)

Este aspecto produz mentes penetrantes e engenhosas. Os nativos possuem a capacidade de enxergar através dos outros e esmiuçar seus segredos — estão determinados a chegar ao âmago daquilo que desejam compreender. Uma grande força de vontade está associada à engenhosidade e ao talento. Este aspecto tende a tornar o nativo imparcial e capaz de ver as coisas como elas realmente são; para ele, a verdade é mais importante do que o conforto.

Há uma aptidão especial para compreender a realidade em termos de energia e não em termos de objetos materiais; portanto, o nativo é capaz de compreender as forças que podem gerar mudanças fundamentais em seu meio ambiente; o interesse pela ciência, especialmente a física atômica, está indicado.

O aspecto também mostra que os nativos são bons investigadores e detetives, uma vez que grande parte de seu trabalho mental está relacionado a informações secretas; pode haver um interesse definido pelo ocultismo e pela atuação das forças suprafísicas da natureza, uma vez que as pessoas com esta conjunção estudam e se comunicam com essas forças.

Quando a conjunção está sob tensão, estes nativos podem ser arrogantes ou mesmo mentirosos, com o intuito de satisfazer seus objetivos pessoais. Há também uma tendência a desejar transformar os pensamentos e percepções mentais dos outros.

Mercúrio em conjunção com o Nódulo Norte (☿ ☌ ☊)

Os nativos com este aspecto são capazes de expressar idéias aceitáveis para a cultura em que vivem na época exata em que essas idéias terão possibilidade de serem reconhecidas. (Não há nada tão urgente quanto "uma idéia adequada ao momento".) Assim, são populares e líderes intelectuais. Se outros fatores no horóscopo proporcionarem a capacidade para pensamentos originais, o nativo pode ter papel importante para a aceitação de novos conceitos.

No lado negativo, essas pessoas têm uma tendência a serem arrastadas na corrente de pontos de vista popularmente aceitos e a terem pouco raciocínio original. Então, tornam-se simplesmente crianças intelectuais de sua época, sujeitas a todas as suas limitações e erros.

Mercúrio em conjunção com o Nódulo Sul (☿ ☌ ☋)

Este aspecto produz uma condição na qual as idéias dos nativos estão atrás ou à frente de seu tempo. No lado positivo, a conjunção pode proporcionar originalidade e independência mental; assim, os nativos escapam das armadilhas da opinião popular. A longo prazo, se o resto do mapa indicar boa capacidade mental, o nativo provará que está certo.

No lado negativo, o nativo é forçado a prosseguir sozinho com suas idéias, uma vez que não consegue apoio para elas. Ele não as transmite na hora certa e no lugar certo, e, quando o faz, ninguém o escuta. Conseqüentemente, algumas vezes sente-se frustrado e mentalmente sozinho.

Mercúrio em conjunção com o Ascendente (☿ ☌ Asc.)

Este aspecto produz uma inteligência excepcional. Os nativos pensam antes de agir e se expressam em termos lógicos muito claros. Sua consciência básica está intimamente ligada à sua capacidade de raciocínio lógico.

O nativo provavelmente possui uma aparência um tanto inquieta e um corpo frágil, mas bastante ágil. Seus principais interesses estão na educação, na fala e na escrita; se for educado para utilizar sua inteligência, suas excepcionais habilidades mentais o ajudarão a ter destaque.

Via de regra, os nativos tendem à loquacidade, o que pode ser um aborrecimento, se Mercúrio estiver sob tensão.

Mercúrio em conjunção com o Meio do Céu (☿ ☌ M.C.)

Os nativos com este aspecto podem impressionar seus superiores com seu raciocínio original, bem como com seu discurso e sua escrita. Ocupações relacionadas à comunicação, ou aos meios de comunicação, são favoráveis para pessoas com esta conjunção.

A educação é a chave para seu sucesso profissional. Eles são bons escritores, professores, pesquisadores, cientistas, bibliotecários, secretários, sacerdotes e telefonistas.

Mercúrio em conjunção com o Descendente (☿ ☌ Desc.)

Este aspecto oferece habilidade na comunicação com o público; favorece homens de relações públicas, vendedores, mensageiros e representantes. Os nativos são notados por sua inteligência social e habilidade na conversação. São bons diplomatas, porque compreendem os pontos de vista de outras pessoas; muitos se interessam pelo estudo das leis e por questões relacionadas a contratos.

Aqui, Mercúrio atrai um cônjuge ou parceiro inteligente. Os amigos íntimos também são intelectuais.

Mercúrio em conjunção com o Nadir (☿ ☌ Nadir)

Esta posição de Mercúrio indica que os nativos vindos de um ambiente intelectual geralmente possuem pais inteligentes e cultos. Há também tendência a viver na mesma casa com um irmão, irmã ou antigo vizinho. Com freqüência, o lar é um centro de comunicação, serviço e estudo. Os nativos geralmente possuem amplas bibliotecas em seus lares.

Conjunções de Vênus

Vênus em conjunção com Marte (♀ ☌ ♂)

Embora este aspecto seja considerado um dos principais aspectos relacionados ao sexo, os nativos tendem a envolvimentos apaixonados de todos os tipos.

A natureza do desejo de Marte, unida ao princípio de atração de Vênus, precisa se manifestar em alguma forma de criatividade. Se esta criatividade irá se expressar através do sexo ou de atividades artísticas e sociais, depende do resto do horóscopo e de outros aspectos formados com a conjunção.

Esta conjunção dá vitalidade à natureza emocional, e os nativos sentem intenso amor pela vida e muito calor emocional. O resultado pode ser agressividade excessiva, se outros fatores no horóscopo o permitirem, mas mesmo a agressividade está associada a um certo charme, devido à influência venusiana.

Esse aspecto dá à natureza amorosa de Vênus uma qualidade mais física — até que ponto, irá depender de qual dos dois planetas, Marte ou Vênus, tem maior força, bem como de sua colocação no signo e dos aspectos formados com outros planetas. Os nativos precisam ter uma válvula de escape para suas poderosas energias criativas.

Essas pessoas são bastante impulsivas ao gastar dinheiro, seu ou de outras pessoas; são generosas e sociáveis, mas devem evitar a prodigalidade em assuntos financeiros.

Vênus em conjunção com Júpiter (♀ ☌ ♃)

Este aspecto proporciona uma disposição generosa e otimista. A não ser que fortes fatores no horóscopo indiquem o contrário, os nativos são agradáveis e amigáveis com seus semelhantes, sociáveis e generosos com aqueles que precisam de ajuda.

Eles tendem a doar dinheiro para causas religiosas e a ajudar pessoas menos afortunadas; e podem levar alegria para os outros. Também está indicada a capacidade artística, com freqüência relacionada à expressão religiosa. Os nativos muito evoluídos podem ser talentosos como mediadores.

No lado negativo, o aspecto pode levar a muita facilidade e conforto, e criar tendência à indolência. Um Saturno forte no horóscopo elimina esse perigo e permite que os nativos se beneficiem das qualidades positivas do aspecto.

Vênus em conjunção com Saturno (♀ ☌ ♄)

Este aspecto geralmente existe no horóscopo de artistas talentosos. Saturno dá forma, estrutura e expressão prática concreta às tendências artísticas de Vênus, bem como a paciência necessária para prestar atenção a detalhes. Como Saturno rege o tempo e o espaço, os músicos podem ser favorecidos com uma boa percepção de ritmo, harmonia e melodia.

Esta conjunção, especialmente quando combinada a um Mercúrio harmonioso, também confere capacidade matemática. A tendência à harmonia e ao equilíbrio constitui o lado mental de Vênus, que, quando combinado com Saturno e Mercúrio, oferece *insights* sobre a atuação harmoniosa das leis da natureza.

Muitas das qualidades deste aspecto estão relacionadas ao signo de Libra, que é regido por Vênus e no qual Saturno está exaltado. Isso proporciona ao nativo um senso de justiça e lealdade. Embora os nativos possam não ser muito sociáveis, formam parcerias duradouras e significativas e fazem amigos leais. Se outros fatores indicarem uma disposição generosa, esses nativos podem ser de grande ajuda para aqueles a quem prestam serviços devido à sua abordagem prática dos problemas.

A ambição pelo dinheiro pode estar presente, assim como o desejo de melhorar o *status* social e financeiro através do casamento e de parcerias. Quando o desejo é perseguido com senso de justiça, todas as partes podem se beneficiar. Contudo, usado negativamente, esse desejo leva os nativos a se casarem apenas por motivos financeiros. Eles precisam ter cuidado com a sua tendência a usar os outros com a finalidade de satisfazer suas necessidades emocionais. A maneira como este aspecto será utilizado irá depender muito do resto do horóscopo.

Vênus em conjunção com Urano (♀ ☌ ♅)

Os nativos com este aspecto tendem a sentir atrações inesperadas. Sua personalidade efervescente, animada, faz deles pessoas muito populares. Eles adoram atividades sociais, divertimentos, festas e experiências estimulantes em geral. Os artistas com este aspecto possuem um estilo individual, original.

Os nativos possuem fortes inclinações sociais, pois o aspecto possui as influências combinadas de Libra, a Sétima Casa, e de Aquário, a Décima Primeira Casa. Há uma tendência a confundir amizade com amor, e assim sua vida amorosa tende a ser extravagante, com atrações poderosas e imediatas que terminam de repente.

Como esses nativos desejam oferecer seu afeto universalmente, é difícil para eles permanecerem romanticamente ligados a uma só pessoa. Eles jamais deveriam se casar apressadamente, mesmo que sintam um extraordinário impulso para fazê-lo. Um namoro prolongado poderá determinar se o relacionamento irá durar.

Se houver outras indicações no horóscopo, com ênfase nos signos de terra ou um Saturno bem aspectado — que indica a capacidade de manter os pés no chão —, os nativos podem dar felicidade aos outros por intermédio de formas originais de serviço.

Vênus em conjunção com Netuno (♀ ☌ ♆)

Este aspecto possui qualidades semelhantes àquelas proporcionadas pelo signo de Peixes, que é regido por Netuno e no qual Vênus está exaltado.

No lado positivo, pode indicar a forma mais pura e elevada de amor espiritual. Os nativos muito evoluídos podem possuir habilidades de cura e compreensão espiritual de natureza transcendental. Esteticamente sensíveis e perceptivos, podem dar alegria e paz aos outros com sua presença. Em geral, os nativos são impressionáveis e possuem uma ampla e profunda capacidade para um envolvimento emocional.

Essas pessoas podem exercer um poder de atração quase hipnótico, que atua para o bem ou para o mal, dependendo da motivação. Em qualquer caso, estão indicadas uma imaginação viva e uma fértil mente inconsciente. O aspecto inclina os nativos para a música e para a arte de inspiração mística. Eles gostam de música suave e de tudo o que tiver textura agradável. A fotografia e formas de arte que utilizam forças transcendentais ou ocultas são favorecidas (como aquelas percebidas em visões).

No lado negativo, este poderoso aspecto pode indicar pessoas sonhadoras, pouco práticas, românticas, que são um fardo para os que as cercam. Os nativos não evoluídos podem ser falsos e irresponsáveis no amor.

Vênus em conjunção com Plutão (♀ ☌ ♇)

Este aspecto indica um envolvimento emocional apaixonado e, com freqüência, cármico. Nos horóscopos de indivíduos muito evoluídos, pode indicar capacidade para um amor espiritual regenerador, redentor, capaz de elevar todos que entram em contato com ele.

Nesses casos, o amor está associado ao poder espiritual, e a vontade se manifesta num nível muito elevado. Geralmente, existe um ardente amor pela vida, que com freqüência envolve uma forte atração por pessoas do sexo oposto. Os nativos tendem a experimentar a morte e o renascimento. Finalmente, é aprendida uma valiosa lição espiritual: que o amor deve se dirigir à fonte espiritual de todas as manifestações da vida, e que o Eterno, como Essência Interior de toda criação, é que deve ser adorado, e não as manifestações materiais desse poder.

Este aspecto, como todos os contatos fortes de Vênus, pode dar talento artístico, neste caso manifestado no teatro e também em combinações de teatro e música, como ópera, opereta e musicais sérios.

O lado negativo desta conjunção é tão deturpado quanto o lado positivo é exaltado. Há um envolvimento desordenado em paixões sexuais e indulgência. Em qualquer caso, os nativos são muito criativos, seja qual for a forma escolhida para expressar essa poderosa energia.

Vênus em conjunção com o Nódulo Norte (♀ ☌ ☊)

Este aspecto indica bom senso de oportunidade nos contatos sociais e no estabelecimento de relacionamentos favoráveis ao dinheiro, ao romance, a parcerias, ao casamento e às amizades. Através de uma habilidade inata para estar no lugar certo na hora certa, os nativos atraem as coisas necessárias à sua felicidade. De acordo com algumas autoridades no assunto, esta habilidade representa um bom carma originado da bondade e generosidade reveladas no passado.

No lado negativo, este aspecto pode levar a um envolvimento superficial com qualquer prazer momentâneo, fazendo com que muito tempo seja gasto em atividades sociais inúteis.

Vênus em conjunção com o Nódulo Sul (♀ ☌ ☋)

Os nativos com este aspecto tendem à solidão e ao isolamento no que se refere aos seus sentimentos. São desajeitados em sociedade e nos avanços românticos, abordando os outros quando estes estão preocupados ou indispostos. Conseqüentemente, sofrem freqüentes "foras" e desenvolvem um complexo de inferioridade.

No lado positivo, o amor adquire um significado sério e profundo; há o desejo de ajudar e se relacionar com aqueles que realmente precisam de amor e amizade. A longo prazo, isso traz recompensas espirituais.

Algumas pessoas acreditam que essa conjunção seja o resultado cármico de uma anterior falta de valorização do amor e de ajuda aos outros. Os nativos precisam aprender o verdadeiro significado do amor e da ajuda sendo privados deles.

Vênus em conjunção com o Ascendente (♀ ☌ Asc.)

Este aspecto com freqüência confere beleza física, especialmente às mulheres. O comportamento e a aparência pessoal dos nativos são agradáveis e harmoniosos. Eles são capazes de levar harmonia e beleza ao ambiente por sua habilidade na manifestação dessas qualidades.

Nos nativos menos evoluídos esta conjunção pode levar a tendências narcisistas e fascinação pela própria beleza. Mas, para que isso aconteça, o resto do horóscopo precisa ser muito fraco, uma vez que o aspecto indica uma intensa percepção das leis de harmonia e beleza como formas de auto-expressão.

Esses nativos algumas vezes são socialmente agressivos devido às implicações de Marte/Áries, da Primeira Casa.

Vênus em conjunção com o Meio do Céu (♀ ☌ M.C.)

Este aspecto favorece pessoas que exercem profissões artísticas ou no campo das relações públicas e da diplomacia. As mulheres com freqüência são capazes de favorecer suas carreiras seduzindo seus patrões ou pessoas que exercem autoridade.

Os nativos tendem à ambição social; seu *status* pode ser melhorado por intermédio do casamento, que, às vezes, é contraído com este objetivo, especialmente se Vênus estiver em Touro ou em Capricórnio. Eles também possuem a habilidade de atrair dinheiro por meio de destaque social ou de parcerias com pessoas que ocupam posições de poder.

Vênus em conjunção com o Descendente (♀ ☌ Desc.)

A não ser que outras tensões no horóscopo indiquem o contrário, os nativos com este aspecto são abençoados com uma vida conjugal harmoniosa. Eles se casam por amor e são dedicados aos cônjuges e parceiros. Gentileza e facilidade nas relações com o público estão indicadas; pessoas de relações públicas, diplomacia e diversões são especialmente favorecidas, pois são populares com o público.

Esses nativos se preocupam com a felicidade dos outros e, assim, atraem a felicidade. Como o sucesso depende do entrosamento dos relacionamentos humanos, eles o conseguem graças à habilidade de se relacionar bem com os outros. O tato e a diplomacia são seus maiores talentos.

Vênus em conjunção com o Nadir (♀ ☌ Nadir)

Este aspecto indica o amor à harmonia doméstica. Assim, o lar dos nativos será belo e artístico, mesmo que simples. Como o relacionamento entre lar e casamento é importante para essas pessoas, grande parte de seu dinheiro é gasto em melhorias no lar. Assim, provavelmente existe um profundo amor pela família e pelos pais, aliado à tendência a se casar para conseguir uma linda família e uma boa vida doméstica. O gosto pela boa culinária também está indicado.

Conjunções de Marte

Marte em conjunção com Júpiter (♂ ☌ ♃)

Este aspecto oferece muita energia e entusiasmo. Os nativos são dedicados na procura daquilo que consideram valioso — conhecimento, religião ou esforços em favor dos menos afortunados. A conjunção oferece autoconfiança nas ações — os nativos não aceitam um "não" como resposta e sentem que são capazes de realizar seus objetivos. Este aspecto favorece negócios nos quais a iniciativa e os lucros financeiros são importantes. O total envolvimento dos nativos nas causas que abraçam algumas vezes tende ao fanatismo.

A escolha da carreira militar, ou de negócios relacionados ao exército, é típica em muitos nativos. Se a conjunção estiver sob tensão, pode haver uma tendência belicosa, avarenta, com a atitude de que os fins justificam os meios. Esta conjunção também pode conduzir a um patriotismo chauvinista mal orientado. Há gosto pela ostentação e pela exibição de força via manifestações de pompa e cerimônia.

Marte em conjunção com Saturno (♂ ☌ ♄)

No lado positivo, este aspecto oferece capacidade para o trabalho árduo, força resistente, engenhosidade e coragem em situações de perigo e grandes dificuldades. As fortes qualidades espartanas favorecem as carreiras militares ou situações em que os nativos precisam utilizar cautela e prudência frente ao perigo. Contudo, com bastante freqüência, eles se ressentem das pessoas que levam uma vida mais fácil.

A não ser que esteja bem aspectado e num bom horóscopo, esta conjunção indica tendência à raiva, a sentimentos duros e rancor; podem ocorrer atitudes negativas combinadas ao ressentimento e à violência. A raiva se origina da frustração da ação e auto-expressão saturninas. Com freqüência, os nativos reprimem sua raiva até ela explodir subitamente. Num horóscopo sob muita tensão, com muitos aspectos tensos formados com a conjunção, pode ocorrer uma destruição organizada, deliberada. Pode também haver ambição pelo poder, levando a atitudes opressivas e ditatoriais.

Quando a conjunção está sob tensão, os nativos estão propensos a fraturas ósseas ou inflamação e outras doenças da pele. Têm tendência a serem rígidos e musculosos.

Marte em conjunção com Urano (♂ ☌ ♅)

Com este aspecto, os nativos tendem a ser impulsivos e a agir precipitadamente. Há uma tendência a se revoltar contra limitações; são típicos o revolucionário ou o líder de qualquer movimento organizado, cujo objetivo é criar mudanças sociais drásticas e repentinas. Os nativos não agüentam uma vida monótona e buscam constante excitamento através do perigo e de ações incomuns. São evidentes a coragem e a determinação, mas, a não ser que outros fatores no horóscopo indiquem o contrário, não há prudência. Como este aspecto sobrecarrega o sistema nervoso, os nativos deveriam aprender a relaxar para recarregar sua vitalidade.

Os nativos sentem-se emocionalmente realizados em manifestações dramáticas de energia: corridas de carros, aviões a jato, armas de fogo ou explosivas situações humanas encontradas em grandes multidões.

Estão indicadas tendências mecânicas e científicas. Os nativos gostam de fazer experiências com mecanismos e aparelhos elétricos. Se a conjunção estiver sob tensão, esse interesse pode levar ao perigo de acidentes. A busca de emoção e excitação pode, às vezes, levar à imprudência no volante; as pessoas com esta conjunção, especialmente se ela estiver sob tensão, devem evitar o descuido no volante e em experimentos mecânicos.

O interesse pela aviação caracteriza esta conjunção, especialmente se ela se encontrar em signos de ar. Entretanto, ela é de natureza mais técnica do que científica, a não ser que o horóscopo revele um Mercúrio e um Saturno fortes. Há envolvimento com ferramentas, mas não necessariamente com teorias, a não ser que a conjunção forme aspecto com Mercúrio, Vênus ou Saturno.

Marte em conjunção com Netuno (♂ ☌ ♆)

Este aspecto proporciona aos nativos forte magnetismo psíquico. Se a conjunção estiver bem aspectada, eles podem ter habilidades de cura, pois existe muita energia psíquica à sua disposição. Eles também podem se interessar por forças mágicas ou pelo uso de poderes ocultos. Seus desejos e ambições podem levar a elevadas realizações espirituais, mas suas metas também podem tender para o não-prático, o irreal ou o excessivamente romântico, e conduzi-los a atividades mal orientadas. Com muita freqüência, esses nativos são dirigidos quase que inteiramente por impulsos inconscientes, o que algumas vezes resulta em desastres.

Os nativos tendem a agir por meio de subterfúgios e sigilo, e seus atos com freqüência são cercados de mistério. Muitas vezes estão presentes um envolvimento romântico e desejos emocionais exóticos ou peculiares. Os nativos tendem a trair ou a serem traídos. Geralmente, nos assuntos da casa em que a conjunção se encontra.

Esses nativos podem reagir mal às drogas e são suscetíveis à intoxicação ou a doenças infecciosas.

Marte em conjunção com Plutão (♂ ☌ ♇)

Este aspecto dá aos nativos enorme energia e poder de ação. Através de suas reservas espirituais, eles são capazes de penetrar na energia do poder universal; sendo mais resistentes do que o normal, podem realizar coisas que estão além do alcance de pessoas comuns. Sua imensa coragem e sua grande força de vontade lhes dão a capacidade de enfrentar o perigo, e até mesmo a morte, com firmeza. Se a energia será utilizada de forma construtiva ou destrutiva, irá depender de outros aspectos e do teor geral do horóscopo.

Muita coisa irá depender do fator que vier a predominar: o princípio de desejo de Marte ou o princípio da vontade de Plutão. Se Marte for o mais forte, a conjunção apenas intensificará a luxúria pessoal, a ganância e o egoísmo, tornando os nativos potencialmente perigosos e destrutivos. Ela exige indivíduos muito desenvolvidos para que o princípio de vontade plutoniano possa controlar os desejos. Se este controle for alcançado, grandes poderes de regeneração tornarão possível uma liderança espiritual capaz de beneficiar a humanidade.

Nos horóscopos de pessoas menos desenvolvidas, esta conjunção pode criar naturezas violentas e, ocasionalmente, tendências criminosas.

Marte em conjunção com o Nódulo Norte (♂ ☌ ☊)

Os nativos com Marte em conjunção com o Nódulo Norte tendem a agir em harmonia com as pessoas, desse modo obtendo delas colaboração e aprovação.

Contudo, como diz o ditado, "Ninguém está certo se todo mundo estiver errado". Os desejos dos nativos e as ações deles resultantes podem ser arrastados em uma cadeia de paixões que termina em autodestruição. Por exemplo, indivíduos presos no transbordamento de um patriotismo mal-orientado podem acabar com agentes ou vítimas da guerra.

Marte em conjunção com o Nódulo Sul (♂ ☌ ☋)

No lado positivo, este aspecto pode levar os nativos a questionar os valores militares ou as ações conjuntas da sociedade. Eles podem se afastar se sentirem que a tendência não é para o bem. Algumas vezes, tornam-se solitários, agindo de acordo com suas próprias decisões, sem considerar o que os outros fazem ou pensam.

No lado negativo, suas ações e desejos tendem a estar fora de harmonia com os padrões da sociedade. Eles podem agir na hora errada e no lugar errado, hostilizando os outros e provocando oposições; então, provavelmente explodirão em raiva e frustração

Marte em conjunção com o Ascendente (♂ ☌ Asc.)

Este aspecto confere aos nativos uma personalidade agressiva e vigorosa. Eles irão se fazer notar com persistência e afetarão muito seu ambiente. Seu desejo de liderança está associado a um espírito competitivo.

O aspecto confere força muscular e uma constituição resistente. A não ser que Mercúrio e Saturno sejam fortes, os nativos tendem a agir precipitadamente e a mergulhar audaciosamente nas coisas antes de considerar as conseqüências. Como são naturalmente agressivos, dominam os outros, a menos que sejam controlados. Com freqüência querem modificar as pessoas e as situações; tendem a agir por conta própria para atingir seus objetivos pessoais. Algumas vezes, os outros se ressentem com aquilo que consideram a indesejada interferência e controle dos nativos, e o resultado são os atritos e o isolamento pessoal. Se esses nativos aprenderem a ser diplomáticos, podem conseguir muitas coisas.

Marte em conjunção com o Meio do Céu (♂ ☌ M.C.)

Este aspecto torna os nativos muito ambiciosos; eles desejam importância e destaque, no mundo e em suas vidas profissionais. Sua energia se dirige a objetivos definidos, que irão favorecer suas metas de longo alcance. Eles são altamente competitivos e lutarão para chegar ao topo.

Com freqüência os encontramos na política, numa estrutura corporativa ou no governo. A conjunção favorece as profissões industriais e empregos relacionados à maquinaria e à engenharia. Ela também predispõe os nativos à carreira militar.

Marte em conjunção com o Descendente (♂ ☌ Desc.)

Este aspecto tende a tornar os nativos agressivos nas relações com o público e com seus parceiros. Mas também pode agir em sentido contrário, tornando os parceiros ou o público agressivos com os nativos. Assim, é necessária muita energia na colaboração com os outros. A conjunção também pode criar discórdias se o horóscopo estiver sob tensão. As condições de competição dominam as de colaboração ativa.

Os relacionamentos, especialmente no casamento, podem estar emocionalmente presos; podem resultar conflitos entre os fortes desejos (com freqüência não reconhecidos) dos nativos, dos parceiros, ou de ambos.

Marte em conjunção com o Nadir (♂ ☌ Nadir)

Com este aspecto, ações e desejos veementes se manifestam na vida doméstica do nativo. Como a conjunção tem algo de Marte em sua queda em Câncer, tende a criar uma situação de desarmonia no lar, a não ser que esteja muito bem aspectada. A vigorosa natureza combativa de Marte não se armoniza bem com a vida familiar, que exige sensibilidade e amor mútuo. O lar, que deveria ser um lugar de beleza e harmonia, pode se tornar um campo de batalhas, gerando tensão emocional e perturbações. Marte em conjunção com o Nadir é mais ou menos como um touro em uma loja de cristais.

Esta conjunção é favorável para pessoas ligadas a ocupações industriais relacionadas à terra, como mineração ou construção. A energia de Marte também pode ser usada para fazer melhorias no lar.

Conjunções de Júpiter

Júpiter em conjunção com Saturno (♃ ☌ ♄)

Este aspecto oferece uma visão séria da vida e o envolvimento em pesadas responsabilidades, a não ser que outros fatores no horóscopo mostrem o contrário. Os nativos são conservadores e práticos.

Como precisam superar graves obstáculos para expandir seus negócios e assuntos financeiros, com freqüência ocorrem problemas de dinheiro. Para alcançar uma meta ou fazer qualquer avanço substancial, é necessária uma paciência infinita. Se os nativos tiverem recursos para trabalhar, podem construir coisas ou instituições que terão valor duradouro. Com esta conjunção, são comuns o trabalho difícil associado a esforços contínuos e perigos.

Desapontamentos prolongados podem destruir o otimismo dos nativos. Algumas vezes, o efeito de Júpiter sobre Saturno é uma proteção nas horas mais difíceis, mas existe um conflito entre a expansão de Júpiter e os princípios de limitação de Saturno, a ponto de os dois planetas poderem anular seus efeitos. O destino do nativo pode estar à mercê de questões sociais mais amplas; por exemplo, fatores que afetam a indústria, os negócios e a economia de uma nação podem criar enormes dificuldades.

Este aspecto é mais difícil se Júpiter prevalecer sobre Saturno, porque os esforços iniciados na expansão otimista logo se chocam com obstáculos e desapontamentos. Essa seqüência ocorre sempre que um planeta em trânsito ou em progressão forma aspecto primeiro com Júpiter e depois com Saturno. Se Saturno prevalecer sobre Júpiter, a situação é mais favorável: como a estrutura básica foi erguida por Saturno, o trabalho duro e disciplinado pode ser recompensado.

Júpiter em conjunção com Urano (♃ ☌ ♅)

Este aspecto cria oportunidades e avanços incomuns na expansão e no crescimento dos nativos, benefícios que surgem da introdução de novos métodos e de fontes inesperadas, muitas vezes dos amigos.

Os nativos provavelmente viajarão inesperadamente. Eles têm oportunidade para treinamento e educação, que lhes abre novas possibilidades nos negócios e lucros, freqüentemente nas áreas científicas.

Muitos se interessam por novas formas de religião progressistas e ocultas, como o Novo Pensamento, "o poder do pensamento positivo", ioga ou astrologia. Não seguem os procedimentos normais nos negócios, na educação ou em crenças religiosas, mas pensam e agem por si mesmos com originalidade e engenhosidade.

Esta conjunção torna os nativos generosos com os amigos; eles encorajam outras pessoas que também estão interessadas em realizar coisas incomuns, valiosas. Na política, tendem a ser reformadores e defensores de novas filosofias políticas; geralmente se opõem à maneira tradicional de fazer as coisas.

Júpiter em conjunção com Netuno (♃ ☌ ♆)

Este aspecto confere aos nativos uma imaginação fértil, que pode se manifestar na arte, na música, na filosofia e na religião (se outros fatores no horóscopo oferecerem a aplicação prática necessária ao aproveitamento da imaginação). Esta conjunção dá aos nativos extrema sensibilidade no que se refere a tendências psíquicas e emocionais. São característicos os vôos de êxtase religioso e concentração mística nas esferas astrais, com freqüência gerando envolvimento em cultos místicos e formas parapsíquicas de religião. Existe uma tendência para o idealismo extremo, que, se o resto do horóscopo não indicar o contrário, não resulta em senso prático ou autodisciplina.

Se esta conjunção estiver sob tensão devido a aspectos com outros planetas, os nativos podem perder o contato com a realidade e viver num mundo particular de fantasia. Apesar de suas boas intenções, não são necessariamente práticos ou confiáveis — geralmente prometem mais do que conseguem cumprir.

Júpiter em conjunção com Plutão (♃ ☌ ♇)

Este aspecto confere aos nativos determinação para atingir metas que trarão benefícios, para eles e para os outros. Os nativos possuem uma forte concentração, capaz de lhes dar o poder e a inspiração de planos mais elevados de consciência, e com freqüência se envolverão com a ioga, com formas de meditação, cura espiritual, clarividência e profecias. A pureza e a exatidão de suas habilidades e percepções dependerão, naturalmente, dos outros aspectos formados com a conjunção, bem como do teor geral do horóscopo.

A capacidade de regeneração espiritual proporcionada por esta conjunção empresta ao nativo qualidades de liderança e capacidade de canalizar forças construtivas em épocas de crise. A conjunção favorece juízes e administradores, que precisam ter uma percepção penetrante sobre os motivos e ações das pessoas.

Júpiter em conjunção com o Nódulo Norte (♃ ☌ ☊)

Este aspecto dá aos nativos uma capacidade incomum para aceitar as atitudes religiosas, sociais e culturais predominantes, do que provavelmente resultarão popularidade e sorte.

Ao mesmo tempo, há uma tendência a aceitar os valores tradicionais sem questionamento e sem submetê-los a uma análise crítica. Há também o perigo de um progresso muito rápido e fácil, criando a possibilidade de uma futura queda ou colapso. As coisas conseguidas com muita facilidade nem sempre são valorizadas ou adequadamente utilizadas. Esses nativos tendem a considerar as coisas como certas e garantidas.

Júpiter em conjunção com o Nódulo Sul (♃ ☌ ☋)

Esta conjunção é semelhante à de Júpiter-Saturno. Os esforços dos nativos podem ser bloqueados devido ao mau senso de oportunidade. Seus objetivos sociais e éticos podem se chocar com os hábitos sociais dominantes, criando conflitos de interesses. Ao mesmo tempo, eles podem fazer uma avaliação detalhada e honesta dos valores comumente aceitos.

Eles podem enfrentar obstáculos para adquirir educação superior e discordar das instituições religiosas predominantes. Podem ocorrer dificuldades e demoras em terras estrangeiras e problemas relacionados a essas questões.

Júpiter em conjunção com o Ascendente (♃ ☌ Asc.)

Este aspecto proporciona aos nativos otimismo e autoconfiança, que, adequadamente utilizados, podem inspirar confiança e boa vontade nos outros.

Os nativos se interessam por assuntos religiosos e filosóficos; algumas vezes, tentam assumir o papel de líderes religiosos ou fundar um grupo religioso. Podem buscar saídas para a auto-expressão na religião, na lei, no ensino e na filosofia.

Os nativos gostam de viajar, a não ser que Júpiter esteja em um signo fixo. Se a conjunção estiver sob tensão, pode provocar delírios de grandeza. A propensão à corpulência física pode levar ao excesso de peso em idade mais avançada.

Júpiter em conjunção com o Meio do Céu (♃ ☌ M.C.)

Este aspecto favorece a proeminência; o fato de os nativos geralmente serem honestos e benevolentes em suas relações com freqüência conduz a promoções, confiança pública e boa reputação.

Se os nativos tiverem nascido em famílias de baixa condição social, geralmente ascendem a posições de importância. Com freqüência, estão indicadas profissões em ministérios, no campo do direito, da educação ou negócios, pois esta conjunção favorece pessoas conhecidas pelo público ou que buscam uma carreira na política.

Se a conjunção estiver sob tensão, os nativos tendem à ambição em interesse próprio.

Júpiter em conjunção com o Descendente (♃ ☌ Desc)

Este aspecto indica sorte no casamento e em sociedades e proporciona aos nativos habilidades em relações públicas, especialmente vendas, diversões e diplomacia. Ele também favorece as profissões legais e pessoas que agem como representantes de organizações religiosas ou educacionais.

As pessoas geralmente reagem positivamente a esses nativos, porque eles estão sinceramente interessados no bem-estar dos outros. Mas, se a conjunção estiver sob tensão, esse interesse é hipócrita, mascarando um motivo egoísta.

Júpiter em conjunção com o Nadir (♃ ☌ Nadir)

Este aspecto é favorável a pessoas envolvidas em bens imobiliários ou negócios relacionados à construção e melhoria de casas. Ele também favorece a agricultura ou negócios relacionados à produção de alimentos.

Os nativos geralmente moram em casas amplas, têm famílias numerosas e, a não ser que outros fatores demonstrem o contrário, um bom relacionamento com os pais. O lar muitas vezes é local de atividades religiosas e educacionais. Na última metade de suas vidas, os nativos adquirem prosperidade, conforto e até mesmo opulência.

Conjunções de Saturno

Saturno em conjunção com Urano (♄ ☌ ♅)

Este aspecto oferece aos nativos a capacidade de expressar de maneira prática as idéias originais obtidas intuitivamente.

Essas pessoas não criam padrões de comportamento inúteis, devido à tendência de Urano à liberdade e a originalidade supera a cristalização negativa de Saturno. Ao mesmo tempo, o realismo e o senso prático de Saturno impedem que Urano torne os nativos excêntricos e impulsivos na criação de mudanças. Geralmente, eles aprenderam a lição de autodisciplina e são, portanto, capazes de expressar a verdadeira liberdade que nasce da aceitação voluntária da responsabilidade.

Há também a habilidade de aproveitar criativamente idéias e condições. O novo é construído sobre as bases sólidas de coisas que resistiram ao teste do tempo.

Se o horóscopo global for bem-equilibrado e esta conjunção estiver bem aspectada, os nativos são muito evoluídos e têm muito a oferecer ao mundo. Sua criatividade se origina, em parte, da riqueza de suas experiências passadas. A conjunção é proveitosa para o estudo sério da matemática e da ciência, bem como da astrologia e de outros assuntos ocultos. Confere a habilidade de utilizar métodos sistemáticos, matemáticos, para fazer novas descobertas e avanços.

Quando sob tensão, a conjunção cria uma persistência teimosa e atitudes autocráticas. Há o perigo de acidentes inesperados e ameaças à segurança dos nativos; eles tendem a ser um tanto bruscos e vacilam entre o pessimismo e o otimismo irrealista. Deveriam trabalhar com os bons aspectos dos planetas da conjunção.

Saturno em conjunção com Netuno (♄ ☌ ♆)

Se estiver bem aspectada e em harmonia com o horóscopo como um todo, esta conjunção oferece perseverança e poderes de concentração na meditação e no uso de faculdades de clarividência. Bem aspectada, confere também maturidade para percepções espirituais e uma compaixão baseada na experiência prática.

Os nativos são capazes de utilizar a inspiração de Netuno de maneira prática, tornando-a mais do que apenas um belo sonho. Como Saturno dá forma a esta inspiração e a expressa de maneira real, a conjunção favorece artistas e músicos. Também pode indicar envolvimento profissional em atividades secretas. Se a conjunção estiver sob tensão, pode haver desonestidade. Se estiver bem aspectada, os nativos caminham suavemente e vão longe.

Saturno em conjunção com Netuno sob tensão pode trazer depressão, ansiedade, imaginação mórbida e influências psíquicas destrutivas, que, provavelmente, indica abuso anterior das faculdades psíquicas ou imaginativas. Os nativos podem ser internados em instituições, especialmente se a Décima Segunda Casa estiver envolvida. Quando esta conjunção está sob tensão, os nativos devem evitar as drogas e o envolvimento com fenômenos psíquicos que lidam com forças emocionais ou astrais.

Saturno em conjunção com Plutão (♄ ☌ ♇)

Este aspecto é algumas vezes chamado de aspecto do mágico, devido à capacidade para canalizar poderes ocultos através de sistemas estruturados. O desejo de poder de Plutão, combinado com a natureza poderosa da conjunção e o desejo de *status* de Saturno, leva a fortes ambições nas áreas regidas por Plutão.

As idéias e projetos dos nativos podem ter um efeito transformador sobre o mundo. Eles utilizam seu conhecimento científico para encontrar maneiras melhores ou mais eficientes de utilizar os recursos e poderes existentes em seu meio ambiente.

Geralmente são sérios e reservados em seus planos e projetos. Se a conjunção estiver sob tensão, estão sujeitos a ter inimigos secretos, motivações egoístas, intrigas e desejos de poder.

Para o bem ou para o mal, esses nativos têm um efeito abrangente e prolongado em seu ambiente, embora seus esforços possam exigir paciência e muito trabalho.

Saturno em conjunção com o Nódulo Norte (♄ ☌ ☊)

Este aspecto torna os nativos conservadores e propensos a aceitar os valores sociais, religiosos e éticos predominantes. Eles geralmente são formais no que se refere ao momento e ao local adequados para abordar os que ocupam posições de autoridade. Assim, podem favorecer suas ambições pessoais, mas às custas da escravidão aos padrões culturalmente aceitos.

Saturno em conjunção com o Nódulo Sul (♄ ☌ ☋)

Este aspecto tende a ser extremamente restritivo; os hábitos rígidos e as ambições dos nativos não lhes permitem harmonizar-se com as atitudes culturais predominantes. Para superar o isolamento disso resultante, eles precisam aprender a colaborar com as idéias e métodos de sua sociedade.

No lado positivo, os nativos podem realizar coisas que os tornam únicos graças à sua maneira individualista e caprichosa de encarar o trabalho, no qual todas as influências externas são desprezadas. Esse é especialmente o caso de peritos em áreas obscuras de empreendimento.

Saturno em conjunção com o Ascendente (♄ ☌ Asc.)

Este aspecto mostra que os nativos são confiáveis e possuem forte senso de responsabilidade; pode-se contar com eles quando há um trabalho sério a ser realizado.

Eles projetam uma imagem de austeridade, seriedade, espartanismo e reserva, que os faz parecer terríveis e que, com freqüência, os torna impopulares. Sua tendência à reserva pessoal é freqüentemente mal interpretada como arrogância e frieza. Geralmente, as pessoas não percebem que eles são tímidos ou que seu senso de responsabilidade não os predispõe ao discurso social fútil.

Esta conjunção cria dificuldades e privações no início da vida. Os nativos provavelmente são muito magros e altos, ou tão baixos a ponto de parecerem anões.

Saturno em conjunção com o Meio do Céu (♄ ☌ M.C.)

A conjunção Saturno-Meio do Céu caracteriza aqueles que ascendem a posições elevadas graças a muito trabalho e ambição. Se a conjunção estiver bem aspectada, eles são honestos, responsáveis e prudentes em seus relacionamentos. São bons executivos e administradores; na política, tendem a ser conservadores, buscando políticas que levam à estabilidade e à expansão de instituições estabelecidas por meio de linhas tradicionais de ação.

Se esta conjunção estiver sob tensão, existe a possibilidade de ocorrerem desgraças e queda de posições elevadas.

Saturno em conjunção com o Descendente (♄ ☌ Desc.)

Este aspecto favorece a criação de sociedades duradouras e estáveis. Os nativos, com freqüência interessados em profissões legais, são justos em seus relacionamentos, embora sejam reservados e possam mesmo parecer calculistas. Muitas vezes são representantes do governo ou de outras organizações que lidam com o público.

Se esta conjunção estiver sob tensão, os nativos estão sujeitos a casamentos infelizes ou a se casarem simplesmente para adquirir *status* e posição. O casamento pode ocorrer muito tarde.

Saturno em conjunção com o Nadir (♄ ☌ Nadir)

Como este aspecto participa do detrimento de Saturno em Câncer, os nativos podem ser frios e formais no que se relaciona à vida familiar. Os problemas domésticos podem impor pesadas responsabilidades; um dos pais pode se tornar um fardo, ou pode haver falta de calor no relacionamento entre pais e filhos.

Esta conjunção com freqüência cria conflitos entre as obrigações profissionais e domésticas.

Conjunções de Urano

Urano em conjunção com Netuno (♅ ☌ ♆)

Esta conjunção, que ocorre mais ou menos a cada 171 anos, corresponde a um período de importante progresso espiritual e científico para a humanidade. Seu surgimento é marcado pela encarnação de um grupo de almas muito evoluídas, que introduzem novas filosofias e sistemas políticos e sociais e, assim, favorecem a evolução humana.

A geração que possui esta conjunção em seu horóscopo está sintonizada com as forças sutis da natureza e a revelação de potenciais intuitivos. Os nativos são influenciados por forças suprafísicas relacionadas ao signo e, mais particularmente, à casa em que a conjunção se encontra. Esses fatores também terão relação com os assuntos regidos pelos planetas que formam aspectos com a conjunção, favorável ou desfavoravelmente.

Essas pessoas têm uma imaginação viva, um toque de originalidade, e sensibilidade emocional e mental, especialmente no que se refere aos assuntos regidos pelos planetas, signos e casas afetados pela conjunção.

A conjunção cria uma tendência ao envolvimento com sociedades espiritualistas secretas e organizações religiosas. Ela resulta da conotação combinada da Nona, Décima, Décima Primeira e Décima Segunda Casas.

Notas: Urano, o co-regente de Capricórnio, encontra-se na Décima Casa de muitas grandes empresas de negócios e de pessoas bem-sucedidas devido a alguma descoberta singular. Muitos cientistas são capricornianos e possuem a disciplina de Saturno combinada à originalidade de Urano.

Muitas religiões importantes nascem das experiências místicas de Netuno de um mestre inspirado ou profeta e, mais tarde, se codificam em credos religiosos ou sistemas de ética, no sentido Jupiteriano-Sagitariano. (Essa ligação com a religião pode ser explicada pelo fato de Netuno e Júpiter serem co-regentes do signo de Sagitário.) Os negócios destes nativos geralmente estão relacionados ao sigilo (Netuno, regente da Décima Segunda Casa) e o trabalho é um empreendimento em grupo (Urano, regente da Décima Primeira Casa). Geralmente, os nativos são inspirados por uma filosofia mística oculta.

Em sua expressão mais elevada, esta conjunção se manifesta como a síntese da sabedoria e do amor divino.

Urano em conjunção com Plutão (♅ ☌ ♇)

Esta conjunção ocorre aproximadamente a cada 115 anos. A geração em cujo horóscopo ela aparece com freqüência é considerada revolucionária — seu destino é destruir ou regenerar instituições sociais obsoletas. A conjunção representa uma interação entre a vontade pessoal do indivíduo e a Vontade Universal do Criador. Se os indivíduos forem muito evoluídos, tornam-se canais de expressão para idéias que irão melhorar a humanidade. Eles podem utilizar o poder da conjunção para criar uma compreensão mais precisa das leis que governam as condições que precisam ser melhoradas na civilização (isso pode se manifestar nas áreas da ciência, da psicologia e da metafísica).

Tais avanços aproximam o homem de sua origem espiritual e facilitam seu destino evolucionário: voltar com plena autoconsciência à fonte da qual emanou.

Esta conjunção possui muitas qualidades do signo de Escorpião, no qual Urano está exaltado e que é regido por Plutão. Portanto, possui um significado muito oculto e lida com a morte e a regeneração (ou o processo de destruição das manifestações da forma e a liberação da vida aprisionada na forma, para buscar uma corporificação mais construtiva).

Se forem indisciplinados ou mal educados e a conjunção estiver sob tensão, os nativos podem ser tentados a usar o poder coletivo por motivos egoístas.

Urano em conjunção com o Nódulo Norte (♅ ☌ ☊)

Os nativos que apresentam esta conjunção provavelmente se beneficiam de mudanças súbitas nas condições sociais. Por exemplo, se a conjunção estiver na Décima Casa, podem se beneficiar de empregos criados pela introdução de novas tecnologias eletrônicas.

Os nativos estão sintonizados com as mudanças, mas sujeitos a serem arrastados por mudanças sociais inesperadas, sem considerar as conseqüências finais do entusiasmo impulsivo do grupo.

Urano em conjunção com o Nódulo Sul (♅ ☌ ☋)

A vida dos nativos que possuem esta conjunção é perturbada por condições sociais e tecnológicas em transformação. Por exemplo, se a conjunção estiver na Quarta Casa, em Gêmeos, um nativo pode ser forçado a mudar de casa para dar espaço à construção de uma estrada, provavelmente sofrendo perdas financeiras.

Esta conjunção geralmente ocorre no horóscopo de indivíduos cujas vidas são destruídas pela guerra e por revoluções. As tensões geradas por outros planetas que afetam a conjunção podem provocar complicações adicionais.

No lado positivo, os indivíduos são determinados e individualistas na preservação de valores tradicionais contra o ataque violento de novidades e novos movimentos sociais.

Urano em conjunção com o Ascendente (♅ ☌ Asc.)

Os nativos provavelmente possuem um físico incomum — freqüentemente são bastante altos. São vivos e rápidos em suas respostas e extremamente individualistas, com forte interesse pelo incomum, científico ou oculto. Sua intuição é muito desenvolvida, e eles são capazes de penetrar num nível superconsciente de conhecimento, obtendo *insights* que estão além da capacidade do indivíduo comum. Se bem aspectada por outros planetas, esta conjunção geralmente leva ao estudo da astrologia.

Esses nativos levam vidas arriscadas, diferentes. Contudo, podem sofrer muita tensão nervosa, especialmente se a conjunção estiver sob tensão.

Algumas vezes, Urano proporciona uma certa arrogância pessoal. Os nativos tendem a sentir que os outros deveriam se curvar diante daquilo que consideram uma inteligência superior. Exigem liberdade pessoal e não tolerarão interferências no caminho que escolheram seguir na vida.

Com freqüência, são líderes em atividades revolucionárias, filosofias sociais e novas idéias científicas.

Se Urano estiver sob tensão, os nativos tendem a defender obstinadamente noções excêntricas e tortuosas, mas estão sujeitos a súbitas — e periódicas — reviravoltas. Contudo, via de regra, são progressistas, liberais e tolerantes em suas atitudes.

Urano em conjunção com o Meio do Céu (♅ ☌ M.C.)

Esta conjunção indica condições incomuns no que se refere ao trabalho e à reputação pública. Se a conjunção estiver bem aspectada, os nativos podem obter fama e posições elevadas por criarem métodos cientificamente avançados em suas profissões. A conjunção favorece empregos relacionados à ciência, à eletrônica, à física e a trabalhos ocultos, como a astrologia.

Outros aspectos formados com Urano podem provocar mudanças súbitas na reputação e na situação profissional.

Se a conjunção estiver sob tensão, os nativos podem ficar impacientes com rotinas profissionais e se revoltar contra seus superiores — com freqüência por motivos tolos —, ocasionando uma provável mudança de posições. Eles são mais felizes sem patrão ou, pelo menos, quando têm carta branca no trabalho que realizam.

Na política, esta conjunção pode conduzir a pontos de vista revolucionários. A não ser que outros fatores no horóscopo contradigam esse fato, os nativos serão, pelo menos, conhecidos por seu liberalismo.

Urano em conjunção com o Descendente (♅ ☌ Desc.)

Esta conjunção leva ao extremo individualismo e ao desejo de liberdade no casamento e em outros relacionamentos íntimos. Ela geralmente não é favorável à estabilidade no casamento — muitos astrólogos observaram seu freqüente aparecimento no horóscopo de pessoas divorciadas. Para ser bem-sucedido, o casamento requer muita compreensão mútua e tolerância. O nativo tem tendência a conhecer pessoas inesperadamente, apaixonar-se durante algum tempo e, então, terminar o relacionamento.

A popularidade e os contatos com o público são extravagantes e instáveis. Muito irá depender dos outros aspectos formados com Urano. A atração por pessoas com tendências ocultas ou científicas é uma forte probabilidade; há tendência a considerar o marido ou a esposa mais como amigo do que como parceiro.

Urano em conjunção com o Nadir (♅ ☌ Nadir)

Esta conjunção cria uma situação doméstica diferente e em constante transformação. Os pais ou o próprio lar podem ser diferentes de alguma maneira. Os nativos podem ser subitamente forçados a mudar de residência; seus lares estão repletos com utensílios e aparelhos elétricos ou de peças de origem antiga ou incomum.

Geralmente, o lar é usado para atividades de grupo, como clubes ou organizações ocultas. Os *hobbies* ligados à eletrônica ou à ciência são característicos, com um local — um quarto ou oficina — para acomodar a aparelhagem.

Se a conjunção estiver sob tensão, pode provocar disputas e separações inesperadas na vida familiar, como desavenças com os pais. Se estiver bem aspectada, os nativos são amigáveis com a família e compartilham seus interesses com os pais.

Conjunções de Netuno

Netuno em conjunção com Plutão (♆ ☌ ♇)

Esta conjunção é provavelmente o mais sutil de todos os aspectos. Está relacionada a mudanças nas atitudes fundamentais da sociedade no que se refere à religião, à filosofia e à compreensão do homem de sua própria consciência e de seu propósito final no universo.

Este aspecto também pode representar momentos decisivos na ascensão e queda de nações, culturas e instituições sociais. Seu aparecimento coincide com um exame geral de filosofias e instituições culturais, que precisam enfrentar o desafio de necessidades crescentes ou sucumbirão e serão substituídas por estruturas novas e melhores.

Contudo, a morte de antigos conceitos, introduzida por esta conjunção, também pode ter um efeito desintegrador na sociedade, inquietando e confundindo a geração que a experimenta.

No horóscopo de indivíduos excepcionalmente evoluídos, a conjunção pode representar a missão espiritual de trazer um nível de consciência novo e mais elevado para a humanidade. Também favorece a regeneração da humanidade por meio do serviço motivado pela percepção da unidade da vida, que pode ser definida por Amor Universal.

Para expressar adequadamente este aspecto, os indivíduos precisam se esquecer de si mesmos e dedicar-se ao serviço da humanidade. A maneira como são afetados por esta conjunção depende da casa em que se encontra o aspecto e das casas regidas por Netuno e Plutão. Ela também exerce influência por intermédio dos planetas que formam aspecto com a conjunção e dos assuntos sobre os quais eles têm influência (como dispositores etc).

Nota: Urano, Netuno e Plutão, especialmente quando formam aspecto entre si, representam as ondas de alta freqüência que são reguladas pelas emanações de outros planetas. Eles indicam como o carma individual está integrado ao carma global das religiões, nações e culturas.

Netuno em conjunção com o Nódulo Norte (♆ ☌ ☊)

Esta conjunção sintoniza os nativos com o que é socialmente popular e aceitável; eles possuem a intuição para estarem no lugar certo, na hora certa.

No lado negativo, o nativo tem tendência a ser arrastado pelas condições sociais vigentes, qualquer que seja sua direção. Acompanhar a multidão pode ser a saída mais fácil e, finalmente, acaba em desastre. Por exemplo, um nativo pode abusar da bebida numa festa simplesmente porque é a atitude socialmente aceita, e acabar se tornando um alcoólatra. Para esses nativos, é importante o exercício da capacidade de discriminação.

Mal utilizado, este aspecto pode ser muito sedutor. Pode arrastar os nativos sem que eles percebam.

Netuno em conjunção com o Nódulo Sul (♆ ☌ ☋)

Esta conjunção não favorece a popularidade. Os hábitos inconscientes e os impulsos intuitivos dos nativos estão fora de sintonia com as tendências sociais dominantes, e é provável que seu senso de oportunidade não atue quando surge a chance de sucesso. Contudo, eles com freqüência são individualistas e discriminadores com relação às tendências sociais populares e podem evitar a insensatez das massas através da sabedoria intuitiva superior.

Há o perigo de que as coisas duramente conquistadas lhes sejam roubadas ou afastadas deles por intrigas ou circunstâncias infelizes que estão além de seu controle.

Os nativos podem ter a responsabilidade de agir como canais para revelar os propósitos espirituais em condições difíceis.

Netuno em conjunção com o Ascendente (♆ ☌ Asc.)

Esta conjunção oferece aos nativos uma qualidade parapsíquica ou intuitiva bastante definida. Com bastante freqüência, eles parecem estar vivendo num outro mundo, e, dependendo de como Netuno está aspectado, podem viver em suas fantasias, fora da realidade mundana. Suas ações podem ser incompreensíveis, pois se baseiam em impulsos inconscientes e percepções intuitivas.

Mas, se Netuno estiver bem aspectado, e Saturno e Mercúrio forem fortes, essas pessoas podem ter uma compreensão superior da realidade graças à sua sensibilidade aos muitos fatores sutis que afetam determinada situação, fatores que outras pessoas não conseguem compreender.

Esses nativos com freqüência possuem um magnetismo sutil, que lhes empresta um ar de fascinação. Seus olhos podem ser misteriosamente hipnóticos (olhos sensuais). Sua imaginação muito desenvolvida pode estar aliada a um talento artístico.

Netuno em conjunção com o Meio do Céu (♆ ☌ M.C.)

Os nativos com esta conjunção jamais serão empregados estáveis. Os sonhos e as qualidades místicas de Netuno não combinam com a disciplina exigida pela maioria dos empregos. Esses nativos sentem-se melhor em profissões nas quais possam utilizar sua imaginação criativa e suas características contemplativas.

A conjunção favorece músicos, atores, pintores, fotógrafos, produtores, psicólogos e pessoas interessadas no oculto. As profissões podem, de alguma maneira, estar relacionadas ao oculto. Embora estes nativos possam ter uma vida pública, sentem-se espiritualmente isolados — sozinhos na multidão — e, na verdade, a maior parte das pessoas não compreendem suas motivações interiores.

Se a pessoa for excepcionalmente desenvolvida, pode estar destinada a realizar uma missão no mundo, levando muitas pessoas a grandes realizações e espiritualidade.

Se esta conjunção estiver sob muita tensão, há o perigo de escândalos ou desgraça pública, que podem ocorrer devido à irresponsabilidade dos nativos ou ao alcoolismo, drogas, ou outros vícios.

Os nativos deveriam ter cuidado para não se envolver em intrigas secretas, especialmente quando não podem conhecer todos os fatores envolvidos. Quando Netuno se encontra nesta posição, os segredos particulares não são tão particulares.

Netuno em conjunção com o Descendente (♆ ☌ Desc.)

Esta conjunção pode indicar circunstâncias peculiares no que se relaciona ao casamento e a sociedades. Dependendo dos aspectos formados com a conjunção, o casamento e as sociedades podem ser relacionamentos ideais e baseados na espiritualidade, ou situações confusas em que uma das partes decepciona a outra ou onde a decepção é mútua.

Este aspecto não é favorável para contratos ou procedimentos legais: introduz muitas saídas, contingências imprevistas e fatores que não aparecem na superfície. Essas situações só podem ter um resultado satisfatório se houver boa vontade mútua.

Os nativos podem confundir ou ser confundidos por outras pessoas. Mas nos bons horóscopos esta conjunção pode oferecer sensibilidade intuitiva aos desejos, intenções e motivações de parceiros ou do público em geral. Algumas vezes, esta sensibilidade confere um charme sutil; se irá ser utilizado com propósitos egoístas ou altruístas irá depender do horóscopo como um todo e dos outros aspectos formados com Netuno.

Netuno em conjunção com o Nadir (♆ ☌ Nadir)

Esta conjunção partilha das mesmas qualidades de Netuno exaltado em Câncer; ajuda a levar a espiritualidade à vida familiar. Com freqüência, indica uma sintonização mística com a Mãe Terra e as forças da natureza.

Se Netuno estiver sob tensão, o ambiente doméstico pode ser afetado por condições peculiares. A casa pode parecer mal-assombrada, por exemplo, ou dar ao nativo uma sensação de desconforto. Mesmo que seja fruto da imaginação do nativo, é importante seu efeito sobre ele. O nativo pode se encerrar dentro de casa, ou usá-la como local para sessões espíritas ou atividades psíquicas de algum tipo. Em qualquer caso, o lar provavelmente terá algo incomum, até mesmo o famoso esqueleto no armário.

Os nativos tendem a viver perto do oceano ou de outras amplas extensões de água. Aqueles cujos horóscopos estão sob tensão podem viver em instituições ou passar o final de suas vidas em sanatórios ou hospitais.

Conjunções de Plutão

Plutão em conjunção com o Nódulo Norte (♇ ☌ ☊)

Esta conjunção oferece ao nativo uma aptidão especial para perceber as tendências sociais dominantes e o impulso e a força de vontade necessários para que ele possa se beneficiar delas.

Como no caso de Netuno em conjunção com o Nódulo Norte, há uma habilidade intuitiva para compreender as forças que moldam as tendências atuais. Mas, no caso de Plutão, o nativo é muito mais deliberado e calculista ao tirar vantagens dessa habilidade. Se ela irá ser utilizada para objetivos egoístas ou altruístas, irá depender dos outros aspectos de Plutão e do teor global do horóscopo.

No lado negativo, esta conjunção oferece uma perigosa tendência a tentar manipular forças sociais amplas demais para serem controladas com segurança. Os nativos podem ser ludibriados ou esmagados pelo peso de circunstâncias nas quais se envolveram. Os problemas podem escapar ao seu controle, com o subseqüente perigo de colapso. (Este é o aspecto do tigre-pelo-rabo.) O setor da vida em que esta condição irá surgir depende da casa e da regência de Plutão em determinada casa.

Plutão em conjunção com o Nódulo Sul (♇ ☌ ☋)

Esta conjunção cria uma condição em que a vontade do nativo está fora de sintonia com as tendências sociais predominantes. A tendência a iniciar as coisas na hora e no lugar errados gera ressentimentos e mal-entendidos.

Os nativos são forçados a regenerar suas vidas sem a ajuda de outros. Com muita freqüência, acontecimentos sociais abrangentes, que estão além de seu controle pessoal, ameaçam ou destroem seu trabalho e sua segurança pessoal.

No lado positivo, esta conjunção favorece a autoconfiança, a engenhosidade e a habilidade de sobreviver sob condições desfavoráveis.

De acordo com alguns filósofos astrológicos, esta conjunção indica uma condição passada na qual os nativos iniciaram mudanças abrangentes sem considerar seu efeito sobre a vida de outras pessoas. Agora, precisam aprender o que é ser a vítima de circunstâncias que escapam a seu controle.

Plutão em conjunção com o Ascendente (♇ ☌ Asc.)

Esta conjunção, em seu aspecto mais elevado, oferece a capacidade de ver a realidade como energia. Oferece uma visão semelhante ao raio X, que permite aos nativos perceber a atuação das forças sutis do universo, desconhecidas para outras pessoas. Estas aptidões intuitivas são pelo menos iguais às produzidas por Urano ou Netuno em conjunção com o Ascendente, mas são utilizadas de maneira mais consciente e deliberada.

A conjunção significa força de vontade e energia, que vem da capacidade de penetrar nas forças sutis da natureza com vistas à auto-regeneração. Os nativos geralmente estão conscientes da necessidade de se redimirem utilizando a vontade para seu desenvolvimento espiritual.

Às vezes, parecem distantes e inatingíveis, porque concentram sua atenção numa dimensão de existência mais elevada. Tendem a tentar transformar as circunstâncias em que se encontram e, por intermédio das forças que podem controlar, são capazes de exercer uma influência sutil e abrangente sobre seu ambiente. São agressivos, mas não no sentido comum de Marte, pois utilizam meios secretos e até mesmo suprafísicos para atingir seus objetivos.

Se Plutão estiver sob tensão, esta conjunção resulta em determinação e força de vontade. Contudo, mesmo assim o elevado nível de consciência dos nativos cria um tipo de desligamento espiritual que os ajuda a não serem motivados por lucros pessoais egoístas.

Para estes nativos, é importante que Saturno e Mercúrio estejam bem colocados e fortemente aspectados. Assim, eles terão a disciplina e a capacidade mental necessárias para utilizar construtivamente os poderes de que dispõem.

Os nativos tendem a ter uma atitude muito impessoal e universal frente à vida e a si mesmos. Contudo, essas qualidades espirituais se manifestarão somente em pessoas excepcionais, cujo nível total de desenvolvimento lhes possibilite reagir construtivamente à influência de alta freqüência desta conjunção.

O principal fator para determinar se os poderes concedidos pela conjunção serão utilizados para propósitos altruístas e espirituais, ou destrutivos e egoístas, é o desenvolvimento evolucionário total, revelado pelo teor subjacente do horóscopo. Muitos nativos simplesmente serão incapazes de responder às possibilidades oferecidas por esta conjunção.

Aqueles que têm Plutão em conjunção com o Ascendente precisam continuamente regenerar a imagem que projetam para o mundo, especialmente com relação aos assuntos regidos pela casa que tem Escorpião em sua cúspide.

Plutão em conjunção com o Meio do Céu (♇ ☌ M.C.)

Esta conjunção indica uma tendência à constante transformação na profissão e posição pública. A não ser que o horóscopo total seja fraco, esta posição produzirá nativos que atingem fama ou notoriedade. Muitas vezes, utilizarão técnicas altamente sofisticadas para realizar seus trabalhos profissionais.

Uma profissão oculta ou científica pode estar indicada — talvez mágica, astrologia, física ou física atômica. Há a capacidade de utilizar forças intuitivas e ocultas para influenciar pessoas em posições de poder. Isto é bom, se utilizado com motivos altruístas, mas pode conduzir a atividades políticas criminosas, se utilizada egoisticamente.

Os nativos excepcionalmente desenvolvidos podem ter, em alguma área de atividade, uma importante missao espiritual para a regeneração das forças que controlam a sociedade. Essa área é determinada pela casa da regência de Plutão e por outros aspectos.

Algumas das mesmas percepções sobre a atuação de forças sutis do universo proporcionadas pela conjunção de Plutão com o Ascendente são encontradas nesta configuração. Ela proporciona o impulso espiritual e a percepção necessários para que os nativos desempenhem o papel de líderes espirituais. Suas ações têm influências sutis, porém abrangentes, sobre o mundo em que vivem.

Plutão em conjunção com o Descendente (♇ ☌ Desc.)

Esta conjunção indica uma tendência a dominar ou transformar uma sociedade ou a ter um parceiro que tenta fazer o mesmo. Se levada a extremos, essa tendência pode provocar atritos. Os nativos com freqüência possuem uma penetrante percepção das motivações e características de outras pessoas; e os outros podem ter o mesmo *insight* com relação a eles.

Os nativos provavelmente fazem muitas exigências aos cônjuges. Esta conjunção necessita da contínua regeneração de relacionamentos pessoais íntimos, incluindo o casamento e sociedades. Esses relacionamentos também podem sofrer mudanças fundamentais. Os antigos amigos podem se tornar invejosos ou vice-versa.

Se suas possibilidades forem adequadamente manifestadas, esta conjunção pode levar os relacionamentos íntimos a um plano espiritual mais elevado. A maneira como este aspecto irá atuar depende das casas que têm

Escorpião, Áries e Leão na cúspide, e dos signos regidos por Plutão, Escorpião, Áries e a exaltação em Leão.

Plutão em conjunção com o Nadir (♇ ☌ Nadir)

Esta conjunção indica a necessidade de regeneração na vida doméstica. Como isso irá acontecer é determinado pelas casas onde Escorpião, Áries e Leão se concentram, além dos outros aspectos formados com a conjunção. Esta regeneração se aplica especialmente aos relacionamentos familiares, e mais especificamente ainda ao relacionamento com os pais. As condições no final da vida dos nativos irão indicar se a energia plutoniana foi corretamente utilizada, pois o desabrochar de aptidões espirituais mais elevadas irá ocorrer nos últimos anos.

Nesta conjunção, como na de Netuno com o Nadir, o lar pode ser um local de atividades ocultas ou ter condições peculiares associadas a ele. Com freqüência, há uma sintonização oculta com a natureza e os recursos encontrados nas entranhas da terra. Pessoas que extraem urânio, sem dúvida terão Plutão na Quarta Casa. A conjunção favorece aqueles que trabalham na área da geologia.

Conjunções do Nódulo Norte

Nódulo Norte em conjunção com o Ascendente (☊ ☌ Asc.)

Esta conjunção dá aos nativos a capacidade de moldar sua personalidade de acordo com as tendências sociais dominantes. Embora isso favoreça a popularidade, pode também levar à superficialidade. Os nativos se orientam pela opinião dos outros e não baseiam suas ações em convicções fundamentais, mas no comportamento popularmente aceito.

Os nativos provavelmente serão altos e magricelas; sua natureza é agradável, otimista, jovial.

Nódulo Norte em conjunção com o Meio do Céu (☊ ☌ M.C.)

Esta conjunção oferece aos nativos a habilidade de favorecer suas ambições profissionais e sua situação pública através da capacidade de se harmonizar com as tendências sociais vigentes. Eles têm a sorte de conhecer e obter ajuda de pessoas em posições de destaque, que ajudarão a promover suas carreiras; possuem a habilidade de estar no lugar certo na hora certa.

Se o resto do mapa for fraco, a vida dos nativos pode se tornar desequilibrada — eles podem conseguir mais poder e responsabilidade do que seu conhecimento ou sua integridade lhes permitem manipular. Isso pode ser perigoso para os nativos, bem como para aqueles a quem seu poder afeta.

A conjunção traz boa sorte e, mesmo num mapa muito tenso, protegerá os nativos da ruína e do desastre.

Nódulo Norte em conjunção com o Descendente (☊ ☌ Desc.)

Esta conjunção indica sorte por intermédio de sociedades e relações públicas e, se bem aspectada, através do casamento. Embora os nativos não se preocupem com as tendências sociais dominantes, graças à conjunção do Nódulo Sul com seu ascendente, são capazes de considerar objetivamente a atuação dessas atitudes populares em seus parceiros e no público em geral, e de utilizar essa compreensão em benefício de seus relacionamentos. No lado negativo, podem ser manipulados deliberadamente por outras pessoas, que tiram proveito de seu condicionamento social.

Nódulo Norte em conjunção com o Nadir (☊ ☌ Nadir)

Esta conjunção tende a trazer sucesso e desenvolvimento através da vida doméstica. Os nativos nunca ficam sem um teto, embora este possa ser apenas temporário. Receberão benefícios dos pais e de outros membros da família, a menos que outros fatores no horóscopo indiquem o contrário.

A coincidência de certos fatos na vida dos nativos com acontecimentos sociais lhes trará boa sorte, especialmente nos últimos anos.

Conjunções do Nódulo Sul

Nódulo Sul em conjunção com o Ascendente (☋ ☌ Asc.)

Os nativos não se desviam de seu caminho para se adaptar ao comportamento social aceito. Essa qualidade favorece um forte individualismo, mas não a popularidade. Às vezes, estas pessoas são muito sérias, o que pode fazer com que os que esperam sinais nítidos de sociabilidade se sintam desconfortáveis. Eles também estão sujeitos a mudanças periódicas de humor devido à sua inibição pessoal.

Os nativos tendem a ser de estatura baixa e aparência semelhante à dos anões. Ocasionalmente também apresentam um discurso original.

Nódulo Sul em conjunção com o Meio do Céu (☋ ☌ M.C.)

Esta conjunção geralmente traz infelicidade para a vida dos nativos através de frustração profissional — as circunstâncias lhes negam o reconhecimento que algumas vezes merecem. Isso pode acontecer especialmente quando Saturno transita em conjunção ou num aspecto adverso formado com esta configuração.

Além disso, hábitos antigos tendem a deixar os nativos fora de sintonia com as tendências atuais de pensamento que trazem o reconhecimento público, e com freqüência o raciocínio errôneo os impede de encontrar pessoas influentes que poderiam favorecer suas carreiras.

No lado positivo, a conjunção oferece capacidade para o trabalho que, a longo prazo, conduz ao sucesso. Mas geralmente outros colhem os benefícios do duro trabalho dos nativos.

Nódulo Sul em conjunção com o Descendente (☋ ☌ Desc.)

Esta conjunção é desfavorável para a criação de sociedades e relações íntimas pessoais — as pessoas tendem a se inibir diante da efusiva expansividade dos nativos, resultante da conjunção do Nódulo Norte com o Ascendente. As pessoas suspeitam da falta de sinceridade e sentem que os nativos estão simplesmente tentando fazer o jogo da popularidade.

Os nativos também podem ser sérios e calculistas quando se relacionam com parceiros e com o público. Algumas vezes, o parceiro é um fardo ou o público exige muito dos recursos do nativo.

Nódulo Sul em conjunção com o Nadir (☋ ☌ Nadir)

Esta conjunção traz pesadas responsabilidades para a vida dos nativos no que se relaciona ao lar e à família. Algumas vezes, os pais são um fardo. A esfera doméstica irá limitar a expressão dos nativos.

CAPÍTULO 12

Os Sextis

Sextis do Sol

Sol em sextil com a Lua (☉ ✶ ☽)

Este aspecto indica oportunidade e habilidade para estabelecer amizade e relacionamentos com o sexo oposto. É favorável à harmonia no casamento e nas amizades, à popularidade e às boas relações com o público.

A não ser que outros fatores no horóscopo indiquem o contrário, os nativos sabem ser bons pais; possuem relações estreitas de amor e amizade com sua família ou com a família de seus parceiros. Esse sentimento também pode abranger o amor pela terra natal e o patriotismo.

A saúde e a vitalidade dos nativos são fortalecidas por esta configuração. Eles tendem a estar em paz consigo mesmos devido ao harmonioso fluxo de comunicação entre a mente inconsciente, a memória e a vontade consciente. A harmonia entre emoções e vontade possibilita a auto-expressão sem conflitos interiores.

Nota: A órbita de Mercúrio está tão próxima do Sol que não pode formar nenhum outro aspecto com ele, a não ser a conjunção ou paralelo. Como Vênus e Mercúrio jamais estão afastados mais do que 76°, eles só podem formar conjunções, sextis e paralelos entre si. (Este livro aborda somente os aspectos mais importantes.)

Sol em sextil com Marte (☉ ✶ ♂)

Este sextil confere coragem e energia, que, combinadas à natureza mental do aspecto, criam empreendimentos inteligentes e construtivos. Os nativos possuem a habilidade para iniciar projetos; podem ser bons líderes, colaborando e se relacionando muito bem com amigos, associados e grupos.

Expressada de maneira positiva, a criatividade irá atuar através das casas e signos ocupados e regidos por Marte e pelo Sol; sempre que houver trânsitos e progressões reforçando o sextil, surgirão oportunidades para uma ação construtiva nessas áreas.

Uma grande força de vontade é característica nestes nativos, e eles são campeões de justiça. São determinados e vigorosos na realização de objetivos valiosos; nada é muito difícil para eles.

Se outros fatores no horóscopo o confirmarem, especialmente se o sextil se encontrar em signos de ar ou mutáveis, os nativos têm *insights* profundos e nítidos; são corajosos frente ao perigo e demonstram resistência para suportar dores ou privações.

Sol em sextil com Júpiter (☉ ⚹ ♃)

Este sextil confere aos nativos uma natureza generosa e otimista. Sua vida está protegida; raramente lhes acontece algum dano muito sério — se acontecer, sempre existe um fator suavizante. O *insight* sobre maneiras construtivas para superar dificuldades é característico.

Os nativos agem de modo a beneficiar os outros e a si mesmos. Geralmente têm um temperamento religioso e se envolvem em buscas espirituais e filosóficas. Devido ao seu otimismo e à sua autoconfiança, jamais perdem de vista os seus objetivos, geralmente conseguindo realizar aquilo que pretendem.

São pessoas caridosas; ajudam os necessitados ou menos afortunados. Como pais, são bons e benevolentes com a família, sendo também bons provedores.

O sextil confere excelentes habilidades mentais, permitindo aos nativos desfrutarem uma vida contemplativa. Eles podem preferir condições saudáveis à extrema riqueza.

As pessoas cujo horóscopo apresenta este aspecto gostam de viajar; via de regra, não viajam apenas para mudar de ambiente, mas para adquirir conhecimento de pessoas e culturas estrangeiras; apreciam as amizades e a troca de informações com pessoas de outros países.

Sol em sextil com Saturno (☉ ⚹ ♄)

Este sextil confere aos nativos paciência e autodisciplina, além de clareza e precisão de pensamento. Eles são práticos e metódicos, com capacidade de liderança na organização e execução; trabalham muito para realizar suas ambições e são sensatos e honestos nas relações comerciais. São amigos leais, embora possam ser um tanto inflexíveis.

Com freqüência, possuem ambições políticas e o desejo, assim como a capacidade, para assumir responsabilidades. Sua prudência e sua circunspecção irão preservar sua saúde e garantir os benefícios adquiridos com dificuldade.

Sol em sextil com Urano (☉ ⚹ ♅)

Este sextil confere aos nativos originalidade e intuição. A sua grande força de vontade e sua mentalidade perceptiva lhes permitem conseguir coisas que outros não conseguem. São líderes de movimentos, inventores, pensadores e reformadores. Seu magnetismo inspira confiança e entusiasmo; sua percepção teatral faz com que sejam aceitos e obedecidos.

São liberais e humanitários, com uma estabilidade e uma força de caráter que lhes trazem grande popularidade. Com freqüência, mostram interesse por assuntos ocultos e pela astrologia em particular. Podem ser membros proeminentes de organizações ocultas ou humanitárias.

Sol em sextil com Netuno (☉ ⚹ ♆)

Este sextil favorece a criatividade e a inspiração, que podem se manifestar na arte, na religião e no misticismo. Os nativos possuem a capacidade para formar imagens mentais vívidas e transformá-las em realidade. Escritores, artistas e músicos provavelmente possuem este aspecto.

As visões e a imaginação dos nativos algumas vezes se focalizam em áreas práticas, como a construção de impérios ou aquisições de riquezas e poder. A aguda sensibilidade às alegrias e sofrimentos dos outros, combinada com *insights* místicos, proporciona-lhes uma visão humanitária; existe também amor pelos animais.

Sol em sextil com Plutão (☉ ⚹ ♇)

Este sextil oferece ao nativo engenhosidade, força de vontade e capacidade para regenerar a si mesmo e ao meio mediante utilização da vontade.

Uma sutil mas poderosa emanação de energia nasce das pessoas que possuem este aspecto, proporcionando-lhes uma resistência maior do que a comum. Mesmo quando totalmente exaustas, podem recarregar-se, talvez inconscientemente, recorrendo às energias de alta freqüência ou *prana* do universo. Elas talvez se interessem por ioga, meditação ou pela compreensão e pelo controle de forças ocultas.

Sol em sextil com o Nódulo Norte e em trígono com o Nódulo Sul (☉ ⚹ ☊ △ ☋)

Este sextil do Sol inclui um trígono com o Nódulo Sul. Qualquer interpretação do aspecto deve levar em consideração esse fator.

Os nativos têm oportunidade para trabalhar em harmonia com as tendências sociais dominantes. Possuem a capacidade de utilizar construtivamente as tradições morais e sociais de sua cultura. Com freqüência, isso se manifesta na liderança social, porque eles sabem ganhar o apoio de outras pessoas apelando para seus padrões sociais e éticos.

Podem dar uma valiosa contribuição artística às condições culturais por intermédio do teatro, da música e da arte.

Sol em sextil com o Nódulo Sul e em trígono com o Nódulo Norte (☉ ✳ ☋ △ ☊)

Este sextil do Sol inclui um trígono com o Nódulo Norte. A interpretação do aspecto deve levar em consideração esse fator.

Este aspecto tem quase o mesmo significado do sextil do Sol com o Nódulo Norte e em trígono com o Nódulo Sul, exceto que aqui uma casa diferente é enfatizada. Mas estes nativos são mais intelectuais.

Haverá criatividade dramática, expressada dentro dos limites dos padrões e hábitos sociais tradicionais.

Sol em sextil com o Ascendente e em trígono com o Descendente (☉ ✳ Asc. △ Desc.)

Uma mistura harmoniosa de consciência básica e auto-expressão está indicada. A vontade está bastante desenvolvida, especialmente na área intelectual. Os nativos possuem muita energia criativa, que se expressa harmoniosamente.

Estes nativos são entusiasmados, criativos e dramáticos em seus relacionamentos pessoais, no casamento, nas parcerias e relações com o público. Este aspecto favorece o sucesso no casamento.

Sol em sextil com o Meio do Céu e em trígono com o Nadir (☉ ✳ M.C. △ Nadir)

Os nativos são habilidosos na manifestação de suas idéias, especialmente no que se refere à carreira e à profissão; são entusiasmados, dramáticos e criativos em sua vida doméstica e nas relações familiares.

Também são habilidosos na política e possuem capacidade de execução e potencial de liderança.

Sextis da Lua

Lua em sextil com Mercúrio (☽ ✳ ☿)

Este sextil confere boa memória e mentalidade prática. Mente e sentimentos estão em harmonia; assim, os nativos são motivados a colocar seus pensamentos em prática.

As questões relacionadas à saúde e à alimentação são planejadas e executadas com sensibilidade. Como os nativos são cuidadosos com sua higiene pessoal, são um modelo de limpeza e asseio.

A esfera doméstica é bem organizada, e as relações familiares são boas. As idéias são utilizadas de maneira prática e proveitosa; um bom senso para os negócios acompanha este aspecto. Os nativos são eficientes para tratar de pequenos detalhes e não desperdiçam seu tempo.

Há uma percepção consciente dos pensamentos e sentimentos dos outros. Assim, os nativos sabem instintivamente quando devem ser diplomáticos. Em geral, suas emoções são bem equilibradas. Sua habilidade de transmitir idéias de maneira simples e direta permite que se comuniquem facilmente com as pessoas; são bons oradores e escritores.

Lua em sextil com Vênus (☽ ✶ ♀)

Este sextil é favorável para todos os assuntos relacionados ao casamento e à vida no lar. A não ser que outros fatores no horóscopo indiquem o contrário, os nativos possuem casamentos felizes e bem-sucedidos.

Os homens com este aspecto se dão bem com as mulheres. As mulheres possuem as tradicionais virtudes femininas de amor, graça, doçura e domesticidade.

Os nativos têm uma imaginação produtiva, aliada a habilidades artísticas; com freqüência, são bons cozinheiros e excelentes donas-de-casa.

A inteligente percepção conferida por este sextil proporciona aos nativos facilidade nas relações sociais, com os amigos, vizinhos e grupos. Provavelmente, terão ligações estreitas com a família, especialmente com irmãos e irmãs. Uma natureza afetuosa acompanha este aspecto, assim como o charme que os torna populares com o sexo oposto e com as pessoas em geral.

Lua em sextil com Marte (☽ ✶ ♂)

Este sextil oferece aos nativos muita energia e a força emocional necessária para levar as realizações até o fim.

Eles se envolvem em empreendimentos lucrativos ou dirigem sua energia para a melhora do lar e das condições domésticas. Se necessário, esses nativos lutarão para proteger sua família e a esfera doméstica. As mulheres possuem excelente saúde.

Lua em sextil com Júpiter (☽ ✶ ♃)

Este sextil proporciona generosidade e compreensão emocional. Os nativos são caridosos, especialmente no que se relaciona à família. Dinheiro e recursos serão usados no lar para torná-lo um local belo e confortável.

Pode haver fortes emoções religiosas, que tornarão os nativos devotos e idealistas em suas práticas religiosas.

Alegria, otimismo e um temperamento jovial freqüentemente acompanham este aspecto e contribuem para o sucesso dos nativos, e, algumas vezes, para a aquisição de riquezas. Sua honestidade, integridade e afeto genuíno pelas pessoas também contribuem para seu sucesso nos negócios. Com freqüência, os negócios envolverão bens imobiliários, alimentação, ou produtos utilizados no lar. Seu conhecimento instintivo daquilo que traz conforto e satisfação lhes confere a capacidade de escolher produtos que irão vender bem.

Devido às fortes ligações emocionais com o lar, os nativos viajam somente quando necessário. Contudo, quando viajam para países estrangeiros, são especialmente favorecidos.

Possuem imaginação forte, que, quando combinada a outros aspectos que conferem capacidade mental, proporciona criatividade e *insights* sobre as maneiras de aproveitar as boas coisas da vida. Este é o aspecto da "mão boa", especialmente quando se encontra em signos férteis.

Lua em sextil com Saturno (☽ ⚹ ♄)

Este sextil oferece aos nativos paciência e senso prático nos assuntos profissionais e domésticos. Também indica boa organização, moderação e integridade nessas áreas.

Os nativos sempre mantêm seus assuntos financeiros em ordem. Como são mais equilibrados do que inspirados, este é um aspecto melhor para manter o *status quo* do que para construir impérios. Algumas vezes, a riqueza e a posição são herdadas.

Apesar da natureza geralmente favorável deste aspecto, a não ser que outros fatores estejam evidentes no horóscopo, os nativos podem não ter "brilho" e estar sujeitos à depressão.

Lua em sextil com Urano (☽ ⚹ ♅)

Os nativos são capazes de abandonar o passado.

Este aspecto oferece respostas emocionais rápidas e uma comunicação intuitiva com as outras pessoas. Os nativos são capazes de aproveitar instintivamente novas oportunidades que surgem na vida diária e de reagir a elas de maneira original. Possuem um magnetismo que proporciona excitação e divertimento na vida diária, além de uma imaginação singular.

O lar com freqüência é usado como local para atividades de grupo, uma situação que favorece relações amigáveis com a família e os pais. Algumas vezes, a mãe é uma pessoa incomum. Oportunidades diferentes de progresso surgem da associação com mulheres. Em qualquer caso, haverá amizades com o sexo feminino.

Lua em sextil com Netuno (☽ ✶ ♆)

Este sextil é definitivamente um aspecto de potencialidades parapsíquicas. A intuição freqüentemente desempenha um papel na criação de oportunidades para o progresso financeiro e doméstico. Essas inclinações místicas levam os nativos a se unirem a fraternidades e organizações de natureza oculta. O aspecto leva a imaginação a esferas transcendentais.

Impulsos inconscientes desempenham um papel nas decisões dos nativos. O acúmulo inconsciente de conhecimentos, vindos de um passado distante, lhes permite elucidar informações incomuns.

A sensibilidade emocional muito desenvolvida é característica, facilitando a empatia com outras pessoas. Com freqüência, existem laços estreitos com a família, embora os indivíduos possam não ter consciência deles.

Lua em sextil com Plutão (☽ ✶ ♇)

Este sextil se aplica ao conceito de que "os pensamentos são ações". Os nativos utilizam sua vontade construtivamente para guiar sua imaginação e, dessa forma, promovem a regeneração de seus assuntos práticos e de sua vida emocional. A adicional habilidade para renovar a vitalidade melhora a energia e a saúde. O aspecto também proporciona talento para melhorar métodos nos negócios e a vida doméstica.

Sendo capazes de organizar suas vidas, estes nativos podem abandonar antigos comportamentos emocionais e iniciar outros, bem como encontrar novas maneiras para utilizar ou se livrar de bens inúteis.

Lua em sextil com o Nódulo Norte e em trígono com o Nódulo Sul (☽ ✶ ☊ △ ☋)

Esta combinação é favorável a um ajuste eficiente ao cotidiano, e para lidar com pequenas questões de uma maneira adequada à sociedade contemporânea. Os comportamentos socialmente aceitos dos nativos os tornam populares. A formação familiar pode lhes trazer sucesso.

Lua em sextil com o Ascendente e em trígono com o Descendente (☽ ✶ Asc. △ Desc.)

Esta combinação proporciona harmonia entre a autopercepção consciente dos nativos e os padrões de comportamento inconscientes, sentimentos e emoções; ela favorece o equilíbrio emocional.

No horóscopo de um homem, indica relacionamentos harmoniosos com as mulheres e favorece o casamento. Também permite que o nativo trabalhe em harmonia com outros indivíduos ou com o público em geral.

Lua em sextil com o Meio do Céu e em trígono com o Nadir (☽ ⚹ M.C. △ Nadir)

Este aspecto é favorável a uma vida doméstica e a relacionamentos familiares harmoniosos. Os nativos são capazes de colaborar em assuntos profissionais e se relacionar bem com empregadores e superiores. Podem se adaptar e aceitar responsabilidades de rotina.

Sextis de Mercúrio

Mercúrio em sextil com Vênus (☿ ⚹ ♀)

Este sextil proporciona graça e habilidade aos pensamentos, à fala e à escrita. O talento literário, geralmente para a poesia, pode estar presente. O aspecto também é favorável às artes e à educação artística. Os nativos são habilidosos na diplomacia, devido à sua capacidade de se comunicar bem com outras pessoas. Provavelmente possuem temperamento calmo, embora essa qualidade dependa mais do que qualquer outra do resto do horóscopo. O aspecto empresta à voz uma qualidade agradável, um tom suave e, portanto, é favorável aos cantores. Muitos compositores possuem esta configuração.

Mercúrio em sextil com Marte (☿ ⚹ ♂)

Este sextil indica energia mental e um intelecto brilhante. A determinação é uma das principais virtudes deste aspecto. Os nativos dizem o que são e são aquilo que dizem. São capazes de planejar suas ações e, portanto, são eficientes e produtivos. Da mesma maneira, suas idéias são transformadas em ações. Este é um bom aspecto para realizar coisas bem feitas.

Os nativos são habilidosos para esclarecer questões e falam com clareza e objetividade. Além de possuir habilidades científicas e talento para a engenharia, são bons estrategistas e capazes de vencer jogos como xadrez e bridge.

Mercúrio em sextil com Júpiter (☿ ⚹ ♃)

Este sextil é favorável para todas as atividades intelectuais, especialmente as que lidam com filosofia, religião, educação superior e leis. A mente intuitiva é bem desenvolvida, e a pessoa sente-se à vontade com idéias abstratas.

Os nativos gostam de estudar e, portanto, geralmente têm um bom desempenho escolar. Gostam de viajar, e sua curiosidade e o desejo de ampliar experiências fazem com que desejem aprender a respeito de terras e culturas estrangeiras.

Com muita freqüência são escritores, especialmente sobre assuntos religiosos e filosóficos. Graças à capacidade de se expressar com eloqüência, são bons autores, oradores, professores. Seus lares geralmente são locais de atividade intelectual. Eles podem ajudar os doentes com sugestões encorajadoras e corretas.

Sua visão otimista serve de base para um estilo de vida construtivo. O homem cria em sua vida as condições construídas voluntariamente pela sua mente, e os desejos emocionais e as ações geralmente seguem um padrão de sensatez. Por esse motivo, os nativos atraem muitas coisas boas para si mesmos.

Mercúrio em sextil com Saturno (☿ ✶ ♄)

Este sextil geralmente indica uma mente disciplinada. A capacidade de organização se dirige para assuntos profissionais, uma vez que a Sexta e a Décima Casas estão envolvidas.

Os nativos tendem a utilizar prudência e intuição nas decisões, relações, no discurso e na escrita. São bons oradores, escritores e professores. Sua exatidão e sua disciplina abrangem áreas de saúde e higiene. Com freqüência, têm talento para a matemática. Quando combinado com outros fatores, este aspecto pode indicar habilidade científica.

Os nativos tendem a deixar pouca coisa ao acaso. Têm um objetivo por trás de cada ato e de cada pensamento.

Mercúrio em sextil com Urano (☿ ✶ ♅)

Este sextil indica uma mente rápida, intuitiva, inventiva, aliada a uma boa memória. Embora ofereça interesses e habilidades astrológicas e ocultas, pode também criar tendências científicas. As pessoas que trabalham com eletrônica, física, energia atômica ou outras áreas avançadas da ciência com freqüência possuem este aspecto. Para a expressão total nessas áreas, aspectos favoráveis com Saturno são muito úteis.

Os nativos sempre pensam por si mesmos e são muito independentes. As soluções de problemas vêm em súbitos lampejos de inspiração: o raciocínio lógico ocorre na mente inconsciente, que depois apresenta suas conclusões à mente consciente. Essas pessoas geralmente se expressam de maneira original, dramática.

Mercúrio em sextil com Netuno (☿ ✶ ♆)

Este sextil oferece *insights* intuitivos e uma imaginação fértil. Existe harmonia e boa comunicação entre a mente racional consciente e a mente inconsciente. As percepções são aguçadas e delicadas e, algumas vezes, se manifestam em faculdades de clarividência. São freqüentes a telepatia e a capacidade de perceber os pensamentos e motivações dos outros.

Fotógrafos e pessoas cujo trabalho exija imaginação e inspiração criativa se beneficiam com este sextil. Ele também favorece escritores criativos.

Este é um bom aspecto para a estratégia financeira ou militar, porque o nativo pode antecipar os movimentos dos oponentes. Os nativos podem planejar e trabalhar em segredo, realizando suas intenções de maneira a evitar qualquer interferência ou oposição.

Mercúrio em sextil com Plutão (☿ ✶ ♇)

A intensa penetração mental dos nativos pode se manifestar na capacidade para compreender as causas e a energia subjacentes à estrutura externa das coisas. Essa capacidade ocorre em diversas áreas, dependendo de outros fatores no horóscopo, mas é mais freqüente na ciência, na física, no ocultismo ou em áreas relacionadas à Oitava Casa, como seguros, heranças e impostos.

Essas pessoas se expressam de maneira poderosa e eficiente. A grande força de vontade permite que o intelecto penetre em qualquer área de interesse. Também são características a criatividade e originalidade intelectual.

Mercúrio em sextil com o Nódulo Norte e em trígono com o Nódulo Sul (☿ ✶ ☊ △ ☋)

Esta configuração oferece a capacidade de planejar e se comunicar de uma maneira coerente com os padrões culturais dominantes. Os nativos possuem boa compreensão das tradições e tendências de sua sociedade. Isso lhes dá a vantagem de obter aceitação para suas idéias.

Mercúrio em sextil com o Ascendente e em trígono com o Descendente (☿ ✶ Asc. △ Desc.)

Esta configuração oferece facilidade de auto-expressão mental. Os nativos podem fazer com que os outros compreendam sua maneira de perceber a realidade.

A harmonia na comunicação minimiza os mal-entendidos e conflitos e possibilita uma colaboração inteligente com amigos, irmãos, irmãs e parceiros. Os nativos são capazes de realizar objetivos mutuamente aceitos.

Mercúrio em sextil com o Meio do Céu e em trígono com o Nadir (☿ ✶ M.C. △ Nadir)

Esta configuração é favorável para o planejamento inteligente de atividades domésticas e profissionais. Os nativos se relacionam bem com pessoas que ocupam posições elevadas — empregadores ou outras autoridades. Assim, são capazes de fazer com que pessoas importantes aceitem suas idéias. Ao mesmo tempo, têm facilidade de se comunicar com membros de suas famílias e trabalhar inteligentemente para a harmonia e conforto no lar. Portanto, conseguem o devido equilíbrio entre as responsabilidades profissionais e domésticas.

Sextis de Vênus

Vênus em sextil com Marte (♀ ✶ ♂)

Este sextil confere um temperamento alegre, ativo. É favorável à harmonia entre os sexos, bem como à compatibilidade emocional no casamento. Os nativos são sociáveis, animados e ativos.

Este aspecto favorece artistas, especialmente os que trabalham em escultura ou outro meio que exija o uso de ferramentas. Também favorece os negócios relacionados à criação artística ou ao comércio. A popularidade dos nativos pode ser uma vantagem nas relações financeiras e profissionais. Esses nativos podem se tornar ricos. Com freqüência, obtêm benefícios emocionais e, algumas vezes, financeiros por intermédio do casamento.

A atividade muscular característica de Marte recebe expressão artística (dança, esportes) pela influência de Vênus.

Geralmente, os nativos são impulsivamente generosos, dando muito de si mesmos, bem como de seus bens.

Vênus em sextil com Júpiter (♀ ✶ ♃)

Este sextil indica um temperamento alegre com fortes tendências sociais. Geralmente traz boa sorte, tranqüilidade e conforto.

Habilidades artísticas e graça de expressão com freqüência acompanham este aspecto. Os nativos podem se interessar por formas religiosas de arte. Negócios com arte e equipamentos para o lar estão favorecidos. O sucesso pode vir por intermédio do bom gosto e da compreensão dos artigos que atraem as outras pessoas.

Os nativos podem se beneficiar emocional, social e financeiramente por intermédio do casamento e de sociedades. Sua simpatia pelas pessoas — e o fato de saberem se relacionar com elas — geralmente resulta em popularidade e muitos amigos. Embora em geral os nativos sejam bons e generosos, este sextil não lhes confere necessariamente uma compreensão profunda, a não ser quando associado a aspectos favoráveis com Saturno e Netuno.

Vênus em sextil com Saturno (♀ ✶ ♄)

Este sextil aparece com destaque nos horóscopos de artistas que possuem uma técnica excepcional. (O mesmo é verdade para o trígono e a conjunção desses planetas.) Saturno oferece expressão concreta às tendências estéticas de Vênus.

Os nativos são leais com seus amigos e com as pessoas que amam, e sérios e constantes na expressão de suas emoções. O aspecto é favorável para um casamento duradouro, desde que outros aspectos que envolvem a Sétima Casa não indiquem o contrário.

Muitos dos aspectos positivos de Libra são encontrados neste sextil, porque Saturno está exaltado em Libra e Vênus é seu regente.

Há a capacidade para sacrificar a felicidade pessoal em nome do dever ou da felicidade de outras pessoas. Em alguns casos, uma boa educação é evidente, e os nativos tendem a ser gentis, porém formais, em suas atitudes sociais.

Essas pessoas possuem a habilidade de ganhar dinheiro em suas profissões e geralmente são habilidosas nos negócios. Sendo moderadas e sensatas na área das finanças, sempre fazem seu dinheiro se valorizar.

Vênus em sextil com Urano (♀ ✶ ♅)

Este sextil indica uma viva e brilhante expressão emocional. Os nativos provavelmente serão populares e terão muitos amigos.

Há também probabilidade de aptidões artísticas e musicais muito originais; os nativos no mínimo gostam de música e arte. É muito provável também o interesse pelas mais novas formas de arte eletrônica. Os nativos ganham dinheiro de maneira incomum, com freqüência em negócios que envolvem artes, eletrônica ou ciência. Pessoas que trabalham no rádio, na televisão ou em gravadoras podem ter este aspecto.

Geralmente, os nativos se apaixonam subitamente e também tendem a se casar inesperadamente. Exigem muita liberdade emocional, resistindo aos padrões convencionais de relacionamento amoroso; com freqüência, são felizes nos assuntos relacionados às amizades, ao amor e ao casamento.

Vênus em sextil com Netuno (♀ ✶ ♆)

Este sextil proporciona intensa imaginação artística, muitas vezes manifestada na música e na arte de natureza espiritualmente elevada. Ele corporifica muitas das qualidades positivas do signo de Peixes, onde Vênus está exaltado e do qual Netuno é o regente. As emoções e simpatias têm uma tendência religiosa, dando aos nativos compaixão e compreensão.

A percepção do sublime está evidente; ela se manifesta no anseio pela beleza etérea. Há suavidade e graça na expressão social. Os nativos tendem a formar alianças, amizades ou casamentos com pessoas de personalidade parapsíquica, mística; procuram um relacionamento amoroso ideal.

Num horóscopo fraco, os nativos podem ser indolentes, confiando muito na bondade e ajuda de outras pessoas.

Venus em sextil com Plutão (♀ ⚹ ♇)

Este sextil indica sentimentos fortes e intensa percepção. Os nativos compreendem o poder transformador do amor. Também podem ajudar outras pessoas a compreenderem como levar os relacionamentos a níveis mais elevados. Uma criatividade dinâmica, original, especialmente na música, acompanha este sextil.

Geralmente, o nativo sente que seu casamento foi estabelecido no início dos tempos.

Esses nativos sentem, e às vezes expressam nitidamente, uma compreensão da relação entre as leis de harmonia e equilíbrio e os princípios criativos. Em alguns casos, quando Mercúrio, Saturno e Urano são fortes, este aspecto pode favorecer a habilidade científica.

Vênus em sextil com o Nódulo Norte e em trígono com o Nódulo Sul (♀ ⚹ ☊ △ ☋)

Esta configuração confere encanto social e boas maneiras, adequadas à cultura do nativo. Geralmente, os nativos sabem usar seu charme para obter a aprovação da sociedade e das instituições estabelecidas com as quais precisam lidar.

Com freqüência, possuem bom julgamento com relação a assuntos financeiros, relações públicas, sociedades, atividades sociais e casamento. Este aspecto favorece principalmente os negócios, devido à habilidade para acompanhar as novas modas e tendências econômicas.

Vênus em sextil com o Ascendente e em trígono com o Descendente (♀ ⚹ Asc. △ Desc.)

Esta configuração oferece harmonia à auto-expressão pessoal e o encanto social necessário para obter a estima das pessoas e realizar um casamento feliz e boas sociedades.

Os nativos são naturalmente diplomáticos e algumas vezes são chamados de apaziguadores. Seu temperamento afável gera uma resposta positiva das outras pessoas. Se outros fatores no horóscopo a confirmarem, pode estar presente o talento artístico e musical.

Vênus em sextil com o Meio do Céu e em trígono com o Nadir (♀ ⚹ M.C. △ Nadir)

Esta configuração oferece aptidões diplomáticas em assuntos profissionais. Traz harmonia e amor para a vida familiar dos nativos: há satisfação nas questões conjugais, domésticas e profissionais. O relacionamento com os pais provavelmente será muito estreito.

O amor à beleza da natureza caracteriza este aspecto. Essas pessoas com freqüência cultivam rosas ou outras flores, num esforço para tornar o ambiente mais agradável. O lar geralmente é decorado artisticamente e com bom gosto. Em alguns casos, a carreira estará relacionada a atividades artísticas.

Sextis de Marte

Marte em sextil com Júpiter (♂ ✶ ♃)

Este sextil confere aos nativos entusiasmo e energia no trabalho, auto-expressão e auto-aperfeiçoamento.

Eles são otimistas e não admitem derrota. Podem ser generosos de uma maneira prática; suas inclinações religiosas também são práticas. Eles trabalharão persistentemente para ajudar os menos felizes e privilegiados; com freqüência, se envolvem em empreendimentos missionários e são especialmente bons para trabalhar com jovens. Raramente encontramos uma pessoa preguiçosa com este aspecto. Os nativos geralmente obtêm sucesso e conforto material.

Marte em sextil com Saturno (♂ ✶ ♄)

Este sextil manifesta suas melhores qualidades quando há necessidade de trabalho persistente e disciplina física. Resistência e firmeza são as principais virtudes deste aspecto, e a precisão nas artes também está favorecida.

As habilidades mecânicas com freqüência fazem parte da capacidade geral para realizar trabalhos cuidadosos.

Os nativos utilizam sua energia da maneira mais prática e eficiente. Saturno controla a impulsividade de Marte, enquanto Marte controla a timidez característica de Saturno, criando a coragem. O sextil entre esses dois planetas não favorece uma personalidade encantadora; os nativos possuem uma atitude espartana frente à vida e com freqüência dão a impressão de frieza e austeridade.

Marte em sextil com Urano (♂ ✶ ♅)

Este sextil indica capacidade para uma ação rápida, decisiva, e confere ao nativo força de vontade e coragem. Muitas das qualidades positivas do signo de Escorpião, regido por Marte e onde Urano está exaltado, estão evidentes. Realizações singulares podem trazer fama e posição elevada aos nativos. Algumas vezes, existe uma atitude tipo fazer-ou-morrer, a ponto de a vontade ser poderosa demais para o corpo que precisa abrigá-la. Em qualquer caso, os nativos possuem temperamento forte e sabem exatamente o que querem. Como têm muita energia nervosa, tendem a trabalhar muito e realizar suas tarefas com originalidade.

Habilidades mecânicas e interesse pela ciência e pela eletrônica freqüentemente acompanham este aspecto. Ele favorece principalmente as pessoas envolvidas com aviação.

Marte em sextil com Netuno (♂ ✳ ♆)

Este sextil oferece ao nativo uma energia suprapsíquica que pode ser utilizada na cura ou no trabalho oculto. Algumas vezes, há clarividência ou forte magnetismo pessoal.

Os nativos são habilidosos para realizar empreendimentos em segredo ou por trás dos bastidores, e desse modo evitam obstáculos e oposições. Como o sextil de Mercúrio com Netuno, este aspecto favorece estrategistas, especialmente aqueles que planejam manobras militares. Também favorece artistas como bailarinos e atores, que precisam utilizar seu corpo de maneira sutil, imaginativa, bem como produtores de cinema e fotógrafos.

Os nativos geralmente são honestos e controlam bem suas emoções; são capazes de detectar a falta de sinceridade nos outros e não são enganados facilmente.

Com freqüência, este aspecto encoraja a participação em diversas formas de exercício ou algum outro tipo mais abrangente de cultura física, como a ioga.

Marte em sextil com Plutão (♂ ✳ ♇)

Este sextil indica tremenda energia, coragem e força de vontade. Os nativos sabem usar consciente ou inconscientemente as forças naturais para realizar mudanças que os beneficiarão.

O sextil oferece a oportunidade de conduzir os assuntos da casa regida por Plutão a um nível mais elevado de expressão.

Todos os sextis de Plutão provocam mudanças regeneradoras que elevam a percepção dos nativos. Como Marte rege o sistema muscular, com freqüência existe interesse pela cultura física, notadamente na ioga, como meio de regeneração.

Marte em sextil com o Nódulo Norte e em trígono com o Nódulo Sul (♂ ✳ ☊ △ ☋)

Esta configuração oferece aos nativos a capacidade de agir na hora certa em prol de seu bem-estar e de seu relacionamento com a sociedade. Suas atividades obtêm a colaboração e aprovação da ordem social, e eles são capazes de encontrar apoio em seus esforços para realizar mudanças construtivas.

Marte em sextil com o Ascendente e em trígono com o Descendente (♂ ✶ Asc. △ Desc.)

Esta configuração é favorável para iniciar ações que inspiram colaboração, especialmente no contexto do casamento e nos assuntos públicos. Às vezes, outras pessoas irão criar oportunidades de ação construtiva para os nativos, ou vice-versa.

Os nativos geralmente são francos, diretos e determinados em sua auto-expressão e nas relações com os outros. Essa qualidade lhes traz aprovação e respeito.

Marte em sextil com o Meio do Céu e em trígono com o Nadir (♂ ✶ M.C. △ Nadir)

Esta configuração é favorável para a ação construtiva nos assuntos profissionais e domésticos. Existem oportunidades para o progresso na carreira, que, por sua vez, leva à satisfação no lar. Algumas vezes, o lar é usado como base para a realização de atividades profissionais.

Sextis de Júpiter

Júpiter em sextil com Saturno (♃ ✶ ♄)

Este sextil oferece um equilíbrio inteligente entre expansão e consolidação nos assuntos dos nativos. Nos negócios, eles utilizarão a cautela, prudência e boa organização de Saturno, combinadas com o otimismo, entusiasmo e expansão de Júpiter. Assim, são capazes de realizar planos e cumprir suas obrigações, obtendo respeito nos negócios e na profissão. Geralmente são honestos e íntegros em seus relacionamentos.

Com freqüência, existe interesse pela filosofia e pela religião, canalizado de forma tradicional.

Os nativos ajudarão os que precisam. Geralmente há sabedoria e discernimento na ajuda que oferecem. Mas esperam que os beneficiários também se ajudem.

Os nativos desejam uma vida familiar estável e com freqüência são "pilares da comunidade".

Esses nativos tendem a ser importantes na política; têm uma visão abrangente da vida e trabalham voltados a um objetivo. São bons advogados, se outros fatores em seu mapa não indicarem o contrário.

Júpiter em sextil com Urano (♃ ✶ ♅)

Este sextil oferece ao nativo a habilidade para utilizar construtivamente novas condições. É freqüente o interesse por novas formas de expressão religiosa ou pela aplicação religiosa de ciências ocultas em geral.

Podem estar evidentes a visão profética e *insights* extraordinários do futuro, se o resto do horóscopo também tender para esse lado. Os nativos são bons astrólogos devido à percepção oferecida pelo aspecto.

As pessoas com este aspecto são geralmente otimistas e bem-intencionadas com relação a seus semelhantes. Assim, possuem muitos amigos e são muito queridas; gostam de receber as pessoas em sua casa e tendem a ser altruístas, agindo ativamente em organizações humanitárias. Podem pertencer a grupos de natureza incomum. Percebem as esperanças e desejos graças à sua mente aberta e otimista e são contemplados pela sorte de maneiras súbitas, inesperadas.

Há habilidade para obter lucros financeiros por intermédio de novas atividades e oportunidades criadas pelo progresso científico.

Júpiter em sextil com Netuno (♃ ⚹ ♆)

Este sextil oferece ao nativo um temperamento místico, expansivo e bom, porém não necessariamente prático.

Pode haver uma imaginação ativa, que se expressa melhor através da religião, da filosofia e da arte. Contudo, a natureza muito emotiva deste aspecto pode fazer com que os assuntos das casas regidas por Júpiter e Netuno sejam dominados por considerações emocionais. Por essa razão, os nativos provavelmente não terão a disciplina e o bom senso necessários para utilizar suas inspirações altruístas, a não ser que um bom Mercúrio ou Saturno ofereçam essas qualidades. Com freqüência existe muito sentimentalismo.

A expressão positiva deste aspecto é a capacidade de conduzir a natureza emocional a um nível de altruísmo universal, buscando atingir as pessoas menos felizes e necessitadas. Esses nativos com freqüência recebem ajuda dos amigos e parentes, mesmo quando parecem não merecê-la.

Em casos extremos, procurarão isolamento num retiro religioso, como, por exemplo, um convento.

Júpiter em sextil com Plutão (♃ ⚹ ♇)

Este sextil oferece a oportunidade de regeneração espiritual através da filosofia, da educação superior, de práticas religiosas e esforços construtivos que visam melhorar as condições humanas. Os nativos podem entrar em contato com poderosas forças espirituais por meio da prece e meditação. A Divina Providência abre o caminho para a auto-expressão criativa, quando a causa é para o bem de todos.

Este aspecto oferece sabedoria e *insight*, se outros fatores no horóscopo o confirmarem; também significa capacidade de ação e auto-expressão criativa em esforços religiosos, filosóficos e filantrópicos. Plutão confere poder a todas as qualidades benéficas de Júpiter, tornando-as eficientes e abrangentes.

Júpiter em sextil com o Nódulo Norte e em trígono com o Nódulo Sul (♃ ✶ ☊ △ ☋)

Esta configuração é favorável a todos os esforços expansivos que exigem colaboração e aprovação de comportamentos sociais e instituições dominantes. Os nativos geralmente estão muito envolvidos em atividades religiosas que tendem a seguir linhas convencionais. Geralmente, existe bom senso de oportunidade nos negócios e questões de organização.

Júpiter em sextil com o Ascendente e em trígono com o Descendente (♃ ✶ Asc. △ Desc.)

Esta configuração favorece o encanto na auto-expressão e a popularidade com o público. Os nativos são capazes de obter apoio e colaboração dos outros devido à sua visão generosa, otimista, frente à vida. Geralmente são felizes no casamento e nas relações com o público. Como são capazes de despertar entusiasmo em outras pessoas, podem ser bons incentivadores.

Júpiter em sextil com o Meio do Céu e em trígono com o Nadir (♃ ✶ M.C. △ Nadir)

Esta configuração favorece o sucesso profissional e uma reputação excelente, bem como a sorte nos assuntos domésticos e familiares. Promoções na carreira e prestígio público possibilitarão um ambiente doméstico opulento.

Os nativos geralmente são honestos e generosos em suas relações profissionais, e assim atraem popularidade, especialmente de pessoas que ocupam posições de poder.

Terão uma atitude expansiva, religiosa, com relação às suas responsabilidades familiares.

Sextis de Saturno

Saturno em sextil com Urano (♄ ✶ ♅)

Este sextil é favorável a esforços que exijam habilidade na aplicação prática de idéias originais. Representa a verdadeira liberdade e oportunidades que resultam da autodisciplina e do desempenho consciente das responsabilidades.

Os nativos são amigos leais, confiáveis, com quem podemos contar quando precisamos de bons conselhos para descobrir soluções construtivas para os problemas.

A atividade em grupos e organizações se deve à forte conotação do aspecto com a Décima Primeira Casa, que expressa muitas das qualidades positivas de Aquário, que é regido por Urano e Saturno. Este sextil com freqüência proporciona considerável aptidão matemática e científica e a habilidade de combinar idéias avançadas com método e disciplina. Algumas vezes, está evidente a habilidade política no governo ou nos negócios.

Saturno em sextil com Netuno (♄ ✱ ♆)

Este sextil indica capacidade de disciplinar e concentrar as faculdades imaginativas — dar forma prática à inspiração. Também é favorável à meditação, porque Saturno confere a capacidade de concentração e, assim, a inspiração de Netuno fica livre. Há organização eficiente e senso prático em esforços conjuntos metafísicos ou ocultos.

Este aspecto oferece excelente talento tático e estratégico devido aos *insights* que confere. Os nativos são particularmente bons para fazer planos em sua carreira e realizá-los em segredo. Com freqüência, trabalham em segredo e possuem o dom de chegar à essência dos mistérios e deslindar informações secretas.

Os nativos são idealistas, e seus elevados padrões de honestidade se revelam no cumprimento de responsabilidades e deveres. Eles exigem o mesmo dos outros. São compassivos, particularmente com aqueles que precisam, ajudando-os de maneira prática e relativa.

Saturno em sextil com Plutão (♄ ✱ ♇)

Este sextil indica a capacidade de organizar e controlar o poder da vontade.

Os nativos têm oportunidades para se regenerar através da disciplina e do trabalho árduo. As pessoas muito desenvolvidas podem se interessar pelo uso sistemático e organizado de forças ocultas, como a magia. Este aspecto pode conferir talentos científicos na física e na matemática. Os nativos geralmente são ambiciosos e podem utilizar o poder de maneira sábia e decisiva.

O efeito deste aspecto será fraco a não ser que o resto do horóscopo possua um teor semelhante.

Saturno em sextil com o Nódulo Norte e em trígono com o Nódulo Sul (♄ ✱ ☊ △ ☋)

Esta configuração é favorável para aqueles cujas metas profissionais exijam a aprovação de costumes sociais e instituições tradicionais. Os nativos são capazes de obter apoio para seus esforços, especialmente de membros conservadores da sociedade e das instituições que representam.

Saturno em sextil com o Ascendente e em trígono com o Descendente (♄ ✱ Asc. △ Desc.)

Esta configuração oferece aos nativos um temperamento sério. Geralmente, eles têm o respeito e apoio de seus parceiros e do público, devido à sua integridade, confiabilidade e senso de responsabilidade. Muita disciplina e boa organização acompanham esta configuração. Os nativos possuem a virtude de acreditar em princípios e um forte senso de justiça. Mesmo quando considerados um tanto frios e impessoais, são respeitados pelas razões mencionadas.

Saturno em sextil com o Meio do Céu e em trígono com o Nadir (♄ ✱ M.C. △ Nadir)

Esta configuração oferece aos nativos a habilidade de estabilizar sua vida doméstica e melhorar sua posição profissional através da percepção, da disciplina e do esforço contínuo.

Uma firme escalada a postos mais elevados de organizações estabelecidas caracteriza a configuração. A capacidade de sistematizar e trabalhar muito atrai para o nativo a confiança dos superiores, possibilitando o progresso de sua carreira e, ao mesmo tempo, a segurança em sua vida familiar. Esses nativos com freqüência transmitem as tradições de seus pais e ancestrais.

Sextis de Urano

Urano em sextil com Netuno (♅ ✱ ♆)

Este sextil indica propensão ao idealismo. Como ele permanece em órbita durante muito tempo e afeta toda uma geração, traz para as pessoas dessa geração a oportunidade de desenvolver e expandir a consciência espiritual e criar um estilo de vida mais visionário.

Os efeitos deste aspecto não serão fortes, a não ser que Urano e Netuno sejam angulares ou fortemente aspectados. Se Urano ou Netuno formarem conjunção em uma das cúspides da casa angular, podemos encontrar o verdadeiro talento, e em alguns casos, a genialidade.

Em geral, este sextil proporciona interesse por atividades ocultas e místicas. Há uma tendência a se unir a grupos fraternais; devido à conotação mental do sextil, o nativo provavelmente estuda ou escreve sobre assuntos ocultos ou místicos.

A habilidade artística — do tipo que reflete uma imaginação muito desenvolvida — pode estar evidenciada. Com freqüência, há amor pela música e por todas as experiências que ampliem a consciência.

Urano em sextil com Plutão (♅ ⚹ ♇)

As pessoas com este aspecto têm a oportunidade de progredir científica e espiritualmente através da descoberta e utilização de leis referentes às sutis forças elétricas, atômicas e parapsíquicas da natureza.

Elas recebem intuições inesperadas sobre a maneira de ampliar e utilizar seu conhecimento atual para melhorar o *status quo* e provocar mudanças revolucionárias construtivas no meio ambiente; fazem descobertas na ciência e na metafísica, buscando ativamente o conhecimento mais elevado e a compreensão de revelações intuitivas.

Urano em sextil com o Nódulo Norte e em trígono com o Nódulo Sul (♅ ⚹ ☊ △ ☋)

Esta configuração indica capacidade intuitiva para antecipar e aproveitar as súbitas mudanças na opinião pública. Em outras palavras, a pessoa percebe as tendências públicas.

Os nativos são bons reformistas sociais — possuem o desejo e a capacidade para modificar atitudes sociais e as instituições que as representam. Eles podem captar o pensamento do público por meio de efeitos surpreendentes e métodos incomuns.

Urano em sextil com o Ascendente e em trígono com o Descendente (♅ ⚹ Asc. △ Desc.)

Este aspecto produz nativos que podem se expressar e se relacionar com outras pessoas de maneira incomum. Devido à sua auto-expressão original, eles se destacam da multidão e são procurados como pessoas influentes. Possuem uma habilidade intuitiva para se relacionar com os outros e despertar o desejo de colaboração. Sempre se espera que eles digam e façam coisas diferentes. Algumas vezes, o casamento e outras sociedades ocorrem inesperadamente e de maneira singular.

Urano em sextil com o Meio do Céu e em trígono com o Nadir (♅ ⚹ M.C. △ Nadir)

Esta configuração oferece ao nativo talento excepcional na profissão escolhida, bem como para atrair o apoio de pessoas em posições de destaque. Os amigos ajudam seu progresso profissional; quando associada a outras influências favoráveis, esta configuração significa uma carreira política bem-sucedida.

Ela também ajuda os nativos a criar um ambiente doméstico muito próprio e diferente. Eles, com freqüência, recebem os amigos em casa. Um ou ambos os pais pode ser diferente.

Sextis de Netuno

Netuno em sextil com Plutão (♆ ⚹ ♇)

Este aspecto tem uma duração muito longa, especialmente no atual momento da história, devido a um ajuste peculiar da órbita de Plutão com referência à órbita de Netuno. Esses dois planetas têm estado quase continuamente em sextil desde abril de 1973. Assim, este aspecto afeta muito mais o carma mundial e o destino comum do que as pessoas individualmente. Ele indica uma enorme oportunidade de progresso espiritual para a civilização mundial.

Somos pessoas felizes por possuirmos este aspecto num momento tão crítico da história. A atual era atômica pode criar a utopia mundial de prosperidade e felicidade para toda a raça humana, ou significar a destruição quase total da civilização. A humanidade precisa aproveitar a ocasião para manifestar o amor universal (Netuno) intensamente e utilizar total e criativamente os espantosos potenciais plutonianos, que se tornaram acessíveis através da ciência. Nosso futuro depende do número de pessoas que puderem reagir construtivamente às vibrações de alta freqüência desses dois planetas exteriores.

Nos horóscopos individuais, se Netuno ou Plutão forem angulares e fortemente aspectados por outros planetas, esta configuração indicará aptidões ocultas, intuitivas, científicas e estéticas.

Netuno em sextil com o Nódulo Norte e em trígono com o Nódulo Sul (♆ ⚹ ☊ △ ☋)

Esta configuração indica uma capacidade intuitiva para se harmonizar e influenciar sutilmente os hábitos sociais e instituições existentes. Os nativos defendem instintivamente opiniões, tendências e ações públicas atuais. Essa compreensão das tendências culturais lhes permite evitar a influência delas em sua vida, se assim o desejarem — mas sempre através da sutil evasão, e não da confrontação aberta.

Netuno em sextil com o Ascendente e em trígono com o Descendente (♆ ⚹ Asc. △ Desc.)

Esta configuração oferece aos nativos uma personalidade sutil, porém encantadora, e a capacidade magnética de obter o apoio dos outros. Em tipos muito evoluídos, a característica se manifestará como compreensão e amor espiritual. Contudo, em alguns indivíduos, ela pode simplesmente indicar empatia com os outros, o que significa influenciar ou ser influenciado por eles. Os nativos são extremamente sensíveis a todos os fatores que fazem parte de seu relacionamento com parceiros e com o público. Assim, podem reagir inteligentemente nesses relacionamentos.

Este aspecto é um indicador de clarividência ou outras aptidões extra-sensoriais. Algumas vezes, os nativos sabem o que uma pessoa irá dizer antes mesmo que ela tenha oportunidade de exprimir seus pensamentos.

Netuno em sextil com o Meio do Céu e em trígono com o Nadir (♆ ⚹ M.C. △ Nadir)

Esta configuração oferece aos nativos uma percepção sensível dos fatores ocultos que afetam suas carreiras e ambições, bem como a habilidade para intuir as respostas de seus empregadores ou pessoas em posição de autoridade.

Eles podem exercer posições de liderança e influenciar a política de uma maneira sutil, que evite oposições e leve os outros ao acordo.

Sua sensibilidade nas relações domésticas cria harmonia no lar e com o grupo familiar. Algumas vezes, vivem perto do oceano ou outras extensões de água.

Sextis de Plutão

Plutão em sextil com o Nódulo Norte e em trígono com o Nódulo Sul (♇ ⚹ ☊ △ ☋)

Esta configuração oferece a habilidade de exercer uma influência transformadora sobre as tendências, hábitos, acontecimentos e instituições sociais. Há uma percepção penetrante das forças motivadoras ocultas nas instituições sociais e comportamentos culturais. Para alguém envolvido na política, este é um aspecto favorável.

Os nativos sabem como manipular as esperanças e temores de sua sociedade. Se essa habilidade será utilizada de maneira egoísta ou altruísta, irá depender do resto do horóscopo.

Plutão em sextil com o Ascendente e em trígono com o Descendente (♇ ⚹ Asc. △ Desc.)

Esta configuração indica percepção da própria consciência e da consciência dos outros. Assim, os nativos são capazes de criar relacionamentos significativos, capazes de afetar de modo marcante o meio social mais amplo.

Os nativos possuem bom poder de concentração. Quando associado a outras configurações semelhantes no horóscopo, este aspecto com freqüência indica *insight* espiritual ou clarividência. Há a habilidade para agir decisivamente, tanto individualmente quanto em colaboração com outras pessoas.

Plutão em sextil com o Meio do Céu e em trígono com o Nadir (♇ ⚹ M.C. △ Nadir)

Esta configuração indica considerável habilidade profissional e ambição. Essas pessoas estão sempre buscando maneiras de melhorar sua carreira. São capazes de obter colaboração e apoio de pessoas que ocupam posições de autoridade.

Possuem conceitos firmes sobre a maneira de organizar seus assuntos domésticos; exercem uma influência harmoniosa, embora transformadora, sobre o ambiente doméstico, que tentam melhorar continuamente.

CAPÍTULO 13

As Quadraturas

Quadraturas do Sol

Sol em quadratura com a Lua (☉ □ ☽)

Os efeitos deste aspecto desfavorável não são tão específicos quanto os das quadraturas do Sol com os planetas. Contudo, o aspecto cria um conflito entre a vontade consciente e os padrões de comportamento herdados e inconscientes. A auto-expressão é dificultada por esses comportamentos, e a desarmonia provoca insegurança emocional.

A vida doméstica e familiar dos nativos também tende a bloquear a auto-expressão criativa; as condições familiares inicias podem provocar dificuldades na compreensão do sexo oposto e no relacionamento com ele.

Sol em quadratura com Marte (☉ □ ♂)

Os nativos com este aspecto tendem a ser seus piores inimigos devido ao seu comportamento excessivamente impulsivo e vigoroso. Os obstáculos à auto-expressão através de ações geram frustração e raiva, que, por sua vez, podem fazer com que eles tentem realizar seus desejos à força. Essa tendência cria ressentimentos nos outros, que os consideram arrogantes e egotistas.

Os nativos que possuem este aspecto devem trabalhar para controlá-lo, pensando antes de agir e controlando sua raiva e agressividade, ao mesmo tempo em que cultivam o tato e a diplomacia; precisam aprender que somente com paciência podem conseguir o que desejam em discórdias.

Com muita freqüência, eles desperdiçam sua energia em discussões. Se o aspecto se encontra em signos cardinais, ele se manifesta na impulsividade e num temperamento agressivo. Em signos fixos, indica teimosia e tendência a guardar ressentimentos. Em signos comuns, resulta em irritabilidade e no desperdício de energia em atividades inúteis.

Sol em quadratura com Júpiter (☉ □ ♃)

Esta quadratura geralmente significa extravagância inadequada na auto-expressão. Os nativos desejam realizar as coisas muito depressa, sem a necessária disciplina ou consideração.

Sua auto-imagem pode ser irrealista e exagerada, e, portanto, frustrá-los quando tentam ampliar sua auto-expressão. Isso geralmente leva ao egoísmo, como um mecanismo de defesa. Os nativos precisam aprender a ter paciência, cultivando as virtudes saturnianas e estabelecendo uma base sólida de experiência e autodisciplina a partir da qual possam atingir a auto-realização. Isso requer tempo e esforço, mas a longo prazo trará o sucesso.

Este aspecto também pode indicar tendência à extravagância e à ostentação nos assuntos controlados pelas casas e signos que o Sol e Júpiter ocupam e regem.

Os nativos deveriam se precaver contra o otimismo insensato e esforços inadequados para seu desenvolvimento. Provavelmente serão indiscriminadamente generosos, mas com freqüência têm motivos ocultos. A inquietação e o desejo de mudanças e viagens podem ser prejudiciais.

Sol em quadratura com Saturno (☉ □ ♄)

Esta quadratura dificulta a auto-expressão do nativo e geralmente indica uma vida de privações e muito trabalho. Somente se houver muitos outros aspectos favoráveis no mapa, ou um bom aspecto de Júpiter com o Sol, os efeitos desta configuração negativa podem ser equilibrados.

Os obstáculos que freqüentemente ameaçam a realização profissional e romântica podem ser superados através de muito trabalho e disciplina rígida. Todas as coisas são obtidas da maneira mais difícil; nada vem de graça. As prolongadas e repetidas frustrações na auto-expressão levam a um ponto de vista pessimista.

Devido à influência opressiva deste aspecto, os nativos são colocados em xeque e forçados a aprender algumas lições muito difíceis relacionadas aos signos e casas ocupados e regidos por Saturno e pelo Sol. Se forem fortes, este aspecto constrói um bom caráter; mas também pode levar a um temperamento amargo, expressado numa visão espartana. Ele também pode se manifestar na rigidez, tornando os nativos muito tradicionais em sua abordagem dos problemas; eles precisam cultivar as virtudes do otimismo e da alegria.

Este aspecto não favorece a saúde ou o bem-estar dos filhos dos nativos; geralmente o filho mais velho sofre por algum motivo. Os nativos podem estar sujeitos à fadiga; podem ocorrer doenças, ossos fraturados, dentes ruins, ou algum outro problema crônico de saúde.

Sol em quadratura com Urano (☉ □ ♅)

Esta quadratura indica propensão ao comportamento extravagante e a ações imprudentes. Os nativos têm originalidade, mas com freqüência suas idéias são pouco práticas ou eles não possuem perseverança, treinamento, experiência e disciplina necessários para realizá-las. Tendem a trabalhar por impulso, em vez de fazê-lo com regularidade.

A vontade e a tendência à autodramatização, associadas a uma aversão à rotina, algumas vezes podem ser sua ruína. O comportamento irracional motivado pela tensão nervosa em momentos críticos pode levar os nativos a destruir algo que exigiu muito tempo para ser criado. O orgulho e o desejo de liberdade a qualquer custo podem fazer com que ignorem bons conselhos.

Estes nativos podem ser líderes de grupos e organizações, especialmente as que defendem a fraternidade humana. Terão muitos amigos, mas com freqüência sua amizade é reservada aos que estão dispostos a ser seus ardentes seguidores.

Eles podem fazer inimigos quando seu antagonismo é despertado por alguma injustiça, real ou imaginária. Essas tendências não se manifestam o tempo todo, mas, infelizmente, surgem em momentos críticos da vida dos nativos. Assim, eles reduzem suas chances de colher as recompensas de seus esforços.

Sol em quadratura com Netuno (☉ □ ♆)

Este é o aspecto da auto-ilusão por excelência. Se os nativos tiverem tendências místicas, com freqüência se consideram os escolhidos de algum Mestre ou Ser Divino. Essa crença geralmente é o resultado de um desejo inconsciente de importância.

Essas pessoas podem ser escolhidas num sentido puro, mas somente se o resto do horóscopo mostrar uma boa mentalidade, humildade e praticidade realista. Um Mercúrio e um Saturno bem desenvolvidos ajudarão muito a equilibrar os efeitos negativos desta quadratura.

Muitas vezes, estão indicados desejos emocionais peculiares e tendências românticas, que podem abranger desde o amor platônico até um tipo de sensualidade mórbida e vil. Casos de amor secreto e escândalos geram confusão.

A imaginação geralmente é sobrecarregada e incita os desejos dos nativos, a ponto de levá-los a ações autodestrutivas. Então, podem se desenvolver graves defeitos de caráter, distorcendo a percepção da realidade. Mas estas dificuldades somente se manifestarão se o resto do horóscopo oferecer indicações de natureza semelhante.

Geralmente há tendência ao escapismo, como meio de evitar a responsabilidade e a disciplina. Um Saturno bem desenvolvido irá equilibrar essa tendência.

Deveria haver muita cautela para evitar envolvimentos em falsos cultos e atividades místicas ocultas. As motivações e o caráter das pessoas que interagem emocionalmente com o nativo deveriam ser cuidadosa e objetivamente examinados.

Deve-se evitar especulações financeiras imprudentes, uma vez que os esquemas do tipo "fique rico rapidamente" acabarão em desastre.

Sol em quadratura com Plutão (☉ □ ♇)

Esta quadratura produz ambição pelo poder e torna os nativos propensos a impor sua vontade aos outros. Eles são vigorosos e dominadores, desejando modificar as outras pessoas. Esse desejo deveria, pelo contrário, voltar-se para dentro. Sua atitude de "os fins justificam os meios" pode causar ressentimentos e antipatia. Há tendência a uma excessiva agressividade com o sexo oposto.

Os signos e as casas envolvidos na quadratura mostram em que setores esta tendência irá atuar.

Sol em quadratura com os Nódulos Norte e Sul (☉ □ ☊ ☋)

Esta quadratura faz com que as tentativas de expressão individual dos nativos entrem em desacordo com os acontecimentos de sua sociedade. Algumas vezes, eles hesitam quando deveriam avançar, ou vice-versa.

As circunstâncias de suas vidas e de sua sociedade tendem a bloquear sua auto-expressão e seus esforços criativos. Eles acabam se tornando pessoas mal-adaptadas na vida social e romântica.

Sol em quadratura com o Ascendente e o Descendente (☉ □ Asc., Desc.)

Esta quadratura cria um conflito entre a individualidade do nativo e a maneira como ele se apresenta ao mundo. Para ele, é difícil se projetar como realmente é. Portanto, sua imagem exterior, que representa a consciência "atual", e o Sol, que representa o potencial de auto-expressão, tendem a estar em lados opostos. Há também um conflito entre a consciência espiritual e a expressão da personalidade.

O nativo provavelmente agirá de maneira desarmoniosa. Como tenta dominar os outros e tem dificuldade para se fazer entender, terá problemas nos relacionamentos com o público, com o parceiro ou cônjuge. Terá de sacrificar sua individualidade para obter a aceitação dos outros.

Sol em quadratura com o Meio do Céu e o Nadir (☉ □ M.C., Nadir)

Esta quadratura tende a criar um conflito entre os nativos e aqueles que têm autoridade — seus superiores imediatos, empregadores, o governo ou seus pais. Provavelmente, irão encontrar obstáculos a suas ambições e terão dificuldades no que se refere à sua reputação. Eles devem sacrificar, de alguma maneira, sua expressão individual para atingir o sucesso profissional e a aprovação pública.

Em alguns casos, este aspecto indica ambição pelo poder.

Os nativos também podem ter conflitos com a família e sentir-se desconfortáveis em seus lares. Os problemas domésticos com freqüência agravam os problemas profissionais, e vice-versa.

Quadraturas da Lua

Lua em quadratura com Mercúrio (☽ □ ☿)

Esta quadratura cria um temperamento nervoso, em que a mente inconsciente tende a interferir com os processos racionais, conscientes. O raciocínio dos nativos pode estar muito ligado ao passado, interferindo na objetividade e receptividade.

Há tendência a preocupações com trivialidades e caprichos emocionais, que dificultam atividades mentais mais proveitosas; o sentimentalismo pode impedir o pensamento lúcido.

Alguns nativos falam incessantemente sobre coisas inconseqüentes, dissipando a energia de todos os envolvidos. Podem se envolver demais com os assuntos familiares e domésticos, a ponto de aborrecer os outros com infindáveis conversas a esse respeito. Isso é especialmente verdadeiro para as mulheres, se a quadratura se encontrar em signos mutáveis.

Os nativos podem ser compreensivos com os amigos e fiéis àqueles que amam, mas têm dificuldade para se comunicar com o público e podem ser mal representados ou caluniados.

Esta quadratura pode criar problemas no sistema nervoso ou digestivo, ou nos fluidos corporais e nervos que os controlam.

Lua em quadratura com Vênus (☽ □ ♀)

Esta quadratura tende a criar problemas financeiros e sociais na esfera doméstica.

O afeto é oferecido indiscriminadamente, levando a problemas no amor e infelicidade no casamento. Os nativos confiam demais nos cônjuges e parceiros, que tiram vantagem disso. Envolvimentos românticos e sexuais imprudentes são característicos; algumas vezes, esta quadratura provoca dificuldades ou demora no casamento, especialmente se houver indicações saturnianas confirmadoras.

O sentimentalismo e a emotividade podem tornar os nativos vulneráveis à manipulação alheia. A infelicidade e a tensão emocional provavelmente estão relacionadas à infância e à vida familiar. Algumas vezes, os nativos são descuidados ou não têm sorte com dinheiro.

Lua em quadratura com Marte (☽ □ ♂)

Esta quadratura indica uma natureza emocionalmente volátil — os nativos se aborrecem e perdem a cabeça facilmente. Sua tendência a levar tudo para o lado pessoal gera explosões emocionais.

Algumas vezes, são independentes demais; desejam abrir seu próprio caminho na vida e se ressentem com interferências; têm problemas domésticos e discórdias com os pais. Tudo isso pode ter um efeito desfavorável em sua situação profissional, sua reputação e suas ambições.

Por serem vigorosos e agressivos, com freqüência têm problemas para se relacionar bem com as mulheres. O álcool é particularmente perigoso para eles, devido à tendência a perder o controle emocional.

Algumas vezes, esta quadratura traz má saúde, na forma de úlceras ou problemas estomacais. Aqueles que reprimem a raiva, fazendo com que ela se desenvolva interiormente, são particularmente vulneráveis a problemas físicos de origem emocional. Essa característica pode não ser visível até que trânsitos ou progressões mais importantes ativem a quadratura.

Lua em quadratura com Júpiter (☽ □ ♃)

Este é um aspecto de excessos emocionais. Representa, particularmente, a mãe excessivamente indulgente. O nativo tem tendência a ser imprudentemente generoso, ajudando qualquer pessoa que tenha uma história triste para contar, o que com freqüência o leva a perder dinheiro. A generosidade é uma virtude nobre, mas deve ser equilibrada com a discriminação para que possa atingir bons resultados.

Os nativos tendem a ser imprudentes e extravagantes, porque desejam um lar ostentoso. Os problemas com religião podem se originar da discórdia das crenças de seus pais e de sua família. Eles podem ser agnósticos ou fanáticos; em qualquer caso, falta equilíbrio nas atitudes religiosas. Tudo que Júpiter faz é feito de maneira grandiosa; assim, este aspecto leva ao extremismo emocional.

Pode haver desejo de viajar, inconstância de propósitos e tendência a comer demais, que com freqüência resulta no excesso de peso. Em casos extremos, fluidos excessivos no corpo criam uma aparência flácida, doentia.

Os nativos podem enfrentar contratempos em países estrangeiros. Se o horóscopo como um todo mostrar ausência de força, há também a propensão à preguiça. Se os nativos forem ricos, este aspecto pode levar à ociosidade e ao luxo. Algumas vezes, cria fantasias grandiosas.

Lua em quadratura com Saturno (☽ □ ♄)

Esta quadratura gera melancolia e infelicidade. A não ser que outros fatores no horóscopo indiquem o contrário, os nativos têm uma visão triste da vida e não possuem vitalidade emocional. Muitas vezes, têm problemas com a mãe ou alguma outra inibição originada das experiências da infância: tendem a ser prisioneiros emocionais do passado. Lembranças penosas bloqueiam as possibilidades de encontrar a felicidade no presente. Os outros tendem a evitá-los devido a seu ponto de vista negativo. Eles são deprimidos, sem brilho, melancólicos. Assim, tendem a se isolar, criando um eterno círculo de infelicidade e solidão.

Como a Lua progride aproximadamente no mesmo ritmo dos trânsitos de Saturno, este pode permanecer em quadratura com a Lua em progressão durante um longo período da vida dos nativos, colocando uma eterna nuvem negra sobre suas cabeças. Algumas vezes, as desilusões trazidas por esta quadratura geram uma atitude amarga, austera, ou levam ao complexo de mártir.

Os nativos deveriam se esforçar para esquecer o passado e enfrentar cada novo dia com fé e otimismo. Apenas assim poderão projetar uma auto-imagem positiva que irá inspirar confiança e amizade nas outras pessoas.

Esta quadratura geralmente cria dificuldades nas relações com as mulheres, pois os nativos, especialmente os homens, sentem-se constrangidos e tímidos na presença do sexo oposto. Pode levar a um complexo de inferioridade generalizado. Os nativos são seus piores inimigos, porque, não confiando em si mesmos, deixam de inspirar confiança nos outros.

Lua em quadratura com Urano (☽ □ ♅)

Esta quadratura cria uma imaginação forte e engenhosa e um talento excepcional. Contudo, há tendência à perversidade emocional e mudanças de humor súbitas e inexplicáveis. Algumas vezes, os nativos se aborrecem com uma atividade e a trocam por outra que promete mais excitação e aventura.

Com freqüência, existem infortúnios em suas vidas — acidentes, inesperados problemas de saúde, envolvimento em catástrofes sociais ou naturais ou uma situação doméstica instável. As freqüentes mudanças de residência são características; algo incomum ou destrutivo pode afetar a vida familiar.

Algumas vezes, amigos e associados ferem os sentimentos dos nativos, ou vice-versa. Eles procuram algo incomum e intelectualmente estimulante e, via de regra, têm uma visão alegre do mundo. Há um forte desejo de abandonar as condições do passado, criando espaço e oportunidade para a excitação emocional.

Lua em quadratura com Netuno (☽ □ ♆)

Este aspecto indica confusão e tendência a mergulhar em fantasias, o que resulta em falta de percepção da realidade.

A vida doméstica provavelmente é desordenada e confusa, e o ambiente doméstico, desorganizado ou sujo.

Esta quadratura freqüentemente indica indulgência emocional, manifestada no vício, com freqüência de drogas ou álcool.

As pessoas com esta quadratura geralmente manifestam tendências mediúnicas e parapsíquicas que podem ser distorcidas por influências de planos astrais inferiores. Algumas vezes, isso resulta em ilusões de grandeza e ambições irrealistas.

Se o resto do horóscopo a confirmar, há risco de psicose ou insanidade ilusória, resultando na total submersão do ego consciente nos emaranhados do inconsciente, e conseqüente internação do nativo. Os nativos deveriam ter um cuidado especial com a dedicação ao espiritismo.

Os nativos freqüentemente herdam sua riqueza e tornam-se parasitas sociais, e o resultado pode ser a desintegração virtual. Esta quadratura também cria os tipos complacentes que parecem jamais ficar sem alguém que os ajude em suas dificuldades.

Lua em quadratura com Plutão (☽ □ ♇)

Esta quadratura indica uma natureza intensamente emotiva, gerando um campo psíquico que pode fazer com que os outros, especialmente as mulheres, se sintam desconfortáveis.

Há o desejo de esquecer o passado ou destruir todas as ligações que tenham um efeito limitador.

Os nativos tendem a ser rudes com a família e os pais e não toleram interferência deles. As tentativas da família para moldá-los geram ressentimentos.

Esta configuração pode oferecer faculdades de clarividência, que algumas vezes leva ao desprezo pelas coisas materiais. Os nativos geralmente são perturbados por trivialidades e detalhes insignificantes e desejam se preocupar somente com coisas importantes ou diferentes. Com freqüência, ficam impacientes quando as coisas acontecem muito devagar.

Há uma tendência a forçar ações e relacionamentos. Muitas pessoas com esta quadratura procurarão fazer drásticas mudanças em suas vidas ou recorrerão a soluções drásticas para os problemas emocionais.

Lua em quadratura com os Nódulos Norte e Sul (☽ □ ☊ ☋)

Esta quadratura tende a tornar os nativos emocionalmente fora de harmonia com as tendências de sua sociedade. Com freqüência, o fluxo de acontecimentos cria problemas insignificantes e, algumas vezes, problemas domésticos.

Há dificuldade de obter reconhecimento social ou satisfazer ambições, se houver mulheres envolvidas. Os nativos provavelmente recebem o seu desprezo ou desagrado.

Lua em quadratura com o Ascendente e o Descendente (☽ □ Asc., Desc.)

Esta quadratura gera dificuldades emocionais de auto-expressão e na projeção da energia em ação. Também cria problemas nos relacionamentos, incluindo sociedades e casamento.

Algumas vezes, os padrões de comportamento inconscientes dos nativos bloqueiam sua capacidade de agir com firmeza, e eles criam contrariedades que atrapalham parceiros ou outras pessoas próximas.

Para que os nativos superem este aspecto, devem estar escrupulosamente conscientes de seus padrões de comportamento, de seu movimento corporal e maneira pessoal.

Lua em quadratura com o Meio do Céu e o Nadir (☽ □ M.C., Nadir)

Os nativos podem ter problemas emocionais com os pais e a família. Algumas vezes, os problemas domésticos criarão dificuldades em sua carreira e ameaçarão sua reputação pública. Algumas vezes, eles se sentirão emocionalmente insatisfeitos com seus lares e responsabilidades profissionais.

Seus comportamentos emocionais incomodarão empregadores, pais e família. Como a Lua tem muito a ver com a mente inconsciente, eles podem ter dificuldade para compreender esse aspecto de si mesmos.

Quadraturas de Mercúrio

Mercúrio em quadratura com Marte (☿ □ ♂)

Esta quadratura cria uma mente ativa, energética, com tendências a se tornar irritada, briguenta e de opiniões partidárias. Com muita freqüência, as comunicações recebidas pelos nativos os irritam, fazendo com que reajam com palavras rudes.

Este aspecto indica falta de tato e é desfavorável para relações públicas. Os nativos provavelmente tiram conclusões precipitadas antes de considerar todos os fatos e opiniões. Seu raciocínio pode ser parcial, devido à interferência das emoções. Assim, não adquirem uma compreensão equilibrada de fatores nos quais possam basear corretamente suas decisões. Gostam de debates e discussões.

Para superar os efeitos negativos deste aspecto, os nativos deveriam se esforçar para ser mais pacientes, diplomáticos e bons ouvintes, o que lhes permitiria perceber as opiniões das outras pessoas. Eles deveriam ter em mente que seu julgamento não é infalível: mesmo que seu raciocínio esteja certo, eles podem não conhecer todos os fatos.

Algumas vezes, não são capazes de expressar suas idéias de maneira agradável. Há uma necessidade geral de desligamento mental e menor envolvimento do ego.

Às vezes, este aspecto pode ameaçar a saúde, provocando distúrbios nervosos (especialmente dores de cabeça) e esgotamento. Isso se deve ao relacionamento de Mercúrio com o sistema nervoso e a casa da saúde, e à relação de Marte com a Primeira Casa, que rege o cérebro.

Mercúrio em quadratura com Júpiter (☿ □ ♃)

Esta quadratura é prejudicial porque as abundantes idéias dos nativos são muito grandiosas para serem realizadas. A não ser no caso de um Saturno forte, faltam às idéias detalhes práticos suficientes para torná-las úteis. Os nativos, via de regra, são desorganizados e com freqüência desequilibrados e irrealistas.

Eles geralmente têm muita pressa e desejam realizar grandes coisas. Mas prometem mais do que conseguem fazer. Imaginam-se capazes de realizar coisas que estão além de sua capacidade.

As pessoas com esta quadratura podem ser irrealisticamente otimistas. "Os tolos agem audaciosamente, sem ligar para o perigo." Com freqüência, há uma contradição entre razão e sentimento em assuntos filosóficos e religiosos.

Os nativos são generosos e bem-intencionados, mas não têm bom senso nem noção da medida em seu raciocínio. Podem ser indiscretos, divulgando informações confidenciais na hora errada ou para as pessoas erradas. Deveriam ter mais cuidado ao assinar acordos e contratos, pois são presas fáceis para pessoas desonestas.

Algumas vezes, seus esforços mentais são do tipo esotérico, e eles abandonam as questões comuns da vida para ir à sua procura.

Em muitos casos, há uma tendência à fala excessiva e extravagante, destinada a impressionar as pessoas; são característicos o egotismo inadequado e o orgulho intelectual.

Mercúrio em quadratura com Saturno (☿ □ ♄)

Esta quadratura indica tendência ao excesso de preocupação. Algumas vezes os nativos são mentalmente inibidos, ou muito ligados às formas de pensamento tradicional.

Pode haver falta de imaginação, ou preocupação com detalhes insignificantes. Ironicamente, quando estes nativos têm idéias próprias, surge a dificuldade de obter seu reconhecimento e sua aceitação, devido à oposição das formas de pensamento predominantes.

Sua educação provavelmente é rigidamente disciplinada, forçando-os a aceitarem o pensamento convencional. Suas faculdades mentais criativas podem então ser obscurecidas.

A intolerância, a observância estrita da lei e da ordem a todo custo, e uma dedicação desnecessariamente rígida à disciplina caracterizam as pessoas com esta quadratura. Temendo mudanças, os nativos mais velhos desejam defender a ordem estabelecida frente às mudanças evolucionárias; também são propensos à ansiedade devido à antecipação do perigo ou do fracasso; tendem a ser ciumentos.

Sua visão da vida tende a ser pessimista. Se os nativos ocupam posições de autoridade, haverá momentos em que desprezam as idéias dos outros.

Em alguns casos, são prováveis a desonestidade deliberada e ardilosa, se o resto do mapa o confirmar. Os nativos provavelmente irão se envolver em dificuldades graças a comunicações escritas ou contratos.

Mercúrio em quadratura com Urano (☿ □ ♅)

Esta quadratura indica uma mente ativa, original, porém um temperamento nervoso, idéias excêntricas e, com freqüência, pouco práticas. Os nativos tendem a tirar conclusões precipitadas. Eles têm idéias temerárias, que, por não se basearem no conhecimento ou na experiência, dificilmente poderão ser postas em prática.

Os nativos podem ser mentalmente perversos e não aceitarão conselhos de ninguém. Um indivíduo pode mudar de idéia duas vezes num dia, mas nunca por influência de alguém. Eles podem fazer julgamentos precipitados, ou procurar idéias incomuns e excitantes como fins em si mesmas, sem considerar sua veracidade ou praticidade.

Há uma tendência a afastar os outros por intermédio de observações pouco diplomáticas, opiniões insensatamente dogmáticas e vaidade intelectual. Algumas vezes, essas pessoas pensam ser gênios, quando na realidade estão muito longe disso. Se o resto do mapa o confirmar, o nativo pode ter *insights* excepcionais, que provavelmente não serão usados com sabedoria, a menos que ele aprenda a superar sua obstinação e seu egotismo.

Mercúrio em quadratura com Netuno (☿ □ ♆)

Esta quadratura provavelmente provoca desatenção, devaneios e desorganização mental com relação a detalhes. Ela também pode indicar irresponsabilidade involuntária.

Algumas vezes, a mente inconsciente prega peças na mente consciente. Assim, quando a mente consciente está preocupada, a inconsciente tende a fazer com que os nativos cometam erros ou esqueçam coisas. Esse geralmente é o resultado de emoções reprimidas.

Pode haver interesse pelo oculto e místico; se o resto do mapa o confirmar, pode haver talento nessas áreas.

Às vezes, os nativos têm dificuldade em guardar segredo; não que eles deliberadamente revelem informações confidenciais, mas isso acaba acontecendo.

Eles podem ter problemas em sua comunicação com os outros, porque são muito subjetivos, ou têm idéias muito abstratas ou místicas para que a maioria das pessoas possa compreendê-las. Contudo, este aspecto pode proporcionar *insights* das ações e motivações dos outros graças à capacidade dos nativos para perceber racionalmente os níveis inconscientes da mente. Netuno oferece o *insight* e Mercúrio proporciona um certo grau de compreensão. Se essas qualidades serão utilizadas de maneira desleal e dissimulada ou construtivamente, irá depender do resto do horóscopo.

Algumas vezes, estas pessoas são escapistas, embora a natureza saturniana da quadratura possa proporcionar uma sensação de realismo se os nativos a desejarem.

Mercúrio em quadratura com Plutão (☿ □ ♇)

Esta quadratura pode oferecer intensa percepção mental da realidade de qualquer situação. Os nativos não medem palavras; são ásperos no discurso e no pensamento. (Essa tendência é mais deliberada do que naqueles que têm Mercúrio em quadratura com Marte.) Eles dirão o que devem dizer, sem se importar com a reação dos outros. Por essa razão, com freqüência precisam permanecer em silêncio, para evitar controvérsias.

Essas pessoas tendem à discrição, guardando seus segredos até que estejam prontos para agir. Algumas vezes, suspeitam dos outros ou utilizam desvios quando a franqueza seria mais adequada. Pode também haver o desejo de moldar as idéias de outros, geralmente visando adequá-las ao seu próprio ponto de vista.

Uma força de vontade forte pode ser mal utilizada para propósitos destrutivos. Neste caso, há muita destruição, pois este é um poder sutil, insidioso e abrangente em suas conseqüências.

Mercúrio em quadratura com os Nódulos Norte e Sul (☿ □ ☊ ☋)

Esta quadratura cria uma situação em que as atitudes dominantes da sociedade entram em conflito com a expressão mental e a comunicação dos nativos. Eles não conseguem projetar suas idéias como gostariam e, portanto, tendem a ser mal compreendidos.

Com freqüência, encontram desaprovação social, porque falam na hora ou local errados. Podem estar em desacordo com os padrões sociais.

Mercúrio em quadratura com o Ascendente e o Descendente (☿ □ Asc., Desc.)

Esta quadratura cria dificuldades na auto-expressão e na comunicação com parceiros e com o público. Tanto na fala quanto na escuta, os nativos projetam seus pensamentos de maneira inadequada, levando os outros a não compreendê-los ou a discordar deles. Isso pode provocar dificuldades no casamento, em sociedades e com o mundo exterior.

Mercúrio em quadratura com o Meio do Céu e o Nadir (☿ □ M.C., Nadir)

Esta quadratura dificulta a comunicação com a família, os pais, locadores e empregadores. É especialmente difícil em questões profissionais, pois a boa comunicação no emprego é essencial para o sucesso em qualquer profissão. O efeito é mais forte se a profissão envolver trabalho intelectual ou escrita.

Quadraturas de Vênus

Vênus em quadratura com Marte (♀ □ ♂)

Esta quadratura provoca problemas emocionais, especialmente no romance e nas relações com o sexo oposto. Algumas vezes, há tendência a usar pessoas do sexo oposto, ou a ser usado por elas, por motivos puramente sexuais.

Os nativos podem não ter bom gosto ou refinamento em sua atitude social. Seus desejos são muito fortes e, a menos que outros fatores indiquem o contrário, há necessidade de controle. Paixões descontroladas podem lhes fazer muito mal.

Os homens com este aspecto provavelmente ofendem as mulheres com seus modos grosseiros; as mulheres com este aspecto com freqüência exasperam os homens com seus temperamentos emotivos.

Quando Marte predomina, pode haver muita grosseria; mas quando Vênus predomina, os nativos são muito sensíveis e se magoam facilmente com comportamentos rudes e grosseiros.

Embora os nativos possam ser emocionalmente sensíveis, não são necessariamente cuidadosos com a sensibilidade dos outros; os relacionamentos com a família não são estreitos, harmoniosos ou satisfatórios.

Vênus em quadratura com Júpiter (♀ □ ♃)

Os nativos com esta quadratura tendem à auto-indulgência, ociosidade, preguiça e refinamentos sociais insignificantes. Esta última característica é geralmente utilizada para camuflar os maus sentimentos que os nativos não desejam admitir ou manifestar abertamente — a hipocrisia é um dos principais perigos deste aspecto.

Este aspecto geralmente produzirá excessos nos assuntos regidos pelos signos e casas que esses dois planetas ocupam e regem. Algumas vezes, os nativos sofrem perdas financeiras, ou através do casamento e sociedades, em conseqüência de problemas legais ou envolvimentos secretos.

As mulheres com este aspecto podem ser vaidosas de sua beleza ou situação social, e procurarão ser o centro das atenções. Se combinado com outras influências maléficas, o aspecto pode provocar libertinagem e revolta contra os valores morais e religiosos. Como os nativos têm propensão a dar as coisas como certas, também pode haver desperdício e falta de reconhecimento do verdadeiro valor das coisas.

Vênus em quadratura com Saturno (♀ □ ♄)

Esta quadratura confere aos nativos um temperamento melancólico. As emoções com freqüência são bloqueadas, criando timidez em alguns e muita formalidade em outros. Os nativos podem passar por contratempos que os excluem do afeto dos outros ou provocam desilusões e romances insatisfatórios. Essa situação pode torná-los anti-sociais, afastando-os ainda mais do afeto dos outros; assim, inicia-se um círculo vicioso.

Algumas vezes, os nativos são calculistas para obter riqueza, poder ou prestígio. Ou, se forem ricos ou influentes, podem usar essa condição para atrair parceiros mais jovens; ou pessoas mais jovens podem se envolver com pessoas mais velhas em busca de riqueza e posição social. O resultado com freqüência é a infelicidade ou ausência de amor verdadeiro.

Como artistas, os nativos terão algumas habilidades técnicas mas lhes faltará originalidade, a não ser que outros fatores no horóscopo a proporcionem.

Ocasionalmente, este aspecto provoca extrema privação material. A felicidade pode ser bloqueada por excessivas responsabilidades; os pais podem ser uma carga ou exercer pressões emocionais. Se outros fatores no horóscopo o confirmarem, são possíveis a mesquinhez e a inveja.

Com este aspecto, é difícil alcançar a paz e a felicidade: ou as circunstâncias da vida são excepcionalmente duras, ou os nativos são excessivamente sensíveis a infortúnios comuns.

Vênus em quadratura com Urano (♀ □ ♅)

Esta quadratura geralmente cria atrações repentinas, porém breves, na vida dos nativos. As paixões que se iniciam sob este aspecto serão excitantes enquanto durarem. Como é provável que as emoções sejam instáveis e sujeitas a mudanças rápidas, os nativos podem estar apaixonados hoje e indiferentes amanhã.

Esta inconstância é praticamente uma certeza se a quadratura se encontrar em signos mutáveis. Se estiver em signos fixos, há uma rigidez emocional que se recusa a ouvir a razão e escolhe a satisfação emocional a qualquer custo. Se estiver em signos cardinais, o aspecto torna os nativos socialmente hiperativos e, portanto, com dificuldade para adquirir estabilidade ou descobrir seus verdadeiros sentimentos nos relacionamentos românticos.

Algumas vezes, eles confundem amor com amizade. Os nativos desejam ser amigáveis com todos, mas podem descobrir que isto é impossível, especialmente quando entram em cena considerações de ordem sexual. Eles podem ser incapazes de sacrificar um pouco de sua liberdade pessoal para iniciar um relacionamento conjugal estável. Portanto, este aspecto com freqüência indica o divórcio.

O desejo de experiências emocionais exóticas, estimulantes, nem sempre é compatível com um estilo de vida prático. Algumas vezes, esta quadratura pode provocar promiscuidade ou perversão sexual, mas somente se outros fatores no horóscopo o confirmarem, e se a Quinta Casa estiver envolvida. Se esses nativos não forem capazes de encontrar saídas construtivas para seus desejos, podem resultar distúrbios nervosos.

Vênus em quadratura com Netuno (♀ □ ♆)

Esta quadratura provoca problemas emocionais relacionados à mente inconsciente e à imaginação. Como os problemas emocionais e sexuais podem se originar de experiências passadas profundamente arraigadas no inconsciente, o aspecto pode ter uma conotação cármica.

Tendências escapistas podem fazer com que os nativos vivam em um mundo de fantasias, evitando enfrentar as duras realidades da vida. Essa tendência pode se manifestar ao alcoolismo ou abuso de drogas.

Estas pessoas tendem a oferecer seu amor de maneira imprudente. Há perigo de escândalos devido a relacionamentos duvidosos e envolvimentos financeiros. Geralmente, o sexo é a área mais vulnerável a ataques. A felicidade conjugal pode ser ameaçada pela falta de honestidade e integridade.

A imaginação dos nativos pode criar imagens sexuais que inflamam as paixões. Assim, este aspecto pode provocar complexos emocionais de diversos tipos. Dependendo dos outros fatores no horóscopo, essas tendências são reprimidas ou evidenciadas no comportamento público. Contudo, geralmente se manifestam na privacidade.

Às vezes, os nativos são tímidos e reservados, mas tendem a ter romances secretos. Em casos extremos, há libertinagem sexual. Os nativos podem ser homossexuais.

No lado positivo, este aspecto pode oferecer habilidades artísticas e sensibilidade estética. Contudo, a menos que Saturno esteja bem desenvolvido no horóscopo, os nativos geralmente não têm a disciplina necessária para pôr em prática essas habilidades.

Algumas vezes, os nativos são excessivamente sensíveis; magoam-se com muita facilidade ou sem motivo real. Este aspecto também pode provocar preguiça e hábitos desorganizados, se outros fatores no horóscopo não demonstrarem o contrário.

Algumas vezes, os nativos são presas fáceis para pessoas que se aproveitam de sua simpatia para obter alguma coisa. Eles podem estar sujeitos a esquemas duvidosos de enriquecimento rápido e precisam ser mais seletivos em suas relações financeiras e envolvimentos românticos.

Em alguns casos, são muito idealistas, procurando relacionamentos impossíveis. Deveriam se precaver contra formas pouco práticas de ocultismo ou crenças religiosas estranhas.

Vênus em quadratura com Plutão (♀ □ ♇)

Esta quadratura tende a provocar intensos envolvimentos emocionais e sexuais, que, às vezes, podem ter uma influência degradante. Os nativos estão sujeitos a serem dominados por paixões sexuais muito fortes para serem controladas ou adequadamente dirigidas. Com freqüência, existe algo de cármico ou predestinado na vida romântica dos nativos.

Como acontece, às vezes, com Vênus em quadratura com Urano ou Netuno, este aspecto indica que as condições sociais ou acontecimentos cósmicos impessoais podem interferir na felicidade pessoal e na satisfação emocional. Por exemplo, uma garota pode perder seu namorado por ele ter sido convocado pelo exército.

Devido à oposição natural entre Escorpião e Touro, este aspecto pode criar o desejo de riqueza material. O sexo e os romances podem ser contaminados por considerações financeiras, levando, em casos extremos, à prostituição. O casamento também pode ser motivado pelo desejo de segurança financeira, e não por um amor profundo, duradouro.

O aspecto pode proporcionar um alto grau de inspiração artística e poder de expressão, que podem se tornar um meio de sublimar algumas das forças emocionais que ele gera.

A quadratura pode estar associada à magia como meio de obter a aprovação do sexo oposto, ou de influenciar o público e obter fama ou fortuna. Ela também pode indicar casos de amor secretos.

Vênus em quadratura com os Nódulos Norte e Sul (♀ □ ☊ ☋)

As características emocionais dos nativos e de sua expressão social (são pessoas que flertam na igreja e dão risadinhas em funerais) provavelmente não se adaptam aos hábitos e atitudes sociais predominantes. O casamento e as relações financeiras são alvo de desaprovação social.

Vênus em quadratura com o Ascendente e o Descendente (♀ □ Asc., Desc.)

Esta quadratura provoca dificuldades emocionais na auto-expressão e no relacionamento com os outros. Podem ocorrer problemas conjugais devido à incompreensão entre os nativos e seus parceiros.. Este aspecto pode tornar os nativos excessivamente sensíveis; no caso dos homens, pode resultar em afeminação. Algumas vezes há falta de encanto social.

Vênus em quadratura com o Meio do Céu e o Nadir (♀ □ M.C., Nadir)

Esta quadratura pode provocar dificuldades emocionais relacionadas a responsabilidades domésticas e profissionais. Os nativos podem considerar seu emprego e sua vida familiar como coisas mundanas e sentir uma certa aversão por ambos. As responsabilidades profissionais e familiares podem impedir a satisfação de necessidades sociais, românticas e estéticas. São prováveis mal-entendidos com os pais.

Em alguns casos, os nativos não têm bom gosto na decoração do lar e do escritório.

Quadraturas de Marte

Marte em quadratura com Júpiter (♂ □ ♃)

Este pode ser um dos aspectos mais destrutivos, porque os nativos tendem a utilizar o poder coletivo e mesmo a aprovação social para o auto-engrandecimento e gratificação das próprias paixões.

Esta quadratura pode ocorrer no horóscopo de pessoas que glorificam a guerra. Estes nativos também tendem a se envolver em cruzadas sagradas, visando obter a aprovação social para suas tendências violentas. Fabricantes de material bélico podem ter este aspecto em seus horóscopos, pois buscam o lucro financeiro por intermédio da destruição e da violência. Muito desperdício e má utilização de recursos acompanham este aspecto, na maioria das vezes com o dinheiro alheio.

Os nativos também tendem a ter crenças sociais e religiosas fanáticas. Às vezes, se envolvem em questões políticas e sociais controversas.

O extremismo e a prodigalidade irão afetar os signos e as casas que Marte e Júpiter regem e ocupam, levando ao desastre e à ruína, se os nativos não forem cuidadosos.

Há inquietação e desejo de constante atividade e estímulo; por essa razão, os nativos não conseguem relaxar.

Esses nativos são muito sociáveis, mas não necessariamente honestos ou confiáveis em seus relacionamentos. Há uma forte tendência à hipocrisia: os nativos desejam disfarçar os verdadeiros motivos ocultos de suas ações. Algumas vezes, a religião é utilizada como veículo para favorecer a hipocrisia.

Marte em quadratura com Saturno (♂ □ ♄)

Esta quadratura pode indicar um temperamento ríspido e austero. As ações dos nativos podem ser continuamente frustradas, levando ao ressentimento e a atitudes negativas.

Pode haver uma raiva taciturna no temperamento dos nativos; suas ambições com freqüência são bloqueadas, e podem ocorrer dificuldades nos relacionamentos, especialmente em parcerias e no casamento. Em alguns casos, a austeridade e a autodisciplina excessivas impedem um desenvolvimento sadio e normal.

Algumas vezes, a influência desta quadratura se manifesta em sofrimento físico, violência, acidentes e fraturas ósseas; pode também haver graves restrições na carreira e na profissão. Este aspecto geralmente está relacionado às carreiras políticas ou militares.

As ações dos nativos não são bem ajustadas ou adequadamente orientadas. Saturno pode criar inibições da ação e não controle ou orientação, como seria o caso se houvesse aspectos favoráveis entre esses dois planetas. Muitos nativos não concluem os projetos que iniciaram, porque não possuem propósitos definidos.

Com freqüência, este aspecto cria condições agressivas, sórdidas, ou mesmo perigosas, relacionadas à profissão. Algumas vezes, os perigos profissionais resultam em morte.

Este aspecto gera uma certa insensibilidade. Com freqüência, os nativos são indivíduos egoístas, que não se desviarão de seu caminho para ajudar os outros, a não ser que lucrem alguma coisa com isso.

Marte em quadratura com Urano (♂ □ ♅)

Esta quadratura tende a criar imprudência e ações perigosas. Os nativos são muito impulsivos; anseiam por excitação nas áreas designadas pelas casas e signos que Urano e Marte ocupam e regem.

Os nativos tendem a discordar de seus amigos e associados. Deveriam ter cuidado com mecanismos e aparelhagens elétricos, pois há o risco definido de acidentes e mesmo de morte por intermédio desses aparelhos. Em casos extremos, especialmente nos horóscopos de homens, a busca de emoções se manifesta na imprudência ao dirigir, e em outros prazeres ou esportes perigosos. Os nativos com esta configuração deveriam ter cuidado ao viajar de avião, pois isso também pode ser fonte de danos.

A irritação inesperada e a impulsividade são defeitos que devem ser superados. Obstinação e excentricidade caracterizam este aspecto. Há necessidade de mais paciência e boa vontade na colaboração com os outros. Com freqüência, os nativos são nervosos e excitados. Algumas vezes, devido à dupla conotação de Escorpião deste aspecto, podem ocorrer agressões ou a morte súbita e violenta.

Estes nativos tendem a correr riscos quando se trata de experiências incomuns e excitação. Sua ação pode ser errática, faltando-lhe o esforço contínuo. Seu temperamento geralmente é idealista. Contudo, são impacientes, e têm o desejo revolucionário de vencer a ordem estabelecida das coisas por meios drásticos.

Marte em quadratura com Netuno (♂ □ ♆)

Esta quadratura gera desejos emocionais peculiares, que surgem dos níveis profundos do inconsciente. Muitas vezes, padrões de comportamento inconscientes, inadequados à realidade, influenciam negativamente as ações dos nativos.

Esta quadratura pode ter diversos efeitos, que irão depender da repressão ou não dos desejos dos nativos. Se os desejos forem reprimidos, a quadratura provavelmente se manifesta na forma de neurose, talvez de natureza sexual ou psicossomática. Em casos extremos podem até mesmo ocorrer fenômenos alucinatórios. Se a influência da quadratura for abertamente manifestada, pode assumir a forma de alcoolismo, abuso de drogas ou excessos sexuais. Em casos mais suaves, haverá confusão e desordem nas ações dos nativos, ou uma tendência a agir por motivos ocultos. Os horóscopos muito tensos podem até mesmo revelar traição, fraude e desonestidade.

Este aspecto, como Vênus em quadratura com Urano ou Netuno, poderia indicar desvios sexuais, mas sua energia também poderia ser utilizada a favor da arte criativa, da dança, do teatro, da música, e de outras atividades que dão espaço à imaginação.

Essa quadratura proporciona tendência à auto-ilusão, pois nem sempre os nativos estão conscientes de suas motivações. (Assim, não nos surpreende que provoquem confusões nos seus relacionamentos com os outros.) A chave para superar os efeitos negativos deste aspecto é aprender a controlar a imaginação, pois uma imaginação descontrolada geralmente excita os desejos e cria dificuldades.

Este aspecto é comum nos horóscopos de astrólogos, pois encoraja a expressão das tendências mais sublimes de Netuno. Sem dúvida, podemos dizer o mesmo do horóscopo de psicólogos, pois o aspecto faz com que a energia psíquica se envolva com os problemas emocionais inconscientes das outras pessoas. Uma orientação adequada das emoções é muito importante no que se refere a este aspecto.

Marte em quadratura com Plutão (♂ □ ♀)

Esta quadratura pode ser perigosa devido à sua natureza excessivamente poderosa. A não ser que outros fatores no horóscopo a suavizem, a tendência dos nativos para utilizar a força visando atingir suas metas irá anular o planejamento cuidadoso, a diplomacia e o amor.

Em um bom horóscopo, esta quadratura pode resultar numa forma exaltada de coragem, mas algumas vezes o resultado é uma atitude do tipo fazer-ou-morrer. Os nativos deveriam sempre examinar as motivações ocultas de seus sacrifícios. Eles podem desejar realizar alguma façanha espetacular apenas por egotismo. Esse impulso pode ser levado a extremos desnecessários e insensatos.

Os nativos com horóscopos tensos podem facilmente perder a cabeça e se tornarem violentos. Em casos muito extremos, onde Marte e Saturno estão muito tensos, o aspecto pode criar brutalidade e tendências criminosas. Esse não será o caso dos que possuem somente as tendências desagradáveis comuns que acompanham este aspecto (embora eles possam ser excessivamente agressivos na área sexual).

A força de vontade desses nativos é muito desenvolvida, mas, via de regra, não tem direção. Algumas vezes está indicada a morte violenta, se o resto do mapa a confirmar.

Com freqüência, os nativos são atraídos para circunstâncias violentas, como guerras, revoluções e tumultos. Podem ter uma tendência ditatorial, que se origina da crença de que os fins justificam os meios.

Em pessoas com aspirações espirituais, geralmente está indicado um conflito entre a vontade e os desejos. Quando associada à razão, à disciplina e à diplomacia, esta quadratura pode oferecer a energia para grandes realizações.

Marte em quadratura com os Nódulos Norte e Sul (♂ □ ☊ ☋)

Este aspecto indica um desacordo entre as ações e impulsos dos nativos e os padrões sociais vigentes.

Estas pessoas tendem a expressar suas tendências agressivas em momentos e locais inadequados. Sua aparente falta de sorte é na verdade falta de habilidade para agir em harmonia com os acontecimentos ao seu redor. Com isso, os outros se frustram.

Marte em quadratura com o Ascendente e o Descendente (♂ □ Asc., Desc.)

Esta quadratura indica que os nativos irão se projetar agressivamente em suas relações pessoais, bem como em suas relações com o público. Essa tendência geralmente se exterioriza em problemas conjugais e de negócios, e na impopularidade. Algumas vezes, a frustração que ela provoca resulta em cenas de raiva e paranóia — os nativos sentem que precisam lutar para atingir suas metas.

Os horóscopos muito tensos podem mostrar que os nativos são tirânicos ou inclinados a atingir seus objetivos por intermédio da agressividade. Os nativos podem superar os efeitos negativos deste aspecto cultivando a gentileza e a diplomacia e refreando a impulsividade.

Marte em quadratura com o Meio do Céu e o Nadir (♂ □ M.C., Nadir)

Esta quadratura indica que os nativos podem ser incapazes de se relacionar com os pais, a família, locatário, superiores imediatos ou empregadores.

A carreira e os assuntos domésticos estão sujeitos a discórdias; há tendência a transferir para o emprego os conflitos resultantes de discussões no lar ou vice-versa. Assim, é provável que os problemas profissionais ou familiares agravem outras esferas de atividade. Os nativos precisam aprender a usar mais a cabeça e menos os sentimentos.

Há também inclinação a se envolver em problemas com o Estado e com autoridades legais. Algumas vezes, os nativos são envolvidos, contra sua vontade, em assuntos militares; podem ser convocados pelo exército.

Quadraturas de Júpiter

Júpiter em quadratura com Saturno (♃ □ ♄)

Esta quadratura cria dificuldades nos negócios e assuntos financeiros. Os nativos podem ter problemas profissionais, através da má sorte ou da falta de oportunidades.

Seu julgamento no planejamento e na realização de metas de longo alcance pode ser falho, especialmente em relação às finanças. Algumas vezes, quando Saturno é forte, eles não têm iniciativa ou confiança para aproveitar as oportunidades que surgem; ou podem iniciar atividades e assumir responsabilidades sem o preparo suficiente. Em ambos os casos, podem ocorrer infortúnios.

Se Júpiter é forte e Saturno fraco, os nativos possuem pouca disciplina e experiência. Se Saturno é forte e Júpiter fraco, eles irão trabalhar muito e pacientemente, mas não têm inspiração e confiança para obter a colaboração dos outros.

Geralmente, seu senso de oportunidade é ruim; eles não estão no lugar certo na hora certa, e são incapazes de apresentar seus argumentos de maneira convincente.

Precisam aprender o valor da busca contínua de metas de longo alcance, embora utilizando uma certa flexibilidade; devem evitar as armadilhas de uma excessiva ambição, por um lado, e de uma relutância em aceitar responsabilidade, por outro.

Eles, com freqüência, são escravos de rotinas aborrecidas, sendo considerados desmancha-prazeres. Seus próprios sentimentos de que a vida é insípida conduzem à melancolia e à depressão.

Algumas vezes, são oprimidos por problemas profissionais, familiares e outros, que limitam sua liberdade de agir e se expandir. Podem ocorrer dificuldades relacionadas à religião: os nativos podem ser muito ortodoxos, muito conservadores, muito materialistas, ou muito agnósticos. Em qualquer caso, são rígidos em seus valores filosóficos, educacionais e religiosos.

Júpiter em quadratura com Urano (♃ □ ♅)

Esta quadratura tem como principal defeito a impulsividade excessiva. Os nativos são idealistas e pouco práticos, dirigindo toda a sua energia para uma causa, apenas para abandoná-la inesperadamente. Tendem a se atirar em todos os tipos de esquemas grandiosos, pouco definidos.

Este aspecto não favorece especulações, pois uma imprevista reviravolta dos acontecimentos provavelmente anulará os gastos e esforços. Muitas pessoas perderam fortunas sob sua influência.

Os nativos podem se entregar a crenças e práticas religiosas excêntricas, e a formas perigosas de cultismo. Este é um aspecto de muitos pretensos místicos, mestres e gurus, que afirmam estar salvando a humanidade, quando estão simplesmente satisfazendo seus discípulos. Os tipos boêmios que viajam pelo país e pelo mundo provavelmente também possuem esta configuração.

Os amigos dos nativos são pessoas que não cumprem o que prometem, e com freqüência falsos. Os nativos geralmente são culpados pelas mesmas faltas.

Uma tendência à inquietação se manifestará no impulso para viajar e ter aventuras.

Júpiter em quadratura com Netuno (♃ □ ♆)

Este aspecto sugere excessos emocionais e idealismo religioso indisciplinado, elaborado e pouco prático. Os nativos têm tendência a construir castelos no ar, enquanto os assuntos importantes de suas vidas ficam na maior confusão.

Anseiam por experiências exóticas, como as proporcionadas por viagens a lugares distantes ou pelo envolvimento com cultos místicos. Devido ao desejo de viajar criado pelo aspecto, provavelmente não permanecem no local do nascimento, mas viajarão aparentemente sem destino, seja física ou mentalmente.

Geralmente são bons e compreensivos, mas não sabem selecionar aqueles a quem oferecem sua atenção. Com freqüência, são meramente emotivos, mas pouco propensos a se empenhar o suficiente para se tornarem realmente úteis.

Eles prometem mais do que podem cumprir; em casos extremos, são completamente desonestos. Alguns possuem fala macia, apresentando um quadro brilhante de projetos de pouca solidez. Geralmente, não têm a disciplina e habilidade natural para levá-los avante.

A não ser que outros fatores no horóscopo indiquem o contrário, provavelmente haverá preguiça e auto-indulgência. Se o nativo tiver dinheiro, este aspecto pode conduzir a uma vida de ociosidade e insatisfação.

O abuso na alimentação é característico, e a tendência ao excesso de peso ou de fluidos nos tecidos faz com que os nativos se sintam e pareçam pesados.

Júpiter em quadratura com Plutão (♃ □ ♇)

Esta quadratura inclina os nativos ao dogmatismo religioso e filosófico, aliado a uma revolta contra as formas contemporâneas de religião e filosofia. Eles gostariam de refazer as instituições ou reformular as idéias nas áreas da religião e da educação.

Eles tendem a se orientar por seus próprios princípios, a não ser que haja uma boa razão para aceitarem as normas sociais. Como as sutilezas sociais têm pouco significado para eles, esses nativos não as aceitarão, a não ser que existam pressões definidas para isso.

Pode haver um certo orgulho intelectual e obstinação; quer os nativos tenham ou não justificativas para suas atitudes, esta tendência não favorece a popularidade.

O desejo de realizar algo grande e importante pode dificultar o caminho para a felicidade.

Júpiter em quadratura com os Nódulos Norte e Sul (♃ □ ☊ ☋)

Esta quadratura cria uma desarmonia entre as atitudes religiosas, educacionais e sociais do nativo e as tendências e políticas da cultura em que ele vive. Ele pode ter dificuldade para se adaptar às instituições sociais.

Júpiter em quadratura com o Ascendente e o Descendente (♃ □ Asc., Desc.)

Esta quadratura dificulta a vida social dos nativos, conferindo deselegância à sua expressão pessoal e dificultando as relações com os outros; eles provavelmente serão considerados afetados, bombásticos, pomposos ou virtuosos demais.

Eles tentam fazer muita coisa ao mesmo tempo, e assim se sobrecarregam ou se envolvem em situações onde seus esforços não podem ter bons resultados. Em outras palavras, querem fazer mais do que conseguem.

Júpiter em quadratura com o Meio do Céu e o Nadir (♃□ M.C., Nadir)

Esta quadratura tende a proporcionar idéias grandiosas a respeito de possíveis carreiras, assim como ostentação na esfera doméstica.

Os nativos tendem a gastar mais do que podem em seus lares e a possuir ambições superiores à sua capacidade. Há necessidade de mais humildade, praticidade e bom senso. O aspecto também poderia indicar uma família ampla, que é um fardo para o nativo.

Quadraturas de Saturno

Saturno em quadratura com Urano (♄ □ ♅)

Esta quadratura cria um conflito entre as tendências conservadoras e radicais do nativo, cuja solução dependerá em grande parte do predomínio de um dos dois planetas: Saturno ou Urano.

Se Saturno for o mais forte, os nativos tentarão preservar o *status quo*, opondo-se a inovações e tendências progressistas em todas as questões sociais e políticas. Se Urano for o mais forte, eles se revoltarão contra a ordem estabelecida. Contudo, em qualquer caso, são inflexíveis.

Se eles se opuserem às mudanças, é provável que as coisas das quais depende sua segurança sejam inesperadamente afastadas. Se estiverem a favor de inovações drásticas, sua falta de experiência e a atenção insuficiente a considerações práticas provavelmente os levarão ao fracasso.

Esta quadratura cria tendências autoritárias. Os nativos que afirmam defender o progresso e a liberdade podem ser muito tirânicos com aqueles que discordam deles.

Eles tendem à inconstância, e suas ações contrariam suas filosofias. O egotismo e a hipocrisia podem ser evidentes, e formas excêntricas de obstinação os tornarão pouco populares e incômodos para os outros. Assim, terão poucos amigos.

Eles estão propensos a reveses em suas carreiras, que podem resultar em queda e desgraça; podem ocorrer acidentes e inesperada má sorte. Seu temperamento, às vezes, pode ser desagradável. Geralmente, não têm bom senso nem capacidade de adaptação.

Saturno em quadratura com Netuno (♄ □ ♆)

Esta quadratura possui uma conotação mórbida e pode criar temores, ansiedades, neuroses e fobias que se originam no inconsciente. Se o resto do mapa o confirmar, há o perigo de confinamento em instituições devido a doenças mentais.

Os nativos podem se tornar vítimas de influências psíquicas negativas. Por isso, deveriam ter cuidado com práticas psíquicas astrais, como sessões espíritas ou experiências com drogas psicodélicas; a possessão psíquica também é um perigo.

Na maioria dos casos este aspecto se manifestará no temor da inadequação ou no complexo de inferioridade. Os nativos podem se sentir confusos a respeito de carreiras e responsabilidade em geral. Algumas vezes, desejam evitar responsabilidades. Embora possam trabalhar muito, não são eficientes. Em alguns casos, são dissimulados e utilizam métodos desonestos para realizar suas ambições; ou atraem inimigos secretos e se envolvem em escândalos e intrigas; seus amigos podem ser insensíveis ou pouco compreensivos, ou vice-versa.

As crenças religiosas dos nativos podem ser peculiares — de alguma forma dogmáticas, rígidas ou opressivas. Com muita freqüência, possuem complexo de mártir e buscam simpatia através do sofrimento. Esta atitude geralmente leva os outros a evitá-los, e com isso eles se sentirão ainda mais sozinhos e com mais pena de si mesmos. Este círculo vicioso pode finalmente levar a graves neuroses e até mesmo a psicoses.

Saturno em quadratura com Plutão (♄ □ ♇)

As pessoas com esta quadratura geralmente sentem que carregam o peso do mundo sobre seus ombros. As condições sociais em constante transformação provavelmente lhes trarão desilusões e pesadas responsabilidades. Algo sombrio e misterioso impede seu progresso nos assuntos representados pelos signos e casas que Saturno e Plutão ocupam e regem.

Há o perigo de conspiração e intrigas, com os nativos como vítimas ou inovadores. Em casos extremos, eles podem ser vítimas ou praticantes de poderes ocultos com finalidades deliberadamente egoístas.

Os nativos podem recorrer a medidas extremas para realizar suas ambições profissionais; seu destino pessoal está fortemente ligado ao carma coletivo.

Ocasionalmente, alguém relacionado ao nativo poderá assumir o papel de ditador; ou, inversamente, o nativo pode ser autoritário. Os nativos com freqüência sentem o desejo de controlar e modificar a vida dos outros, e sua ambição pelo poder pode ser extrema.

Saturno em quadratura com os Nódulos Norte e Sul (♄ □ ☊ ☋)

Esta quadratura indica a possibilidade de que a ambição e o progresso dos nativos sejam frustrados pelas forças sociais dominantes. Sua timidez e seu conservadorismo podem impedi-los de estar no lugar certo na hora certa, para que aproveitem as oportunidades oferecidas pela sociedade; eles podem ser isolados pela sociedade ou se tornarem reclusos.

Saturno em quadratura com o Ascendente e o Descendente (♄ □ Asc., Desc.)

Esta quadratura indica um bloqueio da capacidade de se relacionar com os outros de maneira amigável e calorosa. Os nativos podem ter um temperamento amargo e, se isso acontecer, podem ser afastados dos relacionamentos sociais. Com freqüência, as pessoas os consideram frios e insensíveis; eles terão poucos amigos íntimos. Provavelmente têm dificuldades no casamento ou para encontrar parceiros adequados.

Saturno em quadratura com o Meio do Céu e o Nadir (♄ □ M.C., Nadir)

Esta quadratura apresenta obstáculos ao sucesso profissional, à felicidade doméstica e ao bem-estar geral. Com freqüência, os nativos têm pesadas responsabilidades que impedem a felicidade na vida familiar (especialmente no casamento) e profissional e limitam sua auto-expressão. Algumas vezes, essas responsabilidades são impostas por pais repressivos. A própria família pode ser um fardo, exigindo que trabalhem muito; os patrões e locadores podem ser irracionais e exigentes.

Quadraturas de Urano

Urano em quadratura com Netuno (♅ □ ♆)

Esta quadratura indica uma geração (nascida nos anos 50) cujo carma é viver num período de excepcional agitação social.

Os nativos tendem a sentir muita confusão emocional e psíquica. Contudo, esses efeitos não serão pronunciados no indivíduo comum, a não ser que Urano ou Netuno estejam numa casa angular ou fortemente aspectados por quadraturas e oposições de outros planetas.

O grau em que esses aspectos se manifestam e as casas envolvidas na quadratura irão indicar até que ponto e de que maneira os indivíduos são afetados pela agitação. Também devemos considerar os assuntos regidos pelas casas e signos em que Urano e Netuno se encontram e as casas que regem. Esses assuntos estarão sujeitos a situações peculiares, inesperadas, enganosas e perturbadoras.

Os nativos podem ser um tanto nervosos, obstinados e irritados; tendem a ter idéias e opiniões rígidas.

É possível que haja envolvimento com sociedades secretas e intrigas. Pode haver muito idealismo, porém muito confuso e algumas vezes pouco prático. Essa característica depende mais uma vez do resto do mapa. Os assuntos mediúnicos e ocultos podem ser fonte de problemas: os nativos precisam lidar com condições divergentes e desarmoniosas nesses níveis.

Urano em quadratura com Plutão (♅ □ ♇)

Esta quadratura indica uma geração (nascida no início dos anos 30) que vive uma época de drásticas revoluções sociais ou políticas. Com muita freqüência, suas vidas são destruídas ou perturbadas por guerras, revoluções, colapso econômico e mesmo catástrofes naturais.

Até que ponto esta quadratura irá afetar os indivíduos depende das posições de Urano e de Plutão e do fato de eles se encontrarem em casas angulares ou formarem aspectos importantes com os ângulos e outros planetas. Obstinação, excentricidade, opiniões políticas radicais e tendências revolucionárias caracterizam os nativos fortemente influenciados por esta quadratura.

Essa quadratura também é um aspecto dos envolvimentos coletivos e indica como o destino comum afeta o indivíduo. Mas isso dependerá dos planetas que formam aspecto com Urano e com Plutão e dos signos e casas que eles ocupam e regem.

Os nativos possuem uma forte tendência a reformar a ordem estabelecida. Suas motivações e ideais geralmente são dignos. Contudo, o fato de precisarem lidar com problemas sociais desde o nascimento faz com que desconheçam o que é ser jovem e despreocupado. Os nativos com esta quadratura, mesmo quando nascem ricos, jamais se sentem seguros.

Essas pessoas têm sérias lições para aprender no que se refere à função sexual. Esse aspecto coincide com um período da história no qual há muito abuso sexual.

Urano em quadratura com os Nódulos Norte e Sul (♅ □ ☊ ☋)

Esta quadratura indica um conflito entre o desejo de liberdade e as tendências inconformistas dos nativos e os padrões sociais.

Eles provavelmente ignoram os hábitos de sua cultura e não serão aprovados pelos elementos mais tradicionais da sociedade. Assim, estão propensos a infortúnios.

Urano em quadratura com o Ascendente e o Descendente (♅ □ Asc., Desc.)

Esta quadratura indica uma situação em que as tendências inconformistas criam irregularidades e rompimentos espasmódicos no fluxo normal de auto-expressão e comportamento social dos nativos.

Eles tendem a se divorciar, porque não estão dispostos a sacrificar sua liberdade pessoal, condição necessária ao sucesso de um casamento. Seu comportamento excêntrico também pode dificultar relacionamentos harmoniosos com seus parceiros ou com o público.

Urano em quadratura com o Meio do Céu e o Nadir(♅ □ M.C., Nadir)

Esta quadratura indica falta de capacidade para aceitar rotinas domésticas ou profissionais. Há uma revolta contra a autoridade — seja a dos pais, de um superior imediato, empregadores ou do governo. Os nativos mudam de emprego e de residência com freqüência, e nem sempre por razões lógicas e válidas.

Há também impaciência com as responsabilidades familiares e algumas vezes tendência a utilizar o lar como local de reunião de amigos excêntricos. O *hippie* típico é característico deste aspecto.

Quadraturas de Netuno

Netuno em quadratura com Plutão (♆ □ ♇)

Esta quadratura indica uma geração que vive numa época de agitação social e sutil desintegração da estrutura social. A tendência individual de um horóscopo irá indicar como este destino coletivo poderá afetar o indivíduo. (Atualmente, nenhuma pessoa viva possui este aspecto.)

Os nativos podem ser participantes ou vítimas de instituições políticas e sociais corruptas. Na maioria dos casos, este aspecto traz reações inconscientes e automáticas.

Ele indica uma necessidade de regeneração espiritual no pensamento cultural e religioso e nas instituições a que o nativo pertence.

Netuno em quadratura com os Nódulos Norte e Sul (♆ □ ☊ ☋)

Esta quadratura indica uma situação em que a tendência mística dos nativos entra em conflito com os costumes mais triviais, práticos e com as instituições sociais de sua cultura.

Provavelmente, a sociedade os considera sonhadores pouco práticos, ou mesmo como influências subversivas que corroem os conceitos religiosos e sociais tradicionais. Eles podem se sentir sozinhos numa multidão e pouco compreendidos por seus companheiros. Algumas vezes, sua preocupação com atividades visionárias os deixa fora de contato com o fluxo dos acontecimentos, fazendo-os reagir de maneira imprópria e confusa.

Netuno em quadratura com o Ascendente e o Descendente (♆ □ Asc., Desc.)

Esta quadratura indica uma situação em que os nativos são confusos e muito subjetivos em sua auto-expressão e em seus relacionamentos sociais. Costuma-se dizer que eles estão "fora do ar", por assim dizer; eles preferem seu próprio mundo de sonhos.

Esta quadratura também torna os nativos irresponsáveis e falsos no que se refere ao casamento ou a parcerias. Inversamente, eles também podem ser enganados.

Netuno em quadratura com o Meio do Céu e o Nadir (♆ □ M.C., Nadir)

Esta quadratura, a não ser que outras influências no mapa mostrem o contrário, indica irresponsabilidade nas obrigações profissionais e confusão nos assuntos domésticos. O lar será desleixado e desorganizado, e, algumas vezes, cenário para o uso de álcool ou drogas.

Pode haver fraudes e irresponsabilidade no emprego, devido a preguiça, ineficiência, ou ambos. Em casos raros, os nativos são deliberadamente desonestos ou falsos.

Esta quadratura também indica tendência a fuga dos deveres domésticos e profissionais por intermédio de devaneios.

Quadraturas de Plutão

Plutão em quadratura com os Nódulos Norte e Sul (♇ □ ☊ ☋)

Esta quadratura indica uma tendência ao desejo de reformar as filosofias e instituições sociais e culturais. Assim, os nativos estarão em desacordo com a ordem estabelecida e serão desprezados por ela. Dependendo de outros fatores no horóscopo, esse desprezo pode se manifestar em desaprovação moderada ou numa questão de vida ou morte, em que os nativos são considerados perigosos revolucionários pela sociedade.

Plutão em quadratura com o Ascendente e o Descendente (♇ □ Asc., Desc..)

Esta quadratura indica tendência à agressividade no comportamento pessoal e a uma atitude anti-social no casamento, nas parcerias e nas relações com o público.

É um aspecto que indica propensão ao divórcio e pode levar a ações judiciais de várias espécies.

Os nativos querem modificar os outros, quando deveriam modificar a si mesmos. Essa arrogância naturalmente provoca ressentimentos e leva a relacionamentos desarmoniosos e conflitos de vontades. Os nativos também estão sujeitos a tentativas de domínio por parte de outras pessoas. "Diamante corta diamante", diz o ditado.

Plutão em quadratura com o Meio do Céu e o Nadir (♇ □ M.C., Nadir)

Esta quadratura indica uma situação em que o desejo de transformar as condições existentes pode causar conflitos com empregadores, superiores imediatos, pais, familiares, autoridades governamentais ou locadores.

Os nativos entram em desacordo com seus patrões provavelmente porque pensam conhecer uma maneira melhor de realizar o trabalho ou porque desejam mais poder no processo de tomada de decisões. Quando suas tendências revolucionárias se dirigem contra o governo e as instituições sociais, os nativos podem cair no desagrado oficial.

Se estiverem em posições de autoridade profissional ou doméstica, podem manifestar características autocráticas ou autoritárias, que geralmente irão provocar desarmonia.

CAPÍTULO 14

Os Trígonos

Trígonos do Sol

Sol em trígono com a Lua (☉ △ ☽)

Este trígono indica uma interação harmoniosa entre a expressão consciente da vontade e o poder potencial dos nativos e suas reações emocionais automáticas, influências hereditárias e tendências de hábitos. Uma forte vitalidade física geralmente está associada a este aspecto, que indica boa saúde, vigor e poder de recuperação.

Há um bom equilíbrio entre os princípios masculino e feminino, ou *yin* e *yang*. Devido à harmonia interior proporcionada pelo trígono, os nativos geralmente são atraentes para o sexo oposto. São capazes de atuar bem em seus relacionamentos sociais, se outros fatores o confirmarem. Este aspecto oferece autoconfiança e otimismo.

Os nativos tendem a se relacionar bem com a família e os pais, a não ser que existam tensões sérias formadas com o Sol, a Lua, a Quarta Casa, a Décima Casa e seus regentes, o que dificultaria essas relações. Eles gostam de crianças e trabalham bem com elas.

Sol em trígono com Marte (☉ △ ♂)

Este trígono oferece ao nativo coragem, força de vontade, liderança e decisão. Ele é especialmente favorável para os homens, porque fortalece as características tradicionalmente masculinas, como a ambição e a autoconfiança.

Com freqüência, uma considerável força física e resistência acompanham este aspecto. Os nativos podem atuar em elevados níveis de energia durante longos períodos e geralmente gostam de esportes ou outras atividades físicas. Contudo, mesmo com este trígono, podem ser competitivos e mais interessados em suas próprias metas do que nas dos outros.

Há um forte sentimento de honra e integridade; uma vez que nada é muito difícil para eles, esses nativos gostam do desafio de um trabalho duro. Sua experiência prática e seus hábitos construtivos no emprego da energia com freqüência lhes proporcionam *insights* sobre a melhor maneira de realizar tarefas difíceis.

Podem utilizar qualquer compreensão teórica que possuam de maneira prática.

Este aspecto possui uma forte conotação de signo de fogo, devido à regência do Sol em Leão e sua exaltação em Áries, à regência de Marte em Áries e à natureza combinada de Leão-Sagitário do próprio aspecto. A posição de Marte como o braço direito do Sol significa que o potencial de poder do Sol flui para uma ação criativa, inspirada; assim, os nativos são entusiastas, de uma maneira construtiva.

Sol em trígono com Júpiter (☉ △ ♃)

Como o Sol rege Leão e está exaltado em Áries, este trígono possui muitas das qualidades ardentes dos signos de fogo, pois o Sol forma trígono com Marte. Júpiter rege Sagitário, e assim proporciona ao trígono uma conotação combinada de Leão-Sagitário.

A Nona e a Quinta Casa estão igualmente enfatizadas aqui. Portanto, o entusiasmo, o otimismo e a expansividade deste trígono se dirigem a assuntos religiosos, filosóficos, legais, sociais e comunitários, em vez de voltar-se para a ação física pessoal de Marte em trígono com o Sol. Os nativos são positivos e altruístas em suas atitudes, e conseqüentemente ganham a confiança e a colaboração dos outros, o que, por sua vez, leva à sorte e ao sucesso.

Eles estão sempre protegidos por forças espirituais no que se refere à sua felicidade e segurança e, portanto, jamais são completamente vencidos. São generosos para com seus semelhantes.

Este aspecto confere honestidade, e os indivíduos baseiam suas ações num padrão de conduta ético e religioso; possuem *insights* sobre o futuro e um grau de previsão que beira a profecia. Em alguns casos, afastam-se de questões mundanas para buscar uma vida contemplativa, na companhia de livros e amigos prediletos.

Sol em trígono com Saturno (☉ △ ♄)

Este trígono indica um temperamento honesto, prático, circunspecto e conservador. Os nativos não desperdiçam energia ou recursos; tudo é organizado em direção a um objetivo prático e útil.

Uma boa capacidade de organização e poderes de concentração andam de mãos dadas com este aspecto. Os nativos possuem elevado grau de disciplina e geralmente realizam suas ambições por intermédio de muito trabalho.

Eles jamais estão desprevenidos em momentos difíceis, porque seu desejo prático de segurança faz com que economizem para "os dias de chuva". São muito pacientes, não correm riscos e, assim, vivem até uma idade avançada.

Sol em trígono com Urano (☉ △ ♅)

Este trígono oferece magnetismo pessoal, *insight* espiritual, capacidade de liderança e criatividade. Há a capacidade de, até certo ponto, penetrar na Mente Universal. Lampejos de intuição e genialidade ocorrem quando o trígono é intensificado por trânsitos ou progressões. As mentes dos nativos tendem ao estudo científico e oculto. Bons astrólogos com freqüência possuem este aspecto.

Os nativos possuem uma vontade forte e desejam vivenciar novas esferas de experiência: podem liderar reformas e defender novas idéias e invenções. Tendem a ser humanitários e possuem um sentimento de fraternidade humana universal derivado de sua percepção da unidade espiritual subjacente a toda manifestação da vida.

Sol em trígono com Netuno (☉ △ ♆)

Este trígono, como o do Sol com Urano, oferece intuição. Contudo, esta intuição é de natureza emocional e com freqüência se manifesta na empatia, enquanto a de Urano é mais mental e impessoal.

A intuição com freqüência se manifesta na arte, na música, na religião, no misticismo e na orientação espiritual para os outros. Os nativos possuem a qualidade do amor universal, que pode transcender as manifestações pessoais, sexuais e físicas dessa emoção. Em sua forma mais elevada, este amor pode elevar espiritualmente e curar fisicamente aqueles que entram em contato com os nativos.

A não ser que existam suficientes qualidades práticas de Saturno e Mercúrio, os nativos podem ser apenas sonhadores visionários. Mas este aspecto realmente possui seu lado prático e pode oferecer *insights* nos negócios e investimentos na Bolsa de Valores; existe também a capacidade de fluir com as sutis correntes da vida, e assim os nativos têm um instinto para estarem no lugar certo na hora certa, dizendo a coisa certa para a pessoa certa.

Sol em trígono com Plutão (☉ △ ♇)

Este trígono oferece aos nativos um poder de concentração e uma vontade muito desenvolvidos. Existe a capacidade para regenerar, elevar e transformar todos os aspectos da vida. Eles podem ser líderes inspirados se o resto do horóscopo indicar uma evolução espiritual avançada. Costumam ter *insights* sobre as situações, o que lhes permite saber quando ou onde empregar eficientemente sua energia e seus recursos.

Com freqüência, existe interesse por meditação, ioga ou outras formas de autodesenvolvimento espiritual; geralmente estão presentes a clarividência e habilidades intuitivas. Os nativos possuem uma energia quase sobrenatural: são ardentes e criativos em sua auto-expressão.

Sol em trígono com o Nódulo Norte e em sextil com o Nódulo Sul (☉ △ ☊ ✶ ☋)

Esta configuração oferece aos nativos a habilidade para exercer sua vontade e se expressarem em harmonia com as atitudes e instituições sociais dominantes. Isso assegura que seus esforços tenham resultados criativos, harmoniosos, em qualquer situação.

Há uma considerável capacidade de liderança, geralmente indicando apoio público e popularidade — a configuração favorece políticos e pessoas de vida pública.

Sol em trígono com o Ascendente e em sextil com o Descendente (☉ △ Asc. ✶ Desc)

Esta configuração proporciona vitalidade, autoconfiança e um temperamento positivo, otimista. Os nativos têm força de vontade e muita energia. Seu temperamento magnânimo geralmente atrai a colaboração dos outros.

Este também é um aspecto favorável para o casamento e qualquer tipo de parceria, porque o poder do Sol harmoniza os relacionamentos dos nativos.

Sol em trígono com o Meio do Céu e em sextil com o Nadir (☉ △ M.C. ✶ Nadir)

Esta configuração oferece aos nativos capacidade de liderança e aumenta suas chances de adquirir destaque em suas carreiras. É favorável para políticos e pessoas de vida pública, e para os relacionamentos com pessoas que ocupam posições de autoridade.

O sucesso profissional possibilita um objetivo mais abrangente na esfera doméstica, proporcionando as bases para uma vida familiar feliz.

Trígonos da Lua

Lua em trígono com Mercúrio (☽ △ ☿)

Este trígono indica boa memória e boa colaboração produtiva entre as mentes inconsciente e consciente. Há um raciocínio construtivo com relação aos assuntos domésticos e pessoais, especialmente em questões de saúde e alimentação.

A diretriz deste aspecto é o bom senso, e os nativos são capazes de raciocinar com precisão e se comunicar com sensibilidade nos assuntos normais da vida. Com freqüência, possuem aguçada capacidade para os negócios, particularmente com relação a alimentos ou produtos para o lar.

Geralmente são fluentes em seu discurso, e bem-sucedidos em negócios realizados por correio, telefone ou outros meios de comunicação.

Lua em trígono com Vênus (☽ △ ♀)

Este trígono indica um temperamento agradável, harmonioso. Ele é particularmente favorável para as mulheres, pois ressalta as tradicionais virtudes femininas, como a beleza e a suavidade de expressão emocional e afetiva. Há muita compreensão e empatia para com as outras pessoas; a presença dos nativos tem um efeito calmante.

Os nativos geralmente possuem alguma habilidade artística, ou, pelo menos, manifestam bom gosto na culinária, na decoração do lar e na aparência pessoal. Se estiver combinado a aspectos favoráveis com Netuno, este trígono pode indicar um excepcional talento musical ou artístico.

O aspecto favorece cantores e atores, pois Vênus rege Touro, onde a Lua está exaltada. A voz influenciada por este trígono é melodiosa e agradável.

Lua em trígono com Marte (☽ △ ♂)

Os nativos tendem a ser emocionalmente ativos e a possuir muita energia psíquica. São empreendedores nos negócios e na vida doméstica e familiar.

Os sentimentos são fortes, mas controlados e construtivamente empregados. Os nativos lutarão pelo que consideram certo; também possuem a capacidade de apoiar suas idéias por intermédio da vontade e da ação. Sua saúde forte e sua energia levam a uma intensidade de experiências, que, por sua vez, aumenta sua faculdade de imaginação.

Lua em trígono com Júpiter (☽ △ ♃)

Este trígono leva os nativos em direção ao altruísmo e à devoção religiosa. Geralmente, existe grande generosidade de espírito e um temperamento bom — eles ajudarão os outros sempre que possível. Sua imaginação é expansiva.

Os nativos são dedicados ao lar, aos pais e à família, desejando manter a paz e a felicidade no lar. Essa qualidade se deve à regência da Lua em Câncer, onde Júpiter está exaltado.

O aspecto favorece a riqueza, através de heranças ou pela própria habilidade para os negócios.

Lua em trígono com Saturno (☽ △ ♄)

Os nativos são cautelosos e conservadores. São honestos e têm bastante bom senso. Têm boa capacidade de organização e, quando necessário, podem suportar privações para atingir objetivos de longo alcance; podem ser perspicazes e muito espertos nos negócios.

Em si mesmo este aspecto não torna os nativos criadores de idéias. Mas, eles podem construir sobre as bases de negócios ou instituições já estabelecidas ou herdadas. Este é um aspecto favorável para lidar com mineração ou bens imobiliários, ou ainda com assuntos ligados à terra.

Às vezes, uma atitude espartana, austera, disciplinada, acompanha este aspecto, e então os nativos se preocupam pouco com os habituais confortos físicos.

São característicos a dignidade pessoal e o senso de responsabilidade na realização das obrigações.

Lua em trígono com Urano (☽ △ ♅)

Este aspecto oferece ao nativo imaginação original, espontânea e habilidade para os negócios que envolvam empreendimentos novos ou inventivos. A personalidade tem uma brilhante efervescência que fascina os outros. Os nativos são cheios de energia e determinação.

O lar, os pais e a situação doméstica serão bastante incomuns. Os nativos buscam experiências diferentes; não gostam de levar uma existência convencional.

Com freqüência, estão presentes habilidades parapsíquicas, acompanhadas pelo interesse na astrologia ou em outras ciências ocultas.

Lua em trígono com Netuno (☽ △ ♆)

Fortes tendências mediúnicas e parapsíquicas caracterizam este aspecto. Dependendo do resto do horóscopo, os nativos podem ter *insights* intuitivos ou proféticos a respeito de pessoas e situações futuras.

Há interesse pela psicologia, fenômenos psíquicos e assuntos correlatos; uma hipersensibilidade aos fatores ambientais também pode estar ligada a este trígono.

Os nativos possuem uma imaginação aguçada, que, se ligada a Vênus, pode criar um excepcional talento artístico. Em alguns casos, são meros sonhadores, a não ser que outros fatores, como Saturno, Marte ou Mercúrio bem colocados ou aspectados no horóscopo, acrescentem um lado prático.

Lua em trígono com Plutão (☽ △ ♇)

Este aspecto oferece intensidade emocional, aliada à capacidade para a regeneração emocional do eu e do ambiente.

Os sentimentos estão sob o controle da vontade e podem se manifestar com enorme poder. Os nativos possuem grande coragem e determinação para superar os obstáculos ao seu sucesso material e espiritual.

Com freqüência, têm *insights* intuitivos sobre as causas subjacentes aos fenômenos objetivos. Utilizam sua vontade e sua imaginação para transformar os pensamentos em manifestação prática e objetiva, pois sabem instintivamente que os pensamentos são poderosos quando energizados pela vontade.

Lua em trígono com o Nódulo Norte e em sextil com o Nódulo Sul (☽ △ ☊ ✶ ☋)

Esta configuração indica um equilíbrio harmonioso entre as emoções e reações instintivas dos nativos e as tendências e atitudes sociais predominantes.

Os nativos sabem instintivamente como navegar proveitosamente nas correntes de crenças populares em transformação.

Lua em trígono com o Ascendente e em sextil com o Descendente (☽ △ Asc. ✶ Desc.)

Esta configuração indica a manifestação construtiva das emoções. Além disso, os nativos são sensíveis a esta expressão dual nos outros.

Possuem uma imaginação ativa e podem atuar harmoniosamente em situações domésticas e sociais, inclusive nos aspectos domésticos do casamento.

Lua em trígono com o Meio do Céu e em sextil com o Nadir (☽ △ M.C. ✶ Nadir)

Esta configuração favorece o sucesso profissional graças à habilidade para lidar com o público e para se adaptar às reações emocionais de pessoas que ocupam posições de autoridade e de todos os que afetam a carreira dos nativos.

A segurança proporcionada por este aspecto cria a oportunidade para estabelecer uma situação doméstica segura e harmoniosa. Isso é ainda mais facilitado pela sensibilidade emocional voltada ao lar e à família.

Trígonos de Mercúrio

Mercúrio em trígono com Marte (☿ △ ♂)

Este trígono oferece muita energia mental; uma vez que possuem uma concentração mental muito forte e profunda, os indivíduos com este aspecto são capazes de realizar estudos sérios e aprender muito. Contudo, até onde eles poderão levar essa aplicação irá depender de sua capacidade para controlar a inquietação. Bons aspectos formados com Saturno ou os planetas exteriores ajudam a proporcionar a necessária firmeza de concentração.

Embora este aspecto sozinho não favoreça um cientista puro ou teórico erudito, ele é extremamente favorável na aplicação prática do conhecimento científico, como, por exemplo, em negócios que lidam com maquinaria. Com freqüência há interesse por coisas mecânicas e técnicas em geral. Esta capacidade mental prática se origina da ambição e do impulso competitivo de Marte.

A capacidade dos nativos para serem dramáticos e enérgicos em seu discurso e comunicação faz com que se adaptem bem em funções como repórteres ou comentaristas. O aspecto é de grande ajuda para escritores de romances de mistério. (Este auxílio vem do lado Escorpião de Marte.)

Como procuram manipular a opinião pública, esses nativos com freqüência ingressam na política, na carreira militar, legal ou qualquer outra profissão que lhes ofereça a possibilidade de exercer autoridade mental e liderança.

Há uma reação quase imediata a todos os estímulos mentais. A exaltação de Mercúrio em Aquário acrescenta ao entusiasmo marciano uma compreensão ampla, ou visão universal, que aumenta a compaixão e torna os nativos mais idealistas no incentivo de causas que consideram boas.

Mercúrio em trígono com Júpiter (☿ △ ♃)

Este trígono é particularmente favorável para pessoas envolvidas na educação superior — estudantes ou professores. (Mercúrio rege a mente racional prática, Júpiter é regente da casa intelectual da educação superior, e o próprio trígono possui uma conotação da Nona e Quinta Casas.) Ele também favorece editores, correspondentes estrangeiros e escritores, especialmente aqueles que lidam com assuntos religiosos e filosóficos e com questões relacionadas à Nona, Terceira e Sexta Casas.

A mente é ampla, tolerante e rápida na compreensão; os nativos se comunicam com facilidade e confiança. Uma vez que podem projetar suas idéias e ganhar a aprovação dos outros, o trígono é bom para oradores. Políticos e pessoas de vida pública também são favorecidos.

Este aspecto traz honestidade e integridade, pois a tendência natural dos nativos é considerar as conseqüências morais e éticas de seus pensamentos e ações. Conseqüentemente, este também é um bom aspecto para aqueles que escolhem o direito como profissão.

Os nativos geralmente gostam de viajar; mesmo não viajando fisicamente, suas mentes estão ocupadas com países estrangeiros e com o mundo como um todo.

Generosos com seus amigos, gostam de recebê-los em casa; o lar também é local de estudos. Os nativos geralmente possuem amplas bibliotecas, e trabalharão muito para tornar seu lar útil à harmonia social e a atividades intelectuais.

Além disso, eles são um exemplo do princípio do poder do pensamento positivo, e seu otimismo os ajuda a atingir o sucesso. Contudo, em alguns casos, esta posição os conduz a uma vida contemplativa, a ponto de não se interessarem pelo sucesso material. (Essa atitude também estaria indicada por outros fatores no horóscopo.)

Mercúrio em trígono com Saturno (☿ △ ♄)

Este trígono indica organização mental; ele favorece particularmente os matemáticos e cientistas ou outros que precisam realizar trabalhos mentais sistemáticos, exatos, em que existe pouca ou nenhuma tolerância a erros. Confere habilidade manual e geralmente será encontrado nos mapas de artesãos que realizam trabalhos de precisão. Devido à habilidade para lidar com responsabilidades de organização, este é um bom aspecto também para o trabalho administrativo ou planejamento político.

Os nativos são bons estudantes, devido à sua paciência e capacidade de trabalhar muito. Embora este aspecto por si mesmo não ofereça originalidade de pensamento, favorece sua utilização e manifestação prática.

Este também é um aspecto favorável para escritores e professores, proporcionando um ponto de vista muito mais prático e maior capacidade de atenção do que o trígono de Mercúrio com Júpiter. A boa memória é característica deste trígono.

Geralmente está favorecido o aspecto mental de estruturação; as pessoas com este aspecto em geral encaram a vida seriamente e tendem a ser disciplinadoras. Seu caráter moral e autocontrole são excelentes, desde que o resto do horóscopo não tenha fortes indicações em contrário.

Esses nativos são amigos leais, mas não gostam de adulação: qualquer elogio feito por eles é bem merecido.

Mercúrio em trígono com Urano (☿ △ ♅)

Este trígono confere uma capacidade mental especial ligada às faculdades intuitivas. Os nativos geralmente têm uma visão humanitária, devida à dupla conotação aquariana — a regência de Urano em Aquário e a exaltação de Mercúrio em Aquário.

Os nativos são bons em investigações e pesquisas em novas áreas de pensamento; possuem uma compreensão natural das sutis forças de energia e geralmente sentem-se atraídos por áreas de estudo científico ou oculto. Eles têm lampejos intuitivos sempre que suas mentes conscientes se harmonizam com a Mente Universal, pois essa é sua tendência natural.

Podem ser gênios em alguma área especial, mas são indiferentes com coisas que não os interessam.

Este é um excelente aspecto para pessoas envolvidas na área da astrologia, porque confere a compreensão científica dos princípios ocultos.

Os nativos não são limitados pela tradição; chegam às suas próprias conclusões independentemente das opiniões popularmente defendidas. Por essa razão, estão muito à frente de seu tempo em sua compreensão da vida. Expressam seus pensamentos com originalidade e dramaticidade, e com freqüência possuem excelente memória; este aspecto favorece os oradores públicos.

Também são favorecidos aqueles que trabalham na área da eletrônica e da computação. Eles geralmente possuem habilidades especializadas, importantes para suas carreiras.

Mercúrio em trígono com Netuno (☿ △ ♆)

Este trígono indica uma mente intuitiva, com a capacidade de ler os pensamentos dos outros. Também confere aptidões proféticas, se outros fatores no horóscopo o confirmarem.

Os nativos possuem uma visualização muito desenvolvida, que lhes permite ver mentalmente qualquer objeto ou processo em detalhes, como se realmente estivessem olhando para eles. Como Netuno rege a capacidade de formar imagens, as premonições psíquicas que acompanham as visões são características deste aspecto. Contudo, a natureza inteligente de Mercúrio geralmente torna os nativos capazes de compreender essas premonições melhor do que os nativos que têm outros aspectos de Netuno.

Este trígono, especialmente se estiver combinado com Vênus, pode oferecer habilidade artística e musical, particularmente na área da composição. Os nativos escrevem boa ficção devido à sua fértil imaginação, e podem ser habilidosos em fotografia e cinema. Também podem se tornar bons poetas e escritores de assuntos místicos.

O aspecto confere sentimentos extremamente delicados e aguçados, o que faz com que os nativos evitem situações desagradáveis.

Os nativos atingem o sucesso mais através de uma sutil infiltração nas mentes dos outros do que por uma tentativa aberta para convencê-los. Assim, se o resto do horóscopo for favorável, este aspecto pode ser encontrado entre bem-sucedidos estrategistas militares, financeiros e políticos. Esses nativos também podem ser mestres na manipulação da mente do público, a partir de um nível inconsciente, através do emprego sutil de meios de comunicação de massa.

Mercúrio em trígono com Plutão (☿ △ ♇)

Este trígono indica o tipo de mente capaz de compreender a realidade em termos de interação de energia — isto é, a compreensão das causas das manifestações exteriores (a habilidade necessária a um físico atômico para compreender as estruturas atômicas). O profundo envolvimento nessas áreas só irá ocorrer em alguns casos, pois muitos outros fatores precisam confirmá-lo. Com freqüência, esta influência é muito sutil para que os nativos comuns a compreendam ou utilizem todo o seu potencial. Nas pessoas mais comuns, o aspecto simplesmente indicaria a capacidade de chegar à essência das coisas.

Há interesse por áreas científicas ou ocultas, e este aspecto com freqüência é encontrado no horóscopo do físico, especialmente se lida com energia nuclear. Entretanto, neste caso, Saturno e Urano precisariam entrar na configuração, juntamente com uma posição adequada de casa e signo.

Essas pessoas têm bom poder de concentração e podem usar sua força de vontade de maneira inteligente; assim, podem ampliar suas aptidões mentais, bem como suas mentes e formas de comunicação. O aspecto favorece escritores, pesquisadores e investigadores. Pode haver uma preocupação especial com a leitura ou escrita de histórias de mistério ou de detetives.

Mercúrio em trígono com o Nódulo Norte e em sextil com o Nódulo Sul (☿ △ ☊ ✶ ☋)

Esta configuração oferece habilidade para compreender as atitudes, tendências e instituições sociais dominantes. Conseqüentemente, os nativos sabem se comunicar com o público, beneficiando-se desta relação. O aspecto favorece aqueles que trabalham nos meios de comunicação de massa — e que precisam obter a aceitação pública de suas idéias. Os políticos, que lidam com os meios de comunicação para atingir o público, são particularmente favorecidos, assim como os sociólogos.

Mercúrio em trígono com o Ascendente e em sextil com o Descendente (☿ △ Asc. ✶ Desc.)

Esta configuração confere uma profunda percepção mental e sensorial, aliada a uma mente inteligente e rápida. Os nativos podem se expressar fluentemente e são capazes de convencer facilmente os outros da validade de suas idéias. Devido à habilidade na apresentação de idéias, são bons relações-públicas, representantes e diplomatas.

Há um bom intercâmbio mental no casamento e em outras parcerias, e harmonia com os semelhantes. O elevado grau de inteligência conferido por este aspecto torna os nativos bons estudiosos ou pesquisadores, especialmente se Mercúrio estiver bem aspectado em outras direções.

Mercúrio em trígono com o Meio do Céu e em sextil com o Nadir (☿ △ M.C. ✱ Nadir)

Esta configuração indica uma ligação muito estreita entre a inteligência e a ambição profissional. Oferece a habilidade para escrever sobre assuntos relacionados à profissão dos nativos, e lhes permite uma boa comunicação com pessoas que ocupam posições de autoridade.

O lar provavelmente é um local de esforços intelectuais, contendo uma ampla biblioteca. Os nativos desejam partilhar seus interesses intelectuais e educacionais com a família, bem como utilizá-los em seu trabalho profissional. A configuração favorece uma comunicação harmoniosa entre as esferas doméstica e profissional. Às vezes, os parentes ajudam muito nos assuntos profissionais e domésticos.

Trígonos de Vênus

Vênus em trígono com Marte (♀ △ ♂)

Este trígono indica energia emocional e tendências artísticas. Os nativos adoram se divertir, e, a não ser que outros fatores no horóscopo indiquem o contrário, geralmente têm *sex appeal.* Sabem agradar aos outros emocionalmente e sentem-se à vontade em seus relacionamentos com o sexo oposto.

Como Marte é o regente natural da Primeira Casa e Vênus é o regente da Sétima Casa, este trígono tem conotação da Quinta Casa, que favorece a felicidade nos romances e no casamento.

A sensibilidade de Vênus está energizada por Marte, dando a Vênus uma expressão mais dinâmica, enquanto Marte se exprime de maneira mais refinada e menos destruidora. Assim, os nativos se expressam dinamicamente e possuem uma capacidade natural de agradar.

Geralmente, existe talento criativo na música, na arte e no teatro, e energia e força de vontade necessárias à expressão concreta desse talento.

Vênus em trígono com Júpiter (♀ △ ♃)

Este trígono indica um temperamento feliz, otimista e sociável. Favorece o sucesso na música e nas artes. Os nativos geralmente se interessam por arte religiosa, ou usam a arte para transmitir idéias religiosas e filosóficas.

Existe harmonia nos assuntos conjugais e domésticos. Essas pessoas geralmente são bem-sucedidas em negócios relacionados a arte, culinária e móveis e decoração para o lar.

Este aspecto é bom para o ensino ou publicação na área artística, devido à conotação jupiteriana da Nona Casa e à conotação do trígono da Nona Casa. Também pode haver interesse por hospitais e instituições semelhantes, devido à exaltação de Vênus em Peixes, do qual Júpiter é o co-regente.

A voz tem uma característica agradável, suave. Se a Lua estiver envolvida neste trígono, o nativo tem potencial para ser um excelente cantor.

A principal virtude do aspecto é a capacidade de levar alegria para os outros. Os nativos sentem muita compaixão pelos menos afortunados; são particularmente refinados e possuem encanto social; assim, são muito procurados.

Num horóscopo fraco, esta combinação particular de influências benéficas pode levar à indolência, especialmente se o nativo possuir riquezas que não obteve por esforço próprio. Em um horóscopo tenso, indicando que a pessoa tem muitas cruzes a carregar, um trígono de Vênus e Júpiter pode ter um valor especial; oferecendo um sentimento de alegria de viver a despeito dos sofrimentos. Como este trígono em si mesmo não é um aspecto dinâmico, a realização total de seu potencial criativo irá depender do resto do horóscopo.

Vênus em trígono com Saturno (♀ △ ♄)

Este trígono indica senso de ordem, equilíbrio e proporção na arte e na música. É freqüentemente encontrado nos horóscopos de artistas; oferece um excelente senso de ritmo e de relacionamento estrutural no tempo e no espaço. O aspecto também é favorável a arquitetos, projetistas, matemáticos e pessoas que trabalham com estruturas que precisam ser funcionais e estéticas.

Os nativos possuem perspicácia nos negócios, originada da regência de Saturno em Capricórnio e da regência de Vênus em Touro. Esses signos também formam trígono.

Saturno é co-regente de Aquário e Vênus rege Libra, onde Saturno está exaltado. Esses relacionamentos indicam que, embora os nativos tenham um forte senso prático, também possuem a intelectualidade dos signos de ar e o senso de justiça e imparcialidade de Libra.

A exaltação de Vênus em Peixes, combinada com as influências de Aquário e Capricórnio e a preocupação de Libra com seus semelhantes, significa que os nativos têm uma compreensão prática e real das necessidades dos menos favorecidos; indica também a vontade de ajudar os outros de maneira a desenvolver neles a capacidade de se ajudarem.

Essas pessoas são amigos leais; também são bons parceiros no casamento, porque Saturno oferece durabilidade a seus relacionamentos. De muitas maneiras, esse é um contato excelente, porque a beleza e a harmonia de Vênus são preservadas e estabilizadas pela influência de Saturno.

Mesmo com este trígono, os nativos podem ser excessivamente sérios e reservados. Superficialmente, esta característica pode ser interpretada como frieza e insensibilidade, mas esses nativos conseguem conquistar as pessoas à medida que a relação progride.

Vênus em trígono com Urano (♀ △ ♅)

Este trígono indica uma natureza ardente, cheia de surpresas, e que tende a enxergar o lado brilhante da vida. Proporciona uma espontaneidade particularmente favorável às artes dramáticas. Os nativos geralmente têm romances e casamentos excitantes, amigos incomuns e muita popularidade; também pode haver uma sorte inesperada em questões financeiras.

Em qualquer empreendimento artístico, essas pessoas terão um estilo diferenciado; seus empreendimentos com freqüência estão associados à mídia eletrônica, como rádio, televisão, gravação.

A sorte trazida por este aspecto geralmente é resultado da visão alegre da vida, que atrai pessoas de importância e dinheiro: os nativos irradiam a felicidade que os outros procuram.

Eles geralmente possuem muito *sex appeal* e não têm dificuldades para iniciar romances.

Em um horóscopo que indica tendências à profunda espiritualidade, este trígono pode ser de grande ajuda. Contudo, em si mesmo, ele necessariamente não significa uma pessoa profunda.

Vênus em trígono com Netuno (♀ △ ♆)

Este trígono evidencia uma natureza muito romântica; proporciona talento e, algumas vezes, genialidade na música, na arte e na poesia. Mas os nativos não são propensos às questões práticas, a menos que outros fatores no horóscopo indiquem essa tendência.

Provavelmente, terão romances incomuns e conhecerão seus amantes em circunstâncias incomuns, que de alguma maneira parecem predestinadas e com freqüência são acompanhadas de premonições.

As pessoas com este aspecto são bondosas e compreensivas com aqueles que precisam de ajuda. Entretanto, sua maneira de oferecer ajuda pode ser pouco prática.

O trígono possui uma dupla conotação de Peixes, que transmite toda a beleza mística do signo. Essas pessoas possuem um ar misterioso, e uma profunda compreensão emocional; as pessoas muito desenvolvidas geralmente podem exercer um poder de cura por intermédio de sua presença calmante.

O trígono pode indicar um extremo refinamento estético, emocional e até mesmo espiritual.

Vênus em trígono com Plutão (♀ △ ♇)

Este trígono mostra uma intensa natureza emocional, capaz das formas mais elevadas de amor. Em seu aspecto mais elevado, indica a regeneração espiritual através do amor. Geralmente existe algo de predestinado na vida amorosa e no casamento dos nativos; o amor à primeira vista não é incomum. Como as emoções têm um grande poder subjacente, os relacionamentos íntimos dos nativos serão muito significativos.

Eles são definitivamente românticos, mas de maneira positiva, poderosa, mais direcionada do que em Vênus-Netuno, e com maior constância do que em Vênus-Urano. Mesmo num trígono, esses dois planetas indicam um forte impulso sexual. No caso do trígono, esse impulso encontra uma expressão construtiva. Uma penetrante compreensão da realidade e do poder do amor pode ter um efeito transformador sobre outras pessoas, bem como sobre os próprios nativos. Com freqüência, eles ou seus parceiros no casamento se modificam para melhor graças ao relacionamento.

Vênus em trígono com o Nódulo Norte e em sextil com o Nódulo Sul (♀ △ ☊ ✱ ☋)

Esta configuração indica muito refinamento nos encantos sociais. As ações dos nativos em todas as situações sociais coincidem com a linha de conduta adequada. Assim, sua popularidade aumenta, mas, a não ser que outros fatores no horóscopo indiquem um senso de valores mais profundo, sua preocupação com a sensibilidade dos outros pode ser superficial.

Vênus em trígono com o Ascendente e em sextil com o Descendente (♀ △ Asc. ✱ Desc.)

Esta configuração proporciona harmonia e graça na expressão e na aparência pessoal. É especialmente favorável para as mulheres, pois aumenta sua beleza e seu charme. A gentileza e delicadeza de maneiras dos nativos, assim como sua percepção dos outros, lhes trazem popularidade, romance, um casamento favorável e a colaboração dos outros. Essas pessoas atraem a felicidade porque levam em consideração a felicidade dos outros.

A configuração oferece alguma habilidade musical e artística, ou, pelo menos, a valorização das artes.

Vênus em trígono com o Meio do Céu e em sextil com o Nadir (♀ △ M.C. ✱ Nadir)

Esta configuração indica um progresso na carreira e nas ambições dos nativos graças ao uso da beleza, charme e encanto social, que ganham a aprovação de pessoas que ocupam posições importantes. A harmonia no lar cria uma atmosfera social favorável às ambições profissionais.

Com este aspecto, as artes dramáticas obtêm algum reconhecimento.

Trígonos de Marte

Marte em trígono com Júpiter (♂ △ ♃)

Este trígono indica capacidade para agir com energia e entusiasmo. Os impulsos filosóficos e humanitários dos nativos, representados por Júpiter, encontram uma forma de manifestação através da ação construtiva, representada por Marte. Os nativos agem de maneira prática para ajudar os menos favorecidos, ao invés de simplesmente sentirem pena deles.

Essas pessoas praticam sua religião. A dupla qualidade de fogo do trígono lhes oferece um ardente entusiasmo. Marte rege Áries, e Júpiter rege Sagitário, e o aspecto do trígono em si tem uma conotação sagitariana de Nona Casa. Os nativos, portanto, obtêm compreensão e sabedoria pela ação positiva; isso irá afetar os assuntos regidos pelos signos e casas em que Marte e Júpiter se encontram, e os assuntos das casas que regem.

Este trígono indica um bom carma, adquirido pelo uso anterior de energia destinado a ajudar a humanidade como um todo. A conotação da Décima Segunda e da Oitava Casa deste aspecto também evidencia a capacidade para regenerar condições negativas originadas no passado, transformando-as em ações positivas.

Marte, exaltado em Capricórnio, e Júpiter, exaltado em Câncer, atuam juntos para aumentar as ambições e também proporcionam as bases para uma vida familiar ativa e construtiva.

Também está indicado o gosto por esportes, aventuras e viagens. Há interesse no trabalho evangélico ou religioso. O aspecto favorece o trabalho com jovens através da psicologia, trabalho social ou religioso.

Marte em trígono com Saturno (♂ △ ♄)

Este aspecto combina todas as qualidades favoráveis de Capricórnio (Saturno rege Capricórnio e Marte está exaltado aqui). Indica capacidade para o trabalho duro e sério, para a ação premeditada. Raramente a energia é desperdiçada; ao contrário, é utilizada para produzir o máximo de resultados proveitosos. Uma tremenda força de vontade utilizada com paciência sistemática caracteriza este trígono.

Como Saturno oferece precisão matemática à combinação, os nativos com freqüência possuem habilidades técnicas, particularmente onde se exigem precisão ótica e aparelhagem mecânica. Eles são muito ambiciosos e irão trabalhar muito para atingir posições de autoridade e controle administrativo. Geralmente são perspicazes na política, seja governamental ou corporativa. Os homens que procuram carreiras militares provavelmente têm este aspecto.

O trígono confere paciência, combinada com habilidade e audácia nas ações. Favorece os que precisam assumir pesadas responsabilidades, e dá aos nativos a capacidade de suportar dificuldades e enfrentar, quando necessário, situações perigosas. Sob estresse, há muito vigor e força.

Marte em trígono com Urano (♂ △ ♅)

Este trígono oferece originalidade e engenhosidade na ação. Os nativos têm força de vontade e capacidade para agir com determinação. São capazes de rejeitar antigos conceitos e condições para criar novos. Esse processo de regeneração vem da dupla influência de Escorpião. Marte rege Escorpião, que por sua vez é o signo da exaltação de Urano. Os nativos são diretos e sinceros e têm muita energia; são capazes de utilizar métodos originais para realizar suas ambições profissionais e desejam a liderança em organizações e grupos.

Eles são habilidosos na aplicação prática de leis ocultas; uma considerável habilidade técnica e inventiva acompanha este aspecto, que favorece especialmente aqueles que trabalham com aparelhos eletromecânicos.

A independência e a exigência de liberdade pessoal a todo custo são características desses nativos. Eles são ousados e se desviarão de seu caminho para buscar experiências incomuns.

O elevado grau de energia nervosa ao qual os nativos estão constantemente sujeitos pode tornar difícil o relacionamento com eles, mesmo que esta energia se origine de um trígono. Eles precisam ser mais equilibrados e controlados.

Marte em trígono com Netuno (♂ △ ♆)

Este trígono indica uma forte natureza psíquica, que pode ser utilizada na cura ou em trabalhos ocultos. Os nativos possuem uma aptidão especial para perceber o perigo e tomar as precauções necessárias para anulá-lo. Sua sensibilidade aguçada lhes permite perceber a falta de sinceridade de outras pessoas.

A capacidade para agir com determinação em segredo também acompanha o trígono. Isso permite que os nativos vençam seus adversários e atinjam seus objetivos sem interferência alheia.

O aspecto combina energia com percepção muito aguda. Há interesse pelas formas ocultas de cultura física, como a ioga. A habilidade nas artes, especialmente as que envolvem o corpo físico, como a dança, é característica. Os nativos provavelmente têm bons hábitos alimentares e de higiene pessoal. São extremamente sensíveis às influências emocionais de seu ambiente, e portanto sabem como e quando agir.

Este aspecto favorece químicos, particularmente os que trabalham com líquidos e química orgânica.

Marte em trígono com Plutão (♂ △ ♇)

Este trígono indica uma força de vontade bastante desenvolvida e a capacidade de regenerar a vida pessoal e todas as coisas relacionadas a ela por meio da ação decisiva e construtiva; um *insight* penetrante e realismo estão combinados com a vontade e o poder de ação.

Em alguns casos, há interesse por formas avançadas de ciência, como o uso da energia atômica. Quando os nativos são muito desenvolvidos, podem controlar forças ocultas em benefício da humanidade.

Se uma situação assim o exigir, os nativos lutarão impiedosamente na defesa daquilo que consideram correto. Eles não conhecem o medo e não se intimidam diante de ameaças ou perigos.

Alguns nativos possuem uma atitude dinâmica frente à vida. Percebem a vida mais como um fluxo de energia do que como um conjunto de condições estáticas.

Com freqüência, existe uma forte constituição, com um elevado grau de energia. Eles têm a habilidade de recarregar sua força recorrendo às energias e fontes espirituais mais elevadas.

Marte em trígono com o Nódulo Norte e em sextil com o Nódulo Sul (♂ △ ☊ ✶ ☋)

Esta configuração oferece a capacidade de agir e escolher a ocasião para fazê-lo, e assim, os nativos estão em harmonia com os comportamentos socialmente aceitos. Portanto, ganham popularidade como líderes sociais. A configuração favorece políticos e outros que têm vida pública. A energia necessária para lidar com as tendências e instituições sociais também está disponível.

Marte em trígono com o Ascendente e em sextil com o Descendente (♂ △ Asc. ✶ Desc.)

Esta configuração oferece uma forte constituição física, combinada com força de vontade e determinação. A força e a integridade dos nativos inspiram confiança e ganham a colaboração das pessoas. Eles têm vidas ativas, são rápidos em suas respostas e conseguem realizar muitas coisas.

Os homens são especialmente favorecidos, pois o aspecto fortalece as tradicionais virtudes masculinas de força física e ambição.

Marte em trígono com o Meio do Céu e em sextil com o Nadir (♂ △ M.C.✶ Nadir)

Esta configuração fortalece as ambições dos nativos e a determinação de conseguir destaque em suas carreiras. Eles são enérgicos e trabalhadores nas áreas que escolhem. Assim, ao ganhar a confiança dos que têm autoridade, adquirem os meios para proporcionar um bom ambiente doméstico para si mesmos e suas famílias.

Trígonos de Júpiter

Júpiter em trígono com Saturno (♃ △ ♄)

Este trígono é uma excelente indicação de responsabilidade, bom senso, honestidade e integridade. Ele confere aos nativos habilidades comerciais, financeiras e administrativas.

Os nativos são prudentes, previdentes e capazes de coordenar tarefas de grande alcance, que acarretam pesadas obrigações. O trígono favorece a carreira política ou a vida pública. Esses nativos são excelentes executivos e funcionários do governo, e em geral têm boa reputação.

Este também é um bom aspecto para advogados e juízes. Saturno está exaltado em Libra, um signo que lida com a lei e a justiça, e é regente de Capricórnio, um signo que lida com o governo. Júpiter rege Sagitário e a Nona Casa, que rege a lei codificada do pensamento cultural. Este aspecto tem uma conotação da Nona e da Quinta Casa.

Os nativos geralmente são sérios, dignos, tranqüilos; possuem uma visão religiosa da vida, que provavelmente segue linhas ortodoxas, a não ser que os três planetas exteriores sejam fortes. O trígono acrescenta bastante estabilidade às suas vidas; os nativos são caridosos, mas sabem a quem e como oferecer sua caridade.

Júpiter em trígono com Urano (♃ △ ♅)

Este trígono oferece habilidade criativa e inspiração. Os nativos irão se interessar pela religião, através das linhas progressistas, ocultas ou metafísicas. Com freqüência, têm sorte devido ao carma passado, que se manifesta por caminhos inesperados — eles podem herdar dinheiro ou se encontrar em situações bastante favoráveis.

O otimismo, a intuição e lampejos de inspiração espiritual característicos destes nativos lhes permitem aproveitar oportunidades que outras pessoas não perceberiam.

Não gostam de limites, pois a liberdade pessoal é muito importante para eles. Geralmente procuram excitamento, dependendo do resto do horóscopo. Viajarão com freqüência e inesperadamente, geralmente por ar ou por água. Em terras estrangeiras, terão aventuras incomuns.

Esses nativos podem ser líderes ativos em sociedades, clubes ou grupos sociais e religiosos, especialmente os de natureza oculta. Com freqüência, se envolvem em fraternidades, como a da maçonaria ou dos rosa-cruzes. Na política, provavelmente são liberais e patrocinadores de reformas. Sendo bons líderes, adquirem renome e popularidade graças às causas que escolhem defender.

Se outros planetas reforçarem Júpiter e Urano com bons aspectos, pode estar em evidência a verdadeira genialidade.

Júpiter em trígono com Netuno (♃ △ ♆)

Este é um aspecto favorável para o misticismo. Os nativos são receptivos às influências espirituais; mas, a não ser que Mercúrio, Saturno ou Urano sejam fortes, suas tendências intuitivas seguirão o caminho do amor e da emoção, e não o do discernimento mental e do *insight*.

Os nativos gostam de grandes cerimônias, teatro, mistério e música religiosa; gostam de se sentir dominados por um sentimento de reverência e de se perderem no mar do êxtase religioso. Contudo, mesmo com o trígono formado entre estes planetas, podem não ter o discernimento necessário exigido pela vida verdadeiramente espiritual. A não ser que outros fatores no horóscopo lhes confiram sabedoria, eles podem ser enganados.

Esses nativos são generosos e hospitaleiros; desejam porteger os que são a favor de suas crenças favoritas ou de seu estilo de vida. Essas pessoas receberão ajuda dos outros, mesmo que pareçam não merecê-la.

Eles tendem a levar uma vida monástica ou a viver no campo, perto da água.

Com freqüência, contribuem com instituições de doenças mentais, hospitais, sociedades religiosas e instituições de aprendizado superior. Entretanto, os nativos com este aspecto podem vagar por aí e seguir uma vida bastante boêmia.

De todos os aspectos, este provavelmente é o mais expansivo; confere uma imaginação ilimitada, mais adequada à religião, à música, à arte, à poesia e ao teatro do que a atividades mais mundanas. Este aspecto tende a ser muito bom, pois Júpiter e Netuno são expansivos e regem e estão exaltados nos mesmos signos, e também porque o trígono tem uma conotação jupiteriana, sagitariana, de Nona Casa.

Em um horóscopo fraco, este aspecto pode indicar uma natureza parasita, propensa à preguiça e à auto-indulgência. Mas no caso de pessoas bastante evoluídas, pode oferecer verdadeira inspiração espiritual, compaixão e generosidade, que podem beirar a santidade.

Júpiter em trígono com Plutão (♃ △ ♇)

Em sua expressão mais elevada, este trígono indica uma fé que pode mover montanhas. Grandes poderes de regeneração espiritual, tanto psicológica quanto física, acompanham este aspecto. A vida espiritual dos nativos é fortalecida pela força de vontade orientada de maneira construtiva.

Os nativos possuem tal capacidade para meditar e focalizar sua concentração que transformam sua inspiração espiritual em manifestação concreta. Como Júpiter é regente de Sagitário, um signo de fogo, e Plutão é co-regente de Áries e está exaltado no signo de fogo de Leão, os nativos possuem enorme poder criativo, que lhes permite transformar suas vidas e seu ambiente para o bem de todos. Têm *insights* profundos, sabendo instintivamente o que está errado em qualquer situação e o que deve ser feito para corrigi-la.

Júpiter em trígono com o Nódulo Norte e em sextil com o Nódulo Sul (♃ △ ☊ ✶ ☋)

Esta configuração indica que os valores morais e religiosos dos nativos são compatíveis com os da sociedade em que vivem. Por essa razão, eles podem adquirir destaque em instituições religiosas e sociais de sua cultura. Sua capacidade instintiva para fluir com as tendências dominantes lhes traz popularidade e lucros financeiros.

Júpiter em trígono com o Ascendente e em sextil com o Descendente (♃ △ Asc. ✶ Desc.)

Esta configuração demonstra uma visão de vida otimista e construtiva. Os nativos projetam autoconfiança, entusiasmo e boa vontade, inspirando a confiança e a colaboração dos outros. A configuração favorece a felicidade no casamento e harmonia nas sociedades e relações com o público.

Júpiter em trígono com o Meio do Céu e em sextil com o Nadir (♃ △ M.C. ✱ Nadir)

Esta configuração indica uma atitude construtiva com relação ao trabalho, facilitando ao nativo a ascensão a posições de destaque na profissão escolhida. A honestidade e a sinceridade dos nativos serão percebidas por pessoas que ocupam posições de poder e que de bom grado os ajudarão a realizar suas ambições. Este aspecto é particularmente favorável para uma carreira legal ou religiosa.

O sucesso profissional assegura aos nativos os recursos para uma vida doméstica feliz e segura. Eles amam a família e têm uma atitude positiva para com seus membros.

Trígonos de Saturno

Saturno em trígono com Urano (♄ △ ♅)

Este trígono indica uma forte intuição sobre a atuação das leis do universo. Os nativos compreendem o significado do carma, e portanto estão em posição de estruturar suas vidas.

Uma grande força de vontade está aliada à capacidade para utilizar de maneira prática as inspirações criativas. Este aspecto é excelente para matemáticos, cientistas, astrólogos, iogues e ocultistas em geral. Os nativos podem controlar energias sutis de maneira exata, sistemática e científica.

Eles possuem talento para a organização, que, juntamente com sua visão clara, os torna excelentes políticos ou chefes de Estado, bem como bons executivos e coordenadores de amplos projetos. Há também habilidade nas relações públicas, graças à compreensão das motivações humanas. Os nativos geralmente trabalham em grupos, organizações e sociedades, especialmente as que lidam com religião ou com o oculto.

A regência de Saturno em Capricórnio, combinada com a regência de Urano em Aquário, oferece a habilidade para trabalhar em grupo, enquanto a exaltação de Urano em Escorpião confere a habilidade para administrar recursos coletivos e poder. A exaltação de Saturno em Libra proporciona habilidade e diplomacia.

Saturno em trígono com Netuno (♄ △ ♆)

Este aspecto indica capacidade para realizar planos organizacionais e atividades profissionais por trás dos bastidores. Por essa razão, favorece investigadores e os que trabalham em projetos secretos, especialmente governamentais. Estrategistas militares, generais e investigadores também são favorecidos. Os nativos têm habilidade para deslindar segredos e solucionar mistérios. Poucas pistas, por mais sutis que possam ser, escaparão à sua atenção.

Pode haver envolvimento com sociedades secretas de natureza mística, oculta ou religiosa. Este trígono favorece uma expressão criativa e prática da clarividência e dos *insights*. O mecanismo de criação de imagens mentais (regido por Netuno) tem precisão e forma, que podem contribuir para este *insight* profético. O trígono favorece os que trabalham na indústria cinematográfica, pois Netuno rege a fotografia, a natureza de Quinta Casa do trígono rege as diversões e Saturno rege a capacidade de organização administrativa.

Devido ao seu poder de concentração, esses nativos são bons na meditação e no emprego de sua intuição; também são habilidosos na análise de fatores sutis que envolvem os investimentos e a Bolsa de Valores; assim, possuem um sexto sentido nestas questões, especialmente se a Quinta ou a Sexta Casa estiverem envolvidas no aspecto.

Como acontece com Saturno em trígono com Urano, há uma compreensão da lei de causa e efeito que se relaciona às circunstâncias cármicas dos nativos e daqueles com quem eles precisam ter contato.

A influência deste trígono será fortalecida se planetas rápidos formarem aspectos favoráveis com Saturno ou Netuno. Do contrário, o trígono pode não ser tão evidente num indivíduo comum.

Saturno em trígono com Plutão (♄ △ ♇)

Este trígono indica capacidade para compreender as leis que organizam as forças sutis, permitindo aos nativos utilizá-las consciente ou inconscientemente. Ele favorece os que trabalham em áreas como a física, o oculto, a magia, a astrologia ou formas de meditação. Se outros aspectos formados com Saturno e Plutão também forem favoráveis, e se o mapa como um todo indicar tendências ocultas, os nativos podem ter uma ampla compreensão da natureza da vida e do universo.

Os nativos possuem tremenda força de vontade e são incansáveis quando trabalham em direção a um objetivo. Aliada à capacidade de organização, essa característica dá aos nativos aptidão para a liderança e responsabilidades administrativas. Eles conseguem trabalhar lentamente e realizar mudanças fundamentais e irrevogáveis em suas vidas e nas de outras pessoas. Com freqüência, eles têm percepção do próprio destino ou de determinada missão cármica que devem cumprir; este é um dos aspectos mais profundos.

No mapa de uma pessoa comum, este aspecto não será muito marcante, a não ser que Saturno ou Plutão sejam angulares e que outros planetas estejam ligados à configuração de maneira significativa.

Saturno em trígono com o Nódulo Norte e em sextil com o Nódulo Sul (♄ △ ☊ ✶ ☋)

Esta configuração indica que os nativos são cuidadosos e conservadores, seguindo à risca as regras de comportamento social, moral e comercial da cultura em que vivem. Portanto, são considerados um tanto antiquados. Contudo, conseguem atingir o sucesso graças à colaboração de instituições sociais e dos membros mais velhos e tradicionais da sociedade, que respeitam seu conservadorismo. Eles tendem a se ocultar em posições seguras, em instituições bem-estabelecidas. Este aspecto favorece especialmente os políticos ou pessoas de vida pública que representam os elementos mais conservadores da sociedade.

Saturno em trígono com o Ascendente e em sextil com o Descendente (♄ △ Asc. ✶ Desc.)

Esta configuração proporciona aos nativos uma atitude digna e um tanto cautelosa e conservadora, que não lhes permite agir ousadamente. Sendo práticos e honestos, ganham o respeito e a admiração dos outros, embora possam ser considerados bastante frios. Entretanto, são capazes de participar de sociedades importantes e realizar planos em colaboração com outras pessoas.

Esses nativos são confiáveis no cumprimento de suas obrigações para com os outros, a não ser que outros fatores no horóscopo demonstrem o contrário.

Esta configuração oferece estabilidade conjugal, mas não indica, por si só, oportunidades para o casamento.

Saturno em trígono com o Meio do Céu e em sextil com o Nadir (♄ △ M.C. ✶ Nadir)

Esta configuração indica uma considerável ambição profissional. Os nativos trabalharão muito e com firmeza, para atingir seus objetivos profissionais. São confiáveis no emprego e têm capacidade administrativa e organizacional. Assim, ganham a confiança das pessoas que ocupam posições de autoridade e são promovidos. Esta configuração favorece uma ascensão lenta, firme, para o topo. Favorece principalmente políticos e indica honestidade em cargos públicos, desde que outros fatores no horóscopo a confirmem.

O sucesso profissional adquirido por intermédio de muito trabalho contribui para uma vida doméstica segura e bem organizada.

Trígonos de Urano

Urano em trígono com Netuno (♅ △ ♆)

Este trígono indica faculdades espirituais muito desenvolvidas. Como é de longa duração, afeta toda uma geração (aproximadamente, aqueles nascidos entre 1939 e 1945) e não é especialmente significativo no horóscopo individual (a menos que Urano ou Netuno sejam angulares ou fortemente aspectados por outros planetas, o que indicaria um verdadeiro talento). Ele oferece aos nativos uma tendência definida para o místico e o oculto.

Essa geração será propensa à clarividência e ao desenvolvimento da intuição. Assim, a astrologia, a ioga, a magia, o oculto, a percepção extra-sensorial etc. estarão em moda. Haverá tendência a se juntar a organizações destinadas ao ensino e à divulgação desses assuntos. Essa geração nutre ideais utópicos; seu destino é levar o nível total da percepção espiritual da civilização a um plano mais elevado.

Urano em trígono com Plutão (♅ △ ♇)

Este trígono indica uma geração de pessoas que possuem uma vontade dinâmica de transformar a civilização e trazer reformas. Há fortes inclinações científicas e ocultas.

Essas pessoas estimulam o progresso dinâmico e mudanças súbitas, que em grande parte são trazidas pela ciência e pelo oculto. Elas não tolerarão oposições ou qualquer coisa que impeça o progresso. Novos inícios na civilização são realizados através desses esforços conjuntos. Há uma percepção das formas mais elevadas de energia e uma ampliação das faculdades intuitivas. Mas os efeitos deste trígono não serão notados no indivíduo, a menos que Urano ou Plutão sejam angulares e que um deles, ou ambos, formem aspectos fortes.

Há interesse pela morte e pela vida após a morte, e compreensão do renascimento e da regeneração espiritual. Este trígono possui um duplo significado de Escorpião, porque Plutão rege Escorpião e Urano está exaltado neste signo. Assim, todas as qualidades ocultas e espirituais de Escorpião encontram neste trígono sua expressão mais elevada.

Urano em trígono com o Nódulo Norte e em sextil com o Nódulo Sul (♅ △ ☊ ✶ ☋)

Esta configuração indica capacidade de aproveitar as mudanças nas atitudes e instituições sociais dominantes. Os nativos podem até mesmo ser líderes de reformas sociais. Na política, provavelmente serão liberais.

Com freqüência, existe talento para capitalizar as súbitas mudanças na estrutura social, devido à capacidade dos nativos de se adaptarem rapidamente a novas condições e aproveitar novas oportunidades.

Urano em trígono com o Ascendente e em sextil com o Descendente (♅ △ Asc. ✶ Desc.)

Esta configuração proporciona uma expressão pessoal original, brilhante, intuitiva, combinada a uma grande força de vontade. Os nativos geralmente são altos e de alguma forma surpreendentes.

Com freqüência, existe um certo grau de clarividência ou *insight* intuitivo.

Os nativos são líderes naturais devido à sua habilidade para entusiasmar os outros e obter seu apoio e cooperação.

Há uma tendência a iniciar relacionamentos sob circunstâncias incomuns.

Urano em trígono com o Meio do Céu e em sextil com o Nadir (♅ △ M.C. ✶ Nadir)

Esta configuração indica sucesso profissional e até fama, graças a contribuições singulares dos nativos às suas profissões, que em geral se inserem em áreas de atividade incomuns. O renome pode vir inesperadamente.

A configuração favorece cientistas, ocultistas, astrólogos e particularmente, pessoas envolvidas em eletrônica.

A vida familiar e suas condições provavelmente possuem um toque original. O lar pode ter uma arquitetura diferente e aparelhos incomuns.

Trígonos de Netuno

Netuno em trígono com Plutão (♆ △ ♇)

Este é um aspecto muito oculto e de longa duração. Por afetar toda uma geração, ele se manifestará no indivíduo comum como um conjunto de atitudes e valores característicos de sua geração. Resultados marcantes só serão visíveis num indivíduo se Netuno ou Plutão estiverem fortemente aspectados com os ângulos, estiverem em uma das casas angulares, ou se Netuno e Plutão formarem aspectos fortes com outros planetas.

Este trígono proporciona uma tendência geral ao misticismo, faculdade de clarividência e intuição. Haverá interesse pelos aspectos teóricos da ciência, bem como por diversos campos de atividades ocultas, especialmente as relacionadas à reencarnação e à vida após a morte.

Netuno em trígono com o Nódulo Norte e em sextil com o Nódulo Sul (♆ △ ☊ ✶ ☋)

Esta configuração indica uma capacidade intuitiva para compreender as tendências sociais dominantes. Assim, os nativos sabem instintivamente como se beneficiar das forças sociais que os cercam. Estão em sintonia com sua época e adquirem sucesso e popularidade por meio dessa harmonia.

Netuno em trígono com o Ascendente e em sextil com o Descendente (♆ △ Asc. ✶ Desc.)

Esta configuração oferece aos nativos uma sutil sensibilidade à vida, que algumas vezes inclui a clarividência ou, pelo menos, uma intuição bem-desenvolvida. Os nativos provavelmente possuem uma aparência e atitudes pessoais fascinantes ou um tanto misteriosas. Seus olhos parecem ter uma qualidade magnética.

Sua grande empatia pelo ambiente se estende aos relacionamentos humanos; esta habilidade intuitiva para perceber o estado de espírito dos outros os coloca em posição vantajosa para obter confiança, popularidade e colaboração. O aspecto favorece a comunicação íntima com o parceiro no casamento.

Netuno em trígono com o Meio do Céu e em sextil com o Nadir (♆ △ M.C. ✶ Nadir)

Esta configuração indica que a intuição dos nativos pode ser usada construtivamente em sua vida profissional, auxiliando-os a encontrar soluções para os problemas e proporcionando-lhes a habilidade de perceber o estado de espírito de superiores ou outras pessoas que ocupam posições de autoridade.

A configuração favorece particularmente os artistas, músicos e atores, porque os ajuda a ganhar o reconhecimento público. Também favorece relacionamentos domésticos bastante intuitivos e harmonia com os pais. Os lares dos nativos provavelmente são incomuns ou artísticos, e eles podem viver perto de extensões de água.

Trígonos de Plutão

Plutão em trígono com o Nódulo Norte e em sextil com o Nódulo Sul (♇ △ ☊ ✶ ☋)

Esta configuração proporciona aos nativos a capacidade de liderança na transformação de instituições sociais e políticas e os ajuda a atingir um elevado nível de expressão. Os nativos sabem como influenciar o pensamento coletivo. A configuração favorece pessoas de vida pública, políticos e reformadores sociais.

Plutão em trígono com o Ascendente e em sextil com o Descendente (♇ △ Asc. ⚹ Desc.)

Esta configuração dá aos nativos excelentes poderes de concentração, uma percepção aguçada, que algumas vezes inclui a clarividência, e uma força de vontade bastante desenvolvida. Os nativos têm a capacidade de elevar seu nível de expressão, alterando sua interação pessoal com os outros. Isso terá o efeito adicional de elevar o nível de percepção dos outros. A força e a autoconfiança desses nativos inspiram confiança e colaboração, e por essa razão eles são bons líderes e organizadores. Fazem novas descobertas, iniciam novos projetos e estão constantemente encontrando maneiras de melhorar qualquer projeto ou processo. Assim, possuem um efeito transformador em seu ambiente e em seus relacionamentos.

Plutão em trígono com o Meio do Céu e em sextil com o Nadir (♇ △ M.C. ⚹ Nadir)

Esta configuração indica ambições voltadas ao sucesso profissional e liderança. Os nativos melhoram continuamente suas técnicas de trabalho; compreendem o poder e sabem como lidar com pessoas que ocupam posição de poder. Para os executivos, esta configuração oferece força, previdência, iniciativa. Em resumo, existe a vontade de vencer.

O sucesso profissional adquirido torna possível uma regeneração das condições domésticas.

O lar e a profissão podem ser a base para esforços científicos ou ocultos. A configuração favorece os que trabalham na ciência, política e metafísica.

Trígonos dos Nódulos

Nódulo Norte em trígono com o Ascendente e em sextil com o Descendente (☊ △ Asc. ⚹ Desc.)

Nódulo Sul em sextil com o Ascendente e em trígono com o Descendente (☋ ⚹ Asc. △ Desc.)

Esta configuração indica uma forte percepção das tendências e instituições sociais dominantes. Os nativos sabem como se expressar e agem eficazmente, ganhando apoio e aprovação social para si mesmos e seus parceiros. Realizam seus empreendimentos com um mínimo de atritos e oposição, a não ser que outros fatores no horóscopo indiquem o contrário.

Nódulo Norte em trígono com o Meio do Céu e em sextil com o Nadir (☊ △ M.C. ✱ Nadir)

Nódulo Sul em sextil com o Meio do Céu e em trígono com o Nadir (☋ ✱ M.C. △ Nadir)

Esta configuração oferece aos nativos uma percepção das tendências, comportamentos e instituições sociais, em relação à sua vida profissional e doméstica e à sua reputação pública. Assim, são capazes de avançar em todos os contatos profissionais e domésticos que exigem harmonia com as atitudes culturais predominantes.

A configuração favorece políticos e outras pessoas para as quais boas relações públicas e aprovação social são indispensáveis ao sucesso.

Nódulo Norte em trígono com o Descendente e em sextil com o Ascendente (☊ △ Desc. ✱ Asc.)

Nódulo Sul em trígono com o Ascendente e em sextil com o Descendente (☋ △ Asc. ✱ Desc.)

Esta configuração indica uma habilidade especial para utilizar as tendências e opiniões sociais dominantes. Tal habilidade é usada em relações públicas, sociedades, vendas e questões legais. Os nativos são, como se costuma dizer, "modernos". Estão sintonizados com o presente e com aquilo que receberá a aprovação popular.

Nódulo Norte em trígono com o Nadir e em sextil com o Meio do Céu (☊ △ Nadir ✱ M.C.)

Nódulo Sul em trígono com o Meio do Céu e em sextil com o Nadir (☋ △ M.C. ✱ Nadir)

Esta configuração indica uma capacidade especial para utilizar as tendências sociais na esfera doméstica e profissional. O talento para conciliar as questões domésticas e profissionais é característico.

Pode haver também uma habilidade nos negócios graças à boa utilização das tendências populares para ganhar dinheiro, que é então usado para manter ou melhorar o ambiente doméstico.

CAPÍTULO 15

As Oposições

Oposições do Sol

Sol em oposição à Lua (☉ ☍ ☽)

Esta posição geralmente indica um conflito entre a vontade consciente e a mente inconsciente e os sentimentos. Geralmente existe tensão nos relacionamentos com o sexo oposto, embora os problemas se manifestem com maior freqüência nos assuntos domésticos, românticos, financeiros e conjugais.

Com freqüência, o conflito irá afetar a saúde dos nativos, pois os dois astros influenciam fortemente o princípio da vitalidade. Pode haver tendência à inquietação, nervosismo ou doenças psicossomáticas. Em qualquer caso, as forças vitais não estão harmoniosamente ajustadas, o que faz a energia dos nativos oscilar desordenadamente.

Os nativos também podem ter dificuldade no papel de pais, geralmente devido às más experiências no início da infância. Eles deveriam aprender a esquecer o passado, que impede seu crescimento e sua expressão no presente.

Este aspecto é mais de caráter geral do que uma influência específica. Lida mais com as características psicológicas globais do que com habilidades e problemas particulares. Sua influência no horóscopo será sentida nos assuntos governados pelos signos e casas que o Sol e a Lua ocupam e regem.

Um trígono formado por um planeta com o Sol ou com a Lua, e formando sextil com o outro astro, irá diminuir muito a tensão desta oposição, por criar uma área de expressão construtiva para a energia da oposição.

Se esta oposição fizer parte de uma quadratura, o planeta que forma quadratura com o Sol e a Lua irá agir como ponto central e individualizar a tensão através da qual os problemas dos nativos se manifestam e precisam ser resolvidos.

Os nativos não deveriam se esforçar para realizar grandes coisas sem considerar devidamente os detalhes e o duro trabalho necessário.

Sol em oposição a Marte (☉ ☍ ♂)

Este aspecto indica tendência a controvérsias e desacordo, em alguns casos levando à luta corporal. Os nativos são agressivos e provavelmente atraem pessoas também agressivas; sua ânsia de poder os leva a entrar em contato com pessoas de tendências semelhantes. O resultado é uma luta de vontades.

A tendência a recorrer à coação, e não à razão e à diplomacia, naturalmente irá criar situações desagradáveis e despertar muita animosidade.

Os assuntos que esta oposição afeta irão depender dos signos e casas em que se encontram Marte e o Sol, e das casas que eles regem.

Essas pessoas com freqüência adotam causas partidárias e avaliam os outros de uma forma maniqueísta. São muito impulsivas em seus relacionamentos, e não têm a habilidade de fazer distinções sutis nas relações com as pessoas.

Algumas vezes, são muito agressivas no sexo, ou entram em discussões que envolvem o ciúme de um rival.

Geralmente, sobrecarregam o coração devido ao esforço contínuo.

Sol em oposição a Júpiter (☉ ☍ ♃)

Esta oposição indica um excessivo otimismo e expansividade no relacionamento com os outros.

Eles prometem mais do que podem cumprir, e assim prejudicam sua reputação. Algumas vezes, aborrecem os outros tentando convertê-los a suas próprias doutrinas religiosas e filosóficas; pode haver arrogância ou pomposidade. Com freqüência, fazem exigências pouco práticas ou realistas aos outros.

Eles deveriam adotar uma atitude prática, impessoal, especialmente quando em contato com outros. Os impulsos em direção a esquemas grandiosos e maneiras ostentosas deveriam ser controlados.

Sol em oposição a Saturno (☉ ☍ ♄)

Esta oposição tende a impedir a auto-expressão dos nativos e torná-los um tanto frios quando tentam se comunicar com os outros. Sua reserva e seu formalismo podem causar dificuldades nas amizades e nos romances.

Algumas vezes, os nativos precisam assumir pesadas responsabilidades, que podem ser impostas por amigos, sócios ou cônjuges. Algumas vezes, sua auto-expressão é dificultada pela falta de autoconfiança, de colaboração e por atitudes negativas de outras pessoas. Eles precisam trabalhar muito, e superar muitos obstáculos para realizar suas ambições.

As pessoas com este aspecto podem não ter filhos, ou pode haver uma situação infeliz relacionada a eles. O casamento ocorre tarde ou não ocorre. Com freqüência, os pais dos nativos são excessivamente rígidos ou podem ser um fardo para eles.

Este aspecto traz pouca vitalidade e problemas com os dentes.

Esses nativos precisam desenvolver o senso de humor e uma visão mais feliz da vida.

Sol em oposição a Urano (☉ ☍ ♅)

Esta oposição indica uma situação em que a vontade, a hipersensibilidade e a independência dificultam o bom relacionamento dos nativos com amigos e sócios. A insistência de que tudo deve ser realizado à sua maneira atrai a desaprovação dos outros. Quando mudam de atitude, eles o fazem inesperadamente e nem sempre por razões lógicas.

São provavelmente indivíduos nervosos e extremamente sensíveis, tensos e irritados; assim, os outros sentem-se desconfortáveis em sua presença.

Às vezes, eles deliberadamente contrariam as convenções, apenas para provocar excitamento e controvérsias. São pessoas de difícil relacionamento devido às suas inesperadas mudanças de comportamento, às suas idéias excêntricas e à identificação do ego com seus pontos de vista atuais. Eles geralmente se consideram mentalmente excepcionais; mas, embora possam ter talentos incomuns, necessariamente não os utilizam com sabedoria, nem são tão talentosos como pensam.

Seu comportamento instável e sua impaciência dificultam o esforço contínuo. Por isso, essas pessoas não conseguem adquirir a educação e a experiência de que precisam para pôr em prática suas idéias.

Sol em oposição a Netuno (☉ ☍ ♆)

Esta oposição gera confusão nos relacionamentos românticos, religiosos e privados dos nativos. Com muita freqüência têm uma visão distorcida dos outros, porque sua percepção tende a ser influenciada por preconceitos surgidos de experiências emocionais limitadas, e talvez parciais, do passado. Portanto, eles deveriam ser objetivos em seus contatos com as pessoas.

É provável que a emotividade os induza a fantasias em seus relacionamentos, razão pela qual eles são constantemente enganados pelos outros.

Sua irresponsabilidade os leva a atitudes insinceras quase inconvenientes; são especialmente vítimas de ilusões no relacionamento amoroso.

Esses nativos podem se considerar pessoas inspiradas pelo "alto", embora na realidade sejam vítimas de seu próprio desejo de importância. Correm o risco de sofrer influências de entidades astrais e forças psíquicas enganosas. Eles deveriam evitar sessões espíritas e o envolvimento com fenômenos astrais; deveriam ser absolutamente abertos e honestos em todos os seus relacionamentos.

Sol em oposição a Plutão (☉ ☍ ♇)

Esta oposição indica perigos originados na natureza autoritária dos nativos. Pode haver tendência a impor circunstâncias, ou dominar outras pessoas. Os nativos geralmente são impulsivos ao exercer sua influência, especialmente quando tentam transformar o mundo de acordo com a concepção que têm de suas necessidades. Podem surgir conflitos quando os outros não concordam com eles. Este aspecto indica uma necessidade de auto-regeneração como meio de estabelecer relacionamentos mais bem-sucedidos e harmoniosos.

A qualidade direta, rigorosa, da auto-expressão dos nativos irá intimidar ou aborrecer as outras pessoas, que, por isso, muitas vezes lhes negam apoio ou colaboração.

Provavelmente são excessivamente agressivos em questões de sexo e romance; deveriam evitar o envolvimento em guerras e revoluções políticas e sociais, uma fonte de perigo para eles.

Oposições da Lua

Lua em oposição a Mercúrio (☽ ☍ ☿)

Esta oposição indica confusão e irritação nos relacionamentos sociais, resultantes da conversa incessante dos nativos a respeito de assuntos triviais. Especialmente as mulheres podem se tornar tão aborrecidas, que seus amigos tentarão evitá-las.

Os padrões emocionais inconscientes podem distorcer a capacidade para pensar e se comunicar de maneira clara e objetiva; os nativos recebem as críticas de maneira muito pessoal.

Eles também tendem ao nervosismo e à excitação emocional; sua saúde pode sofrer com dietas e higiene pessoal inadequadas, ou eles podem ser fanáticos a respeito da limpeza pessoal e doméstica. Em ambos os casos, o que falta é equilíbrio.

Os nativos podem gastar dinheiro com coisas pouco importantes, geralmente artigos para o lar ou roupas, ou essas questões podem estar desequilibradas.

Pode haver confusão na comunicação, envolvendo assuntos de família e vizinhos. A excessiva preocupação dos nativos com suas famílias é uma fonte de aborrecimento para a família e os amigos.

Lua em oposição a Vênus (☽ ☍ ♀)

Esta oposição indica tendência a uma excessiva suscetibilidade emocional e a um sentimento de desamor, de onde podem resultar problemas domésticos e materiais.

Algumas vezes, há tendências à auto-indulgência e uma grande preocupação com o conforto material e o luxo. Este aspecto possui uma ênfase negativa, duplamente taurina. Podem ocorrer excessos sexuais, bem como hábitos alimentares pouco saudáveis — geralmente o abuso de doces e carboidratos.

Algumas vezes, os nativos terão problemas devido à interferência da família em seus assuntos conjugais, talvez na forma do conhecido conflito com a sogra.

Se os nativos se concentrarem nas aspirações universais, podem ignorar os confortos materiais da vida doméstica.

Lua em oposição a Marte (☽ ☍ ♂)

Esta oposição indica uma natureza volátil e emocional. Os nativos com freqüência se descontrolam com questões insignificantes, especialmente as domésticas, e conseqüentemente prejudicam seus relacionamentos sociais e familiares. Os homens com este aspecto podem ser muito rudes com as mulheres; as mulheres algumas vezes não têm as suaves qualidades femininas.

O alcoolismo também é um perigo; sob sua influência, há tendência a se envolver em discussões.

Os nativos precisam se tornar mais serenos e controlados. Sua impulsividade pode levá-los a ações irracionais. A tendência a gastar muito dinheiro pode levar a perdas financeiras e dívidas; a negligência com o dinheiro e propriedades alheios poderá provocar ressentimentos e até mesmo conflitos.

Geralmente existem problemas com os pais, especialmente com a mãe, que mais tarde irão interferir na vida familiar do nativo.

Impacientes com a rotina, esses nativos têm dificuldade para assumir responsabilidades durante muito tempo. Seu desejo de excitação pode levar a associações indesejáveis, desregramento, e, algumas vezes, violência ou outros problemas sérios.

Eles podem perder membros da família em razão de guerras ou violência; precisam tomar precauções para protegerem seus lares contra o fogo. Em horóscopos muito tensos, pode haver desonestidade e tendências criminosas.

Lua em oposição a Júpiter (☽ ☍ ♃)

Esta oposição indica uma tendência dos nativos a serem arrebatados por impulsos benevolentes. Falta-lhes sabedoria e discernimento na maneira como prodigalizam sua bondade. Os problemas em seus relacionamentos provavelmente surgem porque eles são enganados pelos outros ou porque prometem mais do que podem cumprir. Este aspecto também pode indicar preguiça e auto-indulgência. O excesso de alimentação pode provocar esgotamento físico ou excesso de peso. Extravagância, desperdício e desordem são alguns dos vícios aos quais os nativos estão propensos.

Algumas vezes há um sentimentalismo piegas, muitas vezes relacionado à religião.

Com freqüência, a extravagância provoca problemas de relacionamento com os pais ou membros da família, talvez devido a divergências religiosas. Podem ocorrer dificuldades nos assuntos familiares que os nativos não desejam enfrentar com objetividade.

Os nativos geralmente dificultam seu próprio progresso devido a uma ligação emocional com atitudes e padrões de comportamento do passado, que para eles representam a segurança.

Lua em oposição a Saturno (☽ ☍ ♄)

Esta oposição indica tendência à depressão e estagnação devido a um apego a relacionamentos e laços familiares infrutíferos. Com freqüência, os pais são responsáveis por atitudes rígidas incutidas na infância.

Essas pessoas não possuem flexibilidade emocional e otimismo em seus relacionamentos; algumas vezes, suas maneiras rígidas, formais, aborrecem as pessoas, criando desconforto.

Há também uma tendência a julgar os relacionamentos e a reagir a eles com base em experiências e desilusões passadas; isso bloqueia a capacidade de responder às outras pessoas de maneira adequada e natural.

Algumas vezes, a vida e a livre expressão dos nativos são frustradas pelas responsabilidades familiares e domésticas, reais ou imaginárias. Os problemas financeiros podem tolher sua liberdade. Ou eles têm dificuldades para fazer amizades ou suas famílias desaprovam seus amigos.

É provável que a imaginação dos nativos seja limitada ou bloqueada por esta oposição. Sua frieza e insensibilidade podem dificultar a receptividade dos outros.

Há uma forte possibilidade de conflitos entre as obrigações domésticas e profissionais. Patrões ou superiores podem inconscientemente lembrar aos nativos os seus próprios pais, dificultando um bom relacionamento com pessoas em posições de autoridade.

Lua em oposição a Urano (☽ ☍ ♅)

Esta oposição pode indicar obstinação e instabilidade emocional. As freqüentes e inesperadas mudanças no estado de espírito e nas atitudes dos nativos confundem os outros. Sua infidelidade e imprevisibilidade podem exasperar a família e os amigos, fazendo com que eles se afastem e os evitem o máximo possível. Pode também haver tensão nervosa, que algumas vezes se manifesta na irritação.

Os nativos fazem muitas amizades novas e inesperadas, mas, via de regra, elas não duram muito.

Pode haver instabilidade na vida familiar, bem como mudanças constantes de residência. A tendência a buscar aventuras e experiências diferentes pode ocupar muito do tempo e da energia que deveriam ser empregados em responsabilidades importantes, e levar à ruptura das ligações domésticas. Às vezes, as mães negligenciam seus deveres maternais devido ao tédio da rotina de criar filhos. Os homens geralmente são irresponsáveis com namoradas, esposas e famílias. As mulheres provavelmente desesperam os homens com sua instabilidade emocional.

Esses nativos deveriam ter cuidado com envolvimentos parapsíquicos que não se prestam a um objetivo útil para seu desenvolvimento espiritual.

Lua em oposição a Netuno (☽ ☍ ♆)

Esta oposição indica tendência a projetar a confusão emocional interior em outras pessoas e no mundo como um todo. Com freqüência, há uma interação tão sutil de forças telepáticas nos relacionamentos dos nativos, que eles não têm certeza se os problemas se originam em si mesmos ou em seus associados.

Uma extrema suscetibilidade caracteriza este aspecto, porque os nativos absorvem o teor emocional de seu ambiente. Assim, precisam aprender a selecionar seus associados.

Nesta era, existe considerável perigo de que esses nativos se envolvam no uso de drogas em razão de más associações. O álcool também é um perigo. Eles deveriam ter cuidado com esquemas duvidosos para ganhar dinheiro e com aventuras financeiras.

O envolvimento com o plano astral ou com fenômenos parapsíquicos pode ser arriscado.

As questões domésticas provavelmente são confusas e desordenadas, devido à preguiça e à irresponsabilidade ou a problemas psicológicos originados no passado. As outras pessoas irão se aproveitar dos nativos, abusando de seus sentimentos. Problemas psicossomáticos e tensão emocional com freqüência estão em evidência; em indivíduos fracos, este aspecto pode proporcionar uma tendência parasita.

Lua em oposição a Plutão (☽ ☍ ♇)

Esta oposição indica tendência a controlar e modificar a família e os amigos. Os nativos exibem uma violência emocional em seus relacionamentos, que torna difícil para os outros reagirem a eles de maneira relaxada.

As disputas com relação ao dinheiro e ao emprego de recursos conjuntos com freqüência se manifestam em discussões familiares a respeito de heranças. Outras discussões familiares podem ocorrer, porque os nativos não desejam ser controlados pela família.

Esta oposição também pode significar agressividade ou austeridade nos relacionamentos amorosos.

Oposições de Mercúrio

Mercúrio em oposição a Marte (☿ ☍ ♂)

Esta oposição indica um temperamento propenso a discussões, provocando conflitos verbais quando os nativos se sentem ofendidos. Às vezes, eles adotarão um ponto de vista contrário só para poderem discutir. Essa característica não favorece sua popularidade.

Essas pessoas são críticas, rigorosas, precisas no pensamento e nas palavras. Contudo, sua impulsividade geralmente faz com que ignorem detalhes importantes ou deixem de enxergar o ponto de vista de outras pessoas.

Há tendência para levar as idéias para o lado pessoal ou para se identificar com elas. Portanto, os nativos geralmente são incapazes de ver as coisas de um ponto de vista mais amplo; um ataque a seus pensamentos é considerado afronta pessoal. Os desejos e emoções com freqüência nublam o raciocínio.

Esses nativos tendem a ser nervosos, hipersensíveis, e aqueles menos educados podem utilizar uma linguagem irreverente. Geralmente, a língua é afiada. Naturalmente, essas características, que interferem com a harmonia e a comunicação, não favorecem relacionamentos amigáveis e podem afetar amigos, irmãos, irmãs, parceiros ou colaboradores.

Podem existir disputas a respeito do uso de recursos conjuntos.

Mercúrio em oposição a Júpiter (☿ ☍ ♃)

Esta oposição pode colocar os nativos em dificuldades, porque eles tendem a prometer mais do que podem cumprir; haverá muita conversa e pouca ação. O sonhar acordado é outra qualidade negativa desta oposição.

Esses nativos precisam ter maior profundidade e dar mais atenção aos detalhes em seus pensamentos, seus planos e sua comunicação, para ganhar a confiança e o respeito dos outros. Eles provavelmente têm dificuldades com a religião, ou porque são agnósticos ou porque adotam crenças pouco lógicas. Não deveriam assinar acordos ou apólices, pois provavelmente são irresponsáveis.

Na educação superior, os nativos podem buscar estudos esotéricos, literários ou filosóficos, de pouco valor prático. Às vezes, podem negligenciar responsabilidades práticas para ir à procura dessas atividades.

A vaidade intelectual pode acompanhar este aspecto. Contudo, os nativos se perturbam facilmente e são incapazes de se defender num interrogatório, porque sua memória falha quando estão sob tensão. Eles não são bons para guardar segredos e podem revelar informações confidenciais nas horas mais inoportunas.

Mercúrio em oposição a Saturno (☿ ☍ ♄)

O efeito desta oposição torna os nativos um tanto defensivos e desconfiados. Em horóscopos muito tensos, pode mesmo levar a intrigas e deslealdades.

Os nativos são propensos à depressão e à ansiedade. Essa tendência a ver o lado negro das coisas pode impedi-los de perceber as oportunidades que os cercam.

Algumas vezes, são críticos; por isso, têm poucos amigos.

Ambicionam o reconhecimento intelectual, mas têm muita dificuldade para alcançá-lo. A inveja intelectual gera hostilidade nos colegas. Problemas de relacionamento, um raciocínio excessivamente conservador ou atitudes rígidas com freqüência dificultam sua carreira e posição social; com este aspecto também são possíveis ataques às suas reputações.

Em mapas muito tensos, podem estar evidentes uma extrema limitação e atitudes obstinadas.

Esses nativos estão sujeitos a distúrbios nervosos e respiratórios; o fumo é particularmente prejudicial.

Mercúrio em oposição a Urano (☿ ☍ ♅)

Esta oposição indica opiniões excêntricas. Os nativos têm idéias contraditórias e se mantêm teimosamente fiéis às suas idéias. Ninguém pode fazê-los mudar de idéia, embora eles possam fazê-lo por si mesmos duas vezes num único dia.

Seu discurso geralmente é insensível e pouco diplomático, a não ser que outros aspectos indiquem o contrário. Eles são arrogantes e vaidosos; podem se considerar gênios ou, no mínimo, extremamente talentosos, embora geralmente os outros os considerem pouco práticos e estranhos.

Essas tendências podem aborrecer os outros, a ponto de os nativos terem dificuldade para estabelecer amizades duradouras.

Eles têm problemas com atividades em grupo. Acham quase sempre que suas idéias deveriam ser adotadas e, por outro lado, têm má vontade para aceitar as idéias dos outros.

Eles tiram conclusões precipitadas e fazem julgamentos impensados. Geralmente são tensos, a não ser que Saturno esteja bem aspectado. Têm dificuldades em se concentrar num trabalho mental durante muito tempo, e, a menos que tenham estímulo constante, sentem-se entediados.

Os nativos provavelmente iniciam muitos projetos ao mesmo tempo, e, a não ser que haja um Saturno forte, nenhum deles é concluído. Por essa razão, ganham a reputação de irresponsáveis.

Mercúrio em oposição a Netuno (☿ ☍ ♆)

Esta oposição cria um elevado grau de sensibilidade aos pensamentos e motivações alheios. Uma telepatia inconsciente com freqüência leva a práticas ilusórias, que podem ou não ser maldosas. É como se os nativos estivessem tentando passar a perna em seus adversários num sutil jogo de xadrez telepático.

Esses nativos poderiam ter mais sucesso se fossem honestos; às vezes, frustram seus próprios objetivos graças às suas intrigas, o que torna as pessoas desconfiadas.

Se outros fatores no horóscopo indicarem que os nativos são ingênuos ou pouco astutos, este aspecto provavelmente provoca falsas ilusões a respeito de outras pessoas. A confusão resultante nos relacionamentos os torna vítimas de enganos por meio da palavra falada ou escrita.

Eles devem ter cuidado para não revelar informações secretas.

Sua sensibilidade torna difícil para eles evitar as influências do ambiente, e assim eles podem se perturbar diante de grandes responsabilidades. Eles geralmente acham difícil controlar sua imaginação, especialmente com relação às outras pessoas.

Mercúrio em oposição a Plutão (☿ ☍ ♇)

Esta oposição pode provocar muita tensão mental, porque os nativos se envolvem em situações em que precisam lidar com informações secretas e potencialmente perigosas; pesquisadores de projetos secretos geralmente têm este aspecto.

Com freqüência, essas pessoas são repositórios de informações secretas. Nos casos extremos, podem se envolver em espionagem ou no trabalho de detetive e se verem em dificuldades. Em casos extremos, o resultado pode ser a morte.

Algumas vezes, os nativos são rudes e ásperos em seu discurso, ou, ao contrário, os outros são rudes com eles.

Eles podem estar encarregados de investigações científicas; podem também ter a tendência a interrogar os outros ou a serem curiosos a respeito deles. O resultado geralmente é o ressentimento e maus relacionamentos pessoais.

Oposições de Vênus

Vênus em oposição a Marte (♀ ☍ ♂)

Esta oposição gera problemas de relacionamento de natureza emocional, geralmente envolvendo o sexo. Os nativos são extremamente sensíveis e se magoam com facilidade com a indelicadeza dos outros.

Este aspecto pode agir de duas maneiras, dependendo de qual seja o planeta mais forte. Se Vênus for o mais forte, os nativos, especialmente as mulheres, podem ser vítimas de abusos. Se Marte for o mais forte, os nativos provavelmente utilizam o parceiro para sua satisfação sexual, sem considerar seus sentimentos e necessidades.

O aspecto não favorece a felicidade no casamento, devido à tendência a provocar incompatibilidade emocional e sexual. Com freqüência, os nativos não têm nada em comum com os cônjuges, a não ser a atração sexual, porque Marte é o regente natural da Primeira Casa e Vênus é o regente natural da Sétima Casa; assim, os princípios do desejo e atração estão envolvidos.

Pode também haver discussões sobre finanças conjuntas, dinheiro compartilhado com o cônjuge ou parceiro nos negócios.

Algumas vezes, este aspecto provoca a separação no casamento quando, por diversos motivos, um dos parceiros passa muito tempo longe de casa, provocando infelicidade e descontentamento.

Vênus em oposição a Júpiter (♀ ☍ ♃)

Esta oposição é característica da pessoa enjoativamente amável, a ponto de aborrecer outras pessoas.

Os nativos com esta oposição, especialmente se forem ricos, podem ser mimados e se envolverem em atividades sociais fúteis. Podem estar evidentes a preguiça, a auto-indulgência e o amor ao luxo; as mulheres provavelmente são vaidosas, considerando-se mais desejáveis do que realmente são. Algumas vezes, agem como se todas as coisas lhes fossem devidas, particularmente se nasceram ricas.

Os nativos podem ser muito sentimentais e dados a floreados sentimentos religiosos. Com freqüência, a hipocrisia está presente quando alguma coisa prática precisa ser feita para ajudar os que precisam.

Os nativos podem considerar as coisas como garantidas com relação aos outros, geralmente no que os beneficia. Os problemas conjugais podem se concentrar em questões religiosas.

Esses nativos gostam de ser o centro das atenções e estão longe de ser discretos; de alguma maneira, conseguem ganhar a atenção que desejam.

Pode haver abuso na alimentação, especialmente de doces; o dinheiro pode ser gasto em luxos.

Vênus em oposição a Saturno (♀ ☍ ♄)

Esta oposição geralmente é causa de frustrações emocionais e problemas financeiros. Os nativos passam por desilusões no amor e têm poucos prazeres na vida. Com freqüência, sofrem de depressão, porque Saturno frustra as tendências naturais de Vênus em direção à alegria, à beleza e à felicidade; sua natureza pode se tornar fria devido às contínuas privações e pesadas responsabilidades.

Esta oposição geralmente indica um casamento infeliz, no qual o cônjuge é insensível, infeliz e pobre, áspero e autoritário, ou muito mais velho do que o nativo — o casamento pode se basear apenas em considerações financeiras, sem nenhum amor.

Este aspecto também pode indicar dificuldades financeiras com relação ao emprego, pois os nativos provavelmente têm empregos insatisfatórios ou mal remunerados. Seus patrões podem ser sovinas e egoístas.

Com freqüência, os nativos não são compreendidos por seus amigos, ou seus amigos são muito mais velhos.

Esta oposição também pode dificultar as relações com o público e não favorece a popularidade, porque os nativos sempre parecem muito reservados.

O casamento pode demorar ou jamais acontecer; os pais podem ter um efeito inadequado sobre os nativos por serem pobres, muito rígidos ou opressivos; ou podem forçar os nativos a assumir prematuramente pesadas responsabilidades.

Vênus em oposição a Urano (♀ ☍ ♅)

Esta oposição indica uma natureza emocional instável; tende a estimular o desejo por todos os tipos de experiências exóticas, sem considerar as conseqüências.

Com muita freqüência, ocorrem diversos casamentos que terminam em divórcio. Os nativos sentem-se periodicamente fascinados por novas paixões, e, enquanto elas durarem, não farão nada em benefício próprio. Contudo, esses romances terminam tão subitamente quanto começaram, deixando o caos em seu lugar. É como se os nativos estivessem submetidos a uma força emocional que está além de seu controle ou de sua compreensão.

Esses nativos são insensatos com dinheiro, gastando-o impulsivamente em amizades casuais ou prazeres fúteis.

Com freqüência, existe muita teimosia; os nativos não seguirão nem ordens de sua própria consciência, quanto mais os bons conselhos de outros. Desejos poderosos os levam a seguir um curso errático e algumas vezes desastroso na vida, especialmente no que se refere aos relacionamentos.

Sua ânsia de liberdade pessoal com freqüência impossibilita que eles se adaptem às responsabilidades mútuas que o casamento, as sociedades e amizades exigem. Os parceiros provavelmente os abandonam por essa razão, fazendo com que seu destino seja a solidão e a alienação.

Podem existir amizades e associações infelizes, baseadas na mera satisfação do desejo de prazer, o que leva os nativos para o mau caminho.

Vênus em oposição a Netuno (♀ ☍ ♆)

Esta oposição indica que as emoções e afetos são fortemente influenciados por forças inconscientes.

Em questões de dinheiro, casamento, vida social e criatividade artística, os nativos algumas vezes são seus piores inimigos. Seus desejos inconscientes geram pensamentos mágicos e percepções distorcidas da realidade.

Algumas vezes, a preguiça e a auto-indulgência os desencaminham, fazendo com que se envolvam em prazeres exóticos e prejudiciais, como o álcool e as drogas. Essa entrega aos sentidos pode esgotar os recursos financeiros, colocando-os em uma posição inferior ou limitando sua expressão.

Este aspecto pode provocar escândalos, como resultado de casos amorosos ou alianças secretos, pois a tendência de Netuno é camuflar os assuntos particulares dos nativos até que a questão seja forçada a se revelar.

Há o perigo de praticar ou ser vítima de sutil sedução sexual; em alguns casos, isso pode se manifestar em tendências homossexuais.

Se o casamento estiver envolvido, o aspecto pode provocar o divórcio, que ocorrerá depois de um gradual processo destrutivo, e não numa ruptura evidente, como seria o caso com Vênus em oposição a Urano.

Vênus em oposição a Plutão (♀ ☍ ♇)

Esta oposição confere uma predisposição para se envolver em intensos relacionamentos emocionais e sexuais que podem ser desmoralizadores. Os nativos provavelmente têm problemas românticos e sexuais de algum tipo, geralmente devido às suas paixões incontroláveis.

As emoções podem distorcer a vontade e o poder regenerativo. Os nativos com freqüência atraem associações indesejáveis. Em casos extremos, pode haver envolvimentos obscuros com o sexo, como a prostituição, ou o uso do sexo para ganhar dinheiro.

Esta oposição pode indicar problemas no casamento devido às atitudes autoritárias dos nativos com o parceiro ou vice-versa.

Eles podem tentar transformar aqueles que amam, em vez de transformarem a si mesmos; provavelmente haverá problemas com impostos, seguros, finanças conjuntas ou heranças.

Fatores cármicos podem afetar a vida dos nativos, geralmente por meio do pretenso sexo mágico ou da possessão por uma entidade externa. Há possibilidade de tentativas de suicídio provocadas por desilusões no amor.

Oposições de Marte

Marte em oposição a Júpiter (♂ ☍ ♃)

Esta oposição cria tendências extravagantes, especialmente com relação ao dinheiro alheio.

Os nativos parecem sociáveis e amigáveis, mas, via de regra, esta atitude só serve aos seus próprios interesses — geralmente suas cruzadas sagradas se destinam a favorecer seu próprio bem-estar material, seu senso de importância, ou ambos.

Eles são determinados e agressivos na defesa de seus pontos de vista religiosos e filosóficos, geralmente hostilizando os outros. Às vezes, esta dedicação se destina a proporcionar uma manifestação socialmente aceitável para sua agressividade, que geralmente os faz tentar grandes realizações sem os recursos necessários para o sucesso.

Este é o aspecto do soldado da sorte. A inquietação e o desejo de viagens e aventuras são característicos; em casos extremos, indica avareza e desonestidade.

O aspecto não favorece especulações, e os parceiros ou sócios deveriam ser escolhidos com cuidado. Os nativos tendem a se vangloriar e exagerar sua própria importância; com freqüência adquirem a reputação de esbanjadores e irresponsáveis.

Em geral, falta-lhes firmeza de propósitos, esforços contínuos e bem planejados.

Marte em oposição a Saturno (♂ ☍ ♄)

Esta oposição pode criar uma natureza ressentida e opressiva. Com freqüência existe frustração e necessidade de demonstrar bravura pessoal ou superioridade através de ações violentas, agressivas, que na verdade são um disfarce para o medo de inadequação. As tentativas do nativo de assumir a ação, indicada pela regência de Marte na Primeira Casa, são frustradas pelos outros, como indica a exaltação de Saturno em Libra, o signo da Sétima Casa.

As ambições profissionais dos nativos são refreadas pela má sorte ou por pessoas que ocupam posições de autoridade; seu relacionamento com os pais, especialmente com o pai, provavelmente não será bom porque o pai é repressivo.

Como Marte está exaltado em Capricórnio, que é regido por Saturno, os nativos podem buscar *status* por caminhos indesejáveis ou destrutivos, e no processo encontrar obstáculos e oposições; ou podem se tornar vítimas desse tipo de comportamento de outras pessoas.

Pode haver problemas com finanças conjuntas e recursos corporativos, que resultam em relacionamentos tensos. Geralmente os nativos têm atitudes antipáticas e se recusam a se desviar de seu caminho para ajudar outras pessoas; pela mesma razão, os outros não irão ajudá-los.

Em casos extremos, podem se manifestar a crueldade ou tendências criminosas; também são possíveis envolvimentos militares.

Marte em oposição a Urano (♂ ☍ ♅)

Os nativos com esta oposição tendem a explosões de energia que podem se manifestar em discussões; mau gênio e irritabilidade são comuns. Estas pessoas são avessas a qualquer tipo de rotina e disciplina. Seus esforços são temporários; contudo, quando realmente trabalham, podem se esgotar; a falta de moderação é o principal vício desta oposição.

Há também o perigo de morte violenta devido à dupla conotação de Escorpião, que se origina da regência de Marte e da exaltação de Urano em Escorpião. Em situações de guerra, este aspecto, quando ativado por trânsitos de progressões, pode indicar violência dos outros ou dos nativos.

A teimosia e o desejo de liberdade pessoal a qualquer custo tornam difícil o relacionamento com estes nativos. Eles não podem ser guiados contra sua vontade. As lições precisam ser aprendidas através de duras exigências; os jovens com este aspecto podem ser imprudentes e se envolver em atividades revolucionárias, especialmente quando outros fatores no horóscopo confirmarem essa tendência.

As aspirações dos nativos os conduzem a situações perigosas e instáveis; eles podem transformar amigos em inimigos graças a ações impensadas; são pessoas de difícil relacionamento, porque desejam que as coisas sejam feitas à sua maneira em qualquer circunstância.

Podem ocorrer mudanças súbitas, drásticas, em suas vidas. Seu desejo é eliminar o *status quo*, sem um planejamento adequado do que fazer em seguida. Essa conduta imprevisível exaspera aqueles que precisam lidar com eles.

Os nativos tendem a confundir seus desejos com sua vontade; há perigo através da eletricidade e de mecanismos.

Marte em oposição a Netuno (♂ ☍ ♆)

Esta oposição indica um desejo sutil e difícil de controlar. A tendência de Marte à agressividade e à violência atua através do inconsciente, de tal maneira que os nativos nem sempre estão conscientes de suas motivações.

O perigo desta oposição é de caráter emocional. A não ser que planetas de natureza mais intelectual, como Mercúrio, Urano ou Saturno, formem aspectos favoráveis com Marte ou Netuno, os desejos inconscientes e as ações dos nativos não são examinados pelo raciocínio consciente; gerando situações deturpadas nas vidas dos nativos.

Às vezes, eles agem em segredo; em casos extremos, são mentirosos ou sorrateiros. Essa conduta pode não ser deliberada, mas uma reação automática, pois Netuno rege o inconsciente e a Décima Casa, da auto-anulação.

Algumas vezes, desejos sexuais ou ligações anormais ou mórbidas afetam o lar e a reputação profissional dos nativos. Com freqüência, eles procuram uma satisfação emocional incomum, o que interfere com as necessidades práticas da vida. Eles deveriam se afastar das drogas e do álcool, que podem levar ao envolvimento com esferas astrais inferiores.

Nos horóscopos das chamadas pessoas de bem e respeitáveis, esta oposição pode provocar diversas formas de neuroses, resultantes de desejos reprimidos.

Pode haver doenças psicossomáticas ou outros problemas físicos e mentais difíceis de diagnosticar. Se outros fatores a confirmarem, esta oposição, devido à sua conotação de Oitava, Quarta e Décima Segunda Casas, pode provocar uma morte peculiar e misteriosa.

Os nativos que têm tendência à religiosidade e à espiritualidade serão emocionalmente religiosos e irrealistamente visionários; com freqüência, esse fervor possui uma motivação inconsciente: o desejo de ser especial de alguma forma.

Há o perigo de associações com pessoas desonestas e que se aproveitam da bondade do nativo.

Netuno é o calcanhar-de-aquiles do Zodíaco. Nesta configuração, como em outras tensões de Netuno, os nativos, via de regra, são perfeitamente racionais, a não ser nas áreas pelo signo e pela casa ocupados e regidos por Netuno e os planetas que formam aspectos tensos com ele, neste caso, Marte. Isso ocorre porque o setor tensionado por Netuno está sujeito à influência da mente inconsciente, sobre a qual os nativos não têm controle. Nas tensões entre Marte e Netuno, isto é particularmente perigoso, porque a tendência de Marte é agir irracionalmente.

Marte em oposição a Plutão (♂ ☍ ♇)

O efeito desta oposição geralmente é criar um conflito entre os desejos e ações do nativo, representados por Marte, e sua vontade espiritual, representada por Plutão.

Marte, Urano e Plutão são os planetas que mais têm a ver com a ação e mudanças fundamentais. As ações originadas de Marte geralmente se baseiam no desejo pessoal, enquanto as ações baseadas em Urano e Plutão são o resultado de forças universais, tendências evolucionárias e da consciência mais elevada e da vontade espiritual dos nativos.

Em pessoas muito evoluídas esta oposição pode indicar um teste no seu caminho evolucionário, que irá determinar se o desejo pessoal ou a vontade espiritual é o fator mais forte com base em considerações sobre o bem-estar universal.

A tentação deste aspecto é utilizar o poder coletivo, representado por Plutão, para exaltação pessoal, egoísta, representada por Marte. Em casos extremos, isso pode produzir uma pessoa diabólica, de extrema violência. Os nativos precisam aprender a usar o poder corretamente, porque suas ações terão conseqüências abrangentes para si mesmos e para os outros.

Em tempo de guerra, o nativo provavelmente se envolverá no combate físico direto, com o conseqüente perigo de violência e morte; mas a violência ou a morte podem vir através de outros aspectos da guerra, ou através de revoluções, crimes ou catástrofes naturais.

Os nativos com esta oposição podem ser perpetradores ou vítimas da violência; há também a tendência a desejar governar e transformar os outros. Isso naturalmente provoca ressentimentos e conflitos; em casos extremos, pode haver roubo e violência.

Oposições de Júpiter

Júpiter em oposição a Saturno (♃ ☍ ♄)

Esta oposição geralmente cria problemas nos relacionamentos, afetando o casamento, assuntos domésticos, amizades, religião e associações de grupo. Via de regra, os nativos precisam assumir pesadas responsabilidades e sua posição na comunidade irá depender da eficiência com que lidam com elas.

Algumas vezes, estão sob pressão para realizar tarefas para as quais não têm tempo, treinamento ou recursos suficientes; podem ocorrer problemas financeiros e profissionais decorrentes de mau planejamento e falta de senso de oportunidade.

Não tendo imaginação, a não ser que outros fatores no horóscopo a ofereçam, eles são muito rígidos e conservadores e podem levar uma vida monótona. Suas ambições não se realizam facilmente, devido a inabilidade, má sorte ou falta de oportunidade.

Raramente são felizes no trabalho, e o realizam apenas por necessidade ou senso de dever. Algumas vezes, são obrigados a aceitar as rotinas de uma ampla organização na qual ocupam postos inferiores. Para terem sucesso nessa operação, precisam sacrificar seus ideais individuais a exigências impessoais. Do contrário, terão de seguir sozinhos e serão forçados a competir com organizações que possuem mais dinheiro e influência do que eles. Assim, a estrutura da sociedade impõe aos nativos o conformismo ou o sofrimento.

Algumas vezes, eles internalizam os padrões sociais estabelecidos e tornam-se seus representantes; provavelmente são rígidos, tradicionais e, às vezes, hipócritas em sua filosofia religiosa.

Eles podem encontrar dificuldades para adquirir educação superior, ou estar em desacordo com as instituições educacionais a que pertencem. Em muitos casos, precisam suportar uma vida de privações e esforços para atingir até mesmo objetivos moderados; não são otimistas e ficam facilmente deprimidos; os pais podem ser intolerantes e opressivos.

Problemas legais e envolvimentos em ações judiciais são prováveis com esta oposição; podem também ocorrer problemas em países estrangeiros e em viagens de longa distância.

Júpiter em oposição a Urano (♃ ☍ ♅)

Esta oposição significa inquietação e tentativas insensatas de desenvolvimento financeiro, religioso e social. Com freqüência, este desenvolvimento envolve enormes gastos de dinheiro e recursos que pertencem aos nativos e seus amigos. Esses projetos podem encontrar dificuldades imprevistas, conduzindo à ruína financeira dos nativos e daqueles que investem em seus empreendimentos. Para que esta seja uma ameaça séria, outros fatores no horóscopo devem confirmá-la.

Por exemplo, se Júpiter estiver em oposição a Urano e formar quadratura com Marte, o efeito será desastroso. Os nativos podem ser excessivamente otimistas ou confiantes, tornando-se presas fáceis daqueles que os procuram com projetos grandiosos de enriquecimento muito rápido.

Esta oposição, embora altamente idealista e bem-intencionada, pode ser um dos aspectos mais perigosos. Indica vôos descontrolados de imaginação, sem base real.

Também atrai envolvimentos em cultos e práticas religiosas não convencionais. A conversão a essas crenças e organizações pode dar aos nativos uma reputação de excêntricos e provocar problemas com os amigos e em seus relacionamentos pessoais.

Com freqüência, os nativos estão em conflito com as opiniões legais, religiosas, educacionais e filosóficas tradicionais, mantendo obstinadamente suas próprias opiniões, contrárias ao senso comum.

Este aspecto provavelmente produz o desejo de viajar; os nativos podem inesperadamente partir em viagens de aventura, capazes de trazer desgraças e perdas financeiras.

Eles podem ser indelicados e pouco diplomáticos com amigos e associações, e, assim, provocar desarmonia e impopularidade.

A imagem que caracteriza este aspecto é o da bolha de sabão que estoura ao menor sopro. Os nativos geralmente prometem muito mais do que podem realizar; também podem se envolver em esquemas irrealistas ou desonestos propostos por outras pessoas.

Júpiter em oposição a Netuno (♃ ☍ ♆)

Os nativos não são premeditadamente desonestos, mas são distraídos e fazem promessas que são incapazes de cumprir. Em resumo, são irresponsáveis e pouco práticos, a não ser que outros fatores no horóscopo indiquem o contrário. Mesmo assim, provavelmente haverá algum ponto frágil em seu caráter, relacionado aos signos e casas ocupados e regidos por Júpiter e Netuno. Em casos extremos, existem delírios de grandeza com implicações religiosas.

A maneira como esta oposição será sentida irá depender da força de Mercúrio e de Saturno no horóscopo. Geralmente, os nativos tendem ao misticismo religioso, mas suas crenças provavelmente são distorcidas. Seu idealismo espiritual raramente beneficia a humanidade. Eles podem ser generosos e bondosos, mas geralmente não têm discernimento.

Algumas vezes, o aspecto cria um sentimentalismo piegas e emoções exageradas que são um aborrecimento e embaraço para os outros.

As inclinações religiosas tendem ao cultismo e à adoração de supostos mestres, ou de alguma personalidade idealizada. Isso provavelmente é um mecanismo do ego para conferir indiretamente uma importância e distinção espiritual aos nativos, que podem se imaginar mensageiros especiais do "alto".

Com freqüência, existem sonhos exóticos sobre viagens a lugares distantes, um aspecto que caracteriza as peregrinações religiosas. Há perigo de intoxicação por gases, drogas ou álcool.

A falta de senso prático nem sempre é favorável para envolvimentos financeiros ou comerciais.

Júpiter em oposição a Plutão (♃ ☍ ♇)

Os nativos com esta oposição geralmente tentam converter os outros a suas opiniões religiosas e filosóficas. Sentem que é sua responsabilidade a transformação espiritual dos outros; mas esses talvez não concordem com seus dogmas, provavelmente surgirão conflitos.

Em alguns casos, o desejo de grande riqueza ou poder faz com que os nativos se sintam tentados a utilizar meios desonestos para atingir seus objetivos. A ambição se manifestará de maneira material ou espiritual. Assim, o desejo da importância dificulta relacionamentos harmoniosos com os outros.

Atitudes autocráticas e falta de humildade podem provocar impopularidade; se levadas a extremos, resultarão na queda final dos nativos.

Oposições de Saturno

Saturno em oposição a Urano (♄ ☍ ♅)

Esta oposição torna os nativos propensos a atitudes autoritárias e contraditórias. Eles raramente praticam aquilo que pregam. Sua filosofia é idealista, mas seus atos são opressivos. Embora desejem liberdade para si mesmos, geralmente não querem concedê-la aos outros. Naturalmente, terão poucos amigos. (Esta oposição aparece no horóscopo da antiga União Soviética.)

Se os nativos ocuparem posições de autoridade, seus subordinados irão se ressentir e se revoltar; se estiverem em posições inferiores, serão vítimas dos caprichos de seus superiores.

Os nativos têm pouca estabilidade ou segurança em suas vidas, porque circunstâncias sobre as quais não têm controle podem inesperadamente privá-los de qualquer coisa de que precisem para obtê-las.

Não são humildes, mas não admitem a irracionalidade e a inconsistência de suas atitudes e ações. A despeito da grande capacidade de trabalho, geralmente falta-lhes bom senso e um bom planejamento, assim como paciência e capacidade de surpreender esforços disciplinados e contínuos. Um estado de espírito irritado caracteriza seu temperamento.

Saturno em oposição a Netuno (♄ ☍ ♆)

Esta oposição pode tornar os nativos desconfiados, mórbidos e mal-humorados. Eles estão sujeitos a temores irracionais, que se originam da mente inconsciente e de lembranças do passado e influenciam suas atitudes com relação aos outros; sua ansiedade e sua reserva também tornam as pessoas desconfiadas.

As virtudes da franqueza e da honestidade deveriam ser cultivadas, pois um conflito que é abertamente discutido geralmente pode ser resolvido. Em casos extremos, os nativos são dissimulados e mentirosos, ou vítimas de pessoas com essas características.

Algumas vezes, utilizam meios desleais para realizar ambições mundanas; ou podem ser vítimas de intrigas capazes de afetar sua reputação. Dessas condições, podem resultar escândalos públicos.

Pode haver complexo de mártir ou de perseguição; algumas vezes, os nativos precisam ser internados; os problemas psicológicos tendem a ser profundos e difíceis de diagnosticar e curar.

Saturno em oposição a Plutão (♄ ☍ ♇)

Esta oposição indica sérios problemas cármicos. Os nativos podem ser os perpetradores ou vítimas de opressão, crueldade e maus-tratos, geralmente devido à sua ligação pessoal com condições adversas do destino coletivo, que frustram suas ambições e ameaçam sua segurança.

Saturno, como o ceifeiro implacável, trará infelicidade às suas vidas. Os indivíduos criados em favelas, pouco privilegiados, tratados com crueldade ou envolvidos em guerras, ou que são injustamente presos, provavelmente têm esta oposição. Entretanto, seus efeitos não serão fortemente notados a não ser que a oposição atravesse casas angulares e Saturno e Plutão estejam tensionados por outros planetas.

Algumas vezes, a morte dos nativos é de alguma maneira predestinada. Os nativos são frustrados em sua auto-expressão e desenvolvimento criativo. Esta oposição exige a regeneração mediante trabalho árduo e disciplina.

Oposições de Urano

Urano em oposição a Netuno (♅ ☍ ♆)

Esta oposição, que é de longa duração, indica uma geração que vive uma época de agitação social. O destino os força a tomar partido em amplas controvérsias religiosas, sociais e políticas, e em causas partidárias.

A pessoa comum irá reagir à oposição de maneira automática, geralmente de acordo com as tendências sociais prevalecentes e com os padrões de seus semelhantes.

Se a oposição for angular e fortemente aspectada por outros planetas, pode estar evidente a sensibilidade consciente, intuitiva.

Esses nativos precisam tomar cuidado com a maneira como usam suas aptidões psíquicas, especialmente se houver outras tensões formadas com Netuno ou Plutão no horóscopo. Experiências destrutivas no plano astral podem ter resultados prejudiciais.

Em horóscopos tensos, esta oposição pode contribuir para tendências neuróticas, escapismo através do álcool ou de envolvimentos sexuais. Podem ocorrer atitudes extremistas, rígidas, irracionais, e, em alguns casos, fanatismo.

As emoções podem estar em desacordo com a vontade e a mente intuitiva. Com certeza, problemas psíquicos são manifestados nesta oposição.

Urano em oposição a Plutão (♅ ☍ ♇)

Esta oposição indica uma geração que precisa viver períodos de convulsões políticas e sociais. O destino desses nativos é cercado de mudanças drásticas — guerra, revolução e violência.

O fanatismo provavelmente se manifesta de muitas maneiras, geralmente assumindo a forma de doutrinas políticas e sociais radicais. Os nativos são propensos a interesses ocultos que podem ser perigosos, a não ser que adequadamente orientados. Aqueles que são fortemente afetados pelas tendências extremistas da oposição deveriam controlar seu temperamento explosivo e evitar ações radicais, capazes de provocar violência e perigo.

Algumas vezes, as vidas dos nativos são destruídas por falência econômica, revolução, guerra, revolução industrial e transtornos temporários de trabalho originados dessas mudanças.

O efeito desta oposição não será óbvio, a não ser que Urano e Plutão sejam angulares e estejam fortemente aspectados. O indivíduo comum irá reagir de maneira automática e inconsciente, de acordo com o destino dos tempos. Esse destino irá afetar os nativos através dos signos e casas que Urano e Plutão ocupam e regem.

Oposições de Netuno

Netuno em oposição a Plutão (♆ ☍ ♇)

Esta oposição, que surge nos mapas de toda uma geração, é visível em seu efeito individual somente se for angular e fortemente aspectada, caso em que o indivíduo será bastante diferente de seus companheiros.

Este aspecto com freqüência indica tendências psíquicas ou ocultas que podem resultar em sutil tensão emocional e mental.

O conflito entre as emoções e a vontade pode provocar tensão entre os desejos inconscientes e a ânsia de poder. A forma como esta tensão irá se externalizar depende dos signos e casas que Netuno e Plutão ocupam e regem.

Esta oposição provavelmente provoca envolvimentos em conflitos raciais, religiosos, sociais ou de diversos tipos.

GLOSSÁRIO

Ascendente — O ponto em que o horizonte oriental cruza a eclíptica. A Primeira Casa ou signo ascendente.

Aspecto — O ângulo formado entre duas linhas imaginárias que ligam dois pontos ou corpos celestes com a Terra.

Conjunção — Um alinhamento direto ou quase direto de dois planetas, na forma como são observados da Terra.

Cúspide — A linha divisória entre duas casas. As cúspides normalmente são demarcadas pela linha entre uma casa e a casa anterior. Assim, a cúspide da Sétima Casa é a linha entre a Sexta e a Sétima Casas.

Descendente — O ponto onde o horizonte ocidental cruza a eclíptica. Ele também é a cúspide entre a Sexta e a Sétima Casas.

Eclíptica — O plano da órbita terrestre ao redor do Sol que se estende no espaço para encontrar a esfera celestial. Da Terra, a eclíptica parece ser o caminho que o Sol percorre ao redor da Terra no período de um ano.

Horóscopo — Um mapa ou carta da posição dos planetas no firmamento no local e na hora exatos do nascimento. O mapa abrange todo o céu, um círculo completo de 360°. Também chamado de carta ou mapa natal.

Casa — Uma das doze divisões do ciclo de rotação diário da Terra. Cada casa representa um período aproximado de duas horas, durante o qual um duodécimo do Zodíaco parece atravessar o horizonte. As casas são numeradas pela ordem, a partir da Primeira até a Décima Segunda. Cada casa governa um setor diferente das questões práticas da vida e está associada a um signo específico do Zodíaco.

Meridiano — Um grande círculo na esfera celestial que atravessa os pontos norte e sul do horizonte e do zênite, que se encontra diretamente acima do observador.

Meio do Céu — (também escrito M.C., do latim *medium coeli*). O ponto em que o meridiano cruza a eclíptica.

Nadir — O ponto na eclíptica diretamente oposto ao Meio do Céu, com o observador olhando para baixo. Também chamado de cúspide da Quarta Casa.

Nódulo — Cada um dos dois pontos onde a órbita de um planeta cruza a eclíptica: uma vez, quando o planeta se movimenta para o norte, cruzando a eclíptica, e novamente, quando volta para o sul. Na astrologia, os Nódulos da Lua são especialmente significativos.

Oposição — Um aspecto que representa um relacionamento angular de 180° entre dois planetas. Os planetas em oposição geralmente ocupam aproximadamente o mesmo número de graus em dois signos diretamente opostos no Zodíaco.

Quadruplicidade — Um dos três grupos fixos de signos, cada um contendo quatro signos. As três quadruplicidades se relacionam a três características — cardinais, fixas e mutáveis — e se referem a tipos básicos de atividades.

Sextil — O aspecto que representa um relacionamento angular de 60°, ou a sexta parte de um círculo. Os planetas que formam sextil estão afastados dois signos e ocupam aproximadamente o mesmo número de graus nesses signos, com uma diferença de mais ou menos 6°.

Quadratura — O aspecto que representa um relacionamento angular de 90°. Os planetas que formam quadratura geralmente ocupam o mesmo número de graus em signos que estão separados por três signos intermediários.

Signos solares — Os doze tradicionais signos do Zodíaco. São eles: Áries (Carneiro), Touro (Touro), Gêmeos (Gêmeos), Câncer (Caranguejo), Leão (Leão), Virgem (Virgem), Libra (Balança), Escorpião (Escorpião), Sagitário (Centauro), Capricórnio (Bode), Aquário (Aquário) e Peixes (Peixes).

Trígono — O aspecto que representa uma relação angular de 120° (ou um terço de círculo) entre dois planetas. Os planetas em trígonos geralmente ocupam o mesmo número de graus em signos que estão separados por quatro signos intermediários.

Triplicidade — Um dos quatro grupos fixos de signos, cada um contendo três planetas. As quatro triplicidades se relacionam aos quatro elementos, terra, ar, fogo e água. Referem-se às tendências de temperamento.

Equinócio da primavera — A intersecção entre o plano da eclíptica e o equador celestial. Essa intersecção ocorre uma vez por ano, quando o Sol cruza o equador celeste do sul para o norte.

Zênite — O ponto da esfera celestial diretamente acima do observador.

Zodíaco — A faixa de céu de 180° que tem a eclíptica com uma linha central. Ele se compõe de doze partes, cada uma com 30°, que representam os doze signos do Zodíaco.

Grupo Summus
www.gruposummus.com.br
www.gruposummus.com.br
Acesse, conheça o nosso catálogo e cadastre-se para receber informações sobre os lançamentos.

www.gruposummus.com.br